Jogo das Sombras: Um Romance

Lila L. Flood

Published by Jensen Cox, 2023.

JOGO DAS SOMBRAS: UM ROMANCE

First edition. August 14, 2023.

Copyright © 2023 Lila L. Flood.

Written by Lila L. Flood.

Also by Lila L. Flood

Sumário

Nova York, véspera de Ano Novo 1988/89

O Ano Novo tinha cinco minutos e os fogos de artifício coloridos disparavam no céu sobre Nova York quando Andreas Bredow sentiu uma dor aguda no peito esquerdo e lutou para respirar por alguns segundos. O suor brotou por todo o corpo. Então acabou, tão repentinamente quanto veio, mas assim que ele respirou fundo e se recostou na cadeira, a dor recomeçou, uma dor espasmódica e horrível que fechou sua garganta e o fez tremer braços e pernas caçados. . Ele pressionou as duas mãos contra o peito, dobrou-se.

Um ataque cardíaco. Só pode ser um ataque cardíaco.

Durante anos, ele teve medo de que algo assim pudesse acontecer com ele. Ele corria o risco de um ataque cardíaco, seu médico havia lhe dito isso várias vezes. Pílulas para o coração e suplementos circulatórios complementavam todas as suas refeições. Andreas extraía certa confiança do fato de que sempre haveria pessoas suficientes ao seu redor para ajudá-lo. Motorista, mordomo, faxineira, secretária e camareira. E David, que também dormia no apartamento à noite.

Na verdade, Andreas Bredow quase não ficou sozinho por um minuto nos últimos anos, porque onde um homem de 61 anos completamente cego deveria ir sozinho? Alguém sempre pegou sua mão, sempre ficou atrás dele. Tudo o que ele tinha que fazer era gritar ou tocar e meia dúzia de espíritos ministradores viriam correndo. Sempre. Só não naquela noite. Na véspera de Ano Novo de 1988/89, Andreas Bredow, um dos homens mais ricos da Costa Leste dos Estados Unidos, estava completamente sozinho em seu elegante apartamento no alto da Quinta Avenida.

De repente, ele teve que vomitar. Isso lhe deu um alívio momentâneo para pensar com clareza: tudo o que ele precisava fazer era pegar o telefone e apertar 1, e ele estava conectado ao porteiro no saguão. O porteiro sabia o número do médico e tinha as chaves de segurança da cobertura. ele iria dr. Então, podemos levar Harper para cima também, vinte andares acima. Sim, o porteiro. Ele só precisava do porteiro.

A sala, o escritório de Andreas com vista para todo o Central Park, foi montada de forma que todos os móveis estivessem alinhados ao longo das paredes e não houvesse nada no meio da sala. Andreas foi, portanto, capaz de se mover rapidamente e sem tropeçar.

Tudo parecia girar em torno dele agora. Ele rastejou pelo tapete de joelhos, um persa, velho e muito precioso. A dor era quase insuportável. Em algum lugar no meio da sala ele desabou, curvado como um feto, sentindo as lágrimas brotarem nos olhos, agarrando o pescoço, puxando a gravata para baixo.

Estou morrendo. Estou morrendo. Estou morrendo.

O medo da morte o levou a rastejar. Até a mesa... era onde estava o telefone... quando ele alcançou o telefone... Os foguetes de Ano Novo estalaram e rugiram lá fora. Parecia-lhe que as imagens das primeiras noites de Ano-Novo estavam profundamente gravadas em sua memória e que ele podia ver os flashes vermelhos, as estrelas verdes, os fogos dourados no céu negro. Ofegante, meio inconsciente de dor, ele tateou a borda da mesa e se ergueu por ela. Sua mão agarrou o telefone e congelou.

O telefone não estava em seu lugar!

Claro, ele imediatamente acreditou que estava errado. Ele estava do lado errado da mesa. Tontura e falta de ar o confundiram. Ele não sabia mais o que era para cima e o que era para baixo, qual era a direita e a esquerda.

Jesus, se ao menos a dor parasse! Ele poderia ter enfiado a mão no coração, apertado com as duas mãos, aberto espaço e espaço para que batesse livremente novamente. Ajoelhando-se em frente à escrivaninha, ele tentou novamente, deixando sua mão trêmula tocar a superfície de escrita. O ditafone... a fotografia emoldurada de seus pais... a tigela de lápis... mas o telefone tinha que estar aqui! Ele soluçou e tentou reconstruir o interior: atrás dele estava a área de estar, depois na frente dele estava a janela, depois à direita estava a lâmpada, depois à esquerda, caramba, estava o telefone!

Depois de vomitar uma segunda vez, ele deslizou para o chão. Sua bochecha descansava em sua mão, e o pesado anel de ouro que herdara de seu pai cortava sua pele.

O anel de repente evocou uma memória nele. Embora os eventos tivessem acontecido há quase meio século, as imagens eram tão nítidas e claras como se tivessem sido tiradas ontem.

Berlim, 1940. Ele tinha treze anos naquele verão de guerra, um verão quente, como ele se lembrava, e uma época em que a vitória final ainda era falada alegremente em todos os lugares e as tropas alemãs podiam relatar sucessos inebriantes em todas as frentes. Andreas frequentemente se sentava em frente ao rádio, o receptor do povo, e ouvia a voz aguda de Joseph Goebbels com a qual ele propagava o domínio dos alemães em todo o mundo. Andreas não gostava de Goebbels, nem Adolf Hitler. Claro, ele nunca disse isso em voz alta, especialmente porque não conseguia dizer exatamente no que se baseava sua antipatia. Afinal, o partido organizou grandes coisas, principalmente para a juventude. Andreas estava no grupo de jovens e havia caminhadas e acampamentos, fogueiras, jogos emocionantes, camaradagem e bravura todo fim de semana. Em suma, coisas maravilhosas para um menino de treze anos, mas havia mais do que apenas diversão e jogos, e isso muitas vezes enchia Andreas de um leve temor. Ele era uma criança inteligente e muito sensível, e sentiu um perigo intangível e indizível. Naquele verão, mais precisamente, no dia 25 de maio, duas coisas aconteceram: Um assunto dizia respeito a Christine, a companheira de brincadeiras de Andreas, ela era a melhor amiga de Andreas, camarada, confidente, cúmplice de todos os segredos de sua alma. Eles haviam brincado de índios juntos e de rei e princesa, mas agora eles costumavam apenas sentar juntos e conversar por horas, especialmente quando Andreas estava melancólico e triste, quando ninguém o entendia, exceto Christine. Ela era a mais forte das duas, mas naquele dia ela apareceu com lágrimas nos olhos e as tranças desfeitas. "Você prendeu meu pai, Andreas! Prenderam meu pai!

"Quem?"

— A Gestapo. Muito cedo hoje. Eles destruíram toda a nossa casa e depois o arrastaram para longe. Andreas, o que devo fazer?

"Por que eles o prenderam, Christine?"

Christine começou a soluçar novamente. "Porque ele é contra Adolf Hitler. Ele diz que Hitler é um criminoso que traz infortúnio para todos nós. E alguém o denunciou por causa disso... Andreas, estou com tanto medo.

Ele colocou o braço em volta dela. "Estou com você, Christine. Não tenha medo. Mas ele não podia ajudá-la, ele sabia disso. Ninguém podia fazer nada contra a Gestapo. Ela era onipotente. Havia rumores de câmaras de tortura, prisões terríveis, campos, de pessoas que nunca mais voltaram. Ele disse: "Talvez você apenas o questione brevemente e depois o deixe ir." Mas ele mesmo não acreditou. E nem Cristina. Com um olhar de desolação comovente em seus olhos, ela disse que estava convencida de que seu pai nunca mais voltaria. Então ela se esgueirou para casa porque tinha que cuidar de sua mãe, que estava sentada em seu apartamento, congelada, incapaz de acreditar no que havia acontecido.

Como descobri mais tarde, o pai de Christine não voltou; sua trilha foi rastreada até um dos notórios campos de extermínio e se perdeu lá. E parecia uma estranha jogada do destino que Andreas descobrisse no mesmo dia que seu pai havia morrido na França.

Tia Gudrun contou a ele quando ele voltou para casa à noite. Ela fez isso à sua maneira insensível e desajeitada. Primeiro ela ficou por muito tempo, esquivou-se e falou algo sobre bravura e heroísmo alemão (tia Gudrun era uma boa patriota!), e quando Andreas já estava completamente perturbado e nada além de terríveis suspeitas, ela disse abruptamente: 'Sim, bem , houve um telegrama hoje. Seu pai caiu, Andreas. Não há mais nada que possa ser feito. Então ela voltou para o fogão e teimosamente mexeu uma panela grande, incapaz até mesmo de olhar para a criança pálida e assustada que estava atordoada atrás dela, muito menos segurá-la em seus braços, pegá-la ou pelo menos acariciar seus cabelos.

Tudo o que Andreas conseguia pensar naqueles minutos era: agora não tenho mais ninguém. Ninguém no mundo.

A mãe de Andreas havia morrido ao dar à luz a ele, e seu pai, o tenente-coronel Bredow, estava completamente arrasado com a situação de ter que cuidar sozinho de um bebê. Ele era um oficial da velha raça prussiana, sério, correto e consciencioso, sempre um pouco rígido e inacessível. Por dentro, ele sentia orgulho e amor por seu filho, mas se viu completamente incapaz de transmitir isso à criança. Ele encontrou uma enfermeira, pagou-lhe generosamente, retirou-se com alívio e deixou-a fazer o que ela queria fazer relativamente sem supervisão.

Claro que não parou em um; Supervisores desse tipo tendem a mudar com frequência por vários motivos e, quando Andreas tinha oito anos, ele já tinha sete "senhoras" ao seu redor e raramente via o pai. Ele adorava e admirava esse homem, que sempre usava um uniforme tão bonito e sempre parecia digno e calmo, e muitas vezes chorava até dormir à noite porque pensava que seu pai viria hoje para lhe dar boa noite, mas ele estava mais uma vez não conseguiu aparecer.

Só uma das enfermeiras gostou muito do Andreas, e ela ficou só seis meses, depois se casou e saiu de Berlim. Todos os outros tiveram algum tipo de erro. Um era seco e sem humor e sempre só intimidava a criança, outro sempre ria alto e falava tanto que dava dor de cabeça. Um o deixou completamente negligenciado e acabou demitido, outro roubou como um corvo. O último tinha um amigo que sempre ficava na casa dos Bredow quando o tenente-coronel não estava e que dizia a Andreas que o "mataria" se delatasse o pai. Andreas uma vez os viu fazendo amor no tapete da sala; ele reagiu em choque, teve pesadelos e parou de comer. Nem mesmo o tenente-coronel, quase sempre ausente, conseguiu esconder isso, e por fim livrou o filho do ocorrido. Foi o fim das babás e tia Gudrun entrou em cena.

Em todo caso, não era de se esperar que tia Gudrun se entregasse a qualquer atividade imoral. Ela era a irmã mais velha do tenente-coronel e uma típica solteirona. Ela odiava todos os homens, principalmente porque ninguém jamais se incomodou com ela, e era teimosa em compensar a mancha de seu celibato com diligência extra e habilidade indescritível. Ela se mudou para a casa do irmão com mala e bagagem, mas a partir de então nunca mais deixou de mostrar ao mundo inteiro a tremenda obra de caridade que estava fazendo. De agora em diante, a frase que Klein-Andreas mais ouviu foi: "Você não sabe o quanto pode ser grato a mim!"

Quando a guerra começou e o tenente-coronel teve que ir para o front, a solidão de Andreas aumentou ainda mais. Embora sua vida fosse repleta de escola, jovens e Christine, não havia mais nenhum adulto em quem pudesse confiar e amar, em quem pudesse se orientar. Tudo em que ele se agarrava era o pensamento: logo a guerra terminará e papai estará de volta!

Agora o pai estava morto. A cena daquela noite ficaria com ele pelo resto de sua vida. O céu azul pálido da noite além da janela, algumas nuvens iluminadas de vermelho, o cheiro de ensopado e suor lá dentro. Tia Gudrun sempre se esgotava completamente no trabalho. Andreas viu apenas suas costas largas, os braços grossos e vermelhos que se moviam quase com raiva. Sem olhar para ele, ela disse: "A questão é o que será de você agora!"

Ele nunca esqueceria a sensação de total impotência que se apoderou dele naquele momento.

Uma semana depois, um jovem soldado apareceu na casa dos Bredow. Ele presenciou os últimos minutos do tenente-coronel e relatou que os pensamentos do moribundo estavam com o filho.

- Ele estava preocupado com você. Ele me disse para cumprimentá-lo e dizer que o ama muito. E ele me deu isso para você. O soldado enfiou a mão no bolso do paletó e tirou algo. Era o anel de ouro que o pai sempre usava e que havia passado de pai para filho mais velho na família Bredow por gerações. 'É para você agora, ele disse. E você nunca deve esquecê-lo.

Nunca. Ele nunca o esqueceria.

Pouco tempo depois, tia Gudrun começou a reclamar cada vez mais que estava muito velha e cansada para criar um filho sozinha, que havia conquistado muito na vida e que era seu direito finalmente pensar em si mesma.

"Se eu soubesse o que eles fazem com você!" ela ficava dizendo a Andreas, que não tinha ideia do que responder.

Felizmente havia outro parente, um primo de tia Gudrun e do tenente-coronel. Rudolf Bredow emigrou para a América ainda muito jovem e fez fortuna lá em pouco tempo; inteligente e arriscado, ele agora administrava um império, a Bredow Industries, que incluía uma rede de hotéis, restaurantes, campos de petróleo do Texas e uma companhia aérea privada. Andreas nunca tinha visto o lendário tio Rudolf, mas sabia que ele era considerado uma ovelha negra, porque tanto lucro era desaprovado na família como vulgar. Claro, isso não impediu tia Gudrun de entrar em contato com o primo e importuná-lo por carta até que ele concordasse em levar o órfão com ele. Ele não tinha filhos, mas sua esposa Judith queria ter um há muito tempo e parecia uma solução sensata. Tia Gudrun estava muito animada. »Você tirou a sorte grande, Andreas, espero que perceba isso! No final, você herda tudo. Talvez então você pense em sua tia Gudrun! Você não tem ideia de como é grato a mim!"

Atordoado, Andreas testemunhou o desenrolar dos acontecimentos. Antes que ele percebesse, uma passagem no navio foi reservada para ele e suas malas foram feitas no corredor. Ele estava fora de si de dor por ter que deixar Christine, com quem ele se preocupava e teria preferido levá-la consigo a deixá-la na Alemanha de Hitler. A Gestapo voltou e interrogou ela e sua mãe. Quase parecia uma traição para Andreas atravessar o Atlântico.

Rudolf e Judith Bredow o receberam de braços abertos, e Judith em particular o amou com ternura desde o primeiro segundo. Tragicamente, esse amor chegou tarde demais para libertar Andreas de sua solidão e confusão, para compensar os sentimentos de abandono e frio que teve de suportar quando criança. Humores mal-humorados o dominavam cada vez com mais frequência. Ele tentou não demonstrar sua tristeza porque sabia que Judith estava sofrendo, mas era evidente em seus olhos. Às vezes pensava que seria melhor se Christine estivesse com ele, e então pensava nas tardes que passaram juntos, nos segredos que compartilharam, e a saudade e a tristeza o dominavam. Além disso, com o passar do tempo, cada vez pior se ouviu da Alemanha, as cidades foram bombardeadas, milhares morreram em ataques aéreos. Ele se perguntava com apreensão se Christine e a mãe ainda estavam em Berlim ou se haviam se refugiado no campo.

Para Andreas, Nova York significava entrar em um novo mundo, uma vida bem acima do Central Park, dias de férias em Martha's Vineyard ou no rancho do Texas, significava escola particular e depois estudos de economia e direito em Harvard, bons restaurantes e bailes, motorista, particular banheiro e aulas de tênis. Nos aniversários dele, ele podia convidar os amigos da escola, e todos ganhavam sorvete e bilhetes de loteria, e a própria Judith divertia toda a festa com jogos. Tudo o que ela tinha para dar em termos de sentimentos, ela deu ao filho do estranho. Andreas agradeceu-lhe com devoção e lealdade, e a única coisa que não lhe podia dar, e que ela tanto desejava, era a natural e despreocupada alegria de um menino em crescimento.

"Você é sério demais para a sua idade", ela costumava dizer. "O que te deixa tão triste?"

Ele apenas sorriu, mas poderia ter respondido: Minha tristeza me acompanhará enquanto eu viver.

Em seu aniversário de dezoito anos - era maio de 1945 e a Alemanha acabara de se render - Rudolf chamou o enteado ao escritório e entregou-lhe um envelope grosso. "Para você, Andreas", disse ele, "uma cópia do meu testamento. Fiz de você meu único herdeiro. Tudo o que me pertence, você terá um dia."

Tudo o que ele possuía eram milhões. Andreas queria dizer algo, mas Rudolf acenou com a mão. "Eu não faria isso se não soubesse que você poderia lidar com isso. Você provou sua sanidade e confiabilidade várias vezes. Tenho muita confiança em você, Andreas.«

"Você realmente acha que eu estou fazendo tudo isso?" perguntou Andreas em dúvida.

"Estou absolutamente convencido disso", respondeu Rudolf.

Andreas tinha 25 anos quando Judith morreu de tumor cerebral. Quatro anos depois, Rudolf morreu em um acidente de helicóptero. Ele ficou gravemente ferido em um hospital do Texas por mais um dia e, quando recuperou a consciência, pouco antes de morrer, viu Andreas, que viera direto de Nova York e agora estava sentado ao lado de sua cama. "Andreas, você deveria se casar", disse ele, "e ter filhos. Ficar sozinho não é bom."

Andreas se lembrou dessas palavras repetidas vezes nos anos seguintes, quando a solidão o feriu e ele cerrou os dentes em meio à depressão. Ele se jogou no trabalho, certificando-se de não ficar ocioso por um momento, mesmo nos fins de semana. Suas secretárias resmungavam com o estresse que ele causava. No verão de 1967, quando Andreas tinha apenas quarenta anos, sofreu um ataque cardíaco. 'Se for possível', disse seu médico enfaticamente, 'então, se possível, não um segundo, Sr. Bredow. Você é muito jovem para que sua bomba desista ainda."

Desde seu aniversário de dezoito anos, Andreas tentou repetidamente descobrir algo sobre o destino de sua namorada Christine. Sua consciência ainda o atormentava porque ele havia deixado a Alemanha sem ela. No outono de 1969, os detetives particulares que ele contratou na Europa puderam lhe dar boas notícias.

"Encontramos Christine. Seu pai morreu em 1940. Christine e sua mãe lutaram para sobreviver e não foram molestadas. Christine casou-se mais tarde com o comerciante italiano Giuseppe Bellino, com quem foi para Londres. Os dois tiveram um filho, David. Giuseppe Bellino morreu de pneumonia grave logo após o nascimento da criança. Christine e David foram deixados sozinhos. O menino tem nove anos hoje.

Andreas jamais esqueceria o momento em que enfrentou Christine e o pequeno David pela primeira vez. Que menino lindo era a criança! Esguio e pálido, cabelos escuros profundos - uma herança de seu pai italiano - olhos claros que pareciam um pouco pensativos e de repente bem acordados quando a palavra foi dirigida a ele. Ele se inclinou para ele. — Então você é David. Davi Belino."

Ele assentiu. Qualquer outra pessoa diria que David era sério demais para sua idade, mas Andreas não tinha experiência com crianças. Ele apenas viu o rosto jovem e intocado e teve a sensação de que finalmente havia encontrado uma pessoa a quem poderia dar tudo o que havia em termos de amor e ternura.

Andreas e Christine gostaram do reencontro; nenhum dos dois havia parado de viver no passado, e juntos eles poderiam reviver todas as memórias pelas quais vagaram sozinhos nos últimos anos. Andreas soube o quanto Christine havia sofrido com a morte de seu pai e depois de seu marido.

'Meu pai era tudo para mim', disse ela, 'eu o adorava e nunca vou superar o fato de que ele teve que morrer tão cedo neste campo terrível. Giuseppe era um pouco como ele. Eu o amava muito. Ele era vinte anos mais velho que eu e me deu calor e segurança. Achei que não aguentaria quando ele morreu de repente. Eu também não teria suportado se não fosse por David. David é tudo o que me resta. Amo tanto esta criança, Andreas, que mal posso lhe dizer o que sinto por ele. Eu quero que ele seja um homem como meu pai foi."

David ouviu com os olhos arregalados. Ele também estava lá quando, pouco antes de sua partida, Andreas convidou Christine para a sala de estar, empurrou-a para uma poltrona, sentou-se em frente a ela e pegou suas duas mãos. "Christine, eu pensei em algo. Eu apreciaria se você concordasse com meu plano e não o rejeitasse por falso orgulho. Você sabe que não tenho herdeiros. Quando eu morrer, alguém terá que assumir o império Bredow, e decidi que será David. Não, não me interrompa. eu amo seu filho. Veja bem, eu não tenho filho e ele não tem mais pai, então eu meio que o vejo como... meu filho. Ele é um menino adorável, inteligente e bonito. Para mim, ele representa o mundo como deveria ser depois que o horror acabar. Pessoas como ele podem nos salvar e todos os que virão depois de nós de experimentar o que experimentamos novamente. Ele deveria ter todas as oportunidades, sabe? Eu quero que ele tenha a melhor educação, eu pago por isso. Eu quero que ele seja um homem rico e poderoso cujas palavras você ouve e respeita. Cristina, eu desejo muito isso. Quero fazer parte dele e quero dar-lhe tudo, especialmente o cuidado que recebi tarde demais." Ele acrescentou baixinho: "Estaremos muito orgulhosos dele."

Ele falou Christine da alma. Eles sorriram um para o outro em silêncio, duas pessoas que permaneceram enraizadas nas imagens queridas de suas memórias e que escolheram uma criança para ser o centro de suas vidas.

Eles se dedicaram a esta criança com toda devoção e excesso de amor.

Andreas ainda estava caído no chão e lá fora os fogos de artifício explodiam e o anel de seu pai cortou sua bochecha. Por um momento, sentiu-se forte o suficiente para tentar novamente o telefone, mas seus dedos não encontraram mais nada. Desmoronando no tapete, ele pensou. Ele carregava o dispositivo como costumava fazer? Não, nunca o fez desde que perdeu a visão. Ele parou de mover o telefone porque precisava saber onde estava. Nenhuma secretária, nenhuma faxineira ousaria adiá-lo. Ele não resolveria esse caso misterioso novamente, ele sabia disso. Ele iria morrer.

Quando os jornalistas escreviam sobre ele, sempre invocavam sua vida de conto de fadas, a "realização do sonho americano". Quando perguntado sobre isso, ele sempre respondia: "Era o meu destino. Isso é tudo."

O pensamento do destino na vida humana passou por sua cabeça mesmo em seus últimos minutos. Foi só agora, em retrospectiva, que os eventos individuais foram ligados e se tornaram uma história, cujo fim ele estava apenas testemunhando. Um assassino havia atirado nele sete anos antes quando ele saía do Plaza; ele nem se referia a ele, mas a sua secretária, que havia trocado o atirador por outro homem. Ele havia mirado mal, Andreas caiu no chão e ficou caído em uma poça de sangue. Os médicos lutaram por sua vida por dias. Sua cabeça estava fortemente enfaixada e ele não podia ver, e quando eles removeram as bandagens ele ainda não podia ver. Eles o ensinaram o mais gentilmente possível que ele havia ficado cego. Se ele não fosse cego, agora poderia ver o telefone.

E o fato de estar sozinho naquela noite de réveillon não tinha nada a ver com a torta que David havia escolhido como seu grande amor. Uma jovem beldade do Bronx que ganhou uma reputação duvidosa por dançar nua em

The Hustler. Claro que Andreas não a tinha visto, mas ouviu sua voz, sentiu sua aura.

— Ela não ama você, David. Acredite em mim. Ela quer o seu dinheiro, ela quer a vida boa que ela pode ter ao seu lado. Ela está apenas usando você! Ele poderia muito bem estar pregando rock. Sua última tentativa deveria ter sido esta noite. Dispensou o pessoal, pediu um bufê frio de um restaurante, pôs o champanhe frio, pediu a David que colocasse um disco. Por um tempo, durante a refeição, eles apenas conversaram sobre assuntos triviais, então Andreas cautelosamente levou a conversa para Laura Hart. David mal o deixou terminar. Ele imediatamente explodiu: "Nem uma palavra contra você, Andreas! Nem uma única palavra!"

"David, se você pudesse entender que eu quero o que é melhor para você. Esta mulher não é para você. Você deveria perceber isso antes que seja tarde demais!'

"Você só a rejeita porque ela não tem dinheiro e a mãe dela morreu de tanto beber!"

"Isso não é verdade. Eu nem desgosto dela por tirar aquelas... fotos nuas, embora eu não goste desse tipo de coisa. Eu as rejeito porque sinto a desonestidade delas. Ela não te ama, David , mesmo que ela diga isso cem vezes por dia. Confie em mim. Nós, cegos, muitas vezes desenvolvemos a capacidade de perceber vibrações que permanecem ocultas aos que enxergam. É quase tangível para mim que ela está apenas fingindo ser o que sente por você. Andreas ficou em silêncio, esperando. Ele podia ouvir David se levantando, sentiu que ele estava com raiva. "Eu pensei que teríamos uma boa véspera de Ano Novo, Andreas. Mas se você quer discutir, faça isso sozinho. Eu vou vá para a casa de Laura.

"David! não vá embora. Vamos conversar! Vamos..."

A porta se fechou. Andreas ficou para trás sozinho.

E assim os fios do destino se entrelaçaram: uma criança que havia deixado a Alemanha com a alma doente e agora meio século depois, como um velho cego, morreria de ataque cardíaco sozinha em seu apartamento de luxo no Central Park - por nenhum outra razão além de que havia um maldito telefone fora do lugar.

Era quase uma hora da madrugada quando Andreas Bredow deu seu último suspiro – e David Bellino, um jovem inglês, tornou-se herdeiro de uma fortuna de milhões.

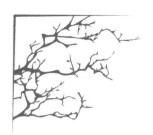

EU

Um livro

Nova York, novembro de 1989

Embora David tivesse tomado um comprimido para dormir como fazia todas as noites, ele acordou às três da manhã e se revirou inquieto. Por fim, Laura também acordou.

"O que foi? Não consegue dormir de novo?"

"Não. Mas não se preocupe comigo. Vou para o meu escritório."

"Você deveria consultar um médico, David. Dificilmente há uma noite em que você durma!"

"Eu estava no médico. Ele receitou essas pílulas para mim, mas elas não ajudam muito. Provavelmente preciso de algo mais forte. Mas não se preocupe." Ele empurrou as cobertas e se levantou, não podia ver o rosto de Laura no escuro, então não viu sua hostilidade.

Tenho certeza de que não estou preocupada, ela pensou.

Ele entrou em seu escritório, o antigo escritório de Andreas, que ele havia redecorado completamente após sua morte, quase um ano atrás. Apenas a escrivaninha perto da janela permaneceu. Nela havia uma fotografia emoldurada de Andreas.

Davi sentou-se. Ele estava cansado e com frio. As pílulas, que ele agora engolia em grandes quantidades, tiveram um efeito estranho sobre ele; Eles o deixaram com sono, mas não tiraram sua inquietação, ele poderia ter dormido por cem anos, mas ao mesmo tempo seu coração batia na garganta.

"Merda", ele murmurou, "pílulas... elas deixam você cada vez mais doente!"

Ele era um homem bonito, muito alto, de cabelos escuros, olhos estreitos e claros. As mulheres sempre notaram suas belas mãos e ombros largos primeiro. Ele era um homem que sabia de seu efeito sobre as mulheres e o usava ocasionalmente. Mas agora, agachado em sua mesa, com os olhos turvos, ele se sentia um tanto miserável. Seus dedos tremiam um pouco quando ele abriu uma gaveta e tirou a pistola que estava em cima de uma pilha de cartas embrulhadas. Ele acariciou o metal preto brilhante com cuidado. Um traço de calma retornou.

Ele não consegue dormir desde a morte de Andreas. Desde que ele voltou para o apartamento naquela manhã de Ano-Novo e o encontrou morto na frente de sua mesa, sua vida parecia ter saído dos trilhos. Tranquilizantes de repente se tornaram seus companheiros constantes, salvando-o nas horas de culpa e ansiedade que o atormentavam. Em que ele viu a cena final da véspera de Ano Novo repetidas vezes:

"Eu irei para Laura!" ele havia dito. Ao mesmo tempo, seus olhos pousaram na escrivaninha, no telefone. Andreas sabia o telefone de Laura; Na época, Laura morava em um pequeno apartamento sobre o Hudson, que David pagou por ela.

E você não vai me perturbar lá, pensou David, de novo não!

Andreas havia telefonado para Laura algumas vezes quando soube que David estava com ela. Houve algumas cenas desagradáveis. Naquela noite, David não queria ser incomodado.

O carpete engoliu seus passos enquanto ele caminhava até a mesa; além disso, o toca-discos ainda estava tocando. Um movimento do pulso e ele colocou o telefone longe da mesa e no carrinho de arquivo no canto. Não era impossível que Andreas o encontrasse lá, mas pelo menos ele teria que procurar por um tempo.

"David, não vá embora! Vamos conversar! Vamos..."

David saiu da sala e bateu a porta atrás de si. Lá fora, ele respirou fundo. Às vezes ele desejava que o velho fosse para o inferno. Por que as pessoas com mais de cinqüenta anos sempre achavam que podiam se intrometer em qualquer coisa que não fosse da sua conta sem serem solicitadas?

Ele se lembrava como se fosse ontem: ele voltou para casa em uma manhã calma, cheia de frio e neve. Ele mesmo havia dirigido o carro, recostado no assento. Ele se desculparia com Andreas por ter reagido de forma tão incontrolável, e então talvez pudessem conversar sobre o problema de Laura em paz. Possivelmente Andreas desistiu de seus preconceitos – preconceitos, David frequentemente pensava amargamente hoje. Cada vez mais ele chegava à conclusão de que Andreas estava certo. Mas então ele se convenceu de que Laura o amava. Ele gostava da maneira como ela ria, falava, gesticulava, bebia champanhe com uma expressão quase apaixonada no rosto, atravessava uma sala ou se debruçava na janela e derretia flocos de neve no rosto. Ele também gostou quando a expressão em seus olhos de repente mudou de felicidade para melancolia e uma consideração melancólica apareceu em suas feições. Ela nunca poderia negar a pálida e faminta garotinha do Bronx que ela havia sido, mesmo que usasse um terno Ungaro ou uma pele Fendi. Em sua memória existia frio e pobreza, medo e violência sofridos centenas de vezes. Às vezes ela se aconchegava a ele, então parecia a ele como se fosse um pequeno animal rastejando no pelo de sua mãe. Enterrando a cabeça no peito dele, ela sussurrou: "Nunca mais quero ser pobre, David. Nunca mais. Estou com tanto medo que acordo uma manhã e estou de volta àquela casa em ruínas no Bronx, meu pai bêbado está roncando na porta ao lado e a mãe não voltou para casa, estou correndo pelas ruas de novo procurando por ela..."

— Não se preocupe, Laura. Eu protejo voce. Você pertence a mim."

— Eu conheço David. Mas às vezes eu tenho sonhos tão horríveis e fico com medo quando escurece ou quando há muitas pessoas ao meu redor..."

"Você não deve ter medo enquanto eu estiver com você, Laura." Ele gostava de segurá-la em seus braços e confortá-la, e tinha feito a mesma coisa na véspera de Ano Novo, quando de repente, pela manhã, seu medo do futuro voltou como se um muro alto e preto tivesse se erguido diante dela. Ele adorava o papel de protetor porque lhe dava poder, mas tinha pouca empatia psicológica e não percebia que estava criando sentimentos conflitantes em Laura: ela se apegava a ele porque ele foi o primeiro homem a lhe dar segurança e ela odiava ele ao mesmo tempo porque ele era a única parede tênue que a separava de sua vida anterior e por isso a tinha completamente em suas mãos. Ele não estava nem um pouco ciente de que a havia deixado agitada e miserável enquanto dirigia de volta para o apartamento dele e de Andreas na nevada manhã de Ano-Novo. Achava que Laura estava com o mesmo bom humor que ele. Mais tarde, ela diria sobre ele: "Ele era sensacionalmente insensível".

Ele entendeu imediatamente que Andreas estava morto quando o viu deitado na frente de sua mesa, e no segundo seguinte ele entendeu como a trama deve ter se desenvolvido. O telefone! Andreas tentou alcançar o telefone em seus últimos minutos.

5

David não sabia quanto tempo ficara parado na sala, examinando cada objeto, cada peça de mobília. Cada detalhe ficou gravado em sua memória para sempre: a mesa com o bufê frio da noite, vômito no carpete, restos de comida grudados nos pratos, nada apetitoso de se ver na pálida luz da manhã de inverno, taças de vinho pela metade. O disco que eles estavam ouvindo estava imóvel no toca-discos, a fumaça fria do cigarro pendurada entre as paredes. No caminho para a recepção, Andreas deve ter perdido um chinelo; ele estava deitado no meio do tapete. No aquário iluminado na prateleira, alguns peixes perseguiam uns aos outros na velocidade da luz.

David deu um pulo quando de repente o telefone tocou. Com as mãos trêmulas, ele pegou o fone. "Sim por favor?"

"Sr. Bredow?" Era o porteiro.David pigarreou.

"Não. Aqui é David Bellino."

— Ah, senhor Bellino! Bom dia O pessoal do restaurante está aqui e quer pegar a louça de novo. Posso mandá-la subir?

"Infelizmente, algo terrível aconteceu..."

"Sr. Bellino? Você parece muito estranho. Então o que está acontecendo?"

'Quando acabei de chegar em casa, encontrei meu tio deitado na frente de sua mesa. Ele está morto ...''

Essas palavras ficaram no ar até hoje. E as memórias. Acima de tudo, a lembrança de como ele havia colocado o telefone em seu antigo lugar antes que o médico e a polícia chegassem. Depois todos pensaram que Andreas não tinha encontrado forças para atender o telefone. Ninguém prosseguiu com o assunto. Todos os jornais noticiaram a morte de Andreas, mas logo tudo foi esquecido. David, o herdeiro, mudou-se para o centro da sociedade de Nova York, ele agora fornecia o material para as gazetas, sua ligação com Laura Hart fornecia o pano de fundo colorido para fofocas. Ninguém o culpou, embora todos soubessem que ele brigou com Andreas na véspera de Ano Novo e o deixou sozinho. Como ele poderia ter adivinhado que Bredow sofreria um ataque cardíaco naquela mesma noite?

David pensava muito em Andreas, muito mais agora que ele estava morto do que antes. Mais precisamente, gostara do velho: não encontrara motivos para não gostar dele e sempre se envergonhava quando havia algo que o incomodava, que o fazia se opor interiormente. Andreas só tinha sido

6

legal com ele, a discussão sobre Laura Hart também surgiu de preocupação, e ele sem dúvida sofreu por estar em desacordo com seu protegido. David lembrou-se das muitas férias que passou em Nova York: Andreas fazia tudo por ele. Ele deve se divertir, deve experimentar algo, deve querer voltar. Ele dedicara muito tempo ao menino, mostrando-lhe a cidade, levando-o uma vez a Los Angeles e esquiando até o Colorado. Em casa, David nunca soube por onde começar a contar histórias. E ainda... havia uma leve inquietação. A melancolia nos olhos de Andreas era a mesma dos olhos da mãe de David. Esse distanciamento, esse apego ao passado. Isso o deprimira com Christine e o deprimira com Andreas. Às vezes ele se sentia culpado porque era feliz e engraçado e não podia compartilhar sua tristeza. Ele nunca esqueceria a conversa que Andreas teve com ele quando tinha acabado de completar dezesseis anos. Natal de 1976. David voou para Nova York em 25 de dezembro. Na cobertura de Andreas, uma gigantesca árvore de Natal toda enfeitada com enfeites coloridos o esperava, sob cujos galhos se espalhavam montanhas de presentes. Andreas ofereceu-lhe uma taça de champanhe. A vitrola tocava música natalina e havia um cheiro de cera de vela e agulhas de pinheiro. David sentou-se entre seus presentes e sentiu-se à vontade. Apenas muito confortável.

Ele estava segurando um relógio, um lindo relógio de pulso com mostrador preto e ponteiros finos de ouro. Um presente do André. Ele olhou para cima e sorriu. "Obrigado, Andrew. É realmente ótimo! Como você sabia que eu queria exatamente esse relógio?"

"Sua mãe me contou", respondeu Andreas. Ele olhou para o menino e de alguma forma David se sentiu desconfortável sob seu olhar. — Fico feliz que você goste, David. Estou feliz... se você gosta de estar aqui comigo. «

"Você sabe que eu sempre gosto de vir para Nova York", David disse cautelosamente.

Andrew assentiu. 'Quando você terminar a escola na Inglaterra, você viverá na América para sempre. Muitas vezes tive medo de que você mudasse de ideia e de repente percebesse que talvez não gostasse do país. Mas você gosta, não é? E você... gosta de mim também?"

"Claro que gosto de você ..."

Andrew assentiu lentamente. Ele olhou pensativo para o brilho das velas na árvore. — Sabe, David, sempre fui muito sozinho. Mesmo quando criança. Sua mãe era a única pessoa que estava lá para mim. eu não tinha mais ninguém. Fiquei órfão aos treze anos, mas antes disso não havia ninguém que realmente se importasse comigo. Sempre desejei ter alguém só para mim. Alguém que me ama, que precisa de mim, que confia em mim. Alguém que se importa comigo..."

Oh Deus, David pensou com um pouco de pânico.

André olhou para ele. "Você sabe que é como um filho para mim, David. Vou te dar tudo o que tenho. Estou tão ansioso para quando você viver aqui para sempre."

"Em Nova York, você quer dizer?"

"Aqui comigo. Olha, esta cobertura é muito grande para mim sozinho. Por que você não se muda para cá? Então nós dois não estaríamos mais sozinhos. Quero dizer, eu certamente não vou incomodá-lo. Você é um adulto então, e é claro que às vezes você quer ficar sozinho. Mas poderíamos sentar juntos à noite e conversar um com o outro, poderíamos tomar café da manhã juntos ou sentar ao sol. Seria divertido conversar sobre tudo que se move e nos preocupa. Sempre tem alguém que vai ouvir. Andreas havia falado apaixonadamente, e David viu que as lágrimas brilhavam em seus olhos, ficou surpreso ao ver como o rico de Nova York estava sozinho, a tristeza e a saudade no rosto do outro o paralisaram.

Droga, pensou, morando aqui com ele!

Ele contava com um apartamento próprio em Nova York. Também não precisava ser muito bom ou confortável, apenas um lugar para se refugiar e ficar sozinho. A ideia de viver com Andreas, que era tão terrivelmente gentil, tão terrivelmente carinhoso, tão terrivelmente opressivo, o aterrorizava. Mas, como sua mãe antes, ele não podia se defender. Na presença de mamãe às vezes ele queria gritar, muitas vezes se sentira tão insuportavelmente absorvido por ela. Ele teve que dormir em sua cama com ela quando criança, e ela estava lamentando o fato de não ter ninguém além dele desde que seu pai morreu. Ele se lembrava bem da culpa que sentia quando desejava não ter que estar sempre ao lado de mamãe. Quantas vezes ele gostaria de brincar com as outras crianças aos domingos e, em vez disso, ficava em casa porque não suportava a cara triste de sua mãe.

"Vou tomar meu café sozinha então", disse ela em tais situações. "Eu estava tão ansioso pela tarde com você, David. Mas é claro, se você gosta mais de estar com as outras crianças do que com sua mãe chata..."

— Prefiro ficar com você, mamãe — disse ele, meio zangado, meio resignado e finalmente envergonhado porque não parecia amá-la o suficiente para realmente gostar de estar com ela. "Eu fico aqui!"

Agora Andreas olhava para ele com a mesma expressão em seus olhos que mamãe sempre teve, e novamente David sentiu-se impotente e com raiva impotente. Se ele dissesse "não" agora, se declarasse agora que preferia ficar sozinho, seria um pouco como bater em uma criança inocente que só tinha boas intenções. Andreas quis dizer tudo apenas bem. Ele era a própria bondade personificada, e era a vergonha familiar que David sentia ao querer gritar.

"É uma boa ideia, Andreas", disse ele educadamente. "Claro que eu gostaria de morar com você."

Para si mesmo, ele pensou: merda!

Hoje, depois que Andreas morreu, ele ficou feliz por nunca ter perdido a paciência. Isso teria afligido e perturbado o velho, e ele não teria entendido.

havia arrancado o dedo do morto naquela manhã de ano novo. Passou pela sua cabeça com alívio: Pelo menos eu não fui ingrato. Eu não o machuquei!

Ele abriu a gaveta da escrivaninha novamente e tirou um maço de cartas amarradas com um elástico. Eles não tinham endereço de retorno, foram digitados e continham abusos e ameaças selvagens. ameaças de morte.

— Não se sinta muito seguro, seu porco. Seu assassino está muito perto! "Você vai pagar por seus pecados, David Bellino, e o dia da vingança se aproxima."

David Bellino tinha sido um hipocondríaco severo toda a sua vida. Se ele tivesse que espirrar, ele imediatamente engolia uma forte droga antigripal. Se ele tivesse soluços repetidos, ficaria obcecado com a ideia de que tinha câncer de esôfago e consultaria um especialista. Se ele se deparasse com a descrição de uma doença no jornal, sentiria todos os sintomas alguns minutos depois. O pensamento de dor e doença o aterrorizava, e a percepção de sua própria mortalidade pesava muito sobre ele. Essencialmente, ele estava preocupado em evitar uma morte prematura.

Alguns teriam descartado as cartas, que chegam a cada duas semanas há três meses, como um absurdo. Um homem na posição de Davi sempre tinha inimigos, é claro, mas de forma alguma eles estavam sempre prestes a pegar em armas e transformar o objeto de sua agressão da vida para a morte. David mandou analisar as cartas por um psicólogo, que disse que o escritor sentia grande satisfação em escrever tais escritos, mas não estava nem um pouco determinado a cumprir as ameaças. "O escriba é inteligente e sensível. Eu não o classificaria como violento."

Embora David tenha achado essa declaração reconfortante, ele decidiu não confiar muito nela. Ele estava lá quando Andreas foi baleado, uma cena gravada profundamente em sua memória, e toda vez que saía de um prédio e pisava na rua, meio que esperava que a mesma coisa acontecesse com ele. O medo se tornou seu pior inimigo, intimidando-o onde quer que fosse. As cartas chegavam até ele, fossem elas sérias ou não. Ele tinha que descobrir quem os escreveu, ele tinha que parar com isso, senão ele enlouqueceria.

Claro, muitas pessoas questionaram. Parceiros de negócios que ele havia importunado recentemente, funcionários que foram demitidos, grupos políticos, ambientalistas que discordavam de qualquer coisa que a Bredow Industries estivesse fazendo. Ele tinha que verificar isso pouco a pouco. E ele começaria agora. Ele pegou uma folha de papel e escreveu quatro nomes em letras maiúsculas:

Mary Gordon
Steven Marlowe
Natalie Quint
Gina Artany

Quatro nomes, quatro pessoas, quatro destinos. Quatro velhos amigos dele. Ele não se lembrava mais com que frequência anotava os nomes, com que frequência pensava nas pessoas por trás deles. Mas quanto mais ele pensava sobre isso, mais provável parecia a ele que era um deles que estava tentando derrubá-lo vingativamente.

Todo mundo tinha um motivo. Pode ser qualquer um.

Ele convidou seus amigos e, para sua surpresa, todos concordaram. Eles seriam seus convidados de 27 de dezembro de 1989 a 1º de janeiro de 1990, e isso depois de anos sem se verem. Depois de anos sem querer vê-lo.

David levantou-se e aproximou-se da janela. Ainda nenhuma luz anunciava a manhã. Novembro... aquele mês sombrio, cinzento e frio. Nevoeiro por toda parte, e além do nevoeiro perigos desconhecidos.

"Nevoeiro. Nevoeiro, nevoeiro, o tempo todo. Você não vê para onde está indo, nada", disse Anna Christie de O'Neill. Esses eram exatamente os sentimentos de David Bellino.

David Bellino não era de forma alguma uma pessoa feliz e por isso ia regularmente a um psicoterapeuta, na verdade ia a muitos terapeutas porque a sua paciência não era grande e se não obtinha ajuda imediata decidia ver outro.

"É uma tarefa longa e árdua mergulhar na psique de uma pessoa", disse-lhe certa vez um de seus médicos. "Coisas que você experimentou quando criança e completamente reprimidas devem ser exploradas e reveladas com muito cuidado. Quem é impaciente aqui faz mais mal do que bem!«

"Minha infância foi ótima, doutor!"

O médico sorriu com indulgência. "Se você acredita nisso com tanta firmeza, é a melhor prova de que algo estava muito errado."

David mudou de médico.

Ele nem sabia exatamente o que queria. Afinal, ele era saudável. Mas então, assim como ele havia decidido não procurar ajuda de um psiquiatra, algo mais aconteceu: ele ficou histérico, imaginando que seus ossos estavam amolecendo. Ou ele teve sonhos em que ocorreram cenas horríveis de violência. Ou suas enxaquecas o impediram de trabalhar por dias. Então, de repente, ele estava sentado em um sofá novamente.

"Por que seu nome é David?" perguntou o médico. "Um nome judeu!"

»Minha mãe decidiu assim... ela é alemã, ela era uma criança na época do nazismo. Ela queria dar a seu filho um nome judeu para comemorar os milhões de crianças judias assassinadas.«

"Ela mesma não é judia?"

"Não. Mas o pai dela morreu em um campo de concentração."

A foto de seu pai tivera um lugar de honra na sala durante toda a sua vida, David podia se lembrar disso - talvez fosse a primeira lembrança de sua vida. Mamãe havia montado uma espécie de altar, velas, flores, uma Madona. Mamãe era católica. Não havia igrejas católicas na Inglaterra, mas ela manteve sua fé. Certa vez, David quis estender a mão e brincar com a Madonna, pensando que ela era uma linda boneca com um vestido azul e um véu vermelho na cabeça. Mamãe os arrancou dele e deu um tapa em suas bochechas a torto e a direito. "Nunca mais faça isso, David!"

Então, enquanto ele estava sentado no tapete gritando e gritando – ninguém nunca havia batido nele antes e ele não podia acreditar – mamãe o abraçou. Ela chorou também.

"David, querido, me desculpe. Sinto muito. Você deve entender... meu pai... David, vou falar sobre ele e você vai entender..."

"Sua mãe sempre falava sobre o pai dela?" o médico perguntou, como se pudesse ler mentes.

"Sim."

"O que ela disse?"

"Eu... não consigo me lembrar exatamente..."

"Você não se lembra de nada?"

Ele se lembrou de seus sonhos. Eles estavam cheios de histórias de sua mãe, mas muitas vezes misturadas com contos de fadas que ele havia ouvido ou fotos vistas na televisão. Quando ele acordou, procurando freneticamente o interruptor de luz para se certificar de que estava seguro, ele não conseguia se lembrar exatamente do que compunha as imagens horríveis.

"Sua mãe sempre te amou muito?" o médico perguntou cautelosamente.

David assentiu. "Sim. Eu era a única pessoa que ela tinha. Ela havia perdido o pai e o marido, e tudo o que tinha em amor ela me deu."

"E então havia aquele homem em Nova York que fez de você seu herdeiro. Você passou muito tempo com ele?

'Eu estive lá em quase todos os feriados. No intervalo, ele nos visitou. «

"E ele te amava muito, também?"

"Sim ele fez." David ficou impaciente, sem ver onde isso estava indo. "Ele também não tinha mais ninguém. Olha, doutor, eu..."

— Esse é um ponto muito importante, Sr. Bellino. Você às vezes sentiu como se estivesse sendo esmagado? Querendo revidar sem saber o quê?"

Ele havia arranhado um ponto sensível. David sentiu a sensação de asfixia na garganta que o havia atormentado tantas vezes antes.

'Ah... pensei que estava engasgando, doutor. Sim, continuou voltando. Eu estava com raiva, mas não conseguia direcioná-la para ninguém. você foi tão bom para mim Eles só queriam o melhor. Eu deveria conseguir o melhor e ser o melhor. Às vezes eu queria gritar, mas nunca gritei. Eu estava com medo do horror com que eles olhariam para mim."

— Não creio que o seu problema, senhor Bellino, decorra tanto do que lhe contaram, dos horrores com os quais sua mãe passou e que sem dúvida lhe passaram. Essa é mais a causa, a raiz, para um desenvolvimento completamente diferente. Sua mãe e também o Sr. Bredow o amam - e nas reivindicações que eles fizeram de você! - formalmente... sim, como você diz, sufocado. Eles desmaiaram com tanto amor. Eles não foram capazes de viver a agressividade que um jovem *tem que viver nos anos de desenvolvimento* . E agora você está mastigando desesperadamente. O médico suspirou. "Se você pensa em si mesmo como uma criança e tem que descrever em poucas palavras a criança que você era, quais atributos vêm à sua mente?"

— Confuso — disse David imediatamente, e depois acrescentou: — Muitas vezes me assustei com algo que não sabia o que era. Eu estava... hipersensível e um pouco histérica. Tive sonhos horríveis."

Ele não percebeu que havia dado uma descrição precisa de quem ele era *hoje* .

Nova York, 28 de dezembro de 1989

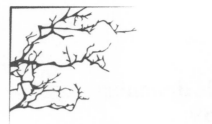

1

Gina Artany adorava luxo. Como ela teve que economizar constantemente nos últimos anos, ela agora caiu em um verdadeiro frenesi de extravagância em um dos quartos de hóspedes de David. Ela acendeu todas as luzes, encheu a banheira até a borda e derramou tanto perfume caro que encontrou em um armário de banheiro que o cheiro encheu o quarto. Ela abriu duas garrafas de champanhe, apenas para descobrir mais uma vez que elas realmente tinham um sabor diferente. Então ela escancarou a janela e ao mesmo tempo ligou o aquecimento ao máximo, porque essa mistura de ar fresco e calor parecia a ela o máximo em luxo. Ela podia ouvir Charles, seu marido, dizendo com uma voz ansiosa: 'Se você abrir a janela, querida, por favor, diminua o calor. Senão vai ficar muito caro, sabe...'

Lorde Charles Artany. O homem que lhe dera o título de "senhora". O homem com quem ela vivia em uma casa de campo desconfortável e ventosa no norte da Inglaterra e com quem ela havia partido para a falência financeira. Ela parou na frente do espelho, envolta em um roupão branco e fofo, e estudou seu rosto, o rosto de uma mulher de 29 anos que praticamente não tinha mais nenhum centavo no mundo e que se comunicava com o oficial de justiça mais do que ninguém. outro.

"Sou a mulher que amou e perdeu John Eastley", disse ela em voz alta, estudando sua expressão ao pronunciar o nome de John. Sempre que Charles estava por perto, lágrimas vinham aos seus olhos assim que ela dizia aquela frase; agora que o Atlântico os separava, a tristeza já não os dominava com tanta violência. Ter que fingir amor por outro homem quando todo o seu amor pertencia apenas a John era talvez a pior parte. Ela relutantemente suportou a ternura de Charles, relutantemente retribuiu, e sentiu como se suas feridas nem começassem a cicatrizar. Pela primeira vez a dor diminuiu um pouco, talvez porque ela não pudesse permitir que a tristeza tomasse muito espaço. Ela tinha que manter seu juízo junto.

Ela tirou o roupão, percebeu que não tinha mais tempo para tomar banho, vestiu a lingerie e as meias e pegou o vestido que pretendia usar para o jantar. Datando de seus bons tempos com John, era de seda preta e tinha um decote baixo. Com muito esforço, Gina havia costurado a saia mais curta para adequá-la à moda vigente. Ela colocou um colar de esmeraldas em volta do pescoço e escovou os longos cabelos escuros. O espelho refletiu a imagem de uma mulher vestida com roupas caras. Um pensamento hilário, considerando o desespero de sua situação: se David não tivesse incluído uma passagem de avião no convite, ela nem teria como pagar a viagem.

Ela nunca quis ver David novamente em sua vida porque seu ódio por ele era tão fresco e feroz como sempre, mas ele era um homem muito rico e ela precisava de dinheiro terrivelmente. Cem mil dólares a livrariam de problemas, e David lhe daria os cem mil dólares. Não muito para uma vida malfeita, pelo contrário, saiu barato, barato demais.

Ele deveria ser enforcado e esquartejado, pensou Gina, Deus sabe que ele mereceu!

Ela endireitou os ombros. Sua confiança, que ultimamente ela às vezes pensava ter levado para a casa de penhores com todas as outras coisas, voltou para ela. A luz da lamparina fazia seu cabelo castanho escuro brilhar como seda e tornava seus olhos âmbar brilhante. Ela era uma mulher atraente e muito forte, e já havia lidado com situações mais difíceis do que essa.

Uma olhada no relógio mostrou a ela que ainda tinha um pouco de tempo antes do jantar. Decidiu pedir à criada que lhe trouxesse outra garrafa de champanhe. O terceiro hoje, e ela não tinha bebido mais do que um copo de qualquer garrafa. Ela sabia que David acharia isso rude, mas também sabia que a grosseria sempre o impressionara.

Durante todo o dia, Natalie Quint tentou obter uma conexão telefônica com seu apartamento em Paris. A amiga Claudine entrou em contato no final da tarde, às 23h, horário de Paris. "Combe", veio a voz alegre e um pouco apressada pelo telefone.

"Claudine! Finalmente! Onde diabos você esteve? Estou tentando falar com você há horas!"

"Nat? A conexão é tão ruim, eu entendo você um pouco difícil. Como é Nova York?"

"Está tudo bem. *Onde você esteve?*"

'Na primeira compra, não havia nada comestível no apartamento. E depois na casa de Marguerite Fabre em Versalhes. Ela realmente queria me ver porque escreveu um roteiro e acha que só eu poderia interpretar a protagonista feminina do filme. Pelo que ela disse deve ser uma grande história mesmo.'

"Achei que você não queria mais filmar", disse Natalie, alarmada. Ela aninhou o fone entre o queixo e o ombro e acendeu um cigarro. Nas horas em que tentou em vão falar com Claudine, seu nervosismo atingiu um nível alarmante. Ela repetiu com voz cortante: »Você não queria mais filmar, não é? Claudinha?

"Claro que não, querida." Isso veio rapidamente e um pouco timidamente. 'Eu só pensei que não faria mal ver Marguerite novamente. E ela fica tão feliz quando as pessoas mostram interesse em seu roteiro.«

"E não há outras partes interessadas além de você?"

'Claro... mas eu a conheço há tanto tempo. E o que eu deveria ter dito? Nem sempre posso ter tempo!"

"Você é livre para fazer o que quiser, é claro", disse Natalie rigidamente.

Claudine imediatamente começou a se desculpar. — Natalie, não queria aborrecê-la. Eu disse logo a Marguerite que realmente não queria mais filmar..."

"O que significa < ?"

'Na verdade... ah, eu estava apenas dizendo isso. Não vou mais filmar, Nat, com certeza. Não fique com raiva de mim, por favor!' A voz de Claudine soou infantil e leve.

Nath suspirou. — Sinto muito, Claudine. Também não sei o que há de errado comigo. O de sempre, provavelmente.

"Você trouxe suas pílulas com você?"

"Naturalmente. Muito. O Dr. Guillaume até aumentou minha dose diária em cinco miligramas, mas nada disso ajudou hoje. Aquele maldito jantar hoje à noite! Estou me sentindo péssimo!" E pareça miserável, ela acrescentou mentalmente. Ela se agachou na cama com as pernas dobradas enquanto falava ao telefone e podia se ver na porta de vidro espelhado do guarda-roupa. Ela estava pálida e tinha olheiras. Ela iria precisa de muita maquiagem para encobrir isso. Ela também estava sentindo todos os presságios de sua claustrofobia, e desta vez o Valium também não iria ajudar. A situação a sobrecarregou. E a sobrecarregou ao ver David novamente. Além do mais, ela tinha que estar no último andar de um prédio de vinte andares de cujas janelas ela não poderia pular em caso de perigo. Seu próprio apartamento em Paris ficava no térreo, e nos hotéis ela fazia questão de viver o mais baixo possível Ela tentou se lembrar das palavras de seu terapeuta: "Pare de pensar em fugir, Natalie. Você não precisa ter medo de nada nem de ninguém. Você leva uma vida linda, bem-sucedida e interessante. Não há razão para ter medo ."

Tenha uma vida linda, interessante e bem-sucedida! Natalie fez uma careta. No espelho, ela podia ver que seu cabelo loiro curto na testa estava preso em cachos úmidos. Natalie Quint, a bem-sucedida jornalista de televisão. Ela tinha seu próprio talk show na Inglaterra. Um nos EUA. E agora um na França. E quem diabos sabia quanto Valium ela precisava todos os dias só para poder entrar no estúdio? Para ir a uma festa ou mesmo apenas ao supermercado? O respectivo produtor sabia disso, que a viu pouco antes de uma transmissão, quando ela se agachou em seu camarim com o olhar de um animal caçado. 'Eu não posso fazer o show. Não posso, não posso, não posso!"

"Natalie! Controle-se! Você pode fazer isso porque você é absolutamente a melhor! Todo mundo sabe disso.«

"Eu não vou conseguir."

"Não diga isso a si mesmo, Nat!" Claudine disse do outro lado do Atlântico.

Natália estremeceu. Ela percebeu que havia falado em voz alta. "Claudine, este jantar... os amigos de antes... especialmente David... estou com medo de desmoronar de novo!"

"Eu deveria ter ido com você!"

— Eu mesmo tenho que tentar algum dia. Claudine, você está pensando em mim? Agora, o tempo todo? Ajuda se eu souber disso."

"Minha querida, estou sempre com você. Sempre, a cada minuto. Você sabe disso!"

Natalie ouviu a voz suave e suave de Paris como uma criança ouvindo uma canção de ninar. O amor e a devoção de Claudine a acalmaram um pouco. Ainda agora, à noite, vinte minutos antes do início do jantar, ela pensava: não estou sozinha! Ela considerou que vestido usar e se permitiu imaginar que era uma mulher normal indo para um jantar normal e não se preocupando com nada. Ela foi ao banheiro e se maquiou, mas, como temia, não ajudou muito naquela noite. Ela ainda parecia miserável.

Por que estou aqui? ela imaginou. Ela olhou duvidosamente para seu rosto no espelho.

É só porque eu quero olhar aquele porco David nos olhos novamente depois de nove anos?

Steven Marlowe tinha quase certeza de que Gina estava em Nova York pelo mesmo motivo que ele - ela precisava de dinheiro. De volta à Inglaterra, ele acompanhou de perto os relatos da imprensa sobre ela - desde a falência de seu marido, que investiu em um musical malsucedido e perdeu tudo no processo, até o dia em que a última cerca de salgueiro de sua propriedade senhorial foi confiscada. tive. Se as informações dos jornais estivessem corretas, Gina possuía pouco mais neste mundo do que as roupas que vestia.

Apesar de tudo, parecia que ela não era tão pobre quanto ele, embora objetivamente ele provavelmente tivesse mais dinheiro do que ela. Gina sempre foi uma mulher que exalava confiança e independência, por mais suja que fosse. Havia nela algo de indestrutível que a fazia triunfar sobre todos os dramas da vida, inclusive sobre a perda de todos os bens terrenos. Steven acredita firmemente que nada e ninguém no mundo poderia realmente esmagar Gina Artany.

Mas ele mesmo, ele estava mais uma vez no fundo. Ele nunca se recuperou totalmente de sua primeira estada na prisão, sua segunda vez na prisão fortaleceu todas as suas neuroses. Steven ficou obcecado com a ideia de que ele cheirava a prisão, sua pele era da cor da prisão, tudo nele era tal que ele nunca seria capaz de negar a prisão, que qualquer um que o conhecesse saberia à primeira vista.

Sua memória daquela época era tão terrível que ele ainda sonhava com isso com frequência e depois acordava no meio da noite banhado em suor. Seu pensamento constante era: isso nunca, nunca mais deve acontecer comigo. Mas ele sabia que isso poderia acontecer novamente. Depois de ser pego no redemoinho em que está, você sempre acabará no tribunal em algum momento. Seu emprego como caixa em um estacionamento de Londres estava ameaçado; As máquinas tomariam seu lugar e, uma vez que ele estivesse desempregado, não demoraria muito para que ele se envolvesse em algum negócio desonesto novamente. Só para conseguir algum dinheiro, para poder comprar uma garrafa de vinho, uma boa loção pós-barba ou um suéter de caxemira. Em sua juventude, Steven adorava camisas de seda e suéteres de caxemira, ele não usava quase nada mais. Steve lindo e bem cuidado! Sempre caro, sempre elegante, sempre com as melhores maneiras. O jovem que bloqueou o banheiro por horas. "Steve passa metade de sua vida no banheiro, metade de sua vida ferrando-se com pessoas que poderiam ser úteis para ele!" Gina costumava zombar. Ele e Gina nunca se gostaram. Ele desprezava sua maneira de desrespeitar as convenções, embora admitisse que admirava a contragosto o destemor com que ela tratava as pessoas respeitadas. Gina, por outro lado, o chamou de oportunista e comedor de lodo e previu uma carreira tranquila para ele. Graças às conexões de seu pai, Steve conseguiu um estágio no prestigiado banco londrino Wentworth & Davidson ainda jovem, e planejava ser pelo menos um vice-presidente lá um dia.

Tudo tinha saído diferente. Chega de suéteres de caxemira e, claro, chega de carreiras bancárias. Em vez disso, uma vida como um fracasso, como um homem perpetuamente condenado, como um homem que não tinha mais amigos e cuja família não queria mais ter contato com ele.

Certamente ele seria o pior vestido de todos no jantar esta noite. O terno que ele usava tinha dez anos e mostrava. A Artany, aquela bruxa, certamente conseguiria agir como se ainda comprasse na Harrod's. Ele mesmo nunca conseguiu. Ele também disse que costumava ser mais alto e mais ereto, com ombros mais largos. Agora ele estava caído, todos os seus complexos e medos expressos em sua forma.

Steve foi até a janela. A seus pés estendia-se o Central Park, iluminado por lanternas, e muito lenta e suavemente um tapete de neve espalhava-se por seus caminhos e árvores. Nada no mundo, pensou Steve, poderia ser mais encantador do que a neve de Nova York. Sua coragem de viver aumentou novamente. Ele tinha trinta anos agora, não muito velho para recomeçar. Ele nunca desistiu de seu sonho de começar uma nova vida na distante Austrália. E David teve que dar a ele o capital inicial. Era seu dever, porque se ele não o tivesse traído e abandonado então, sua vida nunca teria tomado esse rumo horrível e ele estaria nos escalões superiores da Wentworth & Davidson agora. Ele olhou para o relógio. Hora de ir para a sala de jantar. Ele decidiu bater primeiro na casa de Mary e perguntar se ela gostaria de ir com ele.

Mary Gordon foi a única das amigas que manteve contato com Steve ao longo dos anos. Ela o visitou na prisão, falou com ele regularmente ao telefone e o viu ocasionalmente. Em parte, foi por causa de sua situação semelhante. David, Gina e Natalie partiram e cada um fez uma carreira à sua maneira, mas Mary e Steve se estabeleceram em Londres e viram a vida pelo lado negativo, e não pelo lado positivo. Mary era casada e tinha uma filha, morando em um pequeno apartamento de três quartos no leste de Londres, e seus nervos estavam à flor da pele de medo da próxima conta de luz e da violência do marido.

Ela era uma garota bonita, mas a única lembrança disso hoje eram seus cabelos ruivos e grossos, que caíam até os ombros em cachos suaves e naturais. Fora isso, ela tinha a aparência de uma dona de casa preocupada que está prestes a completar quarenta anos. Seus olhos verde-acinzentados sempre pareciam um pouco assustados com o rosto pontudo e sardento. Ela sempre parecia ter medo de algum perigo iminente.

Mesmo agora ela estremeceu quando Steve entrou em seu quarto depois de bater brevemente. "Ah... é você, Steve!"

"Eu te assustei?"

"Não, eu só estava pensando." Ela olhou para ele e, como sempre, ele sentiu uma pontada. Que olhos tristes ele tinha. E aqueles ombros estreitos, o paletó antiquado, os cabelos outrora bem penteados e que há muito não eram cortados por um bom barbeiro.

Você era tão lindo e tão jovem, Steve, pensou Mary, e outra lembrança veio a ela, um sentimento agridoce, um desejo que ela guardou dentro de si ao longo dos anos: ela amou esse homem uma vez, e tudo o que ela esperava e desejava. da vida tinha sido fundada sobre ele. Ele já havia notado? Ele sempre foi amigável, sociável e indiferente com ela. O belo Steve que faria uma grande carreira. E a pequena Mary, que aos dezessete anos dera à

22

luz um filho ilegítimo. De repente, enquanto eles se encaravam no quarto escuro com apenas uma lâmpada acesa, Mary foi tomada por um desejo intenso de voltar no tempo e ter uma segunda chance.

Se ao menos fôssemos jovens de novo. Mais uma vez. Eu conversaria, contaria a ele tudo o que sinto e sinto, e mesmo que ele não se importasse comigo, pelo menos eu não precisaria envelhecer sentindo que perdi a melhor e mais linda coisa da minha vida .

"Você está usando um vestido bonito", disse Steve. Mary olhou para si mesma. O vestido era de veludo verde musgo, de corte simples e esguio, realçava sua figura ainda muito bonita. Seus pés delicados estavam calçados com sapatos verdes escuros de salto alto.

"Muito bonita", repetiu Steve.

- O resto do meu dinheiro está nele. Eu estava absolutamente louco para comprar coisas tão caras, mas uma vez eu quis. . ." Ela não disse nada.

Steve entendeu e assentiu. 'Você está tão cansado de andar por aí com os mesmos trapos baratos', ele disse amargamente, 'de ser maltratado porque você não pertence, porque todo mundo pode ver que você é pobre. Neste mundo você é medido pelo seu dinheiro, Mary, e nada mais. É uma merda... a existência!

Ela tocou o braço dele gentilmente. "Estamos bem, Stevie. De qualquer forma. Olha a Nat, ela..."

"Então e ela?"

"Eu acho que ela é viciada em pílulas. Eu a conheci pouco depois de nossa chegada ontem. Ela acabou de engolir dois. Suas mãos tremiam e ela olhou para mim como se eu fosse um fantasma. Ela não está se sentindo bem."

"Olha, nosso Nat! O superjornalista de sucesso! Ela provavelmente só faz o trabalho com a ajuda de algum tranquilizante.

"Ela passou por coisas terríveis", disse Mary. "Aquele crime terrível em Crantock..."

Ambos ficaram em silêncio, pensando no passado, então Steve perguntou: 'E quanto ao seu marido, Mary? Ele tem um emprego agora?

"Não. Ainda não. Ele não procura mais direito, deixa-se levar completamente e simplesmente vive o dia. Não sei o que vai acontecer com ele."

"Sua filha está com ele agora?"

"Na casa de um amigo. Eu não queria deixá-la sozinha com ele. Já chega de ele me intimidar, Cathy não precisa sofrer com ele também. Ele está muito bravo porque aceitei o convite de David."

Steve riu. 'Você fez isso de qualquer maneira. Progresso, garoto. Você costumava beijar quando o Senhor e o Mestre falavam. Por que os novos costumes? O que havia de tão importante no convite de David que você até aceitou seu marido?

"Eu não sei... parecia que..."

"Eu sei exatamente o que nos trouxe aqui, você e eu. queremos dinheiro Você também, não é, Mary? Este homem pecou demais e pagou muito pouco. Está na hora dele..."

Mary olhou para ele, e havia consternação em seus olhos. "Dinheiro? Não, eu não vim por dinheiro! É só que eu acho... de alguma forma talvez eu finalmente entenda por que as coisas tiveram que acontecer do jeito que aconteceram."

Laura teve que remover e reaplicar toda a maquiagem pela segunda vez porque o delineador escorregou e deixou barras pretas nas pálpebras superiores. Ela xingou baixinho e pegou uma bola de algodão. David, que estava ao lado dela apertando a gravata, disse: "Você está muito nervosa, Laura".

"Sim. Sinto muito. Também não sei o que há de errado comigo."

"Não? Realmente não?"

Algo em seu tom a deixou desconfiada. "Não", ela disse desafiadoramente, "realmente não."

"Na verdade, você ficou em casa o dia todo hoje. Eu notei isso com espanto. Você costuma ficar pela cidade a tarde toda."

Laura, que estava inclinada para frente para ficar mais perto do espelho, endireitou-se. "O que você quer dizer com 'flutuar'?" ela perguntou bruscamente.

David não olhou para ela. "Eu quero dizer o que eu digo. Você desaparece e ninguém sabe onde você esteve por muitas horas. Quero dizer, você não precisa responder a mim, é claro, mas só descobri que não estou nem um pouco informado sobre seus passos."

"Como exatamente você quer saber? Devo informar com antecedência toda vez que for ao banheiro ou banho?"

"Seu cinismo está bastante deslocado aqui. Eu nem estou culpando você. Estou apenas relatando fatos."

"Por que razão? Se você não está interessado nisso, então não me incomode com perguntas estúpidas." Um momento depois ela gritou baixinho porque David tinha se virado e agarrado seu braço e seu aperto era tão forte que a machucava. "O que foi? Me deixar ir!"

"Eu só quero te dizer uma coisa, Laura!" Seu rosto estava perto do dela, ela podia ver o brilho de raiva em seus olhos. "Eu quero te dizer: faça o que quiser, vá aonde quiser, me mantenha no escuro sobre o que está atrás da sua testa, mas se houver outro homem, se eu descobrir que você está me traindo, então ele vai, eu Juro para você, acabou. Então vou garantir que você volte de onde veio, mais sujo do que nunca. Você não receberá um centavo de mim e descobrirá como é volte para o fundo. Pense bem, Laura. Não vou deixar você brincar comigo!"

Relutantemente ela se libertou. 'Pare com isso. Você está me machucando. O que de repente deu em você? Como você se atreve a fazer uma cena dessas aqui?"

A expressão facial de David mudou. Ele tentou relaxar.

"Desculpe-me. Não estou me sentindo bem hoje."

"É por causa dos seus amigos? Você a queria aqui! Você a convidou!"

David finalmente deu o nó na gravata. Ele olhou fixamente para o espelho. "Naturalmente. Tudo está indo conforme o planejado. Apenas – vê-los todos novamente depois de tantos anos é uma situação estranha. Espero que alguém abra a boca no jantar mais tarde!"

"Seguro. A morena - qual é o nome dela? Gina? – definitivamente fala!«

"Receio que ela fale demais."

"Ela poderia derramar verdades desconfortáveis?" Laura perguntou incisivamente. David não respondeu. Laura tirou o roupão. "Natalie é lésbica, não é?"

"O que te faz pensar isso?"

'Eu tenho um pressentimento para isso. Não me pergunte por que, mas eu sei que ela é. não é?"

"Sim", David respondeu monossilábicamente, "você está certo." No espelho, ele podia vê-la andando pela sala nua e indo até o armário para tirar um vestido. Ela tinha uma pele clara e macia e o corpo mais bonito que ele conhecia. Quando ele veio até ela e passou os braços em volta dela por trás, ela estremeceu. A cabeça dele estava no pescoço dela. "Meu querido! Vamos, ainda temos algum tempo. Vamos..."

"Então posso começar tudo de novo com a maquiagem."

Suas mãos acariciaram da cintura até os seios. — Temos tempo, Laura. Você não vai começar sem o host. Por favor, vamos para a cama. Eu te amo."

Outra lambida de língua, ela pensou enquanto se virava e o beijava, você estava prestes a me expulsar. Mas ok, vamos para a cama em vez disso!

No início do relacionamento, Laura gostava de dormir com David. Acima de tudo, ele satisfez sua necessidade de segurança, que ela sabia que a acompanharia insaciavelmente e para sempre ao longo de sua vida. Para ela, sexo significava principalmente poder se aconchegar em alguém e se sentir completamente protegida por um momento. David a fazia se sentir assim. Em seus braços ela sonhou que era uma garotinha encontrando refúgio em uma caverna grande e quente. Às vezes ela imaginava David como um urso em cujo pelo macio ela poderia se aconchegar. Freqüentemente, depois disso, ela vestia seu casaco de pele, agachava-se em um canto e bebia lenta e alegremente uma grande xícara de chocolate. Na verdade, ela adorava chocolate ainda mais do que champanhe.

Por algum tempo, no entanto, algo mudou. Laura achava cada vez mais difícil ir para a cama com David. Ela não pôde evitar, seu corpo sofreu espasmos, tudo nela se transformou em uma defesa concentrada. Muitas vezes ela pensava desesperadamente: eu quero ficar bem relaxada! Eu quero que funcione hoje. Quero sentir prazer de novo! Ela não podia, e quanto mais ela lutava, pior ficava. Desta vez, também, ela ficou lá congelada e só esperava que David não notasse. Pelo menos ele não disse nada. Ele finalmente se levantou, foi ao banheiro, ligou o barbeador. Por hábito, ele começou a assobiar para si mesmo. Parecia familiar e caseiro. Sem Laura saber por que, de repente ela começou a chorar.

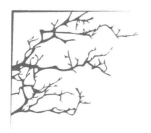

2

A atmosfera no jantar estava tensa. David havia pedido a comida de um restaurante japonês, e era facilmente a melhor comida que eles comeram em meses, mas nem isso melhorou o clima. Secretamente, cada um se ocupava apenas em escrutinar sub-repticiamente os outros e fazer secretas contemplações.

Mary é muito feia, pensou Gina, e Nat também não parece muito alerta. Que garotinha fofa David pegou! Mas ela não se encaixa neste glamoroso vestido prateado! Ela tem um rosto muito delicado e vulnerável e, além disso, aposto que ela estava chorando.

Steve pensou: Deus do céu, Gina parece bem! Eu sabia que ela conseguiria. Enquanto ela viver, ela nunca recuará. Eu queria ser como ela!

Seu olhar deslizou para David. Ele também estava olhando para ele, e por alguns segundos eles se olharam diretamente. Steve procurou o ódio que o acompanhou ao longo dos anos e o manteve na prisão, mas naquele momento não conseguiu encontrá-lo. Tudo o que ele sentia era cansaço e vazio.

"Você sabe", perguntou Mary, "o que esta refeição me lembra?"

Todos olharam para ela, aliviados por alguém estar quebrando o pesado silêncio.

"O que você lembra?" Natalie perguntou educadamente. Mary, que odiava ser o centro das atenções, de repente sentiu todos os olhos nela e corou e empalideceu alternadamente.

"Isso me lembra de quando todos nós almoçamos juntos em Londres quando estávamos na escola, em um restaurante absurdamente caro, e . . ."

"Certo, eu sei!" Gina interrompeu bruscamente. "Isso foi em 1978, eu..."

"79", corrigiu David.

"Isso não é verdade. Foi no ano em que tivemos o incêndio na escola que matou toda a ala oeste. Lembro-me exatamente."

"Não!" Essa era a Natália. Sua voz parecia muito calma. 'David está certo. Era 1979. Porque um ano depois nós dois fomos para Crantock. Ela olhou para David. Ele olhou para o lado. De repente, tudo ficou em silêncio, inclusive o barulho dos pratos.

— Você se lembra de Crantock, David? Natalie finalmente perguntou.

"Sim, sim", disse David apressadamente.

Mary fez uma débil tentativa de voltar ao assunto original. 'Nenhum de nós tinha dinheiro conosco, mas infelizmente não percebemos até a sobremesa. Nossa única esperança era..."

"... que alguém que conhecíamos viria ao restaurante e poderíamos pedir emprestado a ele", concluiu David, "e Steve e eu fumamos cigarro após cigarro para ganhar tempo."

"Como a história termina?" perguntou Natália. "Não consigo me lembrar de nada."

"Acho que acabou mal", disse Steve. 'Tínhamos que admitir que não tínhamos dinheiro, e um garçom cuidava de nós como se fôssemos um bando de bandidos enquanto outro ligava para a escola. Um dos professores veio e pagou a conta, mas é claro que tivemos que usar nossa mesada para pagar por isso."

"De certa forma, éramos uma gangue de criminosos durões", disse Gina brincando. Ela ergueu o copo. "Saúde! À nossa juventude que já se foi!"

Eles brindaram um ao outro. David pensou: Você não tem ideia de como eu estava morrendo de vontade de ser seu amigo.

Ele ainda achava amargo perceber que eles realmente não sabiam. Eles nunca notaram. Ele teria dado sua alma para ser amado por todos eles. Ele pensou no menino que implorou por atenção, simpatia e aprovação e tudo deu errado. Eles o chamavam de fanfarrão, um egocêntrico que constantemente se preocupava com suas pequenas doenças, que falava de sua fantástica herança na América ou de alguma doença imaginária. Ela não dava a mínima como parecia dentro dele. Será que eles já sabiam sobre sua confusão, as pressões sobre ele, as histórias de horror que giravam em seu cérebro? O que eles sabiam sobre o altar da sala, sobre a Madona e a foto de seu avô em uma moldura de prata, o que eles sabiam sobre um altar sobre o qual jazia o que havia de mais precioso - as memórias.

Nenhum de vocês tentou descobrir, pensou com raiva, nem mesmo a espertinha da Natalie, que se acha uma ótima psicóloga.

"Nós nos divertimos naquela época", disse Mary inocentemente.

"O melhor de nossas vidas", acrescentou Gina. Eles ficaram em silêncio e agora todos pensaram nos anos passados, quando tudo parecia muito fácil e simples e eles viam a vida como uma aventura atraente. Eles pensaram nas noites de verão em Saint Clare, no elegante internato que haviam frequentado, no sol avermelhado que pairava sobre a grama soprada pelo vento e na casca das árvores, na suavidade do ar e no azul brilhante do céu. Sarças de amoreiras cresciam sobre paredes de pedra em ruínas, e antigas heras subiam ao longo das paredes da casa. Santa Clara sempre teve uma espécie de castelo encantado; A casa e o parque eram de outra época e sobreviveram intocados ao longo dos séculos, sempre orgulhosos em seu próprio mundo. Natalie lembrou que sempre teve a sensação de que o mundo real estava ficando para trás enquanto ela passava pelo portão e caminhava em direção ao portal sob a avenida de carvalhos. Ela acariciou o musgo nas rachaduras da parede com os dedos, e um clima de paz se espalhou por sua mente.

"Vivemos muito protegidos", disse ela agora, "muito isolados. Mais tarde, quando todos de alguma forma caíram de cara no chão, deve ter parecido particularmente difícil para nós."

"Esses idílios perfeitos realmente não compensam", comentou Gina.

Engraçado quantas lembranças surgem quando você revê velhos amigos, pensou Mary. Ela se lembrava do que Gina lhe dissera após o terrível fracasso com Leonard, o pai de seu filho: 'Homens como ele são bons para garotas sonhadoras como nós, Mary. Eles nos tornam duros.«

"O que há de bom em ficar duro e perder seus sonhos?"

"Você passa pela vida melhor quando é durão. A vida não é um sonho.«

O mordomo apareceu, limpou a louça silenciosa e rapidamente e serviu a sobremesa.

"Eu não posso mais dizer 'papai'", Gina suspirou.

David olhou para Natalie, que estava olhando pela janela e virou seu perfil primorosamente esculpido para ele. "Ouvi dizer que sua amiga Claudine Combe está planejando começar a filmar novamente", disse ele sugestivamente.

29

Natalie se virou. "Onde você conseguiu aquilo?"

"Você ouve muito."

— Você não deve ter ouvido nada, David. Ela nunca mais quer filmar, e a única pessoa para quem ela disse que olhou para um roteiro, puramente como um amigo, sou eu." Seus olhos se estreitaram. "Você está grampeando meu telefone, David?"

"Isso seria uma peça forte!" Steve exclamou. "Se ele está incomodando Nat, provavelmente somos todos nós! Ouça, David, eu..."

David não parecia nem um pouco envergonhado. Gina até teve a impressão de que ele havia se revelado deliberadamente de forma tão direta para provocar uma situação como aquela. Ele queria provocar, ela pensou, ele queria que houvesse um alvoroço esta noite. Apenas - o que ele ganha com isso?

"Amigos, não sou iniciante", explicou. 'Claro que tenho aparelhos de escuta em todos os quartos de hóspedes. Estou apenas antecipando. Um está cercado por inimigos.«

'Oh . . . você não está sofrendo de um pouco de paranóia? – Gina perguntou incisivamente. Ele calmamente devolveu seu olhar zombeteiro. »Não pode haver ilusão quando há fatos.«

Gina riu. 'Como sempre, nosso querido David é muito reservado. Sério, querida, você está realmente nos incomodando?

"Sim."

Todos ficaram em silêncio por alguns segundos, perplexos com a franqueza descarada de David.

Laura fez olhos assustados. "Bem, David, eu acho..."

Ele retrucou violentamente: "Você fica fora disso, ok? Isso não é da sua conta!"

"Como vou saber quando as coisas que dizem respeito a você são da minha conta e quando não são? Às vezes me pergunto se você me considera parte da sua vida!«

"Nunca vou entender", disse David, "por que as mulheres têm de fazer de tudo, mesmo de tudo, um debate fundamental, e no momento mais inoportuno!"

"Os momentos que você escolhe para me repreender também não são exatamente apropriados", disse Laura. Sua voz tremeu, lágrimas brilharam em seus olhos. Ela se levantou bruscamente. "Você vai me desculpar?" Ela já tinha saído da sala. Com um estrondo alto, a porta se fechou atrás dela.

"Ela está absolutamente histérica", disse David com raiva.

"A reação dela não é histérica, é completamente normal", disse Natalie. "Você não pode bater nela assim na frente de todos nós!"

"É da minha conta, Nat, não é?"

De repente, houve hostilidade na sala, quase tangível, não mais mascarada por falsa alegria ou boas maneiras e frases educadas. A velha familiaridade estava de volta - não amigável como antes, mas abertamente agressiva.

"Bem, acho isso fantástico", disse Steve. Com uma expressão de desgosto no rosto, ele empurrou o prato de sobremesa para longe dele. Como os outros, ele não havia tocado em nada do creme gelatinoso. Apenas Gina esvaziou sua tigela e murmurou algo sobre "coisas maravilhosas".

"Quase fantástico", repetiu Steve. 'A propósito, descobrimos que David tem dispositivos de escuta embutidos em nossos telefones. Você deve se levantar, sair da sala e ir embora. Ele olhou de um para o outro para ver se sua sugestão pegava. Steve nunca foi capaz de fazer o que achava certo sozinho. Ele sempre tinha que ter pelo menos uma pessoa com a mesma opinião ao seu lado.

"Eu gostaria de saber por que você está fazendo isso, David", disse Natalie. "O que você quer dizer quando fala que está cercado de inimigos? Quem ou o que você teme?"

"Eu quero te perguntar outra coisa," Gina interveio, tendo terminado sua sobremesa. "Por que você nos convidou?"

Ele sorriu, e aquele sorriso não era sem admiração. 'Nossa Gina cínica e egoísta! Ela sempre traz as coisas ao ponto. Por que eu convidei você! Você já entendeu que esta é a questão crucial!«

"Podemos finalmente descobrir o que está acontecendo agora, ou você tem que se entregar a insinuações vagas pelo resto da noite?" Natalie perguntou impaciente.

Todos olharam para David. Levantou-se, olhou para os amigos um após o outro e disse lenta e enfaticamente: "Eu os convidei para descobrir qual de vocês quer me matar!"

No silêncio atordoado soou o carrilhão de um relógio antigo. Eram dez e meia. Com passos lentos, David saiu da sala.

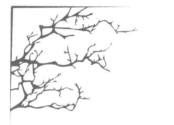

3

Eram quase onze horas quando Gina saiu do quarto. Após a partida de David, o grupo à mesa se separou muito rapidamente. Houve mais alguns comentários como: "Meu Deus, ele é louco?" e "Ele sempre teve um talento para o drama, mas agora está se superando!"

"Vou dormir", disse Gina, e os outros imediatamente quiseram se juntar a ela. No passado, nenhum dos dois teria ido para a cama voluntariamente até que tivessem passado pelo menos uma noite discutindo sobre David e suas estranhas palavras, mas havia muitos anos entre eles, muitos eventos que não haviam compartilhado . Havia uma desconfiança que os impedia de se encontrarem.

Gina não tinha intenção de dormir. Ficou claro para ela que Steve, pelo menos, estava planejando pedir dinheiro emprestado a David também, e era possível que até a Mary de olhos arregalados tivesse a ideia em mente. Nessa questão delicada, quem chegasse primeiro definitivamente tinha as melhores cartas. Mary esperaria até que uma chance se apresentasse e então provavelmente não pronunciaria uma palavra. Steve hesitaria e procrastinaria, e finalmente falaria em um momento totalmente inoportuno. Mas ela, Gina, faria isso agora. Imediatamente.

Ela só esperava que David não estivesse no meio de uma discussão com Laura, mas que, ao contrário, ele estivesse sozinho por causa da discussão. Ela sabia por experiência que os homens que tinham problemas com suas esposas geralmente se retiravam para o escritório e se escondiam atrás de suas mesas. Ela sabia mais ou menos onde ficava o escritório de David, porque assim que chegou perguntou à empregada sobre a disposição do quarto. A cobertura de David consistia em dois andares; no andar de cima ficavam as salas de estar, sala de jantar, bar e o escritório de David. Quartos, banheiros e quartos de hóspedes ficavam no andar inferior.

Este apartamento é bastante grande, mas não é nem uma fração do tamanho do nosso castelo endividado, e vou encontrar o querido David aqui em algum lugar, pensou Gina, e silenciosamente fechou a porta de seu quarto atrás de si. Uma luz fraca estava sempre acesa no corredor, quente e fraca. Gina lembrou-se da luz azulada nos corredores do Saint Clare guiando os alunos para os banheiros à noite. Ela podia sentir o chão de pedra desconfortavelmente frio sob seus pés descalços enquanto corria para o banheiro, sua camisola esvoaçando, seus dentes batendo enquanto ansiava pelo momento em que poderia rastejar de volta para sua cama quente. Claro que estava quente em todos os lugares aqui à noite também; um carpete macio e dourado se estendia a seus pés. Gina havia esguichado perfume atrás das orelhas e no decote do roupão, escovado o cabelo e enfiado os lábios. Ela ainda era a mais bonita de todas, notara isso de novo naquela noite. Nem mesmo essa jovem, essa Laura, conseguia acompanhar. Ela era fresca como a primavera, mas ela, Gina, tinha uma natureza mais misteriosa. Nunca tendo duvidado de que poderia conseguir o que quisesse de um homem, ela também não duvidava hoje.

O tapete macio engoliu cada passo dela enquanto ela caminhava pelo corredor.

Com movimentos fracos e cansados, Laura voltou para o quarto. Por um momento ela se olhou no espelho, seguindo com os olhos as linhas delicadas das maçãs do rosto, o nariz frágil, os lábios finos. Ela estava chorando e seu rímel escorria pelo queixo em mechas pretas.

"Uma garotinha chorando", ela murmurou.

Gina havia desaparecido no escritório de David. A bela, elegante e autoconfiante Gina. Laura desejou não ter se esgueirado e escutado.

Mas fazia sentido fechar os olhos para a verdade?

O telefone tocou. Quando a luz vermelha piscou na linha, Laura soube que o porteiro estava ligando. Não havia mais um criado no apartamento. Ela pegou o telefone. "Sim?"

"Senhorita Hart? Boa noite. O pessoal do restaurante está aqui e quer pegar os pratos. Tudo bem para você, ou você quer que eles voltem pela manhã?"

'Mande-a subir. Eu irei até a porta. Ela desligou o telefone e se olhou no espelho novamente. De repente ela se lembrou de quantas vezes sua mãe havia chorado por causa de seu pai. Pobre mamãe, ela pensou com ternura.

No final do corredor, ela viu Gina voltando de David e Steve saindo do quarto de Mary. Ele estava obviamente envergonhado por ser notado.

"Mary e eu estávamos discutindo uma coisa", ele murmurou.

Gina sorriu. 'Mas você não precisa nos explicar nada, Steve! Sabemos que as mulheres te amam. E você a eles – contanto que sejam adequados!"

Steve olhou para ela com raiva. "Se você sempre teve uma boca tão rápida, então me diga por que você está vagando por aqui no meio da noite, Gina!"

"Eu tive uma entrevista com David."

Nesse momento, Laura aproximou-se dos dois e parecia tão pálida e nervosa que Gina pensou com simpatia: Pobre garota, você deveria encontrar um homem legal que não a intimidasse como David faz e que não a fizesse chorar. o tempo todo !

Ela disse em voz alta: 'Era sobre uma conta antiga. Nem tudo está resolvido entre David e eu. Boa noite um para o outro. Ela desapareceu em seu quarto.

"Boa noite", murmuraram Steve e Laura. Steve também estava com pressa de fechar a porta do quarto atrás de si. Laura estudou as portas trancadas por um momento, depois continuou seu caminho. Eram onze e quinze.

Às onze e meia, Mary não aguentou mais e ligou para seu apartamento em Londres. Antes ela havia contado seis horas para trás uma dúzia de vezes: na Europa já deviam ser cinco e meia da tarde.

Ela ouviu nervosamente a campainha. Ela se perguntou se tinha sido muito desdenhosa com o pobre Steve. (Mary passava boa parte do tempo se preocupando se ela realmente havia sido legal o suficiente com essa ou aquela pessoa.) Steve tentou persuadi-los a irem juntos à casa de David e reivindicar o dinheiro que era sua opinião de acordo com a condição. "Lembre-se do que ele fez com todos nós."

"Eu não posso fazer isso, Steve. Se você acha certo, você deve fazê-lo sozinho. Eu não posso fazer isso!" Apenas o pensamento a fez tremer.

"Por favor, Mary! Para mim depende tanto disso!«

Você não pode fazer algo sozinho *pela primeira vez?* ela pensou.

— Não posso, Steve. Eu sinto muito." Ela estava à beira das lágrimas quando ele saiu da sala. Por que ela não podia pular sobre sua sombra pela primeira vez? Por que sempre essa timidez paralisante? Ou era realmente muito o que ele estava pedindo?

Demorou uma eternidade até que o telefone fosse atendido do outro lado do Atlântico. Houve um gemido, então um resmungo, "Gordon...". Parecia que Peter havia acordado de um sono profundo.

Por que diabos ele está dormindo agora? Mary se perguntou horrorizada.

"Peter," ela guinchou. Ela sabia que a pior coisa a fazer era acordá-lo.

"O que?"

"Peter, é Maria."

Tudo ficou quieto por um tempo, então Peter disse lentamente: "Você deve ter enlouquecido!"

— Peter, desculpe se acordei você, mas não esperava que estivesse dormindo a essa hora. Quer dizer, à tarde..."

"Por que tarde, caramba? São cinco e meia da manhã!

Mary quase congelou em estado de choque. "O quê? Como assim? Acho que na Europa é seis horas mais cedo do que na América..."

Um longo suspiro veio de Peter. — Você é tão estúpida, Mary. Tão profundamente estúpida. Seis horas *depois* está aqui. você consegue isso mais tarde!!! Não existe uma mulher solteira sendo tão estúpida!"

'Oh Deus, sim, você está certo. desculpa estou tão confusa..."

Ela gaguejou e se sentiu miserável.

"Não é nada. Não pode mais ser alterado, certo? Por que você está ligando?"

Mary sabia o quão banal isso soava, mas ela disse assim mesmo - afinal ela não tinha outra escolha: "Eu... eu só queria dizer que eu... cheguei bem..."

"Que interessante! Como nunca tinha ouvido falar de queda de avião, quase suspeitei! Peter achava comentários desse tipo espirituosos e sempre esperava aplausos.

Como sempre, Mary riu educadamente e disse: "Claro, você está certo! Eu não estava pensando de novo!"

Mas a verdade é que os velhos medos estavam de volta e ela se lembrava dos mil dias em que implorara por uma palavra gentil, um sorriso dele. Nas incontáveis horas que ela se trancou no banheiro chorando para evitar seus ataques – primeiro verbais, depois também físicos – a súplica desesperada passou por sua cabeça repetidas vezes: Se ao menos eu pudesse me livrar dele! Se ao menos eu tivesse forças para deixá-lo!

Pela primeira vez hoje, ela sentiu uma onda de força que ela precisaria. Em vez de medo e insegurança, ela de repente descobriu a raiva em si mesma. Caramba, Peter Gordon, quem você pensa que é? Seu perdedor que não tem emprego, fica na frente da TV o dia todo e bebe demais! E acredita que pode tiranizar seu ambiente o quanto quiser. Você realmente percebe quantas horas da minha vida você roubou de mim?

"Você teve notícias de Cathy?" ela perguntou friamente.

Algo no tom de sua voz pareceu irritá-lo. Ele hesitou um momento. "Sua filha ligou esta manhã", ele respondeu. Ele gostava de salientar que Cathy não era filha dele. – Acho que ela está bem. Mas claro, ela também está com amigos queridos. Você também está com queridos amigos. só eu estou sozinho Mas você não precisa se preocupar com isso. O principal é que se sinta bem!«

“Peter, você sabe que eu realmente gostaria que você se sentisse bem também. Cathy e eu não podemos evitar que você não tenha amigos. Por que você teve que..."

"Por que você teve que fazer isso, por que você teve que fazer isso!" ele zombou dela com raiva. »Se a velha melodia deve voltar agora, então, por favor, dê-a a si mesmo! Não aguento mais suas acusações. Sabe por que estou feliz agora? Que eu não preciso ver sua maldita expressão hipócrita!

Ele gritou as últimas palavras. Mary fez o que nunca havia feito antes: desligou o telefone com força. O aparelho tremeu. Maria o encarou. O sentimento de remorso crescendo dentro dela a deixou tonta.

O que eu fiz? Querido céu, como eu poderia fazer isso?

Nesse momento o sistema de alarme tocou, estridente e penetrante.

Todos apareceram no corredor como estavam: Mary e Steve ainda completamente vestidos, mas Mary sem sapatos; Gina em um roupão branco, uma toalha sobre o ombro e um esguicho de pasta de dente no nariz. Natalie usava uma sofisticada camisola preta com um roupão de seda combinando que ondulava atrás dela como um véu. Ela já havia tirado a maquiagem e as outras notaram que ela parecia muito infeliz sem maquiagem.

"Ladrões!" Gina gritou teatralmente, que parecia estar levando todo o caso para o momento engraçado.

"O que David está fazendo agora?" Steve perguntou irritado.

Natalie estava branca como a parede. "Se isso é uma piada, então é mais do que ruim, e se David está por trás disso, pode ter certeza de que estarei no primeiro vôo de volta para Paris amanhã de manhã!"

"Vamos ver o que está acontecendo", determinou Gina.

Um a um, eles subiram a escada branca em espiral. Como se tivessem combinado, eles se separaram no andar de cima: Steve e Mary saíram para um lado, Gina e Natalie para o outro. Eles foram para a sala de jantar, onde ainda estavam os pratos e as sobras da ceia. Laura estava deitada no chão com os pés amarrados, as mãos amarradas nas costas, um lenço na boca para não gritar. A coisa toda era tão grotesca como uma imagem que Gina e Natalie apenas ficaram ali, maravilhadas, por alguns segundos. Só quando Laura soltou um gemido é que eles se livraram da confusão e correram para ajudar a garota.

"É assim que você imagina Manhattan", disse Gina, tirando a mordaça da boca de Laura. "O que diabos aconteceu, Laura?"

Laura engasgou. "Os homens que vieram buscar os pratos", ela resmungou, "eles me atacaram!"

O sistema de alarme ainda estava tocando. "Alguém não pode desligar essa coisa?" Natalie perguntou exasperada.

"Onde estão os caras agora?" Gina olhou em volta. "Você ainda está no apartamento?"

"Acho que eles fugiram e o porteiro deu o alarme", disse Laura. Ela lutou para se levantar. "Oh Deus, eu posso sentir cada osso! Que porcos!«

No mesmo instante ouviram um grito vindo do corredor, tão alto e estridente que abafou até o sistema de alarme.

"Quem vai ser assassinado agora?" perguntou Gina, e como uma resposta macabra à pergunta que ouviram: "David! David está morto! Alguém atirou em David!"

Nova York, 29. 12. 1989

Nuvens nevadas pairavam baixas sobre a cidade, e o amanhecer estava sombrio e cinza. O inspetor Kelly estava sentado na poltrona em frente à lareira da sala de estar, olhando pensativo à sua frente. O sargento Bride, seu assistente, olhou-o cansado e taciturno. Ambos os homens tinham estado exaustos na noite anterior, mas enquanto Kelly parecia tensa e bem acordada, Bride bocejava a cada dois minutos, e ele não se incomodou em abafá-lo agora. Para ele, de qualquer maneira, o caso estava claro: os assaltantes haviam invadido o escritório do agora morto David Bellino, provavelmente na expectativa de que não encontrassem ninguém ali naquele momento. David, que ainda estava sentado em sua mesa, teve sua pistola em mãos em um piscar de olhos (Laura havia identificado a arma espalhada pela sala, que segundo os investigadores forenses era a arma do crime, como propriedade de David), mas ele não tinha começou a atirar porque um dos assaltantes pegou sua arma e puxou o gatilho. A bala atingiu David Bellino bem na têmpora. Ele deve ter morrido em um único segundo.

Horrorizados - porque um assassinato não havia sido planejado - os ladrões deixaram o apartamento às pressas. Ao passarem pelo porteiro, ele notou que algo estava errado com os supostos mensageiros do restaurante. Ele soou o alarme. Quinze minutos depois, a polícia chegou ao local.

"Aquela Laura Hart deu uma descrição bastante decente dos perpetradores", disse Bride. "Por que não esperamos e vemos se a busca nos traz alguma coisa?"

Kelly olhou para cima. 'Não entendo como tudo pode ser tão claro para você, Noiva. Os assaltantes atiraram em David Bellino! Bem, há muito a ser dito sobre isso. Mas a declaração que Bellino fez pouco antes de sua morte violenta, segundo depoimentos unânimes, não lhe dá o que pensar? 'Quero saber qual de vocês quer me matar!' Isso foi endereçado a seus convidados.

Ele sai da sala e está realmente morto uma hora e meia depois. Estranho, não é?

"Por que um de seus convidados iria querer matá-lo?"

»... a famosa pergunta sobre o motivo. À primeira vista, nenhum é aparente, mas parece haver um, pois aparentemente Bellino já viu um. Vamos encontrar a oportunidade primeiro: qualquer um dos quatro a teria. Kelly se inclinou para frente, sua expressão extremamente concentrada agora. 'O jantar terminou às dez e meia. Todos os convidados foram para seus quartos. Laura Hart, que foi duramente agredida por Bellino durante o jantar, disse que estava chorando no quarto. David Bellino havia se retirado para seu escritório. Pode-se presumir com alguma certeza que ele ainda estava vivo às dez e meia. Portanto, sua morte deve ter ocorrido entre dez e meia, fim do jantar, e meia-noite, quando chegamos.

"Entre dez e meia e onze e vinte", corrigiu Bride, "foi quando o alarme disparou."

Kelly balançou a cabeça. "Eles sempre assumem que os ladrões fizeram isso. Isso não precisa ser. Bellino pode ter sido morto depois que os ladrões saíram de casa.

'Bem...' Bride disse vagamente.

"Vamos examinar os quatro convidados", disse Kelly. "Ninguém tem um álibi completo para a hora do crime. Há Lady Gina Artany. Ela foi ver Bellino em seu quarto por volta das dez para as onze - como ela própria admitiu, para 'bater' nele. Após cerca de vinte minutos, ela o deixou novamente. Depois que ela atirou nele?

"Então ela dificilmente teria admitido ter estado com ele!"

— Bem, em primeiro lugar, ela foi vista pela Srta. Hart e pelo Sr. Marlowe ao voltar e teve de pensar em uma explicação. Em segundo lugar, esse voo para a frente costuma ser o melhor caminho. Artany é uma garota de sangue frio.

'Bem...' Bride murmurou novamente. Ele estava tão cansado.

"A senhorita Natalie Quint", continuou Kelly, "retirou-se para o quarto imediatamente após o jantar. Ela realmente ficou lá até o alarme soar? Ou ela saiu e atirou em David Bellino?

Noiva suspirou. Tudo parecia tão inverossímil para ele. Afinal, ele também conheceu o Quint durante os interrogatórios. Uma mulher legal, controlada e muito culta. Não aquele que sai no meio da noite e atira em um homem.

Como se lesse os pensamentos de Bride, Kelly acrescentou: "Acho que a Srta. Quint é viciada em pílulas."

"Como você conseguiu isso?"

"Tenho olho para isso. Há algo muito errado com a mulher.

Bride se absteve de dizer "bem" no último momento.

"Steven Marlowe", continuou Kelly, "foi ao quarto de Mary Gordon depois do jantar. Os dois tinham algo 'privado' para conversar. Na saída, conheceu Gina Artany, que vinha de Bellino. Então devia ser umas onze e dez. Depois disso, ele teria tido tempo e oportunidade para cometer assassinato."

"Ele não é o tipo."

"Não? Quase acho que é o protótipo. Uma personalidade muito difícil. Um homem que não ganha força com os golpes do destino, mas quebra. A sensação de estar em uma situação desesperadora pode muito bem levá-lo a cometer um assassinato."

Bride pensou que Kelly estava lendo demais para essas pessoas perfeitamente normais, mas ele manteve sua opinião para si mesmo.

"Finalmente, Mary Gordon. Marlowe deixou-a às onze e dez. Às onze e meia ela ligou para o marido - isso poderia ser verificado. Mesmo assim, faltam vinte minutos para ela ter matado Bellino.

'Desculpe-me', disse Bride, 'mas eu realmente acho que a Sra. Gordon é incompetente para fazer uma coisa dessas. Uma garotinha tímida que provavelmente gritará quando vir uma aranha rastejando pelo tapete."

'Ela provavelmente vai gritar se uma aranha entrar em seu caminho, você pode estar certo. Mas por que ela não deveria pegar em armas e atirar em um homem? Sabemos de um grande número de assassinos na história criminal que eram conhecidos por serem pessoas extremamente tímidas. Durante toda a vida eles têm medo de tudo e de todos, não conseguem abrir a boca, todos os pisoteiam e, em algum momento, vão atirar. Não é incomum."

Bride bocejou furtivamente. "E quanto à Srta. Laura Hart?"

'Sim, isso é uma coisa. Quando Lady Artany deixou David Bellino e assim - se ela mesma não o matou - abriu caminho para seu assassino, a

Srta. Hart já estava a caminho da porta para abrir o suposto funcionário do restaurante. Ela os conduziu até a sala de jantar, onde estavam os pratos, onde eles a dominaram e a amarraram. Os outros não a encontraram até o alarme tocar."

"Os assaltantes ficaram no apartamento por muito tempo", disse Bride. "E, no entanto, o assassino de Bellino, que devia estar se esgueirando por aqui ao mesmo tempo, não os viu?"

"Esta cobertura é muito grande. E tanto os ladrões quanto os assassinos tentavam não ser descobertos, então se moviam com cuidado e silêncio. Eles podem ter passado um pelo outro. Mas eles também podem ter se ignorado.«

"Como?"

"Imagine que você acabou de atirar em um homem. Você quer voltar para o seu quarto rapidamente e sem ser notado. No meio do caminho você descobre algo; por exemplo, você vê três homens estranhos forçando e amarrando a Srta. Hart no chão. Você entraria? Pedir ajuda? Acionar o alarme? Oh não, se você for inteligente, não faça isso. Porque mais cedo ou mais tarde você teria que explicar o que realmente estava fazendo ali, e isso faria você gaguejar muito. Você se apressaria em silêncio e em silêncio. «

"Hm."

'No entanto, sua observação não é sem interesse, Bride. O porteiro disse que os homens passaram correndo por ele como se o diabo estivesse atrás deles. Caso contrário, ele não teria dado o alarme imediatamente. O tempo todo eu pensava no que poderia ter sido o motivo da partida apressada. Os assaltantes podem ter encontrado o assassino. Eles pensaram que haviam sido descobertos e expulsos. «

Bride se mexeu na cadeira, esperando encontrar uma posição mais confortável para seus ossos doloridos. Seu pescoço estava muito rígido, gemendo ele o esfregou com a mão. Aquela luz pálida e feia da manhã! Às vezes ele odiava seu trabalho. — Não acha que está dificultando demais para você agora, inspetor? ele perguntou, pensando com raiva: Em primeiro lugar, você está dificultando *para mim* . "Tudo parece óbvio para mim."

'Você está esquecendo a observação que David Bellino fez para chocar toda a festa antes de sair do jantar. 'Eu quero descobrir qual de vocês está tentando me matar.' Uma observação instigante, você não acha? Por um homem encontrado morto uma hora e meia depois!

"Teatral", disse Bride. "Você está levando isso a sério?"

— Veja bem, a Srta. Hart disse no início do interrogatório que David Bellino era paranóico. Ele tinha pistolas espalhadas por todo o escritório para que, onde quer que estivesse, uma arma estivesse sempre à mão. Eu concordaria com ela imediatamente e também falaria em loucura, mas infelizmente o homem foi baleado - fatalmente com uma de suas próprias armas - e, portanto, deve-se ter cuidado com o termo 'loucura'. Também encontramos as cartas ameaçadoras em sua mesa. Bellino estava genuinamente morrendo de medo, com razão, como sabemos. E por alguma razão ele pensou que um de seus quatro velhos amigos seria o culpado.

"Então por que ele a convidou?"

Kelly olhou para o colega com certa pena. "Quando o medo e a tensão se tornam insuportáveis, todos somos tentados a criar o perigo nós mesmos. Preferimos enfrentar as coisas do que esperar que nos embosquem. Isso nunca aconteceu com você?"

Bride era uma pessoa sóbria e sem imaginação. Mesmo sendo um policial de Manhattan não poderia despertá-lo de sua lentidão. Kelly lembrou como uma vez ele teve que resolver um assassinato da máfia com ele. Um casal de idosos, cujo testemunho teria sido extremamente incriminador para certos mafiosos, foi brutalmente massacrado em sua casa, e quando Kelly e Bride apareceram para inspecionar a cena, todos os policiais, incluindo Kelly, estavam com o estômago revirado. Apenas Bride permaneceu calmo, ele estava apenas irritado porque o trabalho investigativo estava sendo adiado pela doença dos outros e por ele demorar mais para chegar ao fim do dia.

"Não, nunca foi assim para mim", ele agora respondeu à pergunta de Kelly. Ele bocejou novamente e pensou ansiosamente em um café da manhã agradável e tranquilo.

Kelly pegou a pasta que estava ao lado dele em uma mesinha. 'E', disse ele, 'nós temos isso! Quinhentas páginas datilografadas escritas por David Bellino. >Para ser lido após a minha morte<. As biografias de seus amigos, desde a infância até hoje. Aparentemente é a confissão de vida de Bellino,

43

muito direta e aberta. Depois disso, aparentemente algum de seus amigos teria um motivo para matá-lo."

Este não é um filme de Hollywood, pensou Bride mal-humorada.

"Aqui, logo no início ele escreve: Pode ser que um dos meus amigos tenha escrito as cartas ameaçadoras. Um dos meus amigos pode me matar. Todo mundo teria um motivo, e acho que todo mundo é capaz de cometer um crime. Sou extremamente suspeito da humanidade, e não há ninguém que eu não acredite que mataria seu parente mais próximo se isso lhe trouxesse alguma vantagem, ou se pudesse satisfazer sua sede de vingança ou alguma outra emoção despertada. Todo mundo é um criminoso em potencial e Deus salve-me de todos eles! Sempre tentei conquistar a amizade dela, agora acho que só resta o ódio dela."

"Fantasmas", Bride murmurou.

»Fantasmas? Talvez. Precisamos verificar tudo isso. Acho interessante todo o drama que se desenrola diante de mim. Ele se levantou, pasta na mão. "Vamos ver o que nossos quatro amigos têm a dizer sobre isso."

O mordomo havia servido o brunch. Fatias de abobrinha, ovos mexidos e baguete, seguido de um bolo de chocolate e dois bules grandes de café. Os convidados estavam sentados na sala de jantar, que a equipe forense já havia liberado. Alguém tinha ligado a televisão; o noticiário mostrava fotos de Berlim, o Portão de Brandemburgo aberto, pessoas se acotovelando no notório Muro, como tem acontecido com frequência nos últimos dias. Depois, a Romênia, lutas de rua ainda por toda parte depois que o ditador Ceaucescu foi executado alguns dias atrás. Aqui na sala, um fogo aconchegante crepitava na lareira; do lado de fora, um meio-dia crepuscular parecia transformar-se em uma noite crepuscular. Um dia em que não clareou. A neve caiu sobre Manhattan.

Laura juntou-se aos outros quando a comida foi trazida, mas quase não tocou em nada. Ela só tomava café, comia um pedacinho do bolo e fumava um cigarro. Sem maquiagem, com o cabelo penteado para trás, ela parecia ainda mais jovem do que ontem. Suas longas pernas estavam envoltas em um par de jeans envelhecidos, um suéter de mohair preto e botas de caubói pretas nos pés. Suas mãos tremiam ligeiramente.

Natalie acabara de engolir outro valium e estava encolhida em um canto. Steve olhou para as chamas, Mary estava lendo um livro, mas como ela não virava uma página havia uma hora, sua mente devia estar em outro lugar. Gina, ainda de roupão, andava de um lado para o outro no quarto e ficava cada vez mais furiosa.

"Devo sentar aqui até ficar velho e grisalho?" ela perguntou com raiva. 'Sabe, eu não acho que Kelly ou qualquer que seja o nome dele tenha o direito de nos manter aqui também! por que? Alguém atirou em David, ok, isso provavelmente não deixa ninguém particularmente triste, mas ainda não foi um de nós. Não vejo como pode haver qualquer dúvida de que foram aqueles ladrões sinistros!

"Nenhum de nós tem um álibi!" comentou Natália. "Isso nos torna todos suspeitos."

"Meu Deus, não estou tentando criar um álibi em todos os momentos da minha vida só porque alguém que conheço acabou de levar um tiro", retrucou Gina. "E agora eu vou, e vou ver quem está me impedindo!"

Ela foi até a porta onde colidiu com o Inspetor Kelly que acabava de entrar na sala. "Oops", disse ele, "onde está com tanta pressa?"

"Quero ir para o meu quarto, me vestir, arrumar minhas coisas e depois descobrir quando é o próximo voo para Londres. Até agora ninguém foi capaz de me dar uma razão razoável pela qual estou sendo mantida aqui!"

"Eu ficaria feliz em lhe dar uma razão, Lady Artany."

A voz de Kelly era suave, mas não como se ele fosse fazer objeções. Ele desligou a TV. — Um homem foi baleado neste apartamento ontem à noite. E eu quero saber quem é o assassino."

Gina jogou a cabeça para trás. "E como devo ajudá-lo?", ela perguntou desafiadoramente.

Kelly olhou para ela severamente, então seu olhar varreu a sala, roçou a pálida Laura, demorando-se em cada um dos convidados por sua vez. "Você pode responder a uma pergunta para mim", disse ele. "Todos vocês poderiam. Acho que o Sr. Bellino já lhe fez essa pergunta antes. Qual de vocês matou David Bellino?

"Agora, não comece com essa bobagem também", disse Natalie, exasperada. Ela havia tomado duas xícaras de café, embora não suportasse nem uma, e agora sua respiração estava acelerada e seu coração batia forte. Ela estava aborrecida por não ter pedido chá ao mordomo.

"Você realmente acha que isso é um absurdo, Srta. Quint?" Kelly perguntou.

Steve se levantou. — Acha mesmo que somos suspeitos, inspetor? Como nenhum de nós tem um álibi completo para a hora do crime, e é nisso que você parece basear sua acusação ultrajante, talvez devêssemos todos procurar aconselhamento jurídico.

"Ainda não tenho certeza se acho que você é um suspeito", disse Kelly. "O fato é que Bellino pensou que você fosse. Ele explicou as razões aqui. Ele ergueu a pasta. 'Todas as suas histórias de vida. Tanto quanto ele sabe."

"Que revelador para você!" Gina olhou para ele. "Então agora você pode nos ler como livros abertos."

- Não o suficiente, infelizmente. Mas primeiro, David Bellino escreve que acredita ser culpado de cada um de vocês, Srta. Quint, Sra. Gordon, Lady Artany e Sr. Marlowe. Ele assume que cada um de vocês tem um motivo. Em alguma curva da estrada, ele era a armadilha em que você tropeçou.

Ninguém disse nada. O silêncio era completo na sala. Apenas as toras na lareira racharam.

'Não é', disse Kelly suavemente, 'isso mesmo. Todos o odiavam. Ele foi fatal para cada um de vocês.

Ainda ninguém falou. O inspetor Kelly continuou com naturalidade: 'Eu diria que examinaremos suas histórias. Os muitos eventos significativos e não essenciais que moldaram seu caminho. Que compõem o seu passado e que o trouxeram aqui hoje - e implicado neste negócio muito estranho.'

'Só porque nós...' Steve começou, mas o inspetor Kelly o interrompeu. "Não. Nada aqui é aleatório. E eu quero descobrir por que isso acontece. Vamos reconstruir suas histórias juntos. Obviamente podemos aprender muito com esta pasta, e eu gostaria de ouvir muito de você. Estou vou fazer-lhe perguntas, e eu quero que você responda honestamente."

"Muito fascinante", comentou Gina. "Alguém pode me passar um cigarro para que eu não adormeça durante a hora da história do inspetor Kelly?"

Laura silenciosamente entregou seu maço de cigarros. Bride semicerrou os olhos para o bolo de chocolate, mas não ousou dizer nada. Um pedaço de madeira desabou com um estalo suave. Ainda estava nevando.

É claro que as anotações de David dariam apenas um quadro incompleto, porque havia muita coisa que ele não sabia, alguns só podiam adivinhar, outros nem mesmo adivinhar. E os envolvidos não revelavam tudo, e eles mesmos sempre tateavam no escuro. Ninguém conhece todas as facetas do destino, seja ele próprio ou alienígena, e vastas áreas permanecem misteriosas, secretas e desconhecidas.

Mas o que realmente aconteceu?

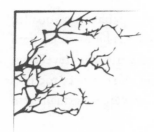

II.

Um livro

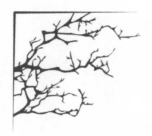

Mary

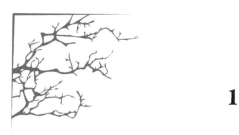

1

Mary Gordon nasceu Mary Janet Brown em Liverpool, em um hospital sujo que saiu em todos os jornais um pouco mais tarde por causa de um escândalo de higiene e teve que ser fechado. Os Browns moravam em um apartamento apertado e sombrio de três cômodos no leste de Liverpool, já que o jovem professor Michael Brown ainda não ganhava muito e sua esposa doente não podia ganhar mais. Em frente à cozinha havia uma espécie de varandinha, destinada apenas a pendurar a roupa para secar; tinha um metro de comprimento e um metro de largura, e estava sempre úmido porque o sol não batia lá, mas Mary ainda carregava suas bonecas e blocos para lá porque podia ver um pouco do céu acima e cavar com os dedos em o musgo que havia nos nichos da parede da casa cresceu. Ela tinha um desejo apaixonado por grama e flores, mas da sacada seu olhar se deteve na parede enegrecida pela fuligem em frente à casa e cercando um canteiro de obras. Como muitas meninas, Mary sonhava com o príncipe que um dia viria e a levaria embora; tinha uma casinha à beira-mar e um grande jardim com macieiras, sebes de amoras silvestres e morangos silvestres e doces.

O pai de Mary era um batista devoto e seu fanatismo religioso aumentava constantemente. Os longos sermões que ele pregava para sua família consistiam essencialmente em palavras como pecado, impureza, corrupção, depravação, tentação. Ele sentia os inimigos de Deus em todos os lugares, fosse a mulher no apartamento de baixo que supostamente estava traindo o marido, ou a vizinha que sempre usava saias curtas e sapatos de salto alto.

"Prostituta", disse Michael Brown, "uma pecadora que algum dia encontrará seu castigo justo!"

Maria passou a infância orando pela redenção de pecados dos quais ela nem sabia.

51

"O que eu fiz?" ela perguntou a seu pai um dia, com lágrimas nos olhos, enquanto ele novamente a forçava a se ajoelhar na dura bancada da cozinha por uma hora e implorar perdão a Deus.

Michael olhou para ela com seus fanáticos olhos escuros. 'O pecado original. Está em você como em todos nós. Você será uma mulher um dia, Maria, e então será culpada do pecado em suas horríveis proporções. Há maldade nas mulheres.«

Mary não conseguia entender o que ele queria dizer. "Na múmia também?" ela perguntou. Sua mãe, como sempre, estava febril e miserável no quarto escuro, e Mary não conseguia ver a personificação do mal naquela mulher emaciada, pálida e silenciosa.

"Há maldade em toda mulher", repetiu o pai, "e você vê como sua mãe está sendo punida severamente por isso."

Ela sentiria o mesmo algum dia só porque era mulher? Mary começou a temer seus próprios pecados, pois se mamãe, que nunca fez mal a ninguém, sofreu assim, quanto pior deve ser para ela, Mary? Dia após dia ela buscava ansiosamente em sua consciência: será que ela olhou de soslaio para o caderno da vizinha na escola? Ela realmente aprendeu o suficiente para o próximo exame? Ela disse ao caixa do supermercado que havia lhe dado troco demais? Todos os dias havia tantas oportunidades de tropeçar que era quase impossível passar por elas ileso. Mary tornou-se cada vez mais séria, mais quieta e mais pálida, ela se retraiu completamente em si mesma. Pouco depois de seu décimo segundo aniversário, ela percebeu que seu corpo estava mudando e isso a deixou em pânico. Já estava quase na hora. Não demoraria muito para que o que seu pai havia profetizado aconteceria com ela.

Também foi logo após o décimo segundo aniversário de Mary que sua mãe teve que ir ao hospital. Só muito mais tarde Mary descobriu que tinha câncer e que nenhum médico lhe daria outra chance, mas, embora não lhe contassem a amarga verdade, ela suspeitava que nunca mais veria sua mãe.

Uma ambulância pegou a Sra. Brown, que pesava apenas setenta quilos. Era um dia sombrio e cinzento de novembro, Liverpool afundava na neblina e as ruas estavam úmidas e frias. Mary segurava a mão da mãe, o rosto todo dolorido pelo esforço de não chorar. Michael Brown tinha ido à escola, mas Mary faltou hoje, mesmo sabendo que isso lhe daria um grande ponto negativo para Deus. Ela não podia deixar mamãe sozinha agora. A Sra. Brown tentou sorrir com confiança. 'Mary, minha querida, não fique tão triste, já volto. Então estarei completamente saudável, e o que você acha que podemos fazer juntos então? Mas fique fora do caminho do seu pai por um tempo, ok? E não dê muita atenção ao que ele está dizendo. Você me promete isso, Mary?

Mary assentiu, incapaz de pronunciar uma palavra, com a garganta sufocada.

'Se você encontrar um bom homem algum tempo depois', continuou a Sra. Brown, 'então leve-o para fora, não importa o que seu pai lhe diga sobre o castigo do céu ou o que quer que seja. Seu . . . seu pai não é. "Quero que um dia você seja uma pessoa feliz, Mary. Não há nada que eu deseje tanto.«

Os serventes se aproximaram e colocaram a Sra. Brown em sua maca, gemendo baixinho de dor. Mary quis acompanhar o triste transporte escada abaixo, mas um dos serventes acenou para que ela se afastasse. - Fique aí em cima, pequenino. Está tão frio lá fora, você vai conseguir outra coisa. Você se despediu de sua mãe.

Mary correu para a janela, pressionou o rosto contra a vidraça e olhou para a rua. Depois de um tempo eles apareceram, os dois homens carregando a maca entre eles. Como Mummie parecia incrivelmente pequena daqui de cima. E quão impotente. Eles a colocaram na ambulância e fecharam as portas atrás dela. O carro partiu, deixando para trás a estrada enevoada, suja, sombria e vazia. A fumaça subia da chaminé da fábrica e os saltos da jovem que Michael Brown chamava de "prostituta" chacoalhavam na escada. Maria deitou-se no sofá, envolveu-se numa manta e refugiou-se no seu eterno devaneio: um dia viria o homem que a amou e cuidou dela para o resto da vida. Seria pecado pensar nisso?

Uma semana depois, Mary voltou da escola ao meio-dia. Soprava um vento frio, o ar cheirava a neve, todos corriam pelas ruas. Mary achou agradável entrar em um apartamento aquecido, onde até mesmo o cheiro de comida quente a acolhia. Papai provavelmente já estava em casa e cozinhava para ela. "Pai! Pai, estou aqui!"

Michael Brown enfiou a cabeça para fora da porta da cozinha. "Olá, Mary. Por que você está tão atrasada?"

"Atrasado? Estou indo normalmente!" Havia algo em sua voz que deixou Mary cautelosa: "É uma hora!"

"Eu estava olhando pela janela, Mary."

O que ele quis dizer com isso? Maria estava completamente no escuro. "Você olhou pela janela?"

"Sim. Venha para a cozinha." Ele agarrou o braço dela com um pouco de força: "Agora olhe pela janela!"

Ela fez o que ele mandou, mas com a maior boa vontade do mundo não conseguiu ver nada além da rua, que parecia a mesma de sempre. "O que deveria estar lá?"

"A esquina", disse Michael Brown, "a esquina da rua onde fica o restaurante de peixe e batatas fritas!"

"E daí?" Papai estava louco? O negócio existia desde que Mary se lembrava.

"Eu vi *você* lá!" Michael disse suavemente e lentamente.

"Meu?"

— Não aja de forma inocente, Mary. E acima de tudo, não minta para mim. Acabei de ver você lá... com aquele homem!

Ela engasgou de surpresa. *Isso é* o que ele quis dizer. Oh meu Deus! "Pai, era um colega meu. Nenhum homem. Ele tem doze ou treze anos. Ele não tinha entendido algo que passamos na escola hoje e queria que eu explicasse. Isso é tudo. Conversamos talvez cinco minutos.

"Minha filha! Minha filha anda com estranhos nas esquinas escuras!"

"Pai!"

"Pai! Pai!" ele a imitou. "Você não sabe o que esses caras querem de você? Você é realmente tão estúpido ou está se divertindo? Você gosta quando eles olham para você com avidez e quando eles tocam em você?"

»Mas ninguém me toca, sério!«

"Então? Bem, em todo caso, você deveria aprender de uma vez por todas o que você ganha ao se envolver com um homem! Ainda poderei ensinar a minha própria filha o que é certo e o que é errado!" Ele abriu a porta que dava para a pequena varanda. "Você fica lá fora agora. Até que você se arrependa."

"Papai! Vai começar a nevar a qualquer minuto! Você não pode fazer isso! Eu nem tenho um casaco..."

Ele a arrastou para fora. "Isso é apenas punição!" A porta se fechou. Mary olhou para o painel de vidro. Ele é louco, ela pensou, meu pai é louco!

O frio caiu sobre ela. Ela havia lido em algum lugar: "... como mil alfinetadas." Foi exatamente assim. O frio ardia e queimava, doía, paralisando o corpo com suas mãos geladas. Em poucos minutos, os dentes de Mary batiam, ela estava dobrada e lágrimas de desespero brotavam de seus olhos. Eu vou congelar até a morte. Vou morrer! Ela bateu as duas mãos contra o painel de vidro. "Abra! Deixe-me entrar! Abra!"

Nada se movia no apartamento. Uma janela se abriu apenas um andar acima dela e uma mulher gorda se inclinou para fora.

"Qual é o problema?" ela gritou melancolicamente. "Você tem que fazer tanto barulho?"

Maria ergueu os olhos. "Por favor, me ajude. Meu pai me trancou do lado de fora e está terrivelmente frio!"

"Você deve ter merecido isso", disse a mulher imperturbável e fechou a janela novamente.

Mary se agachou, mantendo os dois braços em volta do corpo. Ela olhou para o céu ansiosamente. Espero que não tenha começado a nevar também.

Depois de uma hora – Mary estava entorpecida e doente de dor – seu pai abriu a porta.

"Entre. Espero que se arrependa do que fez!"

Ela tropeçou na cozinha e afundou em uma cadeira, sentindo levemente uma nova vida em seus ossos, mas ela não conseguia evitar que seus dentes batessem e tremessem como uma folha. Ela também não conseguiu pronunciar uma palavra por dez minutos, e quando seus lábios finalmente a obedeceram novamente, ela murmurou: "Mamãe..."

Seu pai a encarou. "Oh," ele disse lentamente, "você ainda não sabe..."

Os olhos de Mary se arregalaram e escureceram. "O quê? O que eu não sei?" E quando ele não respondeu, ela quase gritou. "O que eu não sei? O que aconteceu?"

Os olhos de Michael Brown fixaram-se no crucifixo pendurado sobre a mesa da cozinha. "Sua mãe foi redimida esta manhã."

Mary tinha quatorze anos quando ela e seu pai deixaram Liverpool. Michael Brown recebeu a oferta de um cargo de professor no exclusivo internato Saint Clare, perto de Londres, e como a escola era vista como um dos últimos bastiões contra a juventude progressista e imoral, ele sentiu que estava no lugar certo. Meninos e meninas viviam em Saint Clare, mas as regras eram rígidas e os guardas afiados. Uma atmosfera quase isolada prevalecia por trás das grossas paredes que cercavam o amplo edifício. A bainha da saia plissada azul-escura do uniforme escolar de Saint Clare não havia subido um centímetro nos últimos trinta anos, e o intervalo noturno não havia sido estendido por uma hora antes das dez e meia. Não se discutia aqui luta de classes, nem se questionava a monarquia, não se discutia o aborto ou a pílula. Mais tarde, Mary muitas vezes pensou que sua vida teria sido diferente se ela tivesse aprendido mais sobre a realidade, em vez de folhear livros empoeirados e ser protegida e cuidada de todos os lados.

Claro, Mary se viu em um papel de marginal: seus colegas eram filhos de pais bem pagos, ela era filha de uma professora. Ela mesma tinha algum tipo de status de funcionária, pelo menos era o que ela imaginava. Seu pai alimentava suas inseguranças dizendo-lhe que os outros eram melhores e que ela nunca deveria pensar que era igual a eles só porque vivia sob o mesmo teto.

»Você nunca deve deixar o lugar que lhe foi designado na vida. Isso só traz azar!«

Mary escondeu dele que havia feito amizade com uma garota, Natalie Quint, cujo pai era um dos homens mais ricos da Inglaterra, mas que só usava jeans e tênis nas horas vagas. Seu cabelo curto era da cor de prata pálida. Ela escrevia as melhores redações, discutia detalhadamente cada professor e resolvia problemas de matemática altamente complicados com a mesma facilidade com que pintava uma aquarela de Santa Clara na aula de desenho ou marcava gol após gol para seu time de handebol na aula de educação física. Mary se perguntou por que a brilhante Natalie com antecedentes reais estava dando seu tempo e atenção e a princípio ela pensou que era por pena, mas a verdade é que Natalie realmente gostava dela. Os amigos de Natalie - David, Steve e Gina - intimidavam Mary, mas ela confiava em Natalie. Uma vez as duas voltaram de um passeio, cansadas e silenciosas, com os cabelos desgrenhados pelo vento, e em algum lugar do parque, entre lilases em flor e jasmins perfumados, Natalie parou e disse com sua voz, sempre um pouco ofegante: "Você é tão linda, Mary . Você não sabe quanto. Você poderia ter qualquer homem.

Mary olhou para ela surpresa por um momento, então protestou: "Isso não é verdade. Eu nem sou bonita, muito menos bonita. Eu tenho..."

"Às vezes você tem olhos muito verdes e o cabelo ruivo mais lindo do mundo. Mary, acredite que você é alguém! Você poderia estar orgulhoso de si mesmo!"

— Nat, você quis dizer o que disse? Que eu poderia... ter qualquer homem?"

'Claro que eu quis dizer isso. Nunca se esqueça, você não precisa se jogar para qualquer cara, você pode esperar que alguém que valha a pena aparecer!"

— Quero me casar, Natalie, algum dia. Quero alguém que seja todo meu, que me ame e com quem eu possa me sentir segura. Quero uma casa e um jardim com flores e. . .' Sua voz tremeu, ela não disse nada. A sensação de frio e solidão brotou dentro dela e a envolveu em braços fortes.

Natalie puxou-a para ela. — Não se preocupe, Maria. Será como você deseja que seja. Você não precisa temer.'

"Eu estou com medo, no entanto," Mary disse calmamente. — Porque acredito que meu pai está certo. Ninguém sai do seu lugar. Venho de uma casa estreita e sombria e para lá voltarei. Algum dia."

"Você vai se casar com Steve e terá uma vida boa", disse Natalie levemente.

"Steve? Como você conseguiu?"

Os olhos de Natalie eram claros e compreensivos. — Você está apaixonada por ele. Por que você não fala com ele?"

"O que devo dizer a ele? Ele iria rir de mim."

"Por que?"

'Nós não vamos juntos. Ele vai ter uma grande carreira, e para isso precisa de uma mulher completamente diferente. Não uma pobre garotinha de Liverpool.

Alguns feixes de luz bruxuleantes se filtraram pelas folhas do carvalho acima, pintando padrões dançantes no caminho.

"Você não acha que vai se arrepender eventualmente se não falar?" Natalie perguntou baixinho.

Mary arrancou uma longa folha de grama e distraidamente a partiu em pedaços. "Eu me arrependeria de falar", disse ela.

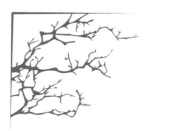

2

Era uma noite de outono em 1978 quando Mary se sentou ao lado de David no trem, segurando a pequena bolsa de veludo preto que herdara de sua mãe. Dentro havia algum dinheiro, uma carteira de identidade e um pacote de lenços. Também um batom e perfume que pertenciam a Natalie. Tinha um cheiro azedo e fresco, como as colinas verdes de Somerset, de onde Nat vinha, e Mary não achou que combinasse com ela.

O trem chacoalhava na escuridão do início do outono. Mary olhou para o perfil de David. Testa alta, nariz imponente, lábios bem delineados. Como tantas vezes, Mary se perguntou quem David realmente era. Ela compartilhou a insegurança que sentia em relação a ele com muitas pessoas. Ele era apenas um exibicionista? Um bom amigo? Ele era arrogante ou legal, acomodado ou desdenhoso, compreensivo ou apenas focado em seu próprio negócio? Ou ele era tudo ao mesmo tempo? Freqüentemente, Mary tinha a impressão de que ele realmente se importava com a amizade de seus colegas de escola, mas, de repente, ele fazia algo que alienava ou pelo menos irritava os outros. Por exemplo, contando pela centésima vez sobre o homem rico da América que o fez seu herdeiro. Ninguém mais podia ouvi-lo.

"Eu serei mais rico do que qualquer um aqui pode imaginar. Não poderei viver em nenhuma das casas que então terei. Não terei praticamente nada para fazer a não ser administrar todas as minhas contas." Ele ficou em silêncio, e então acrescentou as palavras de que mais gostava e dizia com frequência: "Vou poder cagar no mundo inteiro."

Gina, a linda Gina, com os olhos muito maquiados e os cabelos escuros na altura da cintura, então respondeu: "Você consegue. Você é alguém que não vai parar por nada. Tudo o que importa é o seu bem-estar e nada mais, e pessoas assim sempre chegam aonde querem.

"E você?" ele retrucou, e ela riu porque ele pensou que eles eram parecidos. "Eu tenho um senso de responsabilidade", disse ela, "infelizmente. Tudo bem, eu deixaria esse ou aquele pular sobre a lâmina, mas sempre haverá alguém cujas preocupações eu assumo e um dia isso me fará tropeçar de novo."

Eu gostaria de ser como Gina, pensou Mary, sabendo que mais do que qualquer outra coisa ela desejaria que sua vida fosse de outra pessoa. Então eu nunca teria medo. Eu também não teria medo agora!

Ela olhou para o perfil de David novamente, então olhou além dele, onde na escuridão ela só podia ver o contorno ocasional das árvores e arbustos deslizando. Campos nus, mas ainda com folhas fortes nas árvores, que brilhavam em cores vivas durante o dia. Agora eles estavam todos pretos e pareciam estar congelando.

Involuntariamente, Mary encolheu os ombros, tremendo. Sob o casaco, ela usava um vestido fino de linho rosa, cuja saia chegava um pouco acima de sua bunda. O vestido pertencia a Natalie, que, embora muito magra, era muito mais cheia em alguns lugares do que Mary, que ainda tinha a figura de uma menina de doze anos. Eles fizeram dois dardos em um piscar de olhos, então Gina veio com um largo cinto de couro e o colocou em volta da cintura infantilmente estreita de Mary. "Então! Assim você consegue pelo menos um pouco de curvas. E então calce meus sapatos de salto alto, eles podem ser um pouco grandes para você, mas você não pode andar com essas sapatilhas de amarrar que você costuma usar!"

Uma boneca estranha olhou para ela enquanto ela se olhava no espelho. Cílios pretos, lábios vermelhos, blush nas bochechas. Nat torceu o cabelo dela e agora o penteava em cachos grandes e macios. Pérolas de strass brilhavam nas orelhas. Entre eles, um rosto pálido e assustado.

"Ei", disse Gina, "olhe um pouco mais feliz! Hoje é seu aniversário de dezessete anos!«

Ela se sentia como se tivesse no máximo dez anos, e teria preferido isso. Então ninguém poderia tê-la mandado para um bar. Mas os amigos tinham boas intenções, eles deram a ela a noite de aniversário. Mary lutou com unhas e dentes. "Meu pai! Se meu pai descobrir, posso atirar em mim mesmo!"

"Ele não vai notar."

"Ele pode dizer com bastante facilidade."

— Meu Deus, ele não verifica todas as noites se você está na cama ou não. E amanhã é domingo. Quando todos aqui acordarem, você estará de volta!"

"Além disso, David irá acompanhá-lo. Nada pode acontecer com você!«

Ela ficou na frente do espelho, examinando desanimada as pernas sob a saia curta. Excesso de pele. A voz de seu pai ressoou em seus ouvidos: "O pecado dos homens volta para eles! Todo pecado exige sua expiação! Algum dia..."

"O que você pensa sobre?" A voz de David a tirou de seus pensamentos. O trem ainda chacoalhava e estava escuro como breu lá fora. Mary conseguiu dar um sorriso. Ela se perguntou se David gostava de ir a um bar com ela ou se havia cedido à pressão de outras pessoas. Ela podia imaginar as conversas: 'Pobrezinha da Mary! Ela precisa sair e experimentar algo legal também. Caso contrário, ela ficará completamente azeda aqui!"

Talvez Steve e David tivessem sorte e David tivesse. 'Você não vai sair do lado de Mary por um segundo', Gina insistiu com ele, e ele finalmente respondeu com impaciência: 'Claro que não. Vou trazê-la de volta para você com segurança!"

Passaram pelos primeiros subúrbios de Londres. De repente, a chuva espirrou nas janelas. Luzes brilharam na escuridão. Maria ansiava por sua cama.

Leonard Barry havia perdido seu parceiro de longa data naquela noite. Carol havia se despido, com todas as suas roupas, sapatos, joias, deixando apenas a grande fotografia emoldurada que dera a Leonard em seu último aniversário, de uma Carol muito bonita em um vestido de noite verde. "Você pode ficar com isso. Como um lembrete da mulher que eu nunca fui. Por anos eu fui o que você queria que eu fosse, mas agora já chega. Você é insuportavelmente vulgar, e nem mesmo particularmente inteligente. E agora muito gordo para ter uma boa aparência!

Ela havia batido as portas atrás de si e carregado mala após mala até a rua onde o táxi estava esperando. Leonard não teve tempo de responder. Ele se sentiu pouco inteligente enquanto se levantava e observava a furiosa Carol. Quando a porta do apartamento se fechou pela última vez, ele acordou de seu estupor e foi até o bar para se servir de uma vodca. Depois de beber, olhou-se no espelho que formava o pano de fundo do bar: um homem alto, flácido e bem-vestido de cinqüenta e cinco anos que tinha uma queda por carros esportivos velozes, camisas de seda e mulheres bonitas. Eles o chamavam de tubarão imobiliário; Ele também foi chamado de inescrupuloso, mas isso não o incomodou enquanto o dinheiro continuasse acumulando em suas contas. Após a segunda vodca, ele pensou no que fazer à noite. Ele estava com a televisão ligada, mas não conseguiu encontrar um filme que o interessasse em nenhum dos programas. Por fim, ele colocou um disco, mas a música também não conseguiu distraí-lo. Aparentemente, a separação de Carol estava mais perto dele do que ele pensava inicialmente. Quatro anos... e ela era uma mulher linda, Deus sabe! Por outro lado, havia muitas mulheres bonitas em Londres. Sem mais delongas, ele pegou o casaco e saiu do apartamento.

Os bares eram a segunda casa de Leonard Barry; não havia nenhum melhor em Londres que ele não conhecesse. Após alguma deliberação, ele decidiu ir para Paradise Lost, um barraco miserável no leste, mas na moda no momento - e uma pedra no sapato da polícia depois que quinhentos gramas de heroína foram apreendidos em uma batida. Leonard tinha uma queda por companhias estranhas. Passava pouco das 23 horas quando entrou em »Paraíso perdido«.

Ele bebeu dois martínis de vodca e olhou em volta. Duas garotas loiras com saias justas de couro inclinaram-se do outro lado do bar e sorriram convidativamente para ele. Ele ergueu as sobrancelhas em tédio e se virou. Ele não gostava quando as mulheres se ofereciam abertamente.

Uma morena bonita ali, mas já conversando com outro homem, intensa demais para se distrair. Aquela negra lá atrás... meu Deus, pernas altas como o céu, mas ele não gostava de negras.

Muito fofo, aquele ruivo ali. Mas por que, querido Deus, ela parecia tão assustada? Certamente uma criatura altamente complicada, pensou Leonard, que sempre quer falar sobre decepções com os homens. E se você quiser dormir com ela em vez de ouvi-la, ela ficará histérica e alegará que você é machista.

Ele pediu um terceiro vodka martini. A ruiva, que por sinal usava um vestido muito chique e caro, como seu olho experiente logo reconheceu, tinha um companheiro, um jovem de cabelos escuros, que não lhe deu um olhar. Não é seu namorado, pensou Leonard, e se for, você pode sentir pena do pobre ratinho. Parece que há muito ele esqueceu a presença dela.

Tudo lentamente começou a borrar diante de seus olhos. Maldita Carol, pensou ele, cansado, por que diabos ela foi embora? Tristeza e autopiedade o dominaram, e ele sabia que não poderia ir para casa sem uma mulher. A ideia de entrar sozinho no apartamento escuro e vazio o horrorizava. Ele precisava de um homem... uma mulher. Ele acabara de avistar Lilian, uma aeromoça loira da British Airways com quem já havia viajado algumas vezes em Monte Carlo no passado, mas antes que pudesse abrir caminho pela multidão até ela, um grito veio das escadas: 'Polícia! Cuidado, polícia!«

Em nenhum momento houve um caos completo. A música parou, os casais dançando se espalharam, as cadeiras caíram, as luzes se apagaram. Uma mulher gritou histericamente, dois homens jogaram taças de vinho ao redor. A maioria dos convidados tentou subir as escadas para a saída, mas um policial apareceu no topo e todos se viraram, gritando. Alguns abriram caminho pelas pequenas janelas, mas mesmo assim o aviso veio de fora: "Volte! Retornar! Está cheio de polícia aqui!"

Uma mesa caiu, alguém uivou de dor. Leonard sentiu algo molhado em seu braço; alguém deve ter derramado vinho ou champanhe em seu terno. Ele não se importava. Acima de tudo, ele queria sair daqui agora.

Leonard Barry adorava arriscar, mas também gostava de se proteger, e não teria entrado em um clube decadente como o Paradise Lost sem descobrir uma rota de fuga da primeira vez. Ele soube por Ken, o proprietário, que era um bom amigo dele, que o apartamento do barman no segundo andar tinha uma janela de banheiro que dava para um telhado de galpão e de lá por um pátio até a rua. Isso é exatamente o que ele ia fazer agora. Ele estava andando pelo corredor onde ficavam os banheiros e de repente viu a garota ruiva assustada, alguns tons mais pálida do que antes, e ela estava prestes a desaparecer na porta com a placa "Senhoras".

ele disse. "Não! É para lá que eles olham primeiro."

Ela olhou para ele como um coelho para uma raposa. só agora ele notou que ela estava chorando. "Eu perdi David!"

"David?"

— Sim, ele estava aqui comigo. Quando a polícia começou, ele desapareceu de repente. Estou com tanto medo... Ela estava tremendo.

"Tudo bem, venha comigo", disse Leonard, impaciente. "Eu sei como sair daqui."

"Eu tenho que esperar por David!"

"Criança, seu David ficará seguro por conta própria, não se preocupe. Seria muito tolo ficar aqui esperando a polícia por causa dele. Você está metido em muitos problemas, posso lhe dizer isso."

Quando ele apenas caminhou, ela veio correndo atrás dele. "Espere! Eu venho com!"

Eles subiram uma escada escura e passaram por uma porta estreita e dilapidada para um apartamento dilapidado. Cheirava a cebola e repolho, a fumaça fria de cigarro pairava no ar. Um periquito animado esvoaçava em uma gaiola dourada.

Leonard conhecia o caminho. Sem acender a luz, ele encontrou o banheiro, pulou na beirada da banheira e abriu a janelinha. A névoa úmida os atingiu. Leonard olhou para a janela com ceticismo. "Você pode passar por isso facilmente, senhorita. Qual é o seu nome?"

"Mary. Mary Brown."

'Ótimo, Maria. Então tente primeiro. Espero poder me espremer depois de você.

Ela ainda estava hesitante, e Leonard pensou: Uma ovelha! Uma verdadeira ovelhinha!

Em voz alta, ele disse: "Vamos! Não caia do outro lado, há um telhado de galpão subindo. Não tenha medo!"

Ela finalmente decidiu colocar a cabeça para fora da janela, então aparentemente parecia pronta para arrastar seu corpo também.

Ela tem um corpo muito bonito, pensou Leonard. Mas sem coragem nos ossos. Ela já teve alguma coisa com um homem?

Maria havia desaparecido na escuridão. Leonard só conseguia ouvir sua voz esganiçada. "Estou aqui fora agora!"

"Certo, estou indo." Ele olhou para a janela em dúvida. Eu sou tão gordo, ele pensou.

Com muitos gemidos e gemidos, ele finalmente se desvencilhou e ficou ao lado de Mary no telhado de ferro corrugado. Agachando-se, ele correu à frente dela; sem perguntar mais nada, ela correu atrás dele. Estava muito frio; nenhum deles tinha capa.

O telhado do galpão descia suavemente e, no final, ficava apenas um metro acima do solo. Então eles pararam em um pequeno quintal, cujo portão dava para uma rua estreita e tranquila. Vozes, gritos e o uivo das sirenes da polícia soavam ao longe. Leonard tirou um maço de cigarros. "Você gostaria disso também, Mary?" Ela balançou a cabeça e olhou em volta desesperadamente. De alguma forma, ela o lembrava de um cachorro vadio que perambula pelas ruas, esperando que alguém a pegasse.

"Onde você mora?" ele perguntou. Seus olhos estavam arregalados e escuros de medo.

– Não moro em Londres. Eu moro muito longe. O próximo trem só sai de manhã. Além disso, preciso encontrar David!

"Bem, isso pode ser difícil no momento. Onde foi a última vez que você o viu?

"Ele estava sentado ao meu lado no bar e quando a gritaria começou de repente ele sumiu em um momento. Eu não entendi tudo tão rápido!"

Leonard soprou os anéis de fumaça no ar. Ele estava ficando com muito frio e realmente não queria ficar parado aqui e possivelmente pegar um resfriado. 'Sabe, eu acho o comportamento do seu amigo um pouco estranho. Ele não parece se importar com o que acontece com você."

"Ele não é meu amigo. Apenas um... conhecido."

— Um conhecido também deveria cuidar um pouco melhor de você, eu acho. Se vou a algum lugar com uma mulher, me certifico de sair com ela também. Especialmente quando ela é tão atraente quanto você... Mary," ele adicionou suavemente.

Maria olhou para ele confusa. "O que estou fazendo agora?"

— Bem, você não pode chegar perto de Paradise Lost agora ou será preso. Você teria um lugar para passar a noite, que é uma cela de prisão agradável e quente, mas não sei se. . .'

"Não! Não, pelo amor de Deus! Eu tenho que estar em casa de manhã cedo ou meu pai vai me matar!"

Oh Deus, pensou Leonard, uma filha protegida!

Jogou o cigarro no chão e apagou. 'De qualquer forma, não podemos parar por aqui. Estou ficando com muito frio e seus lábios estão ficando azuis. Sugiro que venha à minha casa. O pensamento estava em sua cabeça o tempo todo, pois agora ele estava totalmente convencido de que em nenhuma circunstância ele poderia voltar para o apartamento sozinho. É possível que essa garota ficasse completamente histérica se ele a tocasse, mas, novamente, parecia não haver mais ninguém esta noite.

Ele olhou para ela com expectativa. "Bem, o que é? Você vem?" Mary parecia um animal caçado enquanto avaliava suas opções: era pior acabar com a polícia, ou passar a noite aqui na rua, ou com um estranho ir ao apartamento dele? Percebendo que realmente não tinha escolha , ela disse, já explodindo em lágrimas, 'Sim, tudo bem.

Mary nunca tinha visto um apartamento tão luxuoso antes. Lustres de cristal pendurados no teto, baldes de champanhe cheios de verdadeiros arbustos de rosas espalhados por toda parte, música abafada tocada em alto-falantes ocultos. Pise sobre tapetes macios e dourados e sinta-se em um museu que mistura arte e kitsch de forma única e despojada. Embora Leonard tivesse dito a ela para "se aconchegar" enquanto ele se trocava, ela ficou no meio da sala e não se mexeu. Ela sentiu como se estivesse em um sonho estranho e confuso. A invasão, a fuga no telhado, o passeio no carro de Leonard pela escura Londres, e agora este apartamento se misturava em uma história estranha e irreal. Certa vez, Leonard colocou a mão no joelho dela no carro, mas quando a viu se encolher e depois ficar rígida, ele a afastou e riu. — Agora não faça essa cara, Mary. Eu não quero comer você!"

Sim, mas talvez você queira pior, ela pensou desanimada.

Leonard voltou para a sala, ele agora estava vestindo um roupão branco e cheirava a uma loção pós-barba insuportável. Ele trouxe uma garrafa de champanhe e duas taças.

— Puxa, Mary, sente-se! Fique à vontade. E não pareça que o mundo vai acabar. Eu prometo a você, amanhã de manhã você estará no trem certo que o levará de volta aos braços de seu pai. Mas até então - por favor! - relaxe um pouco!"

Mary sorriu levemente e disse: "Sim, claro!" sentou-se no sofá, sentindo-se tudo menos relaxado. Leonard sentou-se ao lado dela. Ele serviu champanhe, ergueu a taça e fez um brinde a Mary. "À sua saúde, Maria!"

Ela sorriu de novo e pensou ao mesmo tempo: não posso sorrir o tempo todo! Gina agora teria algo para falar, algo engraçado, divertido. Até Nat, com seu jeito duro e quebradiço, abriria a boca - mesmo que fosse para envolver esse Leonard Barry em uma discussão política.

— Conte-me sobre você, Mary. De onde você é? Quem é você? Seu cabelo ruivo mágico é real?

'Sim, claro... e eu... eu sou de Liverpool...' De alguma forma, tudo parecia horrível - como se ela estivesse sendo examinada por um professor e repetisse suas respostas obedientemente.

Ela tomou um longo gole de champanhe e sentiu um calor suave percorrendo seu corpo.

Uma vez, uma vez farei o que qualquer outra garota normal faria em meu lugar...

Ela se perguntou o que Gina estava fazendo e não demorou muito para encontrar uma resposta para essa pergunta. Ela estremeceu; apressadamente ela esvaziou o copo.

Mary tinha tão pouca experiência com homens que, mesmo quando Leonard a beijou, ela perdeu o equilíbrio. Seu coração batia descompassado; ela tentou afastá-lo, principalmente para ganhar tempo.

— Não, Leonard. Não faça isso!"

— Você não está gostando, querida? Não seja estúpido! Claro que você gosta quando eu te beijo!' Ele se inclinou sobre ela novamente. Aquele corpo pequeno e ossudo, o medo vacilante naqueles olhos verdes - Deus sabe, nada disso agradou a ele, mas ele tinha que ter agora, por todos os meios. No entanto, era melhor ter cuidado. Um passo apressado e a garota saiu correndo gritando. Ele a beijou gentilmente. "Você é muito bonita, Mary," ele sussurrou. "E eu amo-te!"

O champanhe deixara Mary atordoada, mas não tanto que ela não percebesse a situação. Ela notou que estava deitada no sofá em uma posição completamente apertada e torcida e que sua saia havia subido até a cintura. Leonard havia puxado as meias dela para baixo, elas se amontoavam em volta dos joelhos. Ela havia perdido os sapatos há muito tempo e tinha a impressão de que sua maquiagem devia estar completamente borrada, o cabelo terrivelmente desgrenhado.

Barato, tudo isso, ela pensou, tão terrivelmente barato!

Mais uma vez ela tentou afastá-lo, mas ele estava deitado sobre ela, apertando seus músculos e articulações de modo que ela não pudesse reunir força suficiente contra ele. Ele era muito pesado e muito forte.

"Por favor, Leonard", ela disse ansiosamente, "deixe-me ir!"

"Eu prometo que você vai gostar", respondeu Leonard. Ele estava ofegante, e estava persistentemente atrapalhado com as mãos entre as pernas dela.

não vou gostar! Eu também não gosto agora. Acho nojento e, além disso, é pecado!

Mas foi apenas uma Mary que pensou assim. A outra avançou com a mesma energia e disse: Você tem que fazer isso. O que ele quiser, faça! Não seja covarde, Maria, não fuja sempre da vida! Este é um pedaço da vida, enfrente-o com tanta coragem e coragem quanto Gina e Nat fariam! Não pense no papai e na conversa dele! Seja livre por uma vez para fazer o que quiser!

Então ela se deitou rígida entre os travesseiros de seda e deixou que tudo a envolvesse: o hálito quente e encharcado de álcool em seu rosto, a língua úmida e urgente entre os lábios, as mãos acariciando seu corpo, os dedos cavando profundamente em sua carne. Quando ele a penetrou, ela gemeu, mas ele imediatamente pôs a mão sobre sua boca. "Cale-se!" Parecia a Mary que seu corpo era uma defesa concentrada contra este homem. Cada fibra refreada contra ele. Ele se moveu cada vez mais rápido dentro dela, mas nenhum som escapou de seus lábios. Por fim, Leonard gemeu, estremeceu e desabou sobre Mary. Em menos de meio minuto ele estava roncando pacificamente.

Maria não ousou se mover. Ficava frustrada com o fato de Leonard apenas dormir enquanto ela estava bem acordada. Ela desejava estar em seus braços, ouvir sua voz sussurrar palavras ternas perto de seu ouvido. Ela mesma sentiu um profundo sentimento de calor e amor. Finalmente aconteceu, ela perseverou e não se escondeu. E Leonard foi o homem com quem aconteceu - seu primeiro marido. Dormir com um homem que ela não amava parecia fora de questão para ela, e sua mente tinha agilidade suficiente para descartar em um piscar de olhos o fato de que ela nunca o amara *antes* .

Fatalmente, ela decidiu amá-lo de agora em diante.

3

Natalie ficou furiosa quando descobriu o que havia acontecido. "David, droga!" ela gritou. 'Ficou combinado que você não deixaria Mary sozinha nem por um segundo! Como você pode ..."

Como sempre, quando David foi atacado, ele fingiu não se importar e, claro, negou qualquer culpa. 'Em um ataque, todos tentam se proteger rapidamente. De que adiantaria se nós dois tivéssemos sido presos?

"Você não seria. Porque aparentemente você foi inteligente o suficiente para iludir a polícia. Você deveria ter levado Mary com você!

Sim, ele pensou, eu deveria ter feito isso. Ele tentou se lembrar do que se passava em sua mente quando a polícia invadiu o bar e todos começaram a correr e gritar. Havia pânico nele, aquele sentimento de terror que sempre o dominava em sua infância, sempre que algum perigo parecia iminente. Protegido e mimado como era, seus nervos sempre enlouqueceram com extrema rapidez. Assim que algo o ameaçou, seus fusíveis queimaram. Quando ele estava com medo, ele queria ir embora.

Em relação a Nat, no entanto, ele jogou com calma. "Minha querida Nat, não entendo por que você está tão chateada. A própria Mary demonstrou habilidade suficiente. Ela não acabou na prisão de forma alguma, mas chegou aqui sã e salva. Por que o teatro?

"São e salvo!" Natália zombou. — Veja como ela está chateada desde aquela noite com aquele homem. Não sei exatamente o que aconteceu lá, mas talvez algumas coisas para pensar!"

'Oh Deus, não finja que algum destino ruim está acontecendo aqui! Bem, ela passou uma noite com um homem estranho e talvez algo tenha acontecido, talvez não! Ela não o verá mais, e com isso o assunto é esquecido. Acabou, acabou! Por que você está desenhando fantasmas na parede?

"Como você pode ter tanta certeza de que Mary não verá aquele homem novamente?":

"Por que ela deveria?"

"Receio que ela esteja apaixonada por ele", disse Natalie.

Leonard Barry nunca ligava para Saint Clare aos domingos, segundas ou terças, embora Mary tivesse lhe dado seu número de telefone. Ela pensou de um lado para o outro: o que o impediu de entrar em contato com ela? Ele não poderia tê-la esquecido, poderia? Ele possivelmente perdeu o pedaço de papel com o número do telefone? Ou ele estava com medo de ser pego com o pai dela? Na manhã de quarta-feira, depois de uma noite sem dormir, ela estava decidida a ir a Londres vê-lo. Ela conversou com Gina, que agora costumava dirigir até a cidade para encontrar um jovem. Ela o conheceu em um cinema, seu nome era Lord Charles Artany, ele era tão pobre quanto aristocrático e atualmente era o segundo violino de uma orquestra de Londres. Ela disse que ele era muito chato e que ela só sairia com ele por falta de uma oportunidade melhor. 'Ele só fala do musical que quer compor um dia. É para ser a obra mais fantástica de todos os tempos, mas com a maior boa vontade do mundo não consigo imaginar como uma pessoa tão chata pode querer compor algo que realmente inspire outras pessoas mais tarde!"

Mary perguntou hesitante, "Você já esteve com ele... você..."

— Deus do céu, Charles Artany é um homem de princípios! Ele me explicou que não vai para a cama com uma mulher até se casar e, como nunca foi casado, temo que suas experiências sexuais não sejam tão boas assim. Nem o meu, então acho que não devo tentar com ele."

Gina queria voltar para Londres na quinta-feira; ela queria pegar Charles no ensaio da orquestra e depois ir às compras com ele. Mary perguntou estridente se ela poderia vir junto. — Claro que não quero incomodá-lo. Vou vagar pela cidade sozinha enquanto vocês estão juntos. Tudo o que temos a fazer é dizer ao meu pai que nunca terminamos por um momento!

"Oh, eu não gosto de ficar sozinha com Charles", disse Gina imediatamente, "você pode vir conosco!"

"Não... eu prefiro ficar sozinha..." Havia um brilho febril nos olhos de Mary que manteve Gina em silêncio com uma consideração incomum. Ela reprimiu um sorriso de escárnio e disse em vez disso: "Tudo bem. Como quiser. Só vou desperdiçar mais um dia da minha vida com o chato do Charles Artany!"

Leonard Barry, exausto, jogou o telefone no chão. As discussões com Carol o estavam matando. A mesma coisa uma e outra vez. "O que ela quer?" ele murmurou. — Pedindo perdão de joelhos? Para que? Eu não dei tudo a ela?"

Quando a campainha tocou, ele não sentiu a menor vontade de abri-la, mas depois de tocar persistentemente uma segunda e terceira vez, finalmente foi até a porta. Uma garota ruiva parou na frente dele e sorriu - bom Deus, ela podia sorrir penetrantemente.

"Sim?" ele perguntou.

"Leonard... eu só precisava ver você. Por que você não me ligou? Eu tenho esperado tanto..."

"Eu... bem..." Ele gaguejou para ganhar tempo. Então ele se lembrou – claro, da ruiva de Paradise Lost que ele tinha levado para casa com ele. Qual era o nome dela?

"Eu não tinha certeza se você se importaria se eu ligasse," ele finalmente murmurou, sentindo-se um pouco estúpido. Mas a garota assentiu compreensivamente. 'Poderia ter sido melhor. Meu pai ...'

"Exatamente." Ele ainda esperava evitar ter que convidá-la para entrar, mas ela o encarou, pálida e congelada - e completamente extasiada, essa era a pior parte. Ele deu um passo para trás sem entusiasmo. "Se você quiser entrar..."

Ela estava lá como um raio, seus olhos brilhavam suavemente e com ternura, e Leonard sentiu como se uma armadilha estivesse se fechando. Ele a ajudou a tirar o casaco (resignado com o fato de que ela ficaria mais tempo) e apontou para a porta. "Por favor!"

Ela entrou na sala, e o olhar com que ela olhou para o sofá era tão transfigurado que Leonard ficou sem palavras. Eles dormiram juntos no sofá, é claro, e aparentemente o coração dela estava na memória.

Deus do céu, ela realmente se apaixonou por mim!

"Sente-se, Meggie", disse ele, e ela olhou para ele magoada. "Maria. Meu nome é Maria."

"Correto. Naturalmente. Acabei de fazer uma promessa - Mary." Leonard foi até o bar, pegou dois copos e uma garrafa de gemada e colocou na mesa.

"Bem, Mary, como você está?" ele perguntou brilhantemente. Sob nenhuma circunstância deve surgir um clima romântico. Mary tomou um gole de gemada. Ela não olhou para Leonard ao dizer: "Sempre pensei em você. O tempo todo."

"Gosto disso em você, Mary", Leonard disse suavemente.

Ele pensou que ela parecia um coelho doente. Apenas seu cabelo, ruivo brilhante e encaracolado, possuía um certo fascínio sedutor, mas por falta de qualquer outra sofisticação, nem mesmo isso o atraía. Quem a aconselhou a aparecer aqui com uma saia plissada azul-escura, sapatos baixos de amarrar e um suéter de lã cinza?

"Mary", disse ele, "foi muito legal com você outro dia..."

"Sim?"

"Claro. Você é uma ótima garota, e tenho certeza que nunca vou te esquecer..."

Pânico vibrou em seus olhos verdes. "O que você quer dizer com você nunca vai me esquecer?"

"Bem, o que eu quero dizer? Como eu disse... você é muito doce, Mary..."

O telefone tocou. Leonard deu um pulo e correu para o telefone. "Barry aqui."

— Sou eu de novo, Carol. A voz era fria e causou arrepios na espinha. "Preciso descansar, Leonard. E como ainda tenho as chaves de Monti comigo... — Ela fez uma pausa.

"Sim?" Leonard perguntou curioso. Monti sempre a chamara de villa em Monte Carlo que lhe dera em seu aniversário de 40 anos. Uma casa nas montanhas bem acima do mar.

"Eu gostaria de passar algumas semanas lá."

'Você não tem que me perguntar. Monti é seu. «

"Como eu vou saber com certeza? Talvez você queira de volta agora?"

— Não diga bobagens, Carol. Monti é seu, você pode fazer o que quiser com ele. Você pode vendê-lo também, se quiser apagar todas as lembranças de mim da sua vida!

Sua risada soou divertida. - Muito velho Leonard. Sempre flertando um pouco. Não estávamos falando de vender, estávamos? Acabei de dizer que quero morar lá por algumas semanas! Com isso ela desligou. Leonard olhou para a máquina e quis gritar de triunfo. Ela foi para Monte Carlo. E ela disse isso a ele de antemão. Não havia dúvida para onde ele viajaria agora!

De repente, ele olhou para o futuro com confiança novamente. Londres, especialmente no outono, não era lugar de reconciliações, mas o Mediterrâneo...

Ele se virou e viu a criança pálida sentada no sofá. Com um suspiro, ele pegou uma garrafa de schnapps, serviu-se de um copo cheio e o bebeu com um floreio. Este assunto agora tinha que ser superado.

"Bem, Meggie, tenha cuidado..."

"Mary." Ela disse isso entre lágrimas.

— Ah, sim, Maria. Por favor, dê-me licença. Maria, eu tenho que te dizer..."

Gina acabou em uma pizzaria perto de St Pauls com Charles Artany. Ela enfiou pimentas na boca enquanto Charles falava sobre seu musical pela centésima milésima vez.

"Vou chamá-lo de 'Chuva'. Como você acha isso? A música deve ser uma reminiscência de gotas de chuva!«

'Que original,' ela zombou, e percebendo que o havia magoado, ela acrescentou perdoadora, 'Sinto muito. Eu não quis dizer mal. Vamos, coma um pepperoni! Ela comeu uma de suas pizzas, mas ele levantou as mãos. "Não. Você sabe que eles são muito quentes para mim."

A vida toda é quente demais para você, meu rapaz, pensou ela e fez sinal ao garçom. "Mais um quarto de vinho tinto, por favor!"

Charles a olhou preocupado. 'São apenas cinco horas. Você não acha que não é hora de beber tanto?'

"Você não acha que é um quadrado?" ela imitou o tom dele. "Inferno, eu nunca entendi as pessoas que baseavam sua bebida na hora do dia. Quero dizer, se eu ficar bêbado agora ou depois, qual é a diferença? «

'Não é saudável, Gina. Estou preocupado com você. Você parece tão cansado e irritado...'

'Esses são os exames em novembro. Eles nos deixam nervosos.«

'Você não quer vir para Artany Manor para as férias? É realmente uma bela propriedade antiga, e tenho certeza que você teria paz e sossego para trabalhar lá. E no meio disso poderíamos dar um passeio no parque, ou andar a cavalo, ou sentar em frente à lareira...' Sua voz era quente, ansiosa e implorante. Eu quero você, seus olhos diziam, eu te amo, eu preciso de você!

Cansada, ela respondeu: "Sabe, não posso fazer nada com velhas mercadorias inglesas. Está muito frio lá para mim. Quero ir para um país quente."

"Se você pudesse vestir um suéter quente..."

"Não é disso que se trata. Além disso, eu odeio lá." A névoa ergueu-se diante de seus olhos, prados cobertos de geada, aguaceiros batiam contra as vidraças, a tempestade uivava em torno das chaminés. De calças compridas, botas de borracha e um suéter, ela atravessou a terra de seus ancestrais com Charles Artany. Ela se ergueu com um idiota. 'Eu tenho que pegar meu trem. Além disso, Mary está esperando na estação.

Ela sabia à primeira vista que Mary estava chorando, ou para ser mais preciso: ela parecia querer se jogar na frente do trem. Charles finalmente foi comprar sua passagem porque ela parecia incapaz de fazê-lo. Gina agarrou seu braço. "Maria, controle-se! O que aconteceu então?"

Mary queria dizer algo, mas as lágrimas brotaram em seus olhos. Ela estava chorando tanto que alguns transeuntes pararam e pareciam incertos se deveriam intervir.

"Só pode ser amor", disse Gina. "Adivinhei na hora. Mary querida, agora enxugue suas lágrimas e me diga com que trapo você se meteu!'

Mary balançou a cabeça em desespero. "Não. Não, não é possível. Dói tanto!"

"Maria, eu quero te ajudar..."

'Oh Gina, você conhece? Você sabe como dói?

Gina olhou para a estação e seus olhos pousaram em Charles Artany, fiel e confiável, bilhete na mão. Charles e os outros antes dele, flertes mais ou menos intensos com homens mais ou menos interessantes que tinham uma coisa em comum: eles adoravam Gina. E eram seus brinquedos, que ela tirava da prateleira quando queria e os colocava de volta mais tarde, quando estava entediada.

'Não,' ela disse, 'eu não sei o quão doloroso é. Mas às vezes eu acho que a dor faz parte disso, e então eu desejo... eu desejo que um dia eu seja aquele que ama tanto que a felicidade e a dor irão tocá-la profundamente."

Pessoas que se encontram em algum momento de um dia aleatório, em um lugar aleatório, cada uma tem sua própria história, o que, olhando para trás, parece lógico que eles tiveram que se cruzar. Naquela noite fria de outubro, quando Mary pegou o trem de Londres para casa, com lágrimas escorrendo pelos olhos, seu futuro marido, que não fazia a menor ideia de sua existência, estava sentado à mesa da cozinha em seu pequeno apartamento alugado no leste de Londres e não Não sei que ele se sentiu tão mal porque havia bebido demais ou porque a vida como tal estava uma bagunça. Em todo caso, nunca o tratou bem. Primeiro uma infância ruim, nada além de má sorte na escola, depois nenhuma educação decente e nenhuma sorte no amor. Tudo sempre deu errado com as mulheres.

Duas semanas antes, ele perdera o emprego de caixa de supermercado — algumas vezes se envolvera com clientes, tornara-se rude e abusivo — e a agência de empregos conseguira para ele um emprego de jardineiro em um internato. Em um colégio interno, de todas as coisas! Ele apenas assumiu, porque entendeu, com um lampejo de autoavaliação honesta, que se ficasse desempregado por semanas, se veria em um pântano do qual talvez nunca encontrasse a saída. Então é melhor ir para algum maldito internato, aparar sebes e varrer folhas. Pelo menos ele poderia morar lá de graça, para não ter que desistir de seu apartamento aqui. Era, claro, um luxo imperdoável ter um apartamento em Londres que se visitava no máximo a cada dois fins de semana, mas parecia impensável para ele não ter um lugar para ficar na cidade. Este internato - Saint Clare ou algo assim - ficava no fim do mundo, rodeado de campos e prados e nada mais.

Levou a garrafa de cerveja à boca e esvaziou-a de um só gole, levantou-se e caminhou cambaleante até a porta da frente. Ele iria ao seu pub e compraria um para os amigos. Talvez houvesse algumas garotas bonitas em Saint Clare e isso fosse algo para se beber.

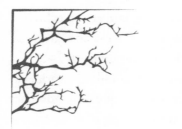

4

Mary sentiu-se doente e dolorida em sua alma, e seu corpo acabou respondendo à insônia e falta de apetite. Ela pegou um resfriado que lutou por duas semanas e, quando finalmente saiu da cama, pálida e magra, seus rins estavam tão afetados pela medicação e pela dor que ela teve que voltar para a cama com uma infecção renal. Ela tinha febre alta e às vezes falava ao acaso, felizmente tão arrastada que seu pai não conseguia entender.

O médico comentou: "A mocinha tem nervos muito nervosos. É comum em meninas dessa idade. Você sabe se ela está apaixonada?"

Michael Brown se virou. "Não! Claro que não! Minha filha não se envolve com homem!"

O médico não disse nada sobre isso. Em sua opinião, a maioria dos pais não conhecia suas filhas tão bem quanto pensavam, e com essa jovem parecia que havia um homem por trás disso. Quando ele esteve sozinho com Mary uma vez, ele perguntou a ela sobre isso, mas ela apenas inclinou a cabeça para o lado enquanto seus olhos se enchiam de lágrimas.

"Tudo vai passar", murmurou, "não se preocupe, todos nós vamos ter que passar por isso, e anos depois você percebe que não foi tão ruim assim."

No início de dezembro, Mary estava bem o suficiente para ir a Londres, ostensivamente para fazer algumas compras de Natal, mas na verdade para ver Leonard Barry novamente. Foi um dia estranho, o céu estava pesado de neve, os prados cobertos de geada, um vento frio varreu os campos. Mary sentou-se atordoada em seu compartimento de trem, contemplando seu sonho da noite passada. Ela tinha visto uma espada - ou era uma faca longa? –, que brilhava em um branco brilhante no teto da sala. Em algum momento, enquanto olhava para a coisa assustadora, ela percebeu que não estava sonhando, estava acordada e que o que estava vendo era real. Ela ficou imóvel, seu coração batendo forte, até que finalmente seus pensamentos ficaram confusos e ela adormeceu. Quando ela acordou de manhã, a espada havia sumido. Ela contou a Steve sobre isso, acrescentando: 'Deve ter sido um mau presságio. Algum tipo de aviso. Você não acha?"

Steve estava mais uma vez passando vários cremes no rosto. Ele guardou as latas, casualmente enrolou um lenço cinza em volta do pescoço e seguiu Mary até o quarto dela, onde imediatamente identificou a janela gradeada como a causa do horror. "Há uma longa sombra no teto. Nada mais."

"Uma sombra é escura, não é? Mas a espada era brilhante! E, além disso, eu deveria ter visto com mais frequência naquela época, não apenas hoje!

'Então a lua estava em um determinado ângulo, ou então você não acordou neste momento. O que eu sei. De qualquer forma, não há nada de misterioso nisso.«

A sensação de destruição iminente foi perdida quando Mary desceu do trem em Londres. Estava úmido e frio que fazia todos os membros ficarem úmidos. Mary puxou o lenço sobre o rosto, enfiou as mãos nos bolsos do casaco e caminhou pela rua.

Ela conhecia o caminho agora e sabia que poderia pegar um atalho por uma esquina do St. James Park. Um caminho estreito e coberto de cascalho os acolheu, com vegetação rasteira à direita e à esquerda. A névoa envolvia os galhos emaranhados, a umidade cobria a floresta baixa. Um pássaro voou e desapareceu na névoa. Um dia cansado que não pegou luz. O crepúsculo já estava engrossando novamente.

Maria correu ainda mais rápido. Ela estava sozinha no parque, por toda parte não se via ninguém. De repente, ela desejou ter andado pelo lado de fora, pelas ruas lotadas. Ela se lembrou da espada e quase correu. O caminho ficou mais estreito e escuro, mas era a mesma distância agora, então não fazia sentido voltar. Não seja boba, disse a si mesma, ninguém quer te machucar. Você é louco - só por causa de um sonho.

Ela dobrou uma esquina e diminuiu o passo porque uma mulher estava sentada no banco que havia ali. Tanto quanto Mary podia ver na penumbra, ela não era mais tão jovem, algo entre quarenta e cinquenta anos. Ela usava um casaco surrado com a bainha para fora. Seu cabelo amarelo claro estava em mechas coladas ao redor de sua cabeça estranhamente levantada em forma de ovo. Ela semicerrou os olhos; seu rosto estava coberto de cicatrizes e faltavam-lhe os dois dentes superiores da frente.

Espreitando estranhamente, ela olhou para Mary, que lhe deu um sorriso incerto. A mulher não retribuiu o sorriso, seus olhos se fixaram em Mary. Quando ela passou por ela, ela correu mais rápido novamente. O parque nunca acabou? E por que ninguém a conheceu?

Houve um estalo nos arbustos próximos a ela. Mary estremeceu quando a mulher do banco apareceu de repente. Ela pegou o atalho pela floresta e agora estava ao lado de Mary como se tivesse saltado do chão. Seus olhos semicerrados piscaram. "Que horas?" ela perguntou.

"Oh... é... é..." Mary desajeitadamente empurrou para trás a manga de seu casaco. "São quatro e meia!"

"Que horas?" repetiu a mulher.

Mary disse: "Quatro e meia", e caminhou mais rápido. A mulher imediatamente acompanhou seu ritmo.

"Onde você está indo?" Uma voz estranha cantando. E aquele olhar cintilante...

Uma lunática, pensou Mary, sentindo o pânico crescer dentro dela.

Ela respondeu com toda a calma possível: "Estou visitando uma amiga".

"Onde você está indo?"

'Estou visitando uma pessoa. Está ficando tarde, devo me apressar."

"Você vai me levar com você?"

Por que isso tem que acontecer comigo? Mary se perguntou desesperadamente. Imagine se ela aparecesse no Leonard com aquele espantalho.

— Sabe, temo que você não possa vir comigo. Temos algumas coisas importantes para conversar..."

A mulher a encarou; seus olhos mostravam que ela não entendia o que Mary estava dizendo. Ela estava apertando os olhos com tanta força que por um momento Mary pensou que ela não estava olhando para ela, mas sim para algo atrás dela. Ela se virou também, e um momento depois gritou de terror, porque o segundo de sua desatenção havia usado o outro para agarrar seu braço e jogá-la no chão com uma força inesperada. Mary estava deitada de lado, com o rosto meio na lama, um pé torcido dolorosamente, mas mal notou a dor no tornozelo. Uma dor furiosa atravessou seu braço, depois seu ombro, depois suas costelas. Dor sobre dor, e de uma forma estranhamente analítica ela se perguntou: De onde vem essa dor terrível?

Só então ela percebeu que esse lunático estava deitado em cima dela, pressionando-a contra a terra molhada com seu peso e esfaqueando-a impiedosamente com uma faca. Metal brilhante brilhou; uma e outra vez ela levantou o braço e o balançou para baixo, ela gritou alguma coisa - ou foram seus próprios gritos que Mary ouviu? Ela sentiu algo quente e úmido escorrendo por suas mãos e pernas, e ainda assim a dor continuava indo e vindo, e pareceram horas antes que ela finalmente perdesse a consciência.

Quando ela acordou, ela estava doente e vomitou. Alguém apoiou sua cabeça e segurou uma tigela plana na frente de sua boca. Ela estava sentada em uma cama branca, o cheiro de cera de chão e desinfetante ao seu redor, e algumas tulipas roxas em um copo de escova de dentes empurradas sobre uma mesinha.

Mary cuspiu um pouco de bile e ergueu os olhos. Uma enfermeira e um médico se inclinaram sobre ela e a olharam com preocupação.

"Finalmente", disse o médico, "achamos que você não acordaria!"

Mary olhou para ele com olhos arregalados e confusos. "O que aconteceu então?"

— Você estava exausta quando a trouxeram aqui, mocinha. Coberto de sangue, com dezoito facadas por todo o corpo. É um milagre absoluto que nenhum órgão vital tenha sido ferido. Apenas o baço foi dilacerado, nós o removemos.«

"O que foi..." A memória lentamente surgiu em Mary.

"Eles foram assaltados em St. James Park", explicou a enfermeira. — Sobre uma mulher perturbada que escapou de um asilo fechado há dois dias e que era procurada febrilmente porque era considerada extremamente perigosa. Felizmente, dois homens passaram e viram você caído no chão, inconsciente e gravemente ferido. O perpetrador estava sentado em um banco a alguns passos de distância, a faca ainda ao seu lado.

"Oh Deus!" A névoa na cabeça de Mary se dissipou. Pedaços fragmentados de imagens foram reunidos para formar um todo. Ela soube novamente o que havia acontecido. E agora ela percebeu que estava usando bandagens por todo o corpo, nos braços, pernas, ombros e ao redor das costelas.

'Oh Deus, eu sei! Aquela louca que não me deixava em paz... a dor terrível..."

"Acabou!" O médico deu um tapinha paternal em seu braço. 'Não pense mais nisso. Seus amigos estavam todos aqui, mas você estava dormindo e não podíamos deixá-lo vê-los. Eles lhe deram as tulipas.

Mary assentiu com a cabeça e começou a chorar porque se lembrava de toda a miséria, porque estava com dor e porque tudo parecia tão desesperador para ela.

O médico olhou para ela gentilmente. "Mas mas! Você realmente tem muita sorte e é quase um milagre: posso garantir que não aconteceu nada com a criança!"

Ela continuou a soluçar por um tempo antes de suas palavras perfurarem a névoa. "O que?"

"A criança não foi ferida. Você não precisa ter medo. «

"Qual criança?"

"Você não sabia disso? Minha querida, você está grávida de dois meses!"

Michael Brown ficou acordado a noite toda, lutando com seu destino. Deus sabe, ele não merecia isso - não *esse* golpe do destino! Ele não frequentava a igreja regularmente, não vivia uma vida piedosa? Nunca uma gota de álcool, nenhuma mulher desde a morte da mãe de Mary. E agora algo assim! Sua filha de dezessete anos, de quem ele cuidara como a menina dos olhos, estava grávida. Ele queria socá-la para saber o nome do bastardo que a engravidou, mas ela apenas apertou os lábios, perdida em seus próprios pensamentos, alheia à fúria e aos gritos de seu pai.

'O que você pretende fazer? *O que você pretende fazer?*

Havia uma expressão sobrenatural em seus olhos quando ela levantou a cabeça e olhou para ele. "Nada. Não farei nada. Acho que não há nada a fazer."

"Então. A senhora está pensando em sentar e deixar as coisas acontecerem. Mas não comigo, você entendeu? Você arruinou minha vida, Mary. Vou ter que deixar Saint Clare!"

Ela não respondeu. Ele continuou com raiva: 'Isso significa que seu tempo aqui também acabou. Qualquer tipo de treinamento acabou. Grávidas não vão à escola, você sabe disso!"

Mais uma vez ela não respondeu, mas havia devoção em seu silêncio, não desafio. Ela não tinha com quem conversar, então se refugiou em si mesma. Era pouco antes do Natal e todos os amigos tinham ido para casa.

Natalie ligou duas vezes e Steve ligou uma vez, mas Mary não contou a eles sobre sua dor. Nat perguntou: "O que há de errado? Você ainda sente dor?"

Mas Mary apenas respondeu: 'Não. Está tudo bem. Realmente!' Nada estava certo, absolutamente nada. Ela sempre soube que não havia nenhuma boa estrela brilhando sobre ela, e mais uma vez esse palpite se provou correto. Ela havia perdido Leonard, estava perdendo Santa Clara e com ela seus amigos, e ia ter um filho, um filho pequeno que consumiria todo o seu tempo e força. Como se fosse anos atrás, ela se lembrou da noite de seu aniversário de dezessete anos, Paradise Lost, e do apartamento de Leonard, onde ela se deitou no sofá e deixou que ele fizesse o que queria porque ela uma vez, apenas uma vez, não queria fugir. longe da vida. Sua boca se contorceu em um sorriso torto, o que enfureceu ainda mais seu pai. "Você vai parar de rir, Mary, eu juro para você. Não permitirei que meu neto nasça fora do casamento depois de já ter sido concebido em pecado. Você casa!"

"Quem, pai?"

"Vou providenciar alguma coisa", Michael Brown prometeu sombriamente.

Peter Gordon, o jardineiro, sentiu que não entendia muito bem. Do outro lado da enorme escrivaninha cuidadosamente arrumada, ele olhou espantado para Michael Brown. "O que você quer dizer? Você quer que eu case com sua filha?"

"Eu deixei isso claro, não deixei?" Michael sentiu suor na testa e apertou as mãos. — E eu lhe dei vinho puro. Então... você quer ou não?

— Sabe, isso foi uma surpresa para mim. Além disso, não entendo... bem, quer dizer, se vivêssemos no século passado... mas assim? Sua filha tem que se casar?

"Isso não é uma pergunta! Você acha que eu quero um bastardo na família?"

"Bem..." Peter Gordon considerou. Ele não via o problema, mas esse Sr. Brown estava se comportando de tal maneira que provavelmente não deveria começar uma discussão. Como o próprio Arcanjo... Lembrou-se do pequeno Brown. Não é uma coisa feia, um pouco magra, um pouco pálida, em suma um pouco sem cor para o seu gosto. Ele preferia mulheres de cabelos escuros e olhos escuros. Mas por favor - um homem deve ser um pouco flexível.

"O que te fez pensar em mim?" ele perguntou.

Miguel se levantou. Ele foi até a janela e parou de olhar para Peter enquanto falava. 'Você tem a idade certa. Nem muito velho, nem muito jovem. Tenho observado você e não acho que se importe de se casar com uma mulher que tem um filho de outro homem. Para mim, tal coisa seria impensável — acrescentou rapidamente.

Pedro tinha certeza disso. "Eu não sou necessariamente um bom jogo", disse ele. — Tenho certeza de que você perguntou sobre mim, e então tenho certeza de que sabe que sempre estive desempregado, que nunca tive muito dinheiro e que sempre fui um pouco... bom. ..fácil, quer dizer, algo também diz respeito às mulheres..."

Ele não podia ver que a boca de Michael era uma linha fina. Você é um desleixado, Peter Gordon, pensou ele, e não pense que não sei. Mas Mary deve pagar... você será o justo castigo dela...

Pela janela, ele podia ver Mary, envolta em um casaco pesado, caminhando lentamente pelo parque. Uma pequena figura solitária em um amplo prado, entre árvores sem folhas. Ela merece isso. Ela merece aquele trapo, aquele Gordon!

Ele se virou e seu rosto estava pálido quando disse: "Você vai querer saber o que ganha com isso, Sr. Gordon, não é?"

"Eu gostaria de saber," Peter respondeu descaradamente. Ele gostou. Por um lado, ele finalmente se sentiu importante - o que era extremamente raro - e, por outro lado, achou esse Michael Brown maravilhosamente engraçado. Um puritano de primeira ordem, ele poderia ter saído diretamente das fileiras de Oliver Cromwell ou do Mayflower. Ele teria apenas que vestir um longo manto preto, segurar uma Bíblia na mão e equilibrar uma cruz flamejante na cabeça. Era uma piada conhecer alguém como ele no meio da Inglaterra em 1978. Uma piada de verdade. Ele sorriu alegremente para si mesmo.

"Já que você não pode morar aqui com minha filha depois do que aconteceu, você terá que encontrar outro lugar para morar", disse Michael. — Presumo que você esteja voltando para Londres. Farei o possível para conseguir um emprego para você lá."

"Hum," disse Peter. Londres era muito boa, mas sua expressão não deixava dúvidas de que isso não era um prêmio suficiente.

Miguel entendeu. "Não ganho muito como professor, mas felizmente meus padrões são baixos. Estou a oferecer-te 200 libras por mês durante os próximos cinco anos. O que seria uma renda extra nada feia para você.

Peter pensou rapidamente e disse: "Pelos próximos dez anos e estaremos no negócio!"

O homem é erva daninha! tóxico! Por uma fração de segundo, Michael duvidou se tinha sido a coisa certa escolhê-lo para Mary, mas em toda a sua presunção ele imediatamente a afastou.

'Bom', disse ele, 'para os próximos dez anos. Como quiser, Sr. Gordon!

Pete se levantou. Ele se perguntou que caras seus amigos fariam quando ele lhes contasse essa história. Mas mais um ponto. "Você acha que sua filha vai concordar com isso?" ele perguntou.

Michael olhou para fora novamente. No horizonte oeste, o céu de inverno ficou vermelho, as árvores contra esse fundo eram negras. A luz lançou um brilho avermelhado em Mary também. Ela tinha as duas mãos nos bolsos, muito quieta. "Mary sabe tão bem quanto eu que tudo acontecerá como deveria. E ela sabe que não há outro caminho para ela."

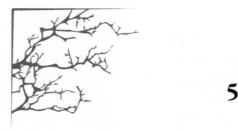

5

Eles se casaram em janeiro, numa igrejinha perto de Saint Clare, e claro que não houve convidados, nem festa. Michael Brown ficou longe do casamento. Natalie e Steve atuaram como padrinhos, ambos confusos, incrédulos e finalmente zangados porque a noiva não havia desistido de sua decisão. Mary ficou com um corpo um pouco mais feminino, mas fora isso não havia sinal de gravidez. Ela não poderia ter comprado um vestido para o dia, mas Nat havia emprestado dinheiro a ela e não teria sido rejeitada.

— Você vai usar um vestido bonito, Mary, é assim que deve ser. Não seja tão mesquinho e desdenhoso consigo mesmo, caso contrário, outras pessoas também o farão. «

Mary acabou comprando um terno azul escuro com um chapéu combinando e ficou surpreendentemente bonita e elegante. Peter veio em um terno escuro e também tinha uma bela figura; no entanto, os dois não combinavam tão bem que irritava até o pastor. Quando ele desejou-lhes boa sorte em sua vida juntos, ele não parecia acreditar.

Eram casas de tijolo vermelho ou cinza que compunham os blocos de apartamentos do leste de Londres, enegrecidas pela fumaça das chaminés das fábricas, construídas juntas. Pátios estreitos e sujos no meio, nos quais havia latas de lixo transbordando, lonas sujas voando, pneus de carros empilhados e crianças mal vestidas brincando. Poças oleosas erguiam-se nas ruas. Não havia árvores nem arbustos, havia apenas floreiras de plástico em frente a algumas janelas, mas é claro que nada crescia nelas agora que era janeiro. Em algum lugar, um trem passou.

Peter destrancou a porta do apartamento. Sexto andar, quarta porta à direita, em uma feia caixa cinza. "Aqui estamos. Ocorre!"

Um espelho estava pendurado bem em frente à entrada, para que Mary pudesse se ver de pé em seu lindo terno entre o grande papel de parede floral e os pôsteres kitsch do pôr do sol; uma flor estranha em um ambiente barato e decadente. Ela sabia que não permaneceria uma estranha por muito tempo. O feio, o cinza, o frio iria absorvê-los e torná-los parte de si mesmo. Ela sentiu que não tinha forças para enfrentá-lo.

Ela tirou o chapéu e acariciou os cachos amassados. Em seguida, ela seguiu Peter até a cozinha, que era tão apertada que duas pessoas só podiam estar lá em caso de emergência. A geladeira zumbia; como Peter passava a maior parte dos fins de semana ali, ele mantinha tudo funcionando. Ele apenas abriu uma garrafa de cerveja, levou-a à boca e tomou alguns goles profundos. Ele os estendeu para Mary. "Você também gostaria?"

Ela balançou a cabeça, saiu da cozinha e foi para a sala. A cafonice com que foi decorado quase a deixou sem fôlego. Um tapete fosco esverdeado, papel de parede listrado de vermelho e azul, um sofá de couro preto, à frente uma mesa plana de madeira, duas cadeiras de cozinha. Uma grande televisão estava perigosamente bamba em um banquinho de três pernas, e parecia apenas uma questão de tempo antes que ela engordasse e caísse. Cortinas amarelas com triângulos pretos penduradas na frente das janelas. Cheirava a mofo. Maria estremeceu. Ela foi até a janela e olhou para uma ponte pênsil que passava no mesmo nível da janela, a cerca de cinco metros de distância. Com um rugido de trovão, um trem passou rugindo e sacudindo. As janelas tremeram. Maria tapou os ouvidos.

Oh Deus, onde eu cheguei aqui? *Onde cheguei aqui?*

"Estou com fome", disse Peter da porta.

Ela se virou. "Fome?"

"Sim, fome", repetiu impaciente. "É tão incomum um homem sentir fome de vez em quando?"

"Claro que não." Um pouco hesitante, ela foi até a cozinha e procurou por suprimentos. Uma caneca de creme de leite, um pouco de alface murcha, dois tomates, couve-flor e um pote de salsichas. Muita cerveja e uma lata de abacaxi.

'Eu poderia fazer uma salada mista. E depois couve-flor com linguiça. Abacaxi para a sobremesa. Isso é bom, não é? Ela tentou manter o tom animado, desesperada para que Peter dissesse algo legal ou sorrisse. Ela sabia que não demoraria muito para ela começar a chorar.

Pedro fez uma careta. ele rosnou. 'Um verdadeiro banquete! Foi assim que sempre imaginei meu casamento!"

"Também poderíamos ir às compras. Talvez... talvez uma garrafinha de espumante para comemorar o dia..."

"Espumante! Madame quer espumante! Mais alguma coisa que você queira?"

"Eu apenas pensei ..."

"Você pensou! Então eu vou te contar como estão as coisas! Você se casou com um homem desempregado, e isso significa que você está em um momento difícil. Temos que nos limitar. Pode ser que na alta sociedade onde seu Natalie ou aquele Steve é, eles bebem champanhe quando se casam, mas nós pertencemos a uma classe diferente e quanto mais cedo você entender isso, melhor. Estamos no fundo, Mary, você entende?

Ela não respondeu. Ele repetiu com raiva: "Você me entende?"

"Sim", ela sussurrou com a voz embargada. Peter se virou e desapareceu. Com as mãos trêmulas, Mary juntou potes e tigelas, lavou a alface, cortou os tomates e colocou as linguiças em água quente. Ela estava colocando pratos e copos em uma bandeja quando Peter apareceu na porta novamente. Ele havia tirado o paletó e a camisa e vestia apenas as calças. Mary se assustou com o torso musculoso e peluda. Ele a lembrava de um gorila que era tão forte quanto perigoso.

O mais alegremente que pôde, ela disse: 'Você está arrumando a mesa, Peter? Podemos comer imediatamente!«

Ele se aproximou dela, pegou os pratos de sua mão, colocou-os sobre a mesa e passou os dois braços em volta dela: "Quem está pensando em comida agora? Estamos meio que em lua de mel, e temos outras coisas em nosso mentes!"

"Está tudo quente agora..."

Ele sorriu. "Correto. Especialmente eu! Vamos, querida, vamos encontrar um lugar mais confortável. Por exemplo, o quarto!«

Ela temia esse momento o tempo todo. Ela finalmente se agarrou à esperança de que ele não quisesse ir para a cama com uma mulher que estava grávida. Agora ela entendia que isso não parecia incomodá-lo nem um pouco.

"É plena luz do dia", disse ela, "vamos esperar até..."

'Bem, eu não pensei que você fosse uma puritana - você não pode ter sido sempre, não é? Ou foi isso que você fez quando estava com o cara que lhe deu o bebê?

Mary não disse nada, magoada. Peter agarrou seu pulso e a puxou, um pouco rude demais, pelo corredor até o quarto. Ele já havia baixado as persianas e ligado o toca-fitas. Alguma canção de amor sentimental soou, porém um pouco trêmula, porque as baterias do aparelho estavam acabando. A colcha estava virada para trás.

"Vamos, Mary, tire a roupa! Eu não me casei para viver como um monge de agora em diante!"

Você pode ir para outra mulher, ela pensou, mas me deixe em paz!

Ela hesitantemente tirou a jaqueta. Peter deitou-se na cama, as mãos cruzadas sob a cabeça e a observou atentamente. "Vá em frente, Maria!"

Enquanto ela estava viva, ela nunca se sentiu tão humilhada como naqueles momentos. Ela não sabia que era menos uma questão de ela se despir aqui na frente dele do que ela fazê-lo ao seu comando. Ele poderia muito bem ter dito a ela para dar cambalhotas ou fazer uma parada de cabeça. Sentia-se humilhada por estar fazendo algo que realmente não queria fazer sob nenhuma circunstância. Quando ela se deitou ao lado de Peter, vestindo apenas calcinha e sutiã, suas mãos estavam frias e suadas e ela sentiu náuseas. Outro trem passou correndo lá fora, e as vidraças bateram suavemente novamente. A cozinha cheirava fortemente a couve-flor queimada.

Uma hora se passou? Dois? Ou apenas minutos? Ela não tinha ideia; pode ter sido anos. Com passos lentos e cansados foi até a cozinha, olhou a comida — as folhas murchas de alface flutuando tristemente no molho de natas, as linguiças estouradas, a couve-flor preta. Ela podia ouvir Peter entrando no chuveiro cantando alegremente. Seu humor disparou.

'Se a comida queimou', ele disse, 'é só fazer alguns pães. Ainda deve haver queijo. E algumas fatias de linguiça. Então ele beliscou sua bochecha encorajadoramente. — Prazer em ver você, Mary. Já estou ansioso por esta noite!'

Mary havia vestido o velho roupão azul da mãe, no qual ainda permanecia o delicado perfume de sua colônia. Ou talvez tenha desaparecido há muito tempo e ela apenas imaginou que sentiu o cheiro.

Possivelmente porque de repente ela se sentiu mais próxima de sua mãe morta do que jamais se sentira nos últimos anos. O rosto pálido, devastado pela doença e tristeza, apareceu diante de seus olhos. Foi papai quem a quebrou daquele jeito. Ele a intimidara, ano após ano, com seus caprichos, sua intolerância, suas explosões de raiva, proibições, ordens. Ela ficou imóvel e lentamente definhou e, finalmente, morreu.

E eu também, pensou Mary.

Ela descobriu que a cozinha tinha uma porta que dava para fora e, quando a abriu, se viu em uma varanda com grades de ferro, finas como toalhas. O musgo crescia entre as pedras da parede da casa. O cheiro de cebola e peixe vinha das janelas da cozinha por toda parte, e algumas crianças engatinhavam sobre os caixotes empilhados no quintal. A roda girou e voltou à sua posição anterior. Mary estava novamente em uma pequena varanda bem acima de quintais sujos, e logo uma criança estaria perfurando o musgo da parede aqui e deixando suas bonecas passearem no corrimão. Pela primeira vez desde que sua vida foi lançada em desordem nas mãos de Leonard Barry, Mary sentiu uma raiva violenta e impiedosa; apenas brevemente, mas ainda mais selvagem. Ela se lembrou daquela noite no Paradise Lost, o momento terrível em que a polícia invadiu o bar e ela, Mary, de repente descobriu que David havia sumido. Ela ouviu a voz surpresa de Leonard novamente: "Seu amigo não parece se importar com o que acontece com você!"

Também não importava para ele. Ele tinha prometido não sair do lado dela, e ele tinha, maldito canalha que era, e aqui estava ela, cada sonho que ela já teve sobre a vida despedaçado.

"Eu poderia matar você, David Bellino", ela murmurou, "eu poderia.

Steve

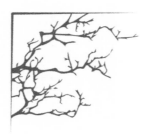

1

Era 5 de julho de 1979. Liz O'Brian tinha oito anos. Ela havia ganhado patins novos, uma mochila escolar de couro vermelho, dois vestidos de verão com laços de cabelo combinando e todos os livros que ela queria. Pela manhã, no café da manhã do aniversário, ainda havia lágrimas, porque o desejo mais querido de Liz, um cachorrinho de verdade, não havia se realizado. Como ela não conseguia se acalmar, seu pai Ed finalmente disse: "Ok madame, vou fechar o bar às cinco hoje, você me pega, vamos a algum lugar tomar sorvete e ao cinema à noite se quiser. Concordo?"

Liz, que adorava o pai, enxugou as lágrimas instantaneamente. Isso era quase melhor do que um cachorro.

Os O'Brians eram católicos irlandeses de Belfast. Cinco anos antes, Ed abrira um pub nas docas em Plymouth, na costa sul da Inglaterra, frequentado principalmente por soldados da Marinha britânica. Black Friars não enriqueceu Ed, mas deu a ele e a sua família uma vida despreocupada.

Liz partiu às quinze para as cinco, a última de suas admoestações maternais ainda em seu ouvido, os novos laços de cabelo em seu cabelo. Era um dia de verão sem nuvens, um calor sufocante, e até mesmo o vento forte que normalmente soprava do mar para as ruas da cidade costeira havia parado hoje.

Quase exatamente às cinco horas, Liz entrou no Black Friars, com as faces coradas de calor e ansiedade. Em dias de chuva geralmente já estava muito cheio aqui à tarde, mas quando o sol estava brilhando ficava quieto até as oito da noite. No momento havia cinco jovens, todos fuzileiros navais. Eles se encostaram no balcão e, quando viram Liz, viraram-se para ela e cantaram um estrondoso 'Parabéns a você'. Quando terminaram, Ed disse: 'Ótimos meninos, vocês se saíram bem. E agora temos que fechar porque prometi à mocinha que sairia com ela!'

"Bem, você ainda pode gastar uma rodada no aniversário da sua filha", gritou um dos soldados.

Os outros concordaram ruidosamente. Ed realmente serviu uma cerveja para todos, Liz pegou um suco de maçã e eles a animaram novamente.

Então Liz teve que ir ao banheiro.

"Tudo bem", disse Ed, "mas se apresse. Vou lavar os copos aqui rapidinho!"

Embora as mulheres raramente entrassem no Black Friars, havia um banheiro feminino separado. Quando Liz entrou na pequena sala de azulejos brancos com o pôster do gato na parede, ela pensou com espanto: Engraçado! O que há com aquela caixa preta no canto?

Eram cinco e dezenove. Às cinco e vinte a bomba explodiu.

Liz conseguiu tudo. Ela estava morta em uma fração de segundo, retalhada e queimada, quase irreconhecível como humana.

Ed, na sala comunal, foi jogado ao chão pela força da explosão. Ele sufocou sob o calor que se aproximava antes que as chamas tomassem conta dos Frades Negros e os queimassem até o chão.

Dos cinco soldados que haviam sido seus convidados, um já havia saído do bar. Ele ficou horrorizado ao ver o que estava acontecendo atrás dele: de seus quatro camaradas, dois, como Ed, morreram na hora. Dois alcançaram a saída; um como uma tocha viva, o outro rastejando, com as pernas quebradas sobre as quais caíram fragmentos de paredes e tetos. Um morreu no hospital devido às queimaduras graves, o outro sobreviveu, mas os médicos tiveram que amputar suas pernas. O barulho da explosão também destruiu seus tímpanos.

Poucos minutos depois das 6h, uma ligação anônima para a polícia de Plymouth disse que o ataque dos Black Friars foi culpa do IRA.

Às sete horas, houve uma segunda chamada anônima. Ele deu o nome de Alan Marlowe e disse que havia instalado a bomba no banheiro feminino dos Black Friars na noite anterior.

Alan Marlowe era conhecido da polícia. Ele apareceu repetidamente na órbita de organizações terroristas. Em poucos minutos, a mensagem de procurado percorreu todas as delegacias do país. Os oficiais de fronteira também foram informados em todos os portos de onde partiram os navios da linha para o continente.

"Embora", disse o inspetor-chefe da polícia de Plymouth rispidamente a um colega, "embora o sujeito tivesse muito tempo para deixar a Inglaterra se quisesse!"

Ao mesmo tempo - já eram cerca de sete e meia da noite - um jovem estava parado em uma cabine telefônica na cidade francesa de Nantes, discando um número com dedos trêmulos. Ele ouviu nervosamente o toque do telefone. Tinha que ter alguém em casa, por favor, tinha que ter alguém...

Pareceu uma eternidade antes que alguém atendesse o telefone.

"Olá?"

"Alô? Steve? É você, Steve?"

'Sim, este é Steve Marlowe. Quem está falando ali, mas não Alan?

— Sim, Alan. Steve, ouça com atenção, não posso explicar nada pelo telefone, mas estou com um grande problema e é imperativo que eu o encontre.

"Onde voce esta entao?"

"Na França. Em Nantes. Steve, você tem carro?"

"Sim mas ..."

'Sente-se e venha para a estação de trem em Nantes. Não é tão longe de St Brevin ou qualquer que seja o nome do seu resort! Se quiser, diga aos outros que você está fazendo um passeio pela bela noite ou algo semelhante. Mas, por favor, venha imediatamente!«

"Alan, eu não entendo..."

'Eu vou te contar tudo. Mas até lá, se alguém perguntar, você tem que jurar a todos que ontem eu estive na França o dia todo e que sempre estivemos juntos. Steve, você me promete isso? Eu preciso de um álibi à prova de bomba por todos os meios!

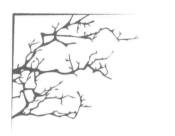

2

Eles sempre foram irmãos improváveis, Alan e Steve Marlowe, filhos de um redator quase sem dinheiro de Norwich, Norfolk, que em algum momento teve a sorte de encontrar um slogan atraente para um fabricante de automóveis que tornaria seu nome conhecido em todo o mundo. e torná-lo rico. A família trocou Norwich por Londres, onde se mudou para um confortável apartamento de dez cômodos não muito longe do Palácio de Buckingham. George Marlowe, que de repente tinha muito mais oportunidades abertas para ele do que jamais imaginara, queria uma coisa acima de tudo: um futuro brilhante para seus filhos.

Steve, dois anos mais novo que Alan, foi muito receptivo a todos os planos do pai. Era um menino meigo e delicado, sempre um pouco tímido e nem um pouco interessado nas brincadeiras dos outros meninos. Sua mãe, Grace Marlowe, sentiu que deveria envolvê-lo em algodão e protegê-lo da vida difícil.

Steve tornou-se um jovem bonito e pálido que dedicava muito de seu tempo a cuidar de sua aparência, comprando as últimas modas e se distinguia por seu comportamento exemplar. Não houve nele nenhum período de rebeldia, nem um em que fizesse planos ousados e loucos para o seu futuro. Temendo tudo o que havia à direita e à esquerda do caminho reto e administrável que havia planejado para si mesmo, ele nunca deu um passo para o lado. Ele não sabia que muitas pessoas o consideravam insuportavelmente oportunista e que ele não era tão popular quanto sempre pensou. Quando ele veio para Saint Clare para uma educação exclusiva, foi apenas a atrevida Gina que continuou dizendo a ele o que pensava dele (e o que todos secretamente pensavam dele), mas ele encolheu os ombros dizendo Mentalmente julgou Gina como vulgar e grosseira e decidiu que a inveja aguçou sua língua. Seu pai, que tinha boas relações com os principais bancos de Londres, já havia providenciado para que ele treinasse na

Wentworth & Davidson, e o Sr. Wentworth não deixou dúvidas de que Steve poderia fazer uma grande carreira.

Alan, alto e robusto como era, não era mimado nem mimado, provavelmente não era particularmente amado, e vingou-se dessa negligência adotando uma atitude fundamentalmente de oposição em relação aos pais. Quando ele tinha treze anos, foi pego roubando em uma loja de departamentos; ele enfiou aleatoriamente no bolso tudo o que apareceu em seu caminho. Aos quinze anos, ele e amigos fundaram um grupo radical com o objetivo de destruir o capitalismo e derrubar a estrutura de poder existente. As atividades desse grupo permaneceram modestas; os meninos estavam ocupados principalmente com sit-ins, manifestações e fazendo panfletos. Então eles se solidarizaram com o IRA e começaram a quebrar vitrines. O pai de Alan recebeu enormes contas de compensação.

É claro que Alan quase não frequentava mais a escola, George Marlowe pagou uma fortuna para muitas escolas particulares do país na esperança de conseguir que Alan passasse de alguma forma, mas o resultado final foi que o filho ficou sem um diploma e não demonstrou nenhuma intenção de educação para começar.

Até esse ponto, seus pais lamentavam seu estilo de vida, mas ainda esperavam que fosse apenas temporário e desaparecesse por conta própria após a puberdade. Mas aos dezoito anos Alan saiu de casa durante a noite e ninguém sabia para onde. Eles não ouviram nada dele por dois anos. Então, um dia, ele parou na frente da porta novamente, cabelos compridos, magro, olhos fundos e tez pálida.

'Caramba, Alan, onde você esteve?' exclamou Grace, irrompendo em um roupão de seda verde do quarto onde tomara café da manhã na cama e meditava sobre a fotografia emoldurada de Alan.

Alan largou a bolsa e olhou para o espelho do vestiário como se estivesse vendo um estranho. "Em Dublin, mãe", ele respondeu brevemente.

'Em Dublin? O que você fez em Dublin por dois anos?

"Conheci a Irlanda. Um país que não deve ser livre, que conheceu apenas opressão e domínio estrangeiro por séculos. Através de nós, seus vizinhos ingleses.«

O pânico cintilou nos olhos azuis de boneca de Grace. "Você não tem nada a ver com o IRA, não é? Rapaz não faça isso com a gente! Por favor não!"

Alan olhava com pena para o rosto macio e pálido da mãe, os cabelos loiros bem penteados, o nariz arrebitado e delicado. A vida dessa mulher se desenrolou entre cabeleireira e esteticista, compras e idas ao teatro, e a única pequena chama queimando dentro dela era seu amor por Steve. Mas ela não sabia nada do fogo real, do fogo da batalha em que alguém era queimado, morria, transformado em cinzas. Ela tinha alguma ideia do poder fanático e consumidor que flui através de uma pessoa quando ela se dedica completamente a uma ideia? Não, Grace Marlowe não sabia de nada e nunca saberia.

Pouco depois do retorno de Alan, uma bomba explodiu no carro de um político inglês; por uma feliz coincidência, o homem que foi o alvo do ataque não estava no carro e ninguém se feriu. O IRA assumiu a responsabilidade pelo assassinato e Alan estava entre os suspeitos presos, mas logo liberado por falta de provas. Grace Marlowe lembrou-se do brilho duro e febril nos olhos de seu filho quando soube disso, e soube que ele estava envolvido, que algum dia faria isso de novo e algum dia seria pego.

Estranhamente, por mais diferentes que Alan e Steve fossem, havia uma conexão profunda que parecia forte o suficiente para resistir aos furacões que os complicados personagens de Alan continuavam lançando. Alan nunca culpou Steve por ser o queridinho de seus pais, e Steve não disse uma palavra contra as atividades políticas de Alan, por mais assustadoras que as achasse. Ele estava confiante de que poderia evitar qualquer problema que Alan pudesse enfrentar - assim como sempre evitara qualquer problema.

Ele ainda não sabia que a vida nem sempre é duvidosa, mas naquela brilhante noite de verão quando Alan ligou de Nantes, ele começou a suspeitar.

Steve, David, Gina e Natalie passaram nos exames finais e foi ideia de Gina irem juntos para a França. Por meio de amigos, ela recebeu uma oferta de uma casa de férias na costa bretã, na pequena cidade de St. Brevin Les Pins, perto de Nantes. Houve muitas idas e vindas, pois David gostaria de ir para a Alemanha e Natalie sonhava com a Escócia, mas acabou concordando em dar uma chance a St Brevin e partir com dois carros e montanhas de bagagem. "Quem sabe para que lado vai explodir a todos nós", disse Gina com entusiasmo. "Talvez nunca mais fiquemos juntos assim!"

É claro que eles também perguntaram obedientemente a Mary se ela queria ir junto, mas Mary explicou que isso não era possível, ela tinha que cuidar de Peter e do bebê. A filha deles, Cathy, tinha apenas uma semana de vida.

St Brevin Les Pins ficava no ponto onde o Loire encontra o Atlântico e era composto por uma infinidade de pequenas casas brancas com jardins idílicos. A vila tinha uma igreja muito bonita, alguns cafés, sorveterias, pubs, um cinema. Quem aqui veio não o fez para se precipitar na agitação, mas para se entregar à paz e à tranquilidade. Em St. Brevin você pode nadar e tomar sol, tomar sorvete e jogar bocha, e à noite sentar e conversar em um bistrô. Paz e harmonia...longe do mundo.

Não muito longe, pensou Steve naquela noite, quando o telefonema de Alan chegou até ele. Lentamente, ele recolocou o fone no gancho. Ele estava parado na sala de estar do chalé e, do lado de fora, atrás das árvores altas no final do jardim, o sol da tarde brilhava em brasa. Trajes de banho molhados pendurados no parapeito da varanda. Pela porta aberta, ele podia sentir o cheiro de protetor solar saindo das toalhas nas espreguiçadeiras. Um tênis estava na escada que levava ao jardim. Raquetes de badminton, um frisbee, um par de sandálias e um par de óculos escuros estavam espalhados na grama. Havia uma câmera em um banco.

Gina deixou a câmera de fora de novo, pensou Steve mecanicamente, tenho que colocar ou vai molhar com o orvalho. Vozes risonhas, risos e gritos vinham da cozinha.

'Olha como David corta os tomates! Você acha que outra pessoa pode comê-los depois?"

"Gina, esses ovos devem estar cozinhando por meia hora. Podemos quebrar a cabeça um do outro com eles!"

"Nat tem razão! oi! Agora também queimei os dedos! Água fria rápido!«

Você pensaria que havia uma centena de pessoas ocupadas fazendo o jantar, não apenas três, pensou Steve.

Apenas dez minutos atrás ele fazia parte disso, tão exuberante quanto. Agora ele estava gelado de medo, ele podia ouvir seu próprio coração batendo.

Ele pegou as chaves do carro e saiu silenciosamente de casa. O carro estava quente devido ao calor do dia. Steve baixou todas as janelas, abriu o teto solar e partiu.

Os dois irmãos diferentes sentaram-se frente a frente em uma mesa no restaurante da estação ferroviária de Nantes. Alan pediu uma cerveja, Steve uma cidra. Eles só falavam muito baixinho porque o restaurante estava cheio de gente.

À primeira vista, Alan sabia de uma coisa: Steve só passaria por tudo isso se não soubesse a verdade. Assim que percebesse que Alan havia realmente plantado a bomba, ele desmaiaria no banco das testemunhas o mais tardar. A essa altura, todas as estações de rádio noticiavam o assassinato e ninguém se esqueceu de mencionar a menina de oito anos. Alan já conseguia imaginar as manchetes dos tablóides; e certamente fotos da criança também seriam encontradas, com um ursinho de pelúcia nos braços ou uma cobaia.

É horrível sobre o garoto. Quem poderia prever isso - as crianças nunca vieram para os Frades Negros. Também era muito raro a vinda de mulheres, por isso teve a ideia de instalar a bomba no banheiro feminino. A probabilidade de ela ser descoberta cedo demais era extremamente pequena.

Ele havia contado a Steve uma história que era uma mistura de verdade e mentira. "E você com certeza não tem nada a ver com a bomba?" Steve perguntou pela centésima vez.

Alan balançou a cabeça. "Não. Mas amigos me avisaram. Fui denunciado por uma ligação anônima para a polícia de Plymouth."

"Por que você está sendo denunciado se não foi você?"

"Alguém parece não gostar de mim."

Ambos não disseram nada. Por fim, Steve disse: "Mas você se move nos círculos do IRA".

"Sim", respondeu Alan. "Você ainda vai me ajudar?"

97

"Claro", disse Steve, mas para si mesmo estava pensando desesperadamente: Droga, Alan, como você pôde fazer isso? Como você pode me colocar em tal problema? Por que?

"Ouça", disse Alan, "apareci no seu St. Brevin's ontem de manhã. Você não estava sozinho por acaso?"

"Nunca estive completamente sozinho. A partir das dez horas Natalie e Gina foram fazer compras em Nantes. Passei o dia inteiro com David. Tomamos sol no jardim até o meio-dia, depois dirigimos duas horas até a praia, ao longo da costa bretã, comemos alguma coisa em algum vilarejo esquecido e depois seguimos viagem. Voltamos por volta das nove horas da noite.

"Como é esse David?"

"David? Ele é... bem, ele é um pouco difícil. Às vezes desajeitado, um pouco... arrogante."

"Onde ele está politicamente?"

"Eu não sei. Mas acho que ele tem um senso de justiça muito forte. Sua mãe é alemã, seu pai foi morto pelos nazistas. Veja bem, David cresceu sabendo que houve uma terrível tragédia no passado e que nós, quero dizer, nossa geração, temos a obrigação de garantir que isso nunca aconteça novamente. Eu acredito que David de todas as pessoas não pode querer que um homem inocente vá para a prisão!"

"Eu não queria mais ninguém envolvido além de você."

'Mas talvez,' Steve disse timidamente, 'não seria uma má idéia ter uma segunda testemunha. Como sou seu irmão, minha declaração pode não ter muito peso. Mas se Davi disser a mesma coisa..."

"Eu ainda não entendo muito bem por que David deveria fazer isso por mim!"

"A história de David é diferente da de outras pessoas. Por esta razão."

Steve pode julgar isso? Alan se perguntou. Ele estava cansado e frustrado. Seu instinto, sua mente, sua experiência o alertaram para não se envolver com o desconhecido "David". Eles até o avisaram para não deixar Steve criar um álibi para ele. Ele não se lembrava de seu irmão tão ingênuo, tão imaturo. Aqueles eram *crianças* ! Eles tinham acabado de terminar a escola e estavam passando umas férias de verão despreocupadas na França. O que eles entenderam de sua vida e seu mundo?

Mas se não conseguisse um álibi, não poderia voltar para a Inglaterra ou para a Irlanda do Norte. Se alguma vez, apenas com um passaporte falso e com medo constante de ser descoberto. Além disso, ele não sabia mais onde estavam os amigos e onde estavam os inimigos. Alguém o havia traído. Quem quer que fosse, poderia fazê-lo novamente. Onde mais ele poderia se sentir seguro?

Nunca antes sentira tanto cansaço. Nunca me senti tão miserável e fraco. Um de seus camaradas uma vez profetizou para ele: 'Você terá essas quedas, elas são terríveis. Você ansiará por uma vida normal de maneiras que nem pode imaginar agora. Você vai desejar ter uma esposa, filhos e uma bela casinha para morar. Para fazer um trabalho decente. Você vai querer isso mais do que qualquer outra coisa no mundo."

Ele desejou isso. Na verdade, ele queria isso mais do que qualquer coisa no mundo. E jurou a si mesmo que, se saísse dessa coisa toda, desistiria. Não porque suas idéias haviam mudado, mas porque ele se sentia mental e fisicamente exausto.

Quando ele trouxe o copo de cerveja de volta à boca, suas mãos tremiam. "Se você acha que é a coisa certa a dizer a David, Steve, então faça isso", disse ele.

3

Steve falou o juramento com uma voz clara. "Juro que direi a verdade, a verdade absoluta e nada além da verdade." Depois de um segundo de hesitação, ele acrescentou: "Que Deus me ajude!"

O julgamento de Alan Marlowe ocorreu em Old Baily, em Londres, sob forte segurança e havia apenas alguns espectadores permitidos na sala. Steve evitou olhar nos olhos de seus pais, que estavam sentados na última fileira, como se ainda não entendessem muito bem o que havia acontecido desde aquele terrível 5 de julho. Seu filho acusado de vários assassinatos! Sua foto tinha sido publicada em todos os jornais, eles receberam telefonemas anônimos chamando-os de "pais assassinos", cartas ameaçadoras falando sobre vingança e retaliação. Grace tinha sido alvo de fofocas sobre ela no cabeleireiro e seu marido tinha passado uma noite inteira sozinho na festa de um amigo de negócios.

"Alan é inocente", disse Grace a todos, quer eles quisessem ouvir ou não. "Ele não estava na Inglaterra na hora do assassinato."

Muito poucos acreditaram nela - porque não queriam acreditar nela. Um inocente Alan Marlowe não servia para ninguém, eles o queriam culpado. O clima entre as pessoas exigia um perpetrador condenado e a raiva geral exigia uma válvula de escape. Como era de se esperar, os jornais do país despertaram ainda mais as emoções ao detalhar a história de Liz O'Brian, adornada com fotografias. Liz com carrinho de boneca. Liz em um pônei. Liz com seus pais na mesa do café da manhã. Liz no balanço. Em todas as fotos, Liz usava vestidos de verão brilhantes e laços no cabelo e ria alegremente.

Uma história que ressoa com as pessoas, pensou Steve.

Ele avistou a mãe de Liz entre os curiosos, pois a mulher que "tragicamente perdeu marido e filho e está passando por um inferno de solidão e dor" (Sunday Times) também apareceu nas revistas com frequência suficiente para ser reconhecida, mesmo que ela agora usava grandes óculos de sol pretos e tinha o chapéu puxado para baixo sobre o rosto. Pobre mulher, pensou Steve, que bom que Alan não é o culpado pelo terrível negócio! Ele sabia que estava prestes a cometer perjúrio. O promotor havia explicado o que isso significava: 'Agora você está sob juramento, Sr. Marlowe. Você pode ir para a cadeia por fazer uma declaração falsa".

Ele assentiu e olhou para David. A Davi, que também seria empossado depois, que cometeria perjúrio como ele. Mas nada poderia acontecer, eles haviam repassado a história centenas de vezes. Alan estivera em St. Brevin naquele fatídico 4 de julho, um dia antes da explosão da bomba, e os três retrocederam cada minuto do dia até que a combinação perfeita fosse alcançada. Steve, cuja maior fraqueza era a incapacidade de fazer qualquer coisa sozinho ("Um dia", Gina zombou, "ele vai pedir a um de nós para acompanhá-lo ao banheiro!"), Relembrou o profundo alívio que sentiu quando David soube de tudo. , colocou a mão em seu braço e disse: "Vou te ajudar, Steve, com certeza. Vamos superar isso!"

"Sr. Marlowe, conte-nos o que aconteceu em sua casa em St. Brevin naquele 4 de julho!" Era o promotor Marsh. Não gosto desse tal de Marsh, pensou Steve, ele é desonesto e muito ambicioso. Conservador até as últimas pontas do cabelo. Um homem para quem cada absolvição significa um soco! Ele sentiu o suor brotar de tudo sobre seu corpo. Ainda assim, sua voz não tremeu quando ele respondeu: 'David Bellino e eu estávamos sozinhos na casa em St. Brevin na manhã de 4 de julho. As duas garotas com quem estávamos de férias foram para Nantes no início de de manhã para ir às compras. Não esperávamos que ela voltasse até a noite."

"Por que você não foi com ela?"

"Estava muito calor e não tínhamos vontade de andar pela cidade. Queríamos nadar e deitar ao sol. «

"Sr. Marlowe, você testemunhou que por volta das onze horas seu irmão, o acusado Alan Marlowe, veio vê-lo inesperadamente. É isso mesmo?"

"Sim. Estávamos deitados no jardim quando a campainha tocou. Fui abrir e lá estava Alan parado na minha frente."

"Você ficou muito surpreso?"

'Eu não estava esperando por ele. Claro que fiquei surpreso.«

"Como seu irmão sabia que você estava na casa de St. Brevin?"

— Eu disse a ele antes de sair. Eu dei a ele seu endereço e número de telefone.

"Na verdade? Estou um pouco surpreso, Sr. Marlowe. Deduzi pelas declarações de seus pais que seu irmão quase não teve contato com a família por muito tempo!"

"Isso mesmo. Mas alguns dias depois dos meus exames finais ele me ligou. Ele provavelmente queria... me parabenizar. Eu perguntei se ele queria ir para a França conosco."

"Por que você perguntou isso?"

- Fazia muito tempo que não o via. Teria sido divertido tê-lo comigo. Steve falou com confiança agora que pelo menos essa parte da história era verdadeira. Ele havia telefonado para Alan e também perguntado se ele gostaria de acompanhá-lo a St. Brevin. Ele se lembrava bem da resposta de Alan.

"Não, Steve, não faça isso com você e seus amigos. Eu não pertenço a você. Venho de uma parte mais sombria do mundo e tenho medo de estragar tudo para você!"

De alguma forma, Steve havia facilitado essa resposta. Ele não tinha certeza de como a sempre zombeteira Gina se daria bem com o idealista Alan. "Mas, Alan, se você mudar de ideia, anote o endereço e o telefone!"

Ele contou tudo isso ao promotor, que o encarou através de lentes grossas. "O que seu irmão quis dizer quando falou de um 'mundo mais escuro?'

"Acho que ele quer dizer que vê o mundo de maneira diferente de nós, que o vê de forma mais sombria. Ele não podia... compartilhar nossa alegria juvenil. Não me lembro de ter ouvido Alan rir levemente. Ele não acha que estamos no mundo para nos divertir, mas para fazer o possível para torná-lo melhor e mais justo".

"E ele acha que ataques a bomba são apropriados?"

O advogado de Alan deu um pulo. "Objeção! Não há nenhuma evidência para tais suspeitas por parte do promotor público."

"Apelação negada", disse o juiz preguiçosamente, sem maiores explicações. O advogado voltou a se sentar e Marsh disse calmamente. "Então?"

"Alan", respondeu Steve, "sempre se opôs à violência sob qualquer forma." Disse isso com convicção.

Marsh olhou para ele com ironia. "Que bom! Isso nos comove muito. Mas não precisamos nos aprofundar nisso por enquanto. De qualquer forma, segundo ela, Alan Marlowe mudou repentinamente de ideia e - apesar da escuridão do mundo - veio para St. Brevin. Às onze da manhã. Vá em frente, Sr. Marlowe.

"Como David e eu tínhamos acabado de decidir ir à praia, perguntamos a Alan se ele queria ir junto. Bem, ele fez, então lá fomos nós. Ou melhor: nós dirigimos. Com meu carro."

"Então. Havia muitas pessoas na praia?"

"Tínhamos encontrado uma baía onde ficávamos quase sempre imperturbáveis. Naquele dia estávamos completamente sozinhos.«

'Que circunstância feliz! Sem testemunhas! Quanto tempo você ficou?'

"Ficou muito quente para nós por volta de uma hora. Mas também não queríamos ir para casa. Então voltamos para o carro e dirigimos um pouco ao longo da costa. Tínhamos levado alguns sanduíches e três garrafas de cerveja conosco. Paramos em algum lugar, fizemos um piquenique, depois deitamos ao sol, dormimos, lemos, conversamos. Foi uma tarde muito pacífica e totalmente monótona."

"Sim. O que você está dizendo soa como uma passagem da redação da escola 'Minha experiência de férias mais bonita'. No entanto, querido Sr. Marlowe, alguém em Plymouth plantou uma bomba no banheiro feminino dos Black Friars neste pacífico, totalmente tarde monótona. Uma bomba que explodiu no início da noite de 5 de julho, matando cinco pessoas. Entre elas está uma menina de oito anos. Você pode imaginar como é quando uma bomba explode uma menina de oito anos em pedaços? '

A Sra. O'Brian, mãe de Liz, levantou-se e saiu da sala.

Steve disse baixinho: "Mal posso imaginar. Deve ser terrível.

"Você acha que um homem que faz uma coisa dessas deve ser punido?"
"Sim."

"Tudo bem. Então estamos de acordo. Bem, Sr. Marlowe, depois que você se bronzear o suficiente e aproveitar a solidão bretã, você foi para casa?"

"Sim. Chegamos por volta das oito horas. Natalie e Gina ainda não tinham voltado."

"Boa farra de compras, você não acha?"

"Os dois ainda estavam em um cinema e jantando."

"Então. De qualquer forma, quando eles chegaram lá, Alan Marlowe tinha ido embora. Acho isso um pouco estranho. Por que ele não ficou com você? Certamente haveria um lugar para dormir?"

Steve engoliu em seco. Este foi realmente um ponto crítico na história. Por muito tempo eles pensaram no que dizer. A maneira como eles torceram e viraram não lançou a melhor luz sobre a veracidade de seu retrato.

"Alan nos deixou exatamente pela mesma razão que originalmente se recusou a vir para St. Brevin comigo em primeiro lugar", disse Steve. "Ele não gostava de estar perto de pessoas que se divertiam, que eram alegres, que brincavam e conversavam sobre ninharias. Como ele conhece Natalie e Gina pelas minhas histórias, ficou claro para ele que haveria um circo de macacos quando eles voltassem para casa. Em um momento ele decidiu ir embora. Sempre foi assim com ele. Ele ia e vinha, e não gostava de estar perto de outras pessoas. ' Mesmo enquanto falava, Steve percebeu que Marsh não acreditava nele. Ele ouviu pacientemente, mas havia um tom zombeteiro em sua boca, como se dissesse: Que bom ver você dando cambalhotas e falando e falando para se livrar disso, mas eu sou uma velha raposa e não adianta tentar enganar meu! No entanto, pensou Steve, o que acabei de dizer é verdade! Se Alan estivesse em St Brevin, ele teria agido como agiu. Ele teria partido antes que Gina e Natalie voltassem. Eu realmente poderia jurar isso.

"Segundo ele, seu irmão passou a noite em uma casa de barcos nos arredores de St. Brevin", disse Marsh, as sobrancelhas levantadas. "Mesmo assumindo que a noite estava quente, imagino que esse tipo de festa do pijama seja bastante espartana, em oposição a uma cama macia!"

"Essas casas de barcos geralmente têm espreguiçadeiras e cobertores..."

'Eu acho', disse o promotor, 'que você mesmo acha toda essa história bastante improvável. Sabe, embora você esteja tentando nos últimos quinze minutos retratar seu irmão como um excêntrico peculiar que está sempre fazendo coisas estranhas, absurdas e peculiares, não consigo tirar isso da cabeça, então dois dias depois ele voltou para a Inglaterra. Deixe-me recapitular a história para que você tenha que admitir que parece estranho: Alan Marlowe chega a Calais de balsa nas primeiras horas da manhã de 4 de julho. Ele não tem passagem e supostamente a jogou fora no porto. Ele pega o trem para Nantes, depois pega uma carona para St. Brevin, onde faz uma visita a você e ao Sr. Bellino. Os três passam o dia fazendo excursões pelos arredores - sempre agradáveis a portas fechadas, é claro - e voltam para casa à noite. Aqui Alan Marlowe de repente decide passar a noite sozinho e em outro lugar. Segundo suas próprias declarações, ele vai para uma casa de barcos, dorme lá e fica sozinho no dia seguinte, 5 de julho, em St. Brevin, veja bem, sem informar o irmão. Ele toma banho e toma sol, depois compra uma baguete e um pouco de queijo em uma loja - claro que o lojista não se lembra, como poderia, dado o número de convidados de férias que compram dele todos os dias. Ele volta para sua casa de barcos, passa a noite lá pela segunda vez, dirige para Calais na manhã seguinte, 6 de julho, e embarca na balsa para Dover. Chegando em Dover, ele é imediatamente preso e prontamente apresenta um álibi para aquele fatídico 4 de julho. Seu irmão Steve Marlowe, ou seja, e seu amigo David Bellino. E com isso ele acha que pode sair do caso. Mas suponho que tanto o tribunal quanto o júri compartilham um pouco de perplexidade sobre esta viagem de dois dias a St. Brevin's. Também na Inglaterra fazia calor o suficiente nessa época para poder se deitar ao sol, mas ninguém precisava viajar para o continente para isso. Principalmente porque as travessias também não são baratas. Eu não acho que mesmo uma pessoa completamente não convencional faria uma coisa tão boba!'

"Alan", disse Steve, "nunca foi são pelos padrões da sociedade."

Marsh se inclinou para frente, sua expressão suave e amigável agora, um pouco como se estivesse conversando com uma criança pequena e teimosa. "Sr. Marlowe, não é que seu irmão não veio para a França até 5 de julho, um dia depois que a bomba foi plantada no Black Friars, e vocês decidiram juntos..."

'Objeção!' O advogado de Alan pulou de novo. 'O promotor acusa a testemunha de ter cometido perjúrio. Devo rejeitar isso resolutamente!"

"Aceito", disse o juiz, que parecia estar lutando contra o sono. "Escolha uma palavra diferente, Herr Prosecutor."

— Desculpe, não quis imputar nada à testemunha. Eu só queria chamar sua atenção para o fato de que, uma vez que ele fez o juramento, ele é obrigado a dizer a verdade em todas as circunstâncias..."

'Eu protesto', interrompeu o advogado de Alan, 'de uma forma muito sutil, você está novamente insinuando que a testemunha não está dizendo a verdade. O Sr. Marlowe foi informado da importância do juramento no início do julgamento e não há evidências de que ele não tenha entendido o que estava em jogo. Eu pediria ao promotor que parasse com suas tentativas de intimidação."

"Retiro meu último comentário", disse Marsh educadamente, porque uma vez que suas palavras foram ditas, ele não precisava insistir.

Alan tem um bom advogado, pensou Steve. Seu pai tinha cuidado disso. No entanto, já estava claro: sem o álibi construído, Alan estaria em péssimo estado. Tudo parecia apontar para sua culpa.

Steve se perguntou se ele havia pelo menos convencido amplamente o júri e arriscou um rápido olhar de soslaio. Cara de pôquer, cada um deles. Ele não conseguia descobrir o que estava acontecendo por trás de suas testas tão rapidamente. Ele sabia que agora teria que responder às perguntas do advogado de Alan, o que poderia considerar um jogo em casa, porque tudo havia sido tentado com ele. Mas o trunfo decisivo ainda estava por vir: David Bellino. Não o irmão do réu, mas um estranho. E alguém que impressionou. Steve olhou para ele, o rosto calmo e magro, a expressão calma e confiante em seus olhos. Ele parecia concentrado, mas completamente relaxado.

Oh, esperem todos até que David Bellino esteja na frente! Então a inocência de Alan será estabelecida. Davi está fazendo isso!

Quase imperceptivelmente, houve uma mudança no rosto de David quando ele prestou juramento. Ele assumiu uma expressão assombrada, sua pele repentinamente alguns tons mais pálida. Quase ninguém no tribunal deve ter notado, mas Steve, olhando para David, viu imediatamente e seu próprio pulso acelerou. Talvez eu esteja apenas imaginando, ele tentou se acalmar, David não perde a coragem, não em uma situação tão importante como esta.

O promotor Marsh tinha uma expressão jovial ao ficar na frente de David; ele parecia quase amigável e parecia estar estendendo a mão para essa testemunha e construindo uma ponte invisível. Você pode confiar em mim, disse seu sorriso.

— Agora, Sr. Bellino, conte-nos sobre aquele memorável Quatro de Julho em St. Brevin. Sobre aquele lindo dia de verão quando de repente um visitante inesperado apareceu na porta da frente!«

Gotas de suor surgiram na testa de David.

"Eu... bem..." ele começou.

Marsh se inclinou para a frente. "Fale-me sobre isso, Sr. Bellino. Ninguém está pressionando você. Nós temos tempo. E você também deve levar o seu tempo, porque está sob juramento e uma palavra errada pode ser fatal. Mas você sabe disso.

"Sim," David disse suavemente. Parecia rouco. A primeira agitação surgiu entre o júri. No começo você relaxou e se recostou um pouco entediado, esperando ouvir a mesma história novamente, mas de repente não parecia mais tão claro. Esta testemunha vacilou. Ele estava com medo. antes? Até o juiz assumiu uma postura ereta. Pela primeira vez prestou atenção ao processo.

"Diga-nos", disse Marsh. David ficou ainda mais pálido. Todos podiam ver que suas mãos tremiam.

"No dia quatro de julho... Natalie e Gina saíram mais cedo. Quer dizer, eles continuaram. Para Nantes.«

"Você e o Sr. Marlowe ficaram em casa?"

"Sim. Prometia ser um dia muito quente, e pensamos que as duas garotas estavam loucas por quererem se envolver no trânsito e na multidão de uma cidade grande - mas é claro que todos eram livres para fazer o que quisessem."

"Naturalmente. E você e o Sr. Marlowe decidiram sabiamente ficar em casa. Para a sorte do Sr. Alan Marlowe. Caso contrário, ele não teria um álibi."

Davi ficou em silêncio. Nenhum som podia ser ouvido em todo o salão. Steve sentiu que sua respiração tinha que ser ouvida porque ele havia desenvolvido aquele fungo asmático que ele sentia facilmente quando ficava excitado. Qual era o problema com Davi? Por que ele não estava falando? Eles haviam passado por tudo centenas de vezes. Não deveria haver mais dificuldades. Ele olhou para Alan, que estava segurando suas mãos tensas, e viu o advogado, que estava remexendo em seus papéis, olhando como se quisesse gritar "Objeção", e viu David novamente, que estava prestes a perder a coragem. .

Naquele momento, Steve percebeu que fazer de David seu cúmplice foi um erro. De repente, ele viu com clareza cristalina, e uma voz interior zombeteira gritou para ele as palavras que ele havia dito sobre David: 'Ele realmente não deixa ninguém chegar perto dele. Quem sabe o que está acontecendo atrás de sua testa?" Ridículo. E ingênuo. Quando Alan perguntou a ele sobre David, ele deveria ter dito: 'Ele só ama a si mesmo. Ele nunca arriscaria nada nem ninguém no mundo."

Como ele poderia ter sido tão cego? Como pode ter demorado tanto para ele perceber a verdade? Por que ele tinha que estar na terra antes de ficar esperto? Pois ele também entendeu que naquele momento, a menos que outro milagre acontecesse, seu futuro desmoronaria.

"Sr. Bellino, você queria nos contar sobre o Quatro de Julho", Marsh disse suavemente.

David estava pálido, seus lábios tinham adquirido uma tonalidade quase cinza. Ele procurou palavras. "No dia 4 de julho estávamos... Steve e eu estávamos..." Ele parou. Ele não olhou para Steve quando se levantou. "Senhor Procurador, gostaria de me retirar do depoimento que prestei à polícia."

Murmúrios no corredor. Vozes foram levantadas em todos os lugares. O advogado de defesa de Alan levantou-se. "Peço o adiamento da audiência."

"A audiência será retomada em uma hora", disse o juiz, cansado. Ele odiava complicações.

Gina ligou para Natalie naquela noite. Natalie foi para casa enquanto Gina ficou em Londres para assistir ao julgamento. Ela primeiro perguntou a Mary se ela poderia morar com ela, mas Mary recusou ansiosamente. "Você sabe que sempre será bem-vinda sozinha comigo. Eu ficaria feliz em vê-lo. Mas é tão difícil com Peter..."

"Eu realmente não quero pressioná-la, Mary, mas você acha que é bom você sempre ceder e fazer o que ele quer?"

"Eu tenho que viver com ele."

"Ok, só uma pergunta."

Ela ficou em um pequeno hotel perto de Madame Tussaud. A dona da casa tinha uma galinha mansa que bicava os pés dos hóspedes e o café da manhã era apenas chá, sem café, mas Gina estava com saldo negativo em St. Brevin e não podia pagar por uma acomodação melhor. Infelizmente não havia telefones nos quartos, então ela teve que ligar para Natalie do corredor. Como sempre, demorou um pouco para encontrar Natalie na enorme casa de campo de seu pai. Gina ficou esperando no corredor estreito e escuro, ouviu as moedas caírem na máquina e sentiu o cheiro de mofo que emanava das cortinas de veludo vermelho-vinho empoeiradas das janelas. Enquanto ela olhava para o barulho do tráfego vespertino de Londres e desenhava um coração com os dedos nas vidraças sujas, ela se perguntou se não seria melhor se ela deixasse a Inglaterra e fosse para a América. Ao longe, uma tábua do assoalho rangeu suavemente. A senhoria provavelmente estava ouvindo.

Finalmente Natalie atendeu. "Gina? Me desculpe, eu estava lá fora. O que há de novo? Você estava no julgamento?"

"Você não me deixou. Mas falei com os pais de Steven depois. Você não vai acreditar no que aconteceu - David desmaiou!"

"O que?" Natalie gritou tão alto que Gina quase deixou cair o telefone.

"Eles tinham acabado de empossá-lo e o promotor começou a interrogá-lo quando ele se levantou e retirou sua declaração à polícia. Ele alegou que estava sozinho com Steve o tempo todo naquele 4 de julho.

Desta vez, o telefone ficou mudo por um longo tempo. Então Natalie perguntou baixinho: "E em quem você acredita?"

"Ambos. Porque aí vem: Steve perdeu completamente a coragem e admitiu ter cometido perjúrio."

"Isso não é verdade!"

"Mas. E você pode imaginar que ele está em apuros como o inferno agora. Perjúrio significa prisão."

"Pelo amor de Deus! Então Alan Marlowe não estava realmente em St. Brevin no dia em que estivemos em Nantes?"

– Não com David e Steve, pelo menos. Steve só o conheceu um dia depois em Nantes.«

"Ah, é por isso! Foi por isso que ele desapareceu de repente naquela noite, lembra? Eu realmente não entendo por que ele não nos confessou, nós não o teríamos esfaqueado pelas costas."

"Ele provavelmente pensou que nossas declarações à polícia seriam mais convincentes se não soubéssemos sobre o golpe", disse Gina, procurando mais moedas na bolsa. Susi, a galinha, tropeçou nela e bicou-lhe o pé com violência. Gina amaldiçoou. "Aquela maldita galinha!"

'Que galinha?' Natalie perguntou indignada.

"Tem uma galinha correndo e cortando o pé de todo mundo", disse Gina, "e a dona da casa está parada no alto da escada, escutando. É o pior hotel que você pode imaginar!'

Um bufo raivoso veio do topo da escada. Gina sorriu. Pelo menos a velha sabia agora.

"É tão horrível", disse Natalie. "Como David pôde fazer isso?"

"David é a pessoa mais egocêntrica que conheço. Ele não levanta a cabeça para ninguém. Além do fato de que ele realmente deveria ter impedido Steve de fazer declarações falsas - talvez ele realmente quisesse ajudar Steve e Alan, mas assim que assumiu o cargo percebeu o risco que estava correndo - e riscos não são da conta de David Bellino. pelo menos não enquanto ele se encarregar dos outros e não "obter nada" disso para si mesmo. «

"David é um porco", disse Natalie daquele jeito honesto e direto que às vezes fazia as pessoas se afastarem dela com desdém. "O que ele fez lá é impossível. Ele colocou Steve em uma situação terrível.

As duas garotas conversaram um pouco, perturbadas e preocupadas, então Natalie disse: 'A propósito, tive sorte. Posso começar em um jornal no dia primeiro de setembro. >Ribalta<. É a pior imprensa tabloide, mas você sempre começa de baixo. A redação fica em King's Lynn. Finalmente vou morar sozinho.«

"É isso que eu quero também", disse Gina. "Eu estava pensando em ir para a América."

"Você tem que fazer isso", Natalie disse imediatamente, "é um país ao qual você pertence, Gina. E quanto a David, o conselho seria se retirar para a ilha mais remota do mar do sul - porque há um monte de gente pronta para torcer seu pescoço agora."

A última moeda passou. A máquina fez pip-pip-pip. Gina desligou o telefone. Ela olhou pensativa para a galinha Susi, mas não a viu. Passou pela cabeça dela que David já era culpado de dois deles: Steve, que agora poderia ir para a cadeia, e de certa forma Mary, que não teria caído nas garras desse homem se David não a tivesse deixado sozinha naquela noite.

Ele trairia a própria mãe para salvar a pele, pensou Gina, e então, enquanto subia a escada de madeira que rangia para o quarto, acrescentou para si mesma: Se ele continuar assim, alguém realmente vai matá-lo.

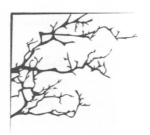

4

Na prisão, Steve sonhava com um lar. Eram cenas pequenas, quase insignificantes, que ele via diante de si, imagens de um idílio passado. Ele pensou nos verões nas ilhas Scilly, na casa de campo que seu pai havia comprado lá; uma casa branca com uma porta pintada de azul e rosas vermelhas entrelaçadas nas janelas. De manhã, eles tomaram o café da manhã no pátio do jardim e Steve sentiu o cheiro de café fresco, ouviu seu pai assobiando para si mesmo enquanto se barbeava e viu sua linda mãe caminhando pelo jardim em um vestido de seda com acabamento de renda. Um vento salgado soprava do mar. Ou Londres, o belo apartamento grande com janelas altas. Sempre que ele voltava de Saint Clare e entrava no apartamento, sentindo os braços gentis de Grace ao seu redor e cheirando seu perfume de óleo de lavanda, ele entendia a paz e a calma que pairavam sobre sua vida. Sentia-se envolvido por ela, como os suéteres macios de caxemira que usava, e o ritmo dos dias e das horas que iam e vinham, acariciando-o. Ele nunca quis emoção e não duvidou nem por um momento que sua vida sempre seria bela e pacífica - até aquela noite em que Alan ligou para ele de Nantes e começou a história que terminaria e culminaria em ser encontrado em um tribunal de Londres - e em David Bellino, que de repente ficou mortalmente pálido, levantou-se e retratou seu testemunho diante de Deus e do mundo. E as Ilhas Scilly afundaram no mar, e também a casinha e as rosas e a brisa do mar, e a realidade assumiu uma face brutal. A face dos muros da prisão.

Além da vergonha, do horror, do pesadelo e do incompreensível, Steve odiava tudo sobre a vida na prisão. Qualquer coisa escassa, feia, meramente prática era profundamente repugnante para ele. Os pratos baratos, que eram lavados, mas que ele sabia serem comidos às centenas, o enojavam tanto que nas primeiras semanas ele mal conseguia comer alguma coisa. Ele estava acostumado com lençóis sedosos e perfumados; ele não conseguia dormir nos cobertores baratos e ásperos da prisão. As roupas da prisão esfolavam sua pele e o sabão de coalhada que recebiam para lavá-las causava erupções cutâneas. Nos chuveiros, onde nunca se está sozinho, quase entra em pânico, porque nunca se apresentou nu à frente de outras pessoas e nunca quis ver os outros nus. Mas o que ele achou mais assustador foi ter que usar o banheiro na frente de seus companheiros de cela.

Havia três outros homens na sala com ele, todos corpulentos, sujeitos um tanto primitivos, que o dia todo contavam piadas sujas e se gabavam ruidosamente dos crimes pelos quais foram encarcerados. Miles tentou roubar um banco, mas perdeu a coragem quando o caixa resistiu e se entregou à polícia. Ele continuou falando sobre a "grande coisa" que "vai acontecer quando eu chegar aqui!" Ele queria roubar pelo menos um milhão e fugir para Acapulco. "Quando você tem dinheiro, você possui as mulheres mais gostosas", entoou ele, "e Acapulco tem as mais gostosas, posso garantir."

"Você nunca esteve em Acapulco?" Provocou Georgio, que estava sem dois dentes da frente e que quebrou as duas costelas da esposa e a ponte do nariz, além de quebrar o maxilar. "Como você pode saber o que está acontecendo?"

'Nunca leu os jornais, hein? Diz tudo sobre Acapulco! Tem cassinos e bares e você pode dançar e transar o dia todo o quanto quiser e tem as melhores prostitutas, elas têm peitos do tamanho de bolas de futebol e mexem a bunda de tal forma que você fica tonto e não sabe mais, onde está para cima e para baixo. E está quente em Acapulco... bom e quente. O sol sempre brilha lá, não tem um clima tão chato como aqui!' Miles suspirou com saudade e voltou para sua 'Playboy', na qual o leitor era convidado a escolher a garota mais bonita entre dez na página cinco, e Miles não conseguia se conter entre a Jennie loira de lábios carnudos e a ruiva Jo com os seios super.

O terceiro era Pete, apelidado de "Birdie" por algum motivo. Birdie foi condenado a tentativa de estupro; ele havia atacado um caminhante em uma floresta deserta, mas outros caminhantes vieram inesperadamente, o dominaram e o entregaram à polícia. Birdie era o mais forte (tinha músculos como um boxeador) e o mais burro de todos, mas não era uma pessoa inerentemente violenta como Georgio. Uma certa boa natureza emanava dele, razão pela qual seus companheiros de cela o abusavam repetidamente nas tarefas mais desagradáveis. Ele poderia facilmente ter agarrado Miles e Georgio e batido suas cabeças e eles teriam se estilhaçado como ovos crus, mas ele os deixou forçá-lo a colocar o braço em seu ombro no vaso sanitário e catar o lixo que era o cano de esgoto entupido. Quando as baratas saíam da piscina, ele tinha que esmagá-las e, se havia pedaços de carne na sopa da hora do almoço, eles escolhiam os gordurosos para ele. Ele nunca entendeu que estava sendo usado, mas se considerava indispensável para os outros. Eles haviam descoberto o truque há muito tempo. "Apenas nosso Birdie tem dentes fortes o suficiente para aguentar o cabo da escova de dentes", disse Georgio depois de confiscar a nova escova de Birdie e deixar a antiga de Birdie, que tinha poucas cerdas, sobre ela. Birdie grunhiu de orgulho. "Claro que Birdie pode! Birdie tem dentes fortes! E ele já os estava esfregando com tanta força que suas gengivas começaram a sangrar.

Steve era o que menos temia Birdie, embora pensasse que ele era imprevisível em sua estupidez, mas tinha medo dos outros dois e sabia que tinha razão. Eles o odiaram desde o primeiro segundo - por causa de sua beleza, sua inteligência, sua linguagem culta, sua distinção. Steve não estalou os lábios enquanto comia, não leu revistas pornográficas e nunca pronunciou uma palavra obscena. Sua sensibilidade estava tão claramente escrita em seu rosto que ele tinha que provocar os outros com ela. Miles e Georgio se superaram sendo ainda mais vulgares do que o normal na presença de Steve, e eles constantemente tentavam provocá-lo com provocações.

"Seu irmão planta bombas", disse Georgio. Ele se balançava para a frente e para trás em uma cadeira e, como sempre quando estava entediado, investia contra Steve. 'Bombas do IRA. Dos quais os ingleses morrem. Belo inglês que faz uma coisa dessas, não acha?

Miles se separou de Jennie e Jo. "Ingles ruim, esse tipo de coisa", ele concordou.

"Claro, a pior coisa é quando as meninas morrem", continuou Georgio. "Eu odeio isso. O que você acha, Miles?"

"Alguém é sujo que faz coisas assim", disse Miles.

"E aquele que então tenta protegê-lo depois?" Georgio perguntou maliciosamente.

114

"Esse é o maior porco!" disse Miles com entusiasmo. Finalmente um pouco de vida entrou na cabine.

"Você concorda, Birdie?" perguntou Jorge. Birdie sentou-se em sua cama e rabiscou uma mulher nua em um pedaço de papel; esse era seu passatempo favorito e ele sempre a pintava com seios enormes com flechas longas e afiadas cravadas neles.

"Um porco", disse Birdie, embora o tenha dito obedientemente e sem ódio, mas com o deleite de um estudante exemplar.

Jorge sorriu. — Você ouviu, Steve? Todos nós pensamos que você é um porco! O que você diz?"

Steve estava deitado em sua cama lendo um livro, o que significa que ele não conseguiu se concentrar por um tempo e leu a mesma página pela quinta vez sem perceber o que estava escrito ali. A única coisa que ele conseguia pensar era que ele tinha que ir ao banheiro com tanto medo. Isso o empurrou com tanta força que todo o seu corpo doeu e ele começou a suar. Foi a pior tortura para Steve ter que usar o banheiro na frente dos outros, por isso quase começou a chorar de desespero toda vez que o primeiro leve puxão em seu abdômen era anunciado. Para ter que se expor ao tormento o menos possível, ele não bebia quase nada, tanto quanto uma pessoa precisa para sobreviver. Ele tomava uma xícara de chá pela manhã, depois tentava ficar sem nada durante o dia e tomava alguns goles de água à noite. O resultado foram lábios rachados e em carne viva e dor leve e constante na região dos rins. Mas ele suportaria se pudesse reduzir ao mínimo a horrível ida ao banheiro.

Assim que os outros começaram a provocá-lo, ele decidiu ir embora afinal porque não aguentava mais a dor, mas agora ele se encolheu, incapaz de fazer algo tão degradante enquanto eles o provocavam assim. Ele pressionou as pernas juntas e mordeu o lábio. Oh Deus, ele pensou, por que devo estar com tanta dor?

"Ei, Steve, você não me respondeu", disse Georgio. — Mas queremos uma resposta. Você não acha que é um porco também?"

"Eu não fiz isso", Steve respondeu com firmeza,

Georgio riu ruidosamente. 'Ele não fez isso! Lá ele jaz com toda a inocência, seu irmão planta bombas e ele faz álibis para ele, mas ele não fez nada!'

O que é que você fez! Steve pensou amargamente, mas não disse nada. Neste mundo em que ele estava agora, ele estava perdido. Nada nem ninguém o havia preparado para o que o esperava aqui. Ele havia lido sobre esse lado da vida, mas basicamente nunca entendeu que ele realmente existia. Até agora ele não entendeu. Ele de repente caiu em um pesadelo; ele sentiu como se fosse acordar de um sono profundo a qualquer momento e ver raios de luz caindo pelas persianas e sentir o cheiro caseiro de café fresco.

Ele gemeu baixinho. Miles se levantou. "Você não está bem?"

"Ele está gemendo porque é um porco!" Jorge explicou. »Imagine se você fosse um porco, então você também gemeria!«

A dor vinha em ondas agora, o suor escorria por seu rosto. Ele rolou para o lado, as pernas dobradas e pressionadas firmemente contra seu corpo. Havia sombras sob seus olhos.

"Ele não parece bem", disse Miles, "está doente!"

"Ele está apenas fingindo", entoou Georgio. "Ei, Stevie, não é, você está fingindo!"

Meio atordoado, ele se levantou. Através de uma névoa, ele viu os rostos dos outros enquanto cambaleava pela sala. Apenas cinco passos... cinco passos para a salvação.

Podia sentir a incredulidade com que os outros o observavam. A princípio, eles devem ter pensado que ele ia vomitar, mas depois perceberam o que realmente era e, após um segundo de silêncio, caíram na gargalhada.

"Ele não está nem um pouco doente! Ele tinha que ficar!"

"Isso é impossível! Não existe coisa tão estúpida assim!"

Jogaram-se nas camas, bateram nas coxas, gritaram de tanto rir.

De repente, Steve pensou: não aguento. Menos de dois anos. Eu vou me matar primeiro.

Muitas vezes ele chorava à noite. Havia dois beliches na cela, ele conseguiu isso com Birdie. Dali continuou olhando para a janela gradeada. Ele observou enquanto o céu negro lá fora começava a clarear ao amanhecer, passando de um cinza escuro para um cinza pálido e, então, naqueles primeiros dias quentes de setembro de 1979, para um azul brilhante. Seria mais fácil se chovesse? ele se perguntou. Mas não, não seria mais fácil. Fosse uma noite quente, quando vozes sedutoras pareciam sussurrar na escuridão, ou um amanhecer chuvoso e frio, era a vida, e passava por ele lá fora. Ele sabia que as flores de outono em Saint Clare Park estavam agora desabrochando selvagens e brilhantes, e que o calor estava diminuindo nas ruas de Londres, mas ele extraía seus pensamentos apenas da memória, eles não recebiam novo alimento. A partir de agora sempre haveria esse ponto pálido em sua vida que representava seu tempo na prisão, e ele suspeitava que nada seria o mesmo depois disso.

Semanas se passaram e as noites estavam ficando mais longas e os dias mais curtos. Dezembro chegou com frio e neblina. Em um daqueles dias sombrios em que nunca clareou e o céu estava carregado de neve sobre Londres, os pais de Steve vieram visitá-lo. Eles disseram ao filho que estavam deixando a Inglaterra e indo para a América.

Steve não podia acreditar no que ouviu. "O que?"

Grace estava sentada diante dele com seu novo casaco de pele, as pernas apertadas contra o corpo, as mãos apertadas no colo. Parecia que ela queria o mínimo de contato possível com o que estava ao seu redor aqui. Ela parecia completamente deslocada, mas ainda parecia uma linda boneca na luz feia e fria da sala de visitas. "Steve, por favor, nos entenda. Nossos dois filhos na prisão. Não podemos mais ser vistos em lugar nenhum. Eu nem fui recebida em uma boutique outro dia...' Grace mordeu o lábio, seus olhos brilhando com lágrimas. 'É tão terrível ser tratado com desprezo por todos. Nós... temos que começar de novo, bem longe, onde não somos conhecidos..."

Pálido como um fantasma, Steve olhou para o pai. "Pai..."

Seu pai evitou seu olhar. "Sua mãe está certa. Não temos mais casa aqui.«

»Mas...você não pode sair agora! Não enquanto eu ainda estiver aqui! Você não pode me deixar em paz, eu preciso de você!"

Grace parecia triste, mas não como se fosse desistir. Pela primeira vez, Steve percebeu, sem perceber no momento, que havia algo de aço em sua mãe que nada tinha a ver com sua voz suave e olhos azuis sonhadores.

"Steve, você realmente tem que entender isso. Você não pode destruir nossa vida. Você fez tantas coisas ruins para nós..."

"O que eu fiz! Eu queria proteger Alan! Alan é meu irmão, ele é seu filho! Foi por seu filho que eu fiz isso!"

"Alan", disse Grace com a voz embargada, "não é mais meu filho."

"Mãe... você não pode estar falando sério!"

Graça se levantou. Sua forma pequena e delicada estava esticada em toda a sua altura. - Não posso fazer nada por Alan. E também não posso fazer nada por você agora. Por favor, Steve... A voz dela falhou, mas ela se conteve. 'Não torne as coisas mais difíceis. Você e Alan não podem imaginar o que fizeram conosco..."

"Mãe..." Steve se levantou também. Ele ficou ali pálido e magro, com as bochechas encovadas e os lábios partidos. "Mãe me diga, eu não sou mais seu filho?"

"Steve!" seu pai disse cansado.

Grace deu um passo em direção à mesa que a separava de Steve, inclinou-se e colocou o braço em volta dele.

"Parar!" O oficial de plantão protestou. "Isso não é permitido!"

o acompanhou e o carregou por toda a sua vida inundada sobre ele. Ele se agarrou à mãe pela última vez e já sentia o chão começar a tremer sob seus pés e a velha segurança se esvair. Ele havia perdido Grace. Ela se afastou dele porque ele não se encaixava mais em seu mundo de gelo e beleza. Ele estava doente e ferido, mas Grace também estava, e quando se tratava de qual dos dois iria sangrar até a morte por causa de seus ferimentos, não seria Grace. Ela havia decidido se salvar.

"Mãe", ele disse de novo, e ela sorriu para ele, mas era o famoso sorriso doce de Grace Marlowe que prometia tudo e não significava nada. Ele a observou sair do quarto, aconchegada em sua capa, delicada, vulnerável e sensível demais para este mundo.

Uma bela casca na qual repousava um núcleo inquebrável?

"Tchau, meu filho", disse o pai, estendendo a mão para o filho. "Seja corajoso!"

'Pai - o que vai acontecer quando acabar? Quando eu estiver livre?"

"Isso... veremos... está tão longe. Steve, há coisas na vida que você faz e depois você tem que assumir a responsabilidade por elas... e há consequências... veremos , Steve, o que acontece depois...' Ele também saiu da sala, um pouco encurvado porque a vida, parecia-lhe, não o tinha tratado bem.

Steve deixou-se levar de volta para sua cela, meio atordoado e tão espancado que até mesmo Georgio, ao vê-lo, manteve a boca fechada e deixou sua vítima sozinha durante o dia.

A noite chegou, a escuridão caiu sobre a cela. Steve ficou lá com os olhos bem abertos, ouvindo a respiração tranquila dos adormecidos. O pensamento de que ele poderia acabar com sua vida se não aguentasse mais o manteve vivo nas últimas semanas. Ele sempre pensou: Bem, vou passar o dia hoje! Talvez também amanhã e depois de amanhã. Mas quando fica insuportável, eu desisto.

Ele possuía uma lâmina de barbear!

Esta lâmina de barbear representava a coisa mais valiosa, mais cara e mais importante que ele já possuía. Chris tinha dado a ele. Chris estava na cela ao lado e um amigo contrabandeou a lâmina para a prisão para ele, mas ele foi covarde demais para tirar a própria vida. De qualquer maneira, sua pena de prisão estava chegando ao fim, mas ele estava com um medo mortal do que aconteceria depois porque havia sido condenado por seduzir uma menor e sabia que todos em seu local de trabalho, que todos os seus vizinhos sabiam disso. Sua esposa havia pedido o divórcio; que ela teria os filhos era certo.

Chris queria morrer, mas no dia em que foi solto ainda não conseguiu fazê-lo e, resignado, passou a lâmina para Steve. "Para você. Quando você não puder mais."

A lâmina estava debaixo do colchão de Steve.

Com um movimento rápido, ele deslizou para fora da cama, ajoelhou-se ao lado dela e tateou sob o colchão. Ele encontrou a lâmina e cuidadosamente a puxou para fora.

Suas mãos tremiam como as de um homem gravemente doente, ele brilhava como se estivesse com febre. A imagem de sua mãe brilhou brevemente em sua mente, e a dor surgiu novamente. Ele hesitou por um segundo - iria doer, e ele temeu a dor toda a sua vida, mas desta vez parecia que nada poderia parar sua dor e angústia. Com movimentos rápidos e determinados, ele abriu os pulsos; foi o único ato de sua vida em que não hesitou nem consultou pelo menos uma dúzia de outras pessoas.

Mais tarde, ele se lembrava vagamente de estar deitado gemendo em uma poça de sangue, surpreso por não sentir dor, abalado pela febre que apertava audivelmente seus dentes. O sangue estava por toda parte: ele provou-o nos lábios, sentiu-o entre os dedos, sentiu-o grudar nos cabelos da testa. Uma umidade quente se espalhou sob seu estômago. Os lamentos que ele soltou foram mais reflexos do que miséria real. Para seu alívio, a morte foi suave.

Então, de repente, uma luz se acendeu e, de longe, de longe, a voz de Georgio soou: "Droga, aquele cara cortou os pulsos! Isso não pode ser verdade! Olha que bagunça!"

Então alguém bateu na porta, gritos ecoaram pela noite, uma campainha tocou. De repente, as pessoas estavam se aglomerando ao seu redor e ele sentiu como se estivessem todos puxando para ele, mas ele não podia lutar porque estava muito fraco.

Então, é claro, ele registrou uma sala simples e caiada, clara e amigável, mas com grades nas janelas. Ele estava deitado em uma cama alta, com os braços apoiados no cobertor à sua frente. Eles estavam envoltos em espessa gaze branca da raiz dos dedos quase até os cotovelos. Uma dor lancinante se alastrou por seus pulsos, pulsando com o ritmo de seu coração.

"Aí está você de novo", disse uma voz feminina. Steve viu uma jovem enfermeira de cabelos escuros observando-o preocupada, mas agora ela estava começando a sorrir. — Achei que você nem abriria os olhos. Como vai?"

"Estou com sede. E dor.«

"Aqui, tome alguns goles." Ela lhe entregou um copo. — No que diz respeito à dor, infelizmente não posso ajudá-lo no momento. Porque você fez isso?'

"Eu queria morrer. Ainda quero morrer."

"O que aconteceu?"

"Eu não quero falar sobre isso." Ele olhou além da jovem na parede. Não quero lhe dizer que nem minha mãe me abandonou, pensou ele com hostilidade.

"Você não está se dando bem com seus colegas de cela? Você gostaria de ser transferido para uma nova cela?"

Steve assentiu sem preocupação.

'Sabe', disse a enfermeira, 'eu realmente não quero incomodá-lo com banalidades, mas você deve se lembrar que ainda é jovem e que tem muitos anos pela frente quando sair da prisão. Não vale a pena jogar a vida fora agora. Ainda há muitas coisas boas esperando por você.«

"Nada será mais bonito. Eu sei que."

"Você não deveria falar assim."

"Levarei a prisão comigo para sempre. Há pesadelos que permanecem vivos para sempre.«

"Mas eles desaparecem."

O que você sabe, Steve pensou, cansado.

Ele começou a chorar. Ele chorou de horror, de medo e desespero, e então pensou em Davi, e finalmente chorou de ódio também.

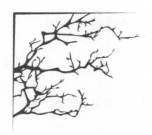

Natália

1

Quando Natalie já era uma jornalista de sucesso e conhecida em vários países da Europa e nos EUA, foi convidada pelo editor-chefe de uma grande revista americana para escrever um texto sobre si mesma.

"Você sabe", disse ele, "como eu me vejo."

Natalie sabia que ele esperava por revelações suculentas, pois era sabido que ela era lésbica e esperava-se que a confissão de uma lésbica fosse escaldante. Ela se sentou em sua mesa e escreveu:

"Sou Natalie Quint. Nasceu em 1960 em Somerset, Inglaterra. Cresci na propriedade rural que está em nossa família há gerações; é uma daquelas mansões isabelinas que são fervorosamente admiradas pelos turistas e, na verdade, são terrivelmente impraticáveis, enormes, com correntes de ar e difíceis de aquecer. Eu amava o campo ao redor e os cavalos e cachorros que eram o orgulho de meu pai. Minha mãe não ostentava grande beleza nem inteligência notável, o que ela tentava compensar cuidando perseverantemente de sua aparência e ostentando abertamente sua riqueza. Acho que ninguém no mundo já a viu sem maquiagem completa, incluindo meu pai que, para seu desgosto, nem gostou disso, pois se importava mais com cada vaca da propriedade O rosto parecia o dele esposa. Mamãe dedicou seu tempo e pensamento à complexa tarefa de acompanhar as tendências da moda e ofuscar todas as outras mulheres com suas joias; infelizmente, ela tinha um gosto pelo mau gosto que a tornou cômica em mais de uma ocasião, e permanecerá um mistério para toda a vida por que as pessoas riram dela em vez de se curvar a seus pés.

Por alguma razão ela teria achado muito mais elegante ter um filho do que uma filha, e pelo fato de eu ter nascido mulher ela nunca me perdoará. Eu não era uma criança bonita, não era de se exibir. Aos doze anos eu já era bastante alto, tinha a pele clara e as coxas um pouco fortes demais. Para piorar as coisas, eu adorava livros, problemas matemáticos complicados e discussões com pessoas que tinham opiniões políticas diferentes das minhas. Meus pais me mandaram para um internato exclusivo e não foi difícil para mim agradá-los fazendo o bem. Eu até trotava alegremente para Ascot todo verão, mas apenas porque me divertia com o comportamento com que minha mãe exibia suas joias e seu chapéu novo, e suas risadinhas histéricas quando a duquesa de Kent ou a princesa Margaret falavam inesperadamente com ela.

Fiquei bonita depois de sobreviver aos meus primeiros anos miseráveis de adolescência e, milagrosamente, ganhei pernas finas e - sim, talvez eu pudesse ter sido a filha dos sonhos, mas depois fiz amor com mulheres, tornei-me jornalista e busquei reconhecimento profissional, e então o crime horrível em Crantock aconteceu, e desde aquela noite minha psique está um lixo e o maldito Valium faz o resto..."

Nesse ponto, Natalie interrompeu e rasgou o que havia escrito, percebendo que nada disso era da conta de ninguém. Ela decidiu escrever um segundo texto mais reflexivo, e a única coisa que restou do primeiro foi o começo: "Eu sou Natalie Quint". Ela sempre se apresentou assim, nunca usando apenas seu sobrenome ou: "Meu nome é Natalie Quint." Ela disse: "Sou Natalie Quint", o que deu a sua contraparte a sensação de que eles realmente deveriam conhecê-la. O efeito era que você realmente os conhecia. Dizia-se que ela era uma mulher bonita e inteligente, mas também era difícil e mal-humorada. Ela engoliu muito Valium.

2

Quando jovem, Natalie nunca se interessou por meninos, mas não havia pensado que poderia ser lésbica. Essa possibilidade estava fora de seu mundo. Claro que ela tinha ouvido e lido sobre isso, mas nunca considerou por si mesma. Ela também não encontrou nenhum sintoma. Uma vez em Saint Clare, quando ela tinha dezessete anos, ela se sentou na cama de Gina por quase uma noite, e as duas meninas conversaram sobre todas as coisas que as incomodavam, em uma atmosfera de intimidade e confiança que só acontece em raras e preciosas horas. Algum tempo depois da meia-noite, Natalie sentiu vontade de segurar a mão de Gina, mas não o fez, e depois disse a si mesma que era apenas uma explosão de emoção decorrente da situação.

Quando todos passaram nos exames finais, eles dirigiram para a França em dois carros completamente sobrecarregados e balançando perigosamente. Estavam exaustos de estudar, estressados pelo medo das provas, e durante toda a viagem sonharam como deveria ser maravilhoso deitar na praia e nadar no mar, sonharam com sol e céu azul, mas quando finalmente conseguiram chegou a St Brevin - à uma da tarde, eles estavam com fome e cansados - começou a chover, a costa estava afundando em neblina e a umidade misteriosamente se infiltrou pelas paredes da cabana, de modo que à noite as camas estavam frios e úmidos e houve uma competição acirrada pela única garrafa de água quente disponível. A primeira semana inteira foi gasta em discussões amargas sobre quem era o responsável final pela escolha de St. Brevin.

David e Steve passavam o tempo dirigindo pela área em busca de garotas bonitas sem encontrar nenhuma, a julgar pelas expressões frustradas nas noites de retorno. Natalie retirou-se para o aquecedor na sala de estar; ela havia decidido escrever um conto para uma revista e estava trabalhando nisso com muita energia. Ela estocou biscoitos de chocolate, que mordiscou distraidamente, seu consumo diário mais ou menos equivalente ao de uma família de cinco pessoas.

Como sempre, Gina estava indefesa contra sua própria inquietação. Ela ficou na cama até o meio-dia, embora sem dormir; ela apenas pegava xícara após xícara de café na cozinha e bebia lentamente enquanto olhava melancolicamente para o nevoeiro, para a foz do Loire no Atlântico e para o contorno sombrio da ponte de St. Nazaire. Quando finalmente decidiu sair da cama, enfrentou outro problema: o frio. Como ela não tolerava lã em sua pele ou roupas pesadas em seu corpo, ela trouxe apenas algumas bandeiras de seda e sandálias arejadas com ela. Ela estava tremendo de frio e andava principalmente com um cobertor em volta dos ombros, dando-lhe a aparência de uma índia. No ar enevoado, seu cabelo se enrolava em uma miríade de pequenos cachos que caíam até a cintura e às vezes parecia que o usuário havia desistido de penteá-los.

"Vai ser o frio que vai me matar um dia", murmurou Gina, e Natalie respondeu perdida em pensamentos: "Quero saber por que é tão difícil escrever uma história decente!" Ela passou cinco dedos por si mesma, seu cabelo loiro cortado curto de modo que se emaranhasse em todas as direções de sua cabeça. Então ela rastejou para mais perto do fogo, aninhou-se contra os ladrilhos verdes da lareira como um gato em um canto do sofá e se absorveu nas páginas rabiscadas de seu bloco de notas.

Quando o tempo mudou, todos deram um suspiro de alívio. Quase instantaneamente, um vento forte vindo do Atlântico afastou as nuvens; de repente o céu ficou azul e o sol brilhou, e então ficou tão quente que só se aguentava na água ou na sombra. Sob os galhos floridos de um arbusto de jasmim, Natalie terminou seu conto e Gina finalmente saiu da cama, vestiu uma camisola de seda transparente com alças finas e um short de algodão macio, finalmente se sentindo pronta para algo novo.

Ela saiu para o terraço, onde Natalie acabara de escrever uma carta para a mãe e se dirigia a ela, exausta e frustrada.

— Nat, acho que já ficamos sentados aqui tempo demais. Há um ponto de ônibus em algum lugar neste lugar horrível e devemos ver se podemos encontrar um ônibus para Nantes. Fico louco só de ver casas de veraneio e veranistas barrigudos!"

Claro, não havia mais ônibus naquele dia, então eles dirigiram na manhã seguinte, em um veículo antediluviano, espremidos entre toda uma horda de mulheres locais que olhavam as duas garotas com desconfiança.

Era 4 de julho, dia em que Alan Marlowe colocaria uma bomba no banheiro feminino dos Black Friars em Plymouth no início da noite. Nem Gina nem Natalie suspeitavam que sua decisão de passar o dia em Nantes criasse a base para construir um álibi para Alan.

— Quero — disse Gina de repente — vestir meu jeans novo. ' Eles caminharam por uma galeria comercial subterrânea carregada de sacolas e bolsas contendo coisas desnecessárias que eles nunca saberiam por que deveriam ter quando estivessem na Inglaterra mais tarde. Gina comprou jeans novos, tão justos que, mesmo com a ajuda mais enérgica de Natalie e de duas balconistas, ela achou difícil espremê-los na loja.

"Talvez você devesse usar um tamanho maior, afinal de contas," uma das vendedoras finalmente disse cansada, olhando tristemente para sua unha lascada. Mas Gina persistiu em sua decisão tomada uma vez. "Eu a levo. Agora, você poderia me ajudar de novo? «

"Mas onde você vai usar essa coisa horrível?" Natalie perguntou agora na galeria comercial subterrânea.

Gina olhou em volta. "Ali. No banheiro."

Eram os banheiros mais sujos que Natalie já vira em muito tempo. Ela balançou a cabeça com desgosto e esperou a uma distância segura em frente à porta que Gina havia desaparecido atrás. Ela podia ouvir o amigo gemendo e gemendo.

"Gina? Funciona?"

— Ah, meu Deus, Nat, de jeito nenhum! Acho que devo me deitar."

"O que?"

"Eu tenho que me deitar. Caso contrário, não vai funcionar! «

"Gina! Você não pode deitar nessa merda também!"

"Eu preciso. Oh, é horrível aqui!" Os ruídos do banheiro ficaram mais ameaçadores e, finalmente, a voz patética de Gina voltou a soar. "Não consigo me espreguiçar. Está muito pequeno aqui. Tenho que abrir a porta!"

"Então suas pernas estão de fora!"

A porta se abriu e uma Gina completamente tensa apareceu. Seu cabelo estava desgrenhado, ela estava descalça e enfiada em seu novo jeans aberto.

"Você acha que eu deveria ter subido um tamanho?"

"Ah, Gina!"

As pernas de Gina se projetavam dos joelhos para o corredor. Ela estava deitada completamente no chão, seu estômago contraído tanto que seus ossos do quadril se projetavam de cada lado como duas pás. Natalie riu de repente. Ela vislumbrou o rosto completamente atordoado e profundamente horrorizado de uma mulher honesta que estava a caminho do banheiro, mas se virou apressadamente quando viu as duas pernas da mulher no corredor, ouviu o gemido desumano e notou Natalie, que estava interessado curvado sobre o algo gemendo.

"Se não tivermos sorte, ela irá à polícia", murmurou Natalie. "Ela acha que eu vou te matar."

"Terei em um minuto", Gina ofegou, "por favor, me ajude, Nat!"

Natalie superou seu desgosto, largou as sacolas de compras e se ajoelhou ao lado de Gina. Sua mão estava na barriga de Gina ; estava quente e ela podia sentir os pelos delicados e macios nele. Ela viu o peito de Gina subir e descer com a respiração pesada. As pontas de seus seios brilhavam através do tecido fino de sua camiseta. Ela estava muito pálida, seus lábios quase descoloridos pelo esforço. Ela não tinha colocado nenhuma maquiagem hoje em seus olhos, que geralmente são contornados com kajal, e ela parecia muito jovem sob seu cabelo despenteado. Natalie percebeu que não conseguia tirar a mão da barriga de Gina.

"Gina", ela disse em sua voz baixa e rouca, "você é tão linda."

Gina fez uma pausa e olhou confusa para Natalie. "O que?"

"Você é muito bonita, Gina. Não é de admirar que um homem como Charles não deixe você ir. Mas não era bem isso que ela queria dizer, suas palavras deveriam ter sido: eu acho você linda. Eu te acho adorável. Sempre pensei assim, mas nunca assim. Não tão intenso e tão... terno.

Ela se inclinou e beijou suavemente a boca de Gina. "Mouse, eu odeio isso aqui, mas você é linda, mesmo em um lugar como este."

Gina estava exausta demais para entender o que estava acontecendo com Natalie. — Última tentativa, Natalie. Acho que estamos quase lá. Você acha que vou demorar tanto para colocar essa merda toda manhã?

O dia seguinte estava quente novamente. De manhã, o sol nascera vermelho-escuro por trás das colinas, brilhante e quente agora traçando seu arco alto no céu azul claro. O calor proibia o movimento, proibia o trabalho. Basicamente, pensou Natalie, está quente demais para respirar.

Ela usava um biquíni e estava sentada na grama sob o arbusto de jasmim. Ela havia escrito uma carta para Mary, mas a caneta grudava em suas mãos, seus pensamentos moviam-se lentamente. Ela se deitou na grama quente e aparada que cheirava a verão como feno e terra seca e pensou em como era maravilhosamente pacífico. David e Steve foram para a praia e Gina recebeu um telefonema de Charles e agora estava sentada ao telefone da sala parecendo um cordeiro sacrificado. Natalie sorriu para si mesma. Considerando que o jovem não tinha dinheiro, ele teve conversas longas o suficiente.

A quietude quase rural do jardim lembrava a Natalie seu lar, porque ali também ela adorava os dias longos e quentes e procurava lugares isolados na grama alta ao redor do lago ou sob a sombra das folhas das árvores na floresta. No entanto, o idílio sempre foi logo perturbado, seja pelos cachorros que percorriam o campo e se lançavam sobre Natalie, latindo alegremente, ou - o que era pior - por sua mãe, que queria algo trivial dela e a chamava por tanto tempo, até que ela se levantou com raiva e trotou de volta para casa. Mamãe nunca deixou as pessoas viverem, Natalie pensou preguiçosamente enquanto pegava uma margarida com os dedos dos pés, ela dificilmente suporta alguém que pensa diferente.

Ela se levantou lentamente e entrou em casa. Gina aparentemente havia parado de telefonar e não estava em lugar nenhum, nem na sala nem na cozinha. Natalie cantarolava uma música enquanto subia as escadas para encontrar uma camiseta. Cada um dos quatro tinha seu próprio quarto, e Natalie poderia ter ido direto para o seu, mas ao passar pela porta de Gina ouviu um barulho lá dentro. A cama rangeu suavemente. Gina estava deitada? Ela hesitou um segundo, então bateu e entrou.

Gina deitou na cama. Ela estava completamente nua e seus cabelos escuros espalhados como um tapete sobre os travesseiros. As mãos com unhas dramaticamente vermelhas penduradas na beirada da cama de cada lado. Ela parecia completamente relaxada, apenas um pouco de suor brilhava em sua testa e nariz. Deitada ali, ela tinha algo da aparência de um jovem animal selvagem, exausta pelo calor e derramada por sua própria energia ilimitada, adormecida enquanto uma nova força espreitava dentro dela, pronta para saltar.

Estava sufocante na pequena sala com as paredes inclinadas. Ambas as janelas estavam escancaradas, mas nem um sopro de vento agitava os galhos da macieira que crescia na frente da casa. Os painéis de madeira sob o telhado cheiravam a resina quente. A poeira brilhava ao sol, uma abelha zumbia contra o teto.

"Você não está bem?" perguntou Natália.

Gina lentamente abriu os olhos. "Não.

"Receio que você nunca vai se livrar dele", disse Natalie, mas suas palavras saíram mecanicamente porque ela mal tinha ouvido. Ela sentiu as palmas das mãos ficarem úmidas enquanto observava esta linda jovem nua se estendendo na cama na frente dela com prazer. Essa pele morena dourada! Os olhos dourados! Fios de ouro brilhando no cabelo castanho. Parecia a Natalie que toda a Gina estava mergulhada em ouro puro. Que belos seios ela tinha. As pernas, infinitamente longas e lindamente modeladas. Tudo nela era comprido, esguio e delicado. As mãos, os braços, o pescoço... Natalie olhou fascinada para o ponto escuro entre suas pernas, e ao imaginar como seria tocar aquela peça, acariciá-la delicada e ternamente com os dedos, quase tonto. Ela sabia que Gina nunca havia dormido com um homem e ficou surpresa com o medo e o horror com que reagiu ao súbito pensamento de um amante para Gina. Ela fechou a porta. Com um movimento rápido e gracioso, ela deslizou na cama ao lado de Gina. "Você se importa se eu me deitar com você por um momento?" ela perguntou. "Eu também estou muito cansado."

"Claro que não me importo", respondeu Gina. Mas instintivamente ela sentiu algo. Sua voz soava tensa, a inércia sonolenta havia desaparecido de seu olhar e de sua postura. Bem acordada, ela registrou a proximidade de Natalie.

A pele das duas meninas ficou molhada com o calor assim que se tocaram. Ambos acharam bom sentir o suor se misturando, a respiração se misturando. Pela primeira vez experimentaram a sensação de mãos acariciando seus corpos.

Os lençóis ficaram com manchas úmidas, cobertores e travesseiros há muito tempo no chão. As meninas começaram a se mover com mais liberdade, sussurravam palavras ternas umas para as outras, chamavam-se por nomes novos e frívolos, riam baixinho, brincavam com as mãos nos cabelos umas das outras. Gina rolou de bruços e as mãos de Natalie deslizaram por suas costas, silenciosa e lentamente, e nenhum som podia ser ouvido na sala. Então eles riram novamente, rolaram um sobre o outro como cachorrinhos, tocaram-se desajeitadamente e rudemente, mas sempre cheios de desejo. Eles pareciam ser um, perfeitos em seu acordo e harmonia, mas na verdade cada um deles tinha pensamentos diferentes passando por suas mentes.

Gina pensou: Deve ser tão fantástico experimentar isso com um homem!

E Natalie pensou: só terei mulheres. Quão terrível deve ser com um homem!

Cada um deles tomou uma decisão naquela hora.

David desceu as escadas. Ele caminhou lenta e deliberadamente, pensativo. Ele encontrou Steve no andar de baixo, que estava trazendo mais algumas coisas do carro: ingredientes para o jantar de espaguete planejado para aquela noite.

"E," Steve perguntou, "eles estão lá em cima?"

"Sim... sim, eles estão lá em cima."

'Se eles querem nos ajudar com a comida, que venham agora. Doente . . ." Steve começou a subir as escadas, mas David o deteve. "Deixe estar. Eles chegarão em breve."

Steve não precisava ver o que tinha visto. As meninas não ouviram sua batida, não o viram abrir a porta. Perturbado e assustado, ele se retirou.

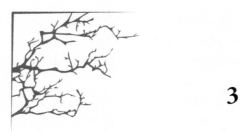

3

A Sra. Quint estava parada no saguão de entrada revestido de carvalho do Graythorne, calçando muito lentamente cada dedo de suas luvas brancas. Era final de agosto e estava quente demais para usar luvas, mas era impossível ir a um torneio de pólo sem luvas. Sir Frederic Laughcastle, o vizinho mais próximo - a meia hora a pé de Graythorne - criava pôneis de polo e dirigia o torneio, mas também seria uma grande festa ao ar livre, para a qual apenas os descendentes das melhores famílias do condado eram convidados. Entre outras coisas, muitos jovens casados. A Sra. Quint tinha, portanto, comprado um vestido de Laura Ashley, a fim de poder representar efetivamente o dinheiro e a distinção de sua própria família, seda azul-celeste com pequenas rosas tecidas e, para Natalie, um de algodão rosa claro. tecido, sem alças e com uma faixa larga em torno de sua cintura Cintura. A sra. Quint achou que já era hora de Natalie começar a se interessar por rapazes — e os homens por ela. Por que ela estava sempre agindo de forma tão fria e desdenhosa? Os poucos homens que tentaram se aproximar dela sempre recuaram muito rapidamente e um pouco assustados. Ela não fez o menor esforço para controlar um pouco suas línguas afiadas - se ao menos falasse com um homem sobre qualquer coisa que não fosse política, apenas uma vez ! Mrs. ao longo dos arbustos, e havia um cheiro por toda parte após o feno ceifado.

Como minha vida poderia ser linda, pensou a sra. Quint, como seria organizada e organizada, se Natalie ao menos me mostrasse um pouco de calor e gentileza.

Incomodava-a o fato de Natalie conhecer o jovem que acabara de ser condenado a dois anos de prisão em Londres por prestar falso testemunho sob juramento em nome do irmão que havia plantado uma bomba para o IRA. O caso foi amplamente coberto pela imprensa inglesa, e Santa Clara também foi mencionada em algum lugar como a escola que o réu havia frequentado anteriormente.

Não havia um conhecido ou parente que não perguntasse a Natalie: 'Você também esteve em Saint Clare. Você conhecia ele?'

A sra. Quint vinha implorando à filha que minimizasse ao máximo o fato de conhecer esse tal de Marlowe. — Digamos que você o conhecesse um pouco. Você o viu uma ou duas vezes. Acredite em mim, Natalie, não é bom para você conhecer alguém assim!"

Natalie olhou friamente para a mãe e disse: 'Steve é um dos meus amigos mais próximos. Qualquer um pode saber disso.«

A Sra. Quint suspirou profundamente novamente e ajeitou o chapéu pela centésima vez. Onde estavam apenas seu marido e Natalie? O Sr. Quint correu para os estábulos duas horas atrás porque uma égua estava parindo, mas ele prometeu que voltaria a tempo. Por que diabos ele tinha que estar lá quando um potro chegava? Eles tinham cavalariços suficientes e o veterinário havia chegado. Mas ele fazia o mesmo barulho com seus cachorros, e a Sra. Quint ainda pensava com nojo como Melissa, a amada basset hound, havia dado à luz seus filhotes no quarto com uma blusa de seda dela.

Passos soaram na escada. A Sra. Quint virou a cabeça esperançosa e viu Natalie descendo os degraus lenta e enlouquecedoramente casualmente. Suas pernas longas e bronzeadas estavam enfiadas em shorts sujos, ela andava descalça e usava uma camiseta branca. Um par de pulseiras finas de prata tilintavam em seu pulso direito. Ela parecia muito jovem e de alguma forma forte e saudável, ela parecia o oposto corporificado de sua mãe rechonchuda e vestida de seda.

"Natalie! Já é hora de você se trocar! Eu coloquei seu vestido na cama para você!"

"Sim", disse Natália. Sua voz tinha o tom indiferente que ela sempre tinha quando falava com sua mãe. - Sim, está na minha cama. Mas decidi que afinal não irei junto. Cavalgue sem mim!«

"O que?"

"Não tenho vontade. Está um dia lindo, quero me deitar no jardim e ler um livro. Fico aqui."

"Isso está fora de questão", disse a Sra. Quint bruscamente. "Eu já disse que você vem!"

'Mãe, há mais de cem pessoas neste maldito jogo de pólo e ninguém se importa se há mais ou menos. E você sabe como odeio a conversa idiota dessas festas! Natalie acenou com os braços. ' 'Você tem um lindo chapéu, Sra. Quint! Diga-me, Lady Laughcastle, você acha que é verdade que a princesa Anne está traindo o marido? Mamãe, sério, isso é mais do que você poderia pedir de uma pessoa meio inteligente!

"É o mundo em que vivemos, Natalie." Como sempre quando ela estava chateada, a Sra. Quint ficou um pouco estridente. "É o seu mundo também. São seus círculos. Você tem que se adaptar pelo menos um pouco, senão você nunca vai se afirmar."

"Não quero me afirmar nesses círculos. Eu quero seguir meu próprio caminho. EU . . . vai. "Tenho certeza que meu caminho vai levar a uma vida diferente da que você está vivendo, mãe."

"Muito interessante!" A Sra. Quint remexeu nervosamente em sua bolsa e finalmente tirou um maço de cigarros e acendeu um. Seus dedos cuidadosamente tratados tremiam ligeiramente. "Posso perguntar que tipo de vida você imagina?"

'Por uma coisa . . . Eu definitivamente não vou me casar. Eu não quero ser a figura de proa de um homem que..."

A Sra. Quint zombou de sua filha natural de pernas longas e disse. "Eu provavelmente não desejaria isso para nenhum homem também."

Natalie ficou em silêncio por um momento, magoada, depois disse com naturalidade: 'Sabe, eu sempre quis ser jornalista. Quero fazer isso agora. «

A sra. Quint apagou o cigarro em uma vasilha de barro cheia de terra onde crescia uma trepadeira verde-escura. "Não temos que discutir isso agora. Além disso, isso não é motivo para não ir à festa. Por favor, mude, já cansei de esperar pelo seu pai de novo."

"O potro já está aqui?"

"Eu não sei. E eu também não me importo. Eu disse que íamos sair às três e agora são três e dez. Natalie olhou para a mãe com um leve toque de simpatia. Pobre mãe, ela se cansou na luta por distinção e prestígio, destruiu os nervos em jejuns de uma semana tentando lidar com o tamanho inexoravelmente crescente de sua cintura, e nunca iria superar ter dado à luz uma criança que era uma menina, teimosa e teimosa. um raio de sol brilhante e brilhante entrava por uma janela lateral e iluminava o rosto pastoso sob os cachos loiros curtos. Por que ela sempre tinha que se cobrir com essa gosma rosa? Por que buscar tão desesperadamente a aprovação de seus vizinhos? Isso significava tudo para ela. se encaixar' e um dia ela cairia morta de exaustão por uma vida inteira perseguindo essa porcaria.

'Mãe, eu não vou para os Laughcastles. E quero contar mais uma coisa: tenho um emprego em um jornal em King's Lynn desde primeiro de setembro. Isso significa que estarei saindo daqui em dez dias."

A Sra. Quint abriu a boca, mas demorou um pouco antes que ela pudesse fazer um som. "Isso não é verdade," ela finalmente disse.

"Sinto muito. Eu teria contado antes se não tivesse medo de que você tentasse impedi-lo. Consegui um apartamento por meio de um corretor de imóveis. É simples e barato, vou poder pagar ."

Mrs. Quint tirou o segundo cigarro e acendeu-o apressadamente. Suas mãos tremiam ainda mais, o suor brilhava em seu nariz. 'Tenho que dizer... tenho que dizer que você sabe como chocar as pessoas. Então você planejou tudo isso secretamente pelas nossas costas, e agora você está vindo, e... ou... Ela parou e olhou para a filha. "Ou você apenas fez isso nas minhas costas? Seu pai sabe disso?

'Não, ele não sabe. Mãe, eu não queria trair ninguém, mas teria havido discussões e discussões intermináveis se eu tivesse discutido isso antes. Você não teria permitido isso. Você sempre teve uma vida diferente em mente para mim - casar com um homem bonito de uma família rica e respeitável, usar roupas bonitas, ser uma anfitriã encantadora e ter dois filhos educados em uma escola chique. Mas você não vê, eu só tenho uma vida, e vou ficar doente e miserável se eu gastá-la tentando satisfazer seus desejos em vez dos meus. Quero ser uma boa jornalista, quero escrever e ver o mundo - mas não como uma esposa de seda pura andando por aí com os cartões de crédito do marido na bolsa, mas como uma mulher independente que decide o que faz sozinha. Você não consegue entender isso. . . .' A voz de Natalie falhou.

"O que eu mais entendo é a sua ingratidão", disse a Sra. Quint, com a voz também trêmula. Ela segurava o cigarro com uma das mãos e procurava um lenço com a outra. Pelo amor de Deus, Natalie pensou horrorizada, agora nós duas estamos chorando!

Nesta situação tensa, o Sr. Quint rugiu, gordo, alto e sem a menor sensação de que algo estava errado aqui. Ele trouxe consigo uma nuvem de cheiro de cavalo e cinco cachorros grandes que latiam ao seu redor.

"Um potro", ele chamou. 'Um companheirinho esplêndido e saudável! E a mãe já está de pé."

"Oh," disse a Sra. Quint, virando-se. Natália permaneceu em silêncio. O Sr. Quint olhou de um para o outro. "Vou me trocar imediatamente, chegaremos a tempo", disse ele desconfortavelmente.

"Não vamos à festa", disse a sra. Quint, assoando o nariz. - Vou para a minha cama agora. Por favor, não me perturbe pelas próximas duas horas. Lentamente ela subiu as escadas, apoiando-se no corrimão como uma velha. Natalie sabia que sua mãe adorava apresentações teatrais e que ela gostava de se retirar para a cama quando algo ia contra ela, mas ela também sabia que desta vez ela estava realmente fazendo algo com ela.

"Sinto muito", disse ela.

O Sr. Quint, interiormente feliz por não ter que ir à festa, perguntou baixinho: "O que aconteceu?"

'Pai, eu. Você está numa idade em que não deve mais contar com a presença constante de seus pais para ajudá-lo a se levantar quando tropeçar."

Então ela seguiu em frente, seu vestido de seda azul brilhando intensamente ao sol poente, e Natalie, contemplando sua figura larga e presunçosa, pensou com raiva repentina e surpreendente: Você nunca me ajudou mesmo! E enquanto eu viver, você também não.

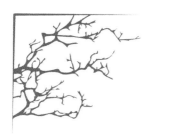

4

O Sr. Bush apertou o botão do interfone que o conectava com sua secretária. "Envie-me o Quint!"

Ele olhou para o manuscrito à sua frente. Ele o lera no fim de semana, depois que Natalie o entregara na sexta-feira. Uma série de dez partes sobre a vida de Aristóteles Onassis. Excepcionalmente bem escrito. Animado, emocionante, original. Basicamente bom demais para a mão dele.

Bush era o editor-chefe da Limelight, a revista colorida semanal que cobria a maior parte das últimas fofocas da realeza europeia e da nobreza internacional endinheirada. O jornal prosperou com muitas fotos coloridas, algumas chocantes, manchetes não necessariamente verdadeiras, histórias de amor românticas e um dedo moral subliminar levantado contra o aborto, as drogas e toda imoralidade por excelência. Foi um conceito muito simples que funcionou brilhantemente aqui, e o Sr. Bush sabia que ganhava muito dinheiro alimentando as pessoas com o que elas queriam sem sobrecarregar seu intelecto ou incomodá-las com linhas de pensamento desconfortáveis. Ele não tinha ilusões sobre a qualidade de seu jornal, mas seu dinheiro o confortava em momentos de frustração ocasionais. Contanto que a caixa registradora estivesse certa, ele poderia arranjar as coisas. Mas essa garota, Quint, iria vibrar em algum momento. Um verdadeiro talento.

A porta se abriu e Natalie entrou. O Sr. Bush a olhou com benevolência. Ele gostava de sua maneira modesta e elegante de se vestir, achava atraente seu rosto claro, bem formado e inteligente e gostava de seu jeito sensato e prático. Ela sempre parecia muito calma, sempre falando com muita concentração, e parecia haver uma força inesgotável em algum lugar dentro dela.

"Senhorita Quint, eu a chamei para cumprimentá-la", disse ele, apontando para a cadeira em frente à mesa. 'Li sua série no fim de semana e devo dizer que achei mais um prazer do que um trabalho. Bem escrito até a última palavra. Você fez o seu trabalho em todos os sentidos."

"Obrigado, Sr. Bush."

— É perigoso dizer uma coisa dessas, Natalie, mas acho que você não vai ficar conosco por muito mais tempo. Você é bom demais. Você vai escalar e escalar — e um dia terá seu próprio jornal. Eu posso ver isso, e raramente estou errado sobre essas coisas.

Ele colocara em palavras os próprios planos de Natalie, e ela estava satisfeita por seu chefe a ter em alta conta.

"Espero que consiga", disse ela baixinho.

O Sr. Bush assentiu. 'Acredite em si mesmo. E não deixe que nada o desvie do curso. Essa é a coisa mais perigosa sobre a idade encantadora em que você está. Há tantos jovens ambiciosos, talentosos e determinados que poderiam começar da melhor maneira e seguir um caminho fantástico, e então algo acontece - pode ser uma bobagem pouca coisa, ou pode ser bastante significativo - mas de qualquer maneira é o céu ou o inferno para os jovens - e eles não têm experiência para ver as coisas em relação a toda a sua vida. E há uma rachadura que pode nunca cicatrizar totalmente."

Natalie o ouvira com atenção. "Não sei o que deveria acontecer comigo", disse ela.

O Sr. Bush sorriu. 'Nada tem que acontecer. Você gostaria que fosse. De qualquer forma, lembre-se sempre de que você está no controle total de sua vida e que, embora outras pessoas possam empurrá-lo precipício abaixo, você sempre tem a opção de sair por conta própria."

"Estou pensando sobre isso", respondeu Natalie, passando a mão por seu cabelo loiro espesso.

Que bom senhor mais velho ele é, ela pensou, ele sorri para você e apenas explica como a vida funciona, e você se sente confortável e seguro fazendo isso.

"Vamos", disse Bush. "E é por isso que chamei você: preciso de alguém para fazer um relatório de viagem, ou mais precisamente, preciso de você. Sob o título "Cornualha Romântica", você deve coletar algumas coisas sobre pontos turísticos, história, pessoas e lendas da Cornualha. Em dois ou três episódios eu quero fazer isso. Eu sei que você está acostumado a escrever de forma diferente e que não gosta muito dos nossos diários de viagem, que são

138

sempre um pouco kitsch, mas seria um pouco como férias e acho que você poderia usar isso agora. O que você acha do meu plano?

'Honestamente, eu gostaria de fazer uma viagem. Especialmente para a Cornualha.

"Ótimo. Tudo bem então?"

"Seguro. Quando devo sair?"

»Como sempre no nosso trabalho: imediatamente. Isso significa que se você pudesse sair na quinta-feira, seria ótimo. Hoje é segunda-feira, então você tem dois dias para se preparar para sua viagem. Acordado?"

"Sim. Quinta-feira não é problema." Ela se levantou e se virou para ir embora.

"Você teria que levar um fotógrafo com você, é claro", disse Bush despreocupadamente.

"Sim, claro..." Só um observador atento teria notado que de repente havia um tom diferente na voz de Natalie. Ela odiava fotógrafos. Na verdade, ela odiava viajar com eles. Duas vezes ela teve que fazer isso, e nas duas vezes houve aquela cena desagradável em frente à porta do quarto do hotel na segunda noite, onde o fotógrafo a acompanhou depois do jantar juntos e onde ele agora queria começar suas idéias muito concretas sobre a noite para perceber. Natalie sempre fingiu não entender o que os homens queriam dizer, mas depois eles ficaram ainda mais claros.

'Você é uma menina caipira muito pudica', dissera uma delas, 'e está estragando a diversão. Continue assim e um dia você será uma solteirona empoeirada!

Ela fugiu para seu quarto, bateu a porta e encostou-se nela por dentro. Por que esses caras não entendiam que ela não queria nada deles? Por que eles não paravam de importuná-la?

"Você pode levar um de nossos fotógrafos com você", disse Bush, "ou, se conhecer alguém que prefira, não tem problema."

"Um ..." O pensamento veio a ela de repente, como se enviado por um anjo salvador, e ela rapidamente respondeu: "Um amigo meu é um fotógrafo muito bom. Além disso, ele pode precisar de algum dinheiro."

"Tudo bem." O Sr. Bush sorriu. E Natália sorriu. Como todo mundo é legal comigo, ela pensou e respirou com mais facilidade, e é uma linda noite de verão. E o Sr. Bush previu uma grande carreira para mim!

Ela estava em King's Lynn há quase um ano e, depois de morar em um pequeno apartamento acima do mercado, mudou-se para Gaywood três meses atrás. Ela tinha um apartamento no primeiro andar de uma casa para duas famílias e agora ganhava o suficiente para se mobiliar com beleza e elegância. Claro que ela tinha conhecidos, mas não havia homem nem mulher em sua vida; em vez disso, de vez em quando ela mergulhava em verdadeiros abismos de solidão negra como breu, nos quais nada a ajudava a não ser cerrar os dentes e enterrar-se no trabalho.

Mas hoje ela teria uma boa noite. Ela pegou o ônibus para Gaywood - quase sempre caminhava por causa de sua forma - mas hoje estava com pressa porque queria ir para Hunstanton e dar um pequeno passeio à beira-mar. Ela também queria ligar para David.

Ele sempre foi fotógrafo e tinha uma câmera de qualidade, então ela decidiu levá-lo para a Cornualha. Em retrospectiva, no entanto, ela se sentiu desconfortável. Desde o lance do Steve ninguém mais teve contato com o David, foi um entendimento tácito entre os amigos. David havia enviado a eles seu endereço e número de telefone de Southampton, onde estudava economia, mas ninguém respondeu. Natalie odiou ser a primeira a explodir, mas finalmente, com seu bom senso, ela decidiu que David não poderia ser tratado como um fora da lei para sempre. Pelo menos não quando você precisa dele.

Ela tomou banho, bebeu um xerez e acendeu um cigarro, depois sentou-se ao lado do telefone e discou o número de David.

Talvez, ela pensou, ele não esteja aqui.

ele estava lá "Bellino", disse ele com sua bela e rica voz.

"David? É Natalie."

Depois de um segundo de silêncio surpreso, David gritou. "Nat! Você ainda está aí?" Sua alegria não era fingida, e Natalie percebeu com culpa que ele devia ter sofrido muito por ter sido cortado por seus amigos. Eles conversaram um pouco sobre coisas irrelevantes, Natalie falando sobre seu trabalho e David sobre seus estudos. Eventualmente Natalie foi direto ao ponto dela. chamar.

'Estou fazendo um relatório de viagem na Cornualha. E eu preciso de um fotógrafo. Achei que, se você tivesse tempo, poderia vir comigo.

"Mas eu não sou fotógrafo!"

»Você tem uma câmera fantástica e sempre tirou fotos fantásticas!«

"Não sei..."

"Davi!"

"Quando? E quanto tempo?"

— Devemos partir na quinta-feira. Por cinco dias."

"Hm... devo dizer que estou doente... isso pode servir."

"David, seria maravilhoso se você fizesse! Prefiro cavalgar com você do que com algum estranho! Natalie agora percebia o quanto isso era importante para ela. Ela sentiu como a voz de David era familiar, lembrando-a de um tempo que tinha sido lindo e despreocupado.

'Vamos Davi. Diga sim!"

David, que teve dificuldade em fazer contatos na universidade por causa de sua natureza complicada, estava tão ansioso por amizade que disse sim na hora.

O tempo estava ótimo. Eles dirigiram por estradas rurais estreitas, ladeadas de ambos os lados por muros, cobertas de mato e sombreadas por sebes e árvores. Eles passaram por pequenas aldeias pitorescas que se pareciam com nós há cem anos, com gatos esqueléticos correndo e pescadores da Cornualha cautelosos olhando para fora de suas casas. Igrejas antigas, cinzentas e cobertas de musgo, dominavam colinas verdes e jardins sombreados de cemitérios. Um tempo passado viveu neste país, o presente parecia ter afundado em algum lugar atrás das rochas à beira-mar, e David e Natalie concordaram que nenhum deles ficaria surpreso se de repente um cavaleiro negro em um cavalo preto saísse correndo dos arbustos .

David dirigia principalmente, em parte porque era o carro dele e em parte porque permitia que Natalie fizesse anotações enquanto dirigia. Ela queria ir a Tintagel para ver o castelo do Rei Arthur, do outro lado de Bodmin Moor, onde fica o famoso Jamaica Inn, até a cidade pesqueira de St Ives, Land's End e St Michael's Mount, nas profundezas de Dartmoor e Plymouth. Ela tinha lido tudo sobre a Cornualha e sua cabeça estava cheia de contos e sagas de piratas, de ações sangrentas horríveis e histórias românticas. Ela encheu um bloco após o outro e raramente se sentiu tão bem. Com um estremecimento, lembrou-se dos passeios com os outros fotógrafos; ela estava sentada ao lado deles, toda tensa, sub-repticiamente puxando a bainha de sua saia para que chegasse até os joelhos e simplesmente não permitisse a visão de suas coxas. Ela apertou as pernas juntas e sempre sentiu os olhos lascivos sobre ela.

Com David ela podia conversar, rir, ficar em silêncio. Ela poderia adormecer ao lado dele no carro ou simplesmente tirar a meia-calça de repente porque o sol estava muito quente. Ela se sentiu livre; mais uma vez ela pensou em como tinha sido bom ter desistido da segurança de sua existência protegida e enfrentado seus pais.

Ela e David ficaram cada vez mais à vontade um com o outro, eventualmente parando de evitar assuntos desconfortáveis. Eles até conversaram sobre os amigos, uma noite enquanto estavam sentados em Tintagel no Castelo do Rei Arthur, um pub turístico nostalgicamente arrumado onde o ar estava cheio dos gritos dos clientes e da agonia de incontáveis cigarros. Antes disso, eles caminharam pelas rochas à beira-mar que supostamente sustentavam o castelo do Rei Arthur, observaram as ondas batendo nas falésias e inundando as cavernas da praia, o sol se pondo e o pôr do sol caindo sobre as colinas. Mais tarde, durante o vinho, Natalie começou a falar sobre Gina de uma forma muito desinibida.

"Ela realmente foi para a América como ela sempre quis. Ela mora em algum lugar no meio de Manhattan e ganha a vida miseravelmente arrastando pinturas inúteis com moldura dourada de algum pintor desalinhado no Central Park tentando vendê-las. Suas cartas são uma mistura de desespero e comédia."

'E Maria? Você ouviu falar de Maria?

"Ela não está se sentindo bem. Esse cara com quem ela se casou a trata miseravelmente. Ela tem medo de abrir a boca. Está se tornando cada vez mais uma sombra cinzenta."

David tomou um grande gole de vinho. "E... você sabe alguma coisa sobre Steve?"

Natalie não olhou para ele. "Ele me escreve de vez em quando. Ele não está bem, David. Ele agora tem mais um ano de prisão. Você sabia que em dezembro ele tentou tirar a própria vida?

'Não, eu não sabia disso. Sinto muito,' David disse pesadamente. Ele empurrou o copo para longe. 'Nat, lamento o que aconteceu então, por favor, acredite em mim. Não sei o que aconteceu de repente. Foi só no tribunal que percebi no que havia me metido. Perjúrio... você tem que entender... quer dizer, você é uma pessoa tão honesta e direta, e provavelmente colocaria todos os seus interesses de lado para ajudar um amigo, mas de repente fiquei com medo pelo meu futuro. Minha vida foi planejada com muita precisão e cuidado por minha mãe e por Andreas, e eu estava prestes a arriscar tudo. O herdeiro da Bredow Industries comete perjúrio para o IRA. Isso é impossível!"

"Claro. E ninguém esperava que você corresse tanto risco. Mas você deveria ter dito isso imediatamente. Foi assim que você esfaqueou Steve!" Ela olhou para ele intensamente. "Por que você embarcou neste negócio arriscado em primeiro lugar?"

'Eu pensei . . . ele hesitou porque não tinha certeza se ela acreditaria quando disse que viu em Steve uma chance de fazer um amigo de verdade. Ele sempre tentou tanto esconder o quanto ansiava por amizade que Nat provavelmente pensaria que era uma desculpa estúpida se ele a inventasse agora. Mas ele olhou em seus olhos sábios e focados e disse suavemente, "Bem... Steve teria sido meu amigo para sempre. Acho que foi por isso!" Ele tentou manter seu tom impetuoso, para que se ela risse dele mais tarde, ele pudesse se juntar a ela na risada sem constrangimento. Mas ela não riu. Apenas olhou para ele pensativa.

Ele apressadamente continuou: "Sinto muito por Mary naquela época em Paraíso Perdido. Perdi a coragem. Eu vi a polícia, ouvi pessoas gritando e meio que perdi o controle da situação!" Mesmo enquanto falava, ele sabia que era apenas metade da verdade. Ele tinha nervos ruins, isso era verdade. Mas seus sentimentos na situação decisiva foram compostos pelas mais diversas sensações: Medo. Cálculo. O herdeiro de Bredow foi preso em uma operação antidrogas em um notório bar de Londres. E desafio: eu não sou seu bom menino, mãe! E se você ainda quer tanto! Eu não deveria fugir, eu, seu filho lindo e corajoso. Mas vou fugir, porque vou manter minha cabeça segura, e quando você e o velho na América subirem pelas paredes! Ele rapidamente deixou o terreno perigoso e disse: "Mary e Steve. Sou uma espécie de pedra de tropeço na vida dos dois, não sou? Veja, não é totalmente seguro fazer as coisas comigo. Talvez você devesse ter levado outro fotógrafo com você, afinal.

"Não estou com medo", disse Natalie calmamente. Ela olhou para David e pensou que ele realmente era um homem bonito com seu cabelo escuro e olhos estreitos. Ele era magro e alto, seu corpo estava em jeans desbotados apertados e uma camisa branca. Ele tinha cílios longos, ela notou, e uma boca sensível. Ele era meio misterioso, esse tal de David Bellino, não revelava muito sobre si mesmo. E ela pensou: você já se arrependeu do que aconteceu, mas não faria nada diferente se se encontrasse na mesma situação novamente. Você provavelmente não pode evitar. Sempre acontecerá que, antes de cuidar dos assuntos dos outros, você primeiro coloque seus filhos na cama.

"O que você pensa sobre?" perguntou Davi.

Ela sorriu. 'Nada em particular. Tenho pensado um pouco sobre a vida."

Agora David olhou para ela. Ele achava que ela era diferente agora que estava seguindo seu caminho pela vida sozinha. Sempre houve uma melancolia lânguida em sua calma, um afastamento da vida, mas agora ela acordou, perdeu sua sonolência felina, e era como se seus olhos fossem maiores, seu riso mais alto, sua pele brilhando com um brilho sedoso . David relembrou a cena que observara involuntariamente em St. Brevin's, Natalie e Gina na cama - lembrou-se da atmosfera febril que o atingira do quarto abafado do sótão. Instintivamente, talvez porque conhecesse as duas garotas há bastante tempo, ele sabia que St. Brevin devia ter sido uma aventura para Gina, mas uma experiência importante para Natalie.

"Então, no que você está pensando agora?" perguntou Natália.

"Sobre como você é linda", respondeu David.

Os olhos de Natalie se arregalaram. Durante toda a escola, ela ficara à sombra da beleza fantástica de Gina e se salvara sendo mais esperta do que qualquer um em Saint Clare; pela primeira vez naquele momento ela desejou ser bela, real e maravilhosamente bela.

"Quão bonita eu sou?" ela perguntou em voz baixa. David pensou e disse: "Você é linda como o amor".

Ele se inclinou sobre a mesa e a beijou gentilmente. Para sua surpresa, ela não sentiu repulsa.

O dia seguinte era um domingo, e enquanto Natalie e David tomavam café da manhã na Fazenda Trewarmett, onde haviam passado a noite anterior, Mary estava sentada a uma mesa cuidadosamente arrumada em seu apartamento em Londres — sozinha. Cathy ainda estava dormindo e

Peter havia saído do apartamento para se encontrar com seus amigos. Eles queriam tomar uma cerveja juntos em algum lugar.

Mary estava parada timidamente na sala de estar, envolta no velho roupão azul de sua mãe. Ela havia colocado ovos cozidos moles na mesa, café, suco de laranja, torrada, geléia, queijo e presunto e um pote de picles.

— Você não gostaria de pelo menos tomar café da manhã primeiro, Peter? Não é bom, logo com o estômago vazio..."

"Caramba!" O punho de Peter esmagou a mesa. "Eu não me casei para ter sempre um policial de verdade em casa para me dizer o que fazer e o que não fazer! Eu sou estúpido o suficiente para dar meu bom nome para você e seu bastardo e..."

"Peter, por favor, não fale tão alto!" Por que ele sempre tem que gritar? As pessoas ouviam seus argumentos por toda a casa. Mary odiava os olhares de pena que frequentemente recebia no corredor. Esta manhã ela sentiu como se estivesse em um sonho ruim novamente.

"Vou gritar o mais alto que eu quiser", gritou Peter. "E eu vou ao pub tanto quanto eu quero! Eu só quero te dizer, cada um dos meus amigos torna o domingo mais divertido do que um rato cinza como você que grita só de tocá-lo! Ele saiu furioso, batendo todas as portas atrás de si. Mary lentamente afundou no sofá, olhando para a frente com um rosto inexpressivo e, finalmente, com movimentos mecânicos, serviu-se de uma xícara de café. Estava chovendo lá fora. Uma chuva quente e pesada de julho. Ela não sabia se deveria ficar aliviada ou triste. Se Pedro ficava em casa aos domingos e não era por acaso que passava um jogo de futebol na TV, então tudo o que ele queria era ir para a cama com Maria, e isso era o pior.

Mas os domingos solitários também a deprimiam, especialmente quando não podia nem dar um passeio com Cathy porque estava chovendo.

Eram nove horas e eles estavam transmitindo as notícias no rádio. Quando o trem passou novamente, Mary não entendeu o começo, mas logo escutou.

»... está tateando no escuro. O crime aconteceu ontem à noite e foi cometido por pelo menos quatro homens, todos mascarados, segundo sobreviventes do massacre. Aparentemente, os criminosos conseguiram entrar na casa por uma janela aberta do porão e as camas de hóspedes estavam ocupadas. Nas horas que se seguiram, cenas inimagináveis devem ter ocorrido ali. Um porta-voz da polícia disse que nunca tinha visto tal banho de sangue antes. Não faltam dinheiro nem joias; portanto, pode-se presumir que os perpetradores tinham motivação política ou religiosa. O povo da Cornualha, enquanto isso, foi avisado para ter extrema cautela.

"Que horrível", murmurou Mary, "isso soa como um crime de Sharon Tate." Ela olhou para a chuva, para as paredes de tijolos vermelhos com vidros sem vida.

"Cornwall... espero que Nat e David sejam cuidadosos..."

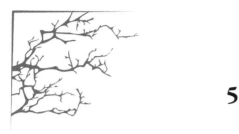

5

David e Natalie atravessaram Bodmin Moor em uma manhã chuvosa de domingo e chegaram ao Jamaica Inn por volta do meio-dia. A chuva caía como uma parede cinza e, quando eles voltaram para o carro, estavam encharcados até os ossos e infelizes. Numa das pequenas aldeias por onde passaram, compraram pão, queijo, iogurte e algumas latas de Coca-Cola numa mercearia. Com o canivete de David, cortaram o pão e o queijo e comeram a última migalha. Depois disso, eles já se sentiram melhor. Tinha parado de chover, um vento quente soprou e rapidamente separou todas as nuvens. De repente, o sol estava brilhando. Natalie explicou que não queria trabalhar um minuto hoje, que queria ir para uma pequena e romântica vila à beira-mar e depois passar o resto do dia ao sol na praia.

"Tudo bem", disse David, e começou. "Vamos encontrar a pequena aldeia à beira-mar."

Crantock era a aldeia mais idílica que já tinham visto. Parecia consistir apenas em pequenas casas sonhadoras, jardins encantados, paredes cobertas de musgo e sebes floridas descontroladamente. O coração da vila era um armazém antiquado, uma cabine telefônica vermelha brilhante e um enorme anel de flores. A aldeia era cercada por colinas verdes, atrás das quais se estendia o mar.

A alta temporada ainda não havia começado, e é por isso que David e Natalie sempre encontraram acomodação fácil e imediatamente – com quartos separados. Em Crantock, eles agora enfrentavam um problema pela primeira vez. Todas as câmaras estavam ocupadas. Passados três quartos de hora chegaram a uma casa cuja dona lhes informou que tinha um quarto disponível. A casa ficava no alto dos morros, com vista para o mar, e a dona era uma mulher jovem, magra e de cabelos meio desgrenhados. Ela se apresentou como Maxine Winter. Seu marido, Duncan, revelou-se sério e quieto, um pouco taciturno, mas não hostil. O problema era que havia realmente apenas um quarto.

"O outro que temos está alugado", explicou Maxine. Ela pareceu um pouco surpresa com a indecisão dos dois jovens. Em todo caso, eles não pareciam muito apaixonados quando faziam tanto alarde sobre dividir um quarto.

David olhou para Natalie. "Você tem que decidir isso. Podemos ocupar este quarto ou continuar procurando.

Mais tarde, Natalie muitas vezes se perguntou se não havia alguma voz dentro dela avisando-a naquele momento. Uma voz que ela havia ignorado descuidadamente. Tudo o que ela viu foi a linda casinha com a porta da frente coberta de rosas, viu as colinas e dunas e o mar azul cintilante, lembrou-se de tudo o que tinha ouvido sobre as praias douradas da costa oeste da Cornualha.

'Vamos ficar aqui. Caso contrário, o dia acabou e ainda nem colocamos o dedão do pé no mar. Está tudo bem."

O quarto ficava no térreo, da janela dava para ver o mar. A cama parecia ranger só de olhar e a torneira era um mero fio de água morna, mas eles tinham sua própria máquina de chá e lençóis e toalhas impecavelmente limpos e perfumados.

"Natação é extra", disse Maxine, inclinando-se na porta, "e o café da manhã é às nove. Seria bom se você fosse pontual."

"Claro", David respondeu educadamente.

Maxine se virou para ir embora, mas se virou de novo. – A chave da porta da frente está na prateleira do corredor. Você pode usá-lo porque a velha professora de Seven Seas que mora na outra sala tem o dela. Por favor, tranque a porta da frente se vier tarde da noite.

"Claro", David disse novamente.

Eles nem mesmo desempacotaram suas coisas, apenas pegaram toalhas, protetor solar e roupas de banho, vestiram shorts e camisetas e foram para a praia. O caminho subia por um pequeno pedaço de estrada asfaltada, mas não havia mais casas. Depois, passou pela orla de um campo de trigo que balançava ao vento leve como as ondas de um lago e, finalmente, por dunas suavemente onduladas, cobertas de grama e arbustos, que se tornavam cada vez mais arenosos à medida que se aproximavam do mar.

"Crantock é o idílio perfeito", disse David.

"Quase perfeito demais", disse Natalie. Já era tarde. O sol avermelhava o céu a oeste e lançava um brilho acobreado sobre as colinas. 'Muito longe da realidade. Em lugares como este, a beleza e a paz não são reais, mas o horror também não. Mas então ela afastou um pouco de mau presságio. "Vamos ver se a água está fria."

Eles ficaram na praia por duas horas, nadando nas ondas frescas do Atlântico e deitados na areia quente. Havia muita gente lá, mas eles se perderam na praia grande. A maioria deles logo foi para casa. Ao longe, algumas casas brancas se destacavam contra o céu azul escuro.

"Como na Itália", disse Natalie sonhadoramente.

'Devemos', disse David, 'ir a algum lugar para comer. Estou com muita fome."

Eles voltaram para casa, tomaram banho e se trocaram. Natalie escolheu um vestido de verão com flores verdes que nunca havia usado antes e colocou mais maquiagem do que o normal. No espelho, ela notou que sua tez já estava ficando com uma cor marrom-dourada clara. Ela achava que tinha uma vida boa, algo que nunca tivera em sua infância e adolescência, e havia algo de muito alegre nisso.

Enquanto eles se sentavam no carro e dirigiam no crepúsculo - eles queriam ir para a próxima cidade maior - David disse: "Espero que o tempo ainda esteja bom amanhã, então eu poderia tirar ótimas fotos aqui. Da praia e do casas e jardins.'

"E essas fotos cairiam na parte 'Cornwall, o paraíso das férias' para mim", acrescentou Natalie. "Paraíso é exatamente a palavra que descreve Crantock."

Eles voltaram pouco depois da meia-noite. Era uma noite quente e sem vento; a lua estava apenas um pouquinho aquém do tamanho real. Lançava uma luz prateada sobre as dunas. O ar estava pesado com o perfume de jasmim e rosas.

Não havia mais luzes acesas na casa e nada se movia quando David e Natalie abriram a porta e entraram. Cada um deles havia comido uma grande porção de lasanha, um prato de salada e cassata como sobremesa em um restaurante italiano, junto com uma grande garrafa de vinho tinto.

Eles estavam cheios e cansados e sentiam um peso reconfortante em seus membros.

Natalie se despiu desajeitadamente. Ela manteve a calcinha e o sutiã, puxou a camisola mais longa sobre a cabeça e depois tirou o sutiã com os movimentos intrincados de uma dançarina de cobra. Ela deixou a calcinha onde estava. Ela escovou os dentes, deu duas escovadas rápidas no cabelo e deslizou para a cama, puxando as cobertas até o queixo. David dormia nu, como ela notou com um olhar de soslaio discreto. Quando ele se deitou ao lado dela, o antigo medo voltou de repente. Durante todo o dia eles foram muito familiares - e se ele tivesse entendido mal?

A sala estava às escuras. Ele apagou a luz. "Natália?" veio a voz suavemente.

Ela ficou congelada. "Sim?"

— Não contei que vou deixar Southampton e ir para Nova York no outono. Andreas quer que eu termine meus estudos na Columbia University. «

"Você está feliz?"

"Eu não sei... é uma chance, não é?"

"Toda a sua vida é uma grande chance, David. De certa forma, você chega àquela herança gigantesca ali como uma virgem chega a uma criança. Só acontece com uma em um milhão de pessoas."

"Eu sei." Isso soou hesitante.

"Você sempre ficou feliz com isso", disse Natalie. — Você continuou falando sobre seu futuro fantástico em Saint Clare. Você quase não conseguia mais ouvir!"

"Você pensou que eu era um grande exibicionista, não é?"

"Às vezes", Natalie respondeu honestamente. "Às vezes, isso nos irritava um pouco."

David ficou em silêncio por um tempo. Natalie pensou que ele tivesse adormecido. Mas então ele disse de repente. "O mais louco é que nem sei mais se quero tudo isso. Indústrias Bredow, Nova York, riqueza... Estava na minha cabeça o tempo todo, e eu queria muito, sabe, eu teria feito qualquer coisa por isso..."

Sim, pensou Natalie, traiu Steve também e decepcionou Mary. Pelo amor de Deus, não arrisque nada!

"Mas foi assim que tudo aconteceu... Você não sabe..."

"O que não sabemos?"

"Você não sabe como eu cresci. Minha mãe nunca aceitou a morte do pai. O povo de Hitler o assassinou então."

"Oh..."

"Uma espécie de altar foi erguido em nossa sala, com sua foto, flores, velas... e toda a nossa vida foi dedicada à memória desse falecido. Ela me contou coisas terríveis e eu tive sonhos terríveis. Ela sempre quis que eu compartilhasse sua dor, ela queria que eu fosse seu confidente e camarada, e ela me amava e adorava. E aí veio o Andreas, e ele é meio igual a ela, agarrado a mim, dia e noite ele queria me ter perto dele, e às vezes eu acho que estou ficando louca com isso. Eles continuam me dizendo o quanto precisam de mim e sei que nunca vão parar. Mas eu não quero isso!" Sua voz aumentou. Ele disse com veemência: 'Não sei se você consegue me entender, Natalie, mas sinto que não sei quem sou. Quem é Davi realmente? Onde está o meu futuro? Eles estão martelando isso em mim há tanto tempo que não tenho ideia do que quero!

Natalie estendeu a mão para sua metade da cama e pegou sua mão. "David, por que você nunca falou sobre isso antes?"

"Porque eu..." Ele riu impotente e desafiadoramente. "Porque eu nem sabia qual era o meu problema! Havia apenas uma pressão insana e uma culpa insana porque eles eram todos tão legais comigo e eu ainda sentia vontade de gritar!"

"Ouça", disse Natalie calmamente. "Escute, acho que você sabe o que quer. Você simplesmente não se atreve a querer isso de graça e fácil. O que você sempre disse antes? >Quero ser tão rico que possa cagar no mundo inteiro!< Então! Não é isso que você quer?"

"Sim!" Ele pareceu aliviado por ela não tentar formular a verdade de uma forma mais lisonjeira. "Sim! mim. Só tem que estar lá! E eu não quero pensar sobre o que era, porque não tenho nada a ver com isso! Eu não conheço meu avô morto e não posso estar lá para sempre para minha mãe e chorar com ela sobre como o destino foi cruel com ela. Não foi minha culpa de jeito nenhum!"

— Claro que não foi sua culpa. Está tudo bem, Davi. Você pode desejar tudo isso!"

Ele respirou fundo.

"Em algum momento nos últimos dias, percebi que se há alguém com quem posso conversar, é você. Você é inteligente, Natalie, você é independente, e você é real. Não há nada de artificial em você. Com um movimento cauteloso, puxou Natalie para si. "Por favor, Nat, deite-se comigo. Eu gostaria de ter você em meus braços. Por favor!"

"David, não posso fazer isso. Eu não posso ficar com você..."

— Não estou fazendo nada, Natalie. Eu realmente só quero que você se deite comigo."

Ela relutantemente cedeu. Foi surpreendentemente confortável sentir outro corpo quente na cama ao seu lado. A cabeça dela repousava no ombro de David e ele a segurava com o braço.

Eles conversaram um pouco, sussurrando, abraçados. Natalie estava completamente calma e relaxada agora. Ela estava respirando uniformemente e de repente deve ter adormecido, porque depois sentiu como se tivesse ouvido um barulho de repente e acordado de um sonho confuso. Enquanto a lua brilhava no céu noturno sem nuvens lá fora, as sombras das folhas balançando suavemente foram delineadas nas cortinas pálidas; pertenciam à cerejeira que ficava no jardim da frente. Então uma sombra grande e escura se moveu na frente dele, apenas por um momento, então já havia desaparecido novamente.

Confusa, Natalie sentou-se e pescou o relógio de pulso de David na mesa de cabeceira enquanto ele dormia. O mostrador luminoso indicava pouco depois das duas horas. Eles devem ter dormido por um bom tempo.

"Davi!" Ela podia ouvir sua respiração calma. Ela gentilmente sacudiu seus ombros. "David! Acorde!"

Ele soltou um rosnado baixo e sonolento. "O que é?"

"David, você trancou a porta da frente?"

"O que?"

"Você trancou a porta da frente?"

"A porta da frente?" Foi extremamente difícil para David aceitar a realidade.

"Sim, a porta da frente! Você trancou?"

"Não. Sim. Eu não sei..."

"O que você quer dizer com não sabe? Eu contei com você para trancá-lo!" Foi só então que Natalie percebeu que tinha visto uma sombra do lado de fora da janela: "David, então a porta da frente ainda pode estar aberta!"

David não queria nada além de dormir. 'Por favor, Nat, não faça tal circo! Estamos no campo, então é costume não trancar as portas."

"Mas alguém está lá fora!"

"Você teve um pesadelo", disse David, e bocejou.

Natalie saiu da cama e pegou seu roupão. 'Estou fechando. Caso contrário, não tenho um bom pressentimento."

A lua brilhava o suficiente para que ela não precisasse de luz. Ela saiu para o corredor, foi até a porta da frente e girou a maçaneta. Ela não cedeu. Afinal, David a havia trancado. E, de qualquer modo, provavelmente sonhei mesmo, pensou ela, cansada.

A porta do outro quarto de hóspedes, também no primeiro andar, se abriu. De lanterna na mão, a velha professora apareceu na soleira, uma pessoa magra de roupão até o chão, os cabelos grisalhos soltos caindo pelas costas.

"Tem alguém aí?" Ela tinha uma voz aguda e levemente penetrante em falsete.

"Sou só eu." O facho da lanterna cegou Natalie, que levantou os braços defensivamente. "Sou Natalie Quint. Estamos morando aqui desde ontem à tarde. Eu só queria ter certeza de que a porta estava trancada."

"Você também ouviu aqueles barulhos estranhos na casa?"

"Não. Que barulhos?"

"Achei que a vidraça da janela estava quebrada. Parecia vidro estilhaçando."

"Eu não ouvi nada", disse Natalie, "só pensei ter visto uma sombra lá fora." Ela riu. "Nós dois provavelmente estamos um pouco histéricos."

A professora finalmente teve a ideia de abaixar a lanterna para que Natalie não ficasse mais cega. Por um momento, as duas mulheres ficaram indecisas, então a professora disse: "É só por causa da história que passou no rádio esta manhã..."

Ela não foi mais longe. Totalmente inesperado, aparentemente do nada, uma figura sombria apareceu atrás dela. Mais intrigada do que horrorizada, como se estivesse assistindo a um filme que se desenrolava diante de seus olhos, Natalie observou o homem, que ela podia ver com mais clareza agora, esfaquear a velha no estômago. Com um som borbulhante, ela se dobrou para a frente e caiu de joelhos. A lanterna caiu no chão com estrondo e apagou. Natalie levou alguns segundos para reajustar os olhos à noite. A figura escura no final do corredor não era diferente. Eles ficaram parados por um momento, incapazes de se orientar. Então Natalie sentiu que o outro estava se movendo, ele estava vindo em sua direção. Ela gritou, gritou como um animal encurralado, e finalmente pôde ver. Ela subiu as escadas correndo o mais rápido que pôde, sem depois saber exatamente por que havia feito esse caminho. Seu roupão era um pouco longo demais e no degrau mais alto ela tropeçou na bainha e caiu. De repente, uma luz forte brilhou, aparentemente o homem havia encontrado o interruptor elétrico. Com o canto do olho, Natalie pôde ver que dois outros homens vestidos de preto estavam no corredor e que o terceiro estava fugindo escada acima atrás dela. Ela rastejou até o banheiro de quatro, bateu a porta atrás de si no último segundo e girou a chave. Alguém bateu nela do lado de fora, a madeira fina rangeu de forma alarmante. Natalie deslizou para o chão, todo o corpo tremendo como uma folha. Ela estava começando a perceber o que tinha visto - uma velha havia sido assassinada diante de seus olhos, homens estranhos corriam pela casa, um deles tentou segurá-la e Deus sabe o que ele teria feito com ela se ela não tinha chegado ao banheiro a tempo. Os ladrilhos sobre os quais ela estava deitada pareciam frios e úmidos. Natalie lutou para ficar de pé, puxou-se pela maçaneta da porta e apertou o interruptor de luz. Estava clareando. Ela entrou em pânico quando percebeu que algo a estava segurando, mas então percebeu que era apenas o cinto de seu roupão que estava preso na porta. Ela arrancou-a das alças, deixou-a cair e cambaleou até a parede oposta. No espelho acima da poça de água, ela podia ver seu rosto pálido como a morte. Dois olhos arregalados olharam para ela com horror.

"Oh Deus, é um pesadelo", ela lamentou baixinho. 'Não pode ser verdade. Querido Deus, não é verdade."

Ela jogou um pouco de água no rosto como se achasse que isso iria acordá-la. Não podia ser real que ela estava parada em um banheiro no meio da noite com a porta trancada atrás dela e havia homens na casa vestidos de preto que ela não sabia o que queriam, mas eles já haviam assassinado alguém e eles provavelmente não hesitariam em matar mais. Ela olhou ao redor do banheiro. Havia uma janela, mas ela estava no segundo andar e, se torcesse o tornozelo pulando no jardim, não conseguiria se mover e seria uma presa fácil. A casa ficava tão longe que ela não podia esperar pedir ajuda ao vizinho do lado. Ela subiu na borda da banheira e espiou pela janela. Para sua surpresa, ela descobriu que a sacada, que ficava nos fundos da casa, também passava por baixo dessa janela. Com um pouco de habilidade ela poderia alcançá-lo. Nesse momento ouviu-se um tiro. Natalie quase escorregou da borda da banheira, agarrava-se convulsivamente à maçaneta da janela. Ela ouviu o silêncio que se seguiu ao tiro e de repente pensou: David! Ela colocou a mão sobre a boca para não gritar. Eles tinham atirado em David, ela tinha certeza, eles tinham acabado de atirar em David.

Agachada, ela se arrastou pela sacada. Cada músculo de seu corpo estava tenso, cada fibra escutando e esperando. Talvez deixar o banheiro seguro tenha sido um erro, mas ela sentiu que estava presa sem saída quando alguém conseguiu arrombar a porta. Ela tinha que ir, talvez para o mar ou para as dunas. Ela simplesmente não sabia como sair daquela maldita sacada. Ela dobrou a esquina - afinal, a sacada se estendia por dois lados da casa, o sul e o oeste - e deu um pulo para trás. Um amplo feixe de luz caiu de uma janela na noite.

A princípio, Natalie teria preferido voltar, mas depois se recompôs e pensou a respeito. Ela queria se agachar como uma criança em um canto escuro e chorar impotente, mas de repente se lembrou do que Gina costumava dizer: "Você só tem que caminhar em direção às coisas das quais tem medo. É como com os tubarões. Eles vão volte se você nadar em direção a eles."

Ela deu um passo à frente e espiou pela janela iluminada. O que ela viu a fez suar por todo o corpo, e ela engasgou e sentiu o gosto amargo da bílis na boca.

Eles estupraram Maxine.

Era obviamente o quarto de Maxine e Duncan, pois todo o quarto era quase ocupado por uma enorme cama king-size. Os lençóis estavam amarrotados, as cobertas deslizaram, uma cadeira sobre a qual parecia estar uma pilha de roupas havia caído. Maxine estava deitada de costas na cama, a camisola levantada sobre a cintura. Um dos homens mascarados ajoelhou-se na cama e segurou a cabeça de Maxine entre as pernas. Ele tinha uma faca na mão que estava na garganta de Maxine. Outro se agachou sobre o corpo de Maxine, movendo-se de forma incontrolável e brutal. Maxine não se mexeu, nem fez o menor som. Ela estava completamente rígida, olhos arregalados. Por um segundo Natalie se perguntou se uma mulher morta estava sendo estuprada ali, mas então ela viu os dedos da mão direita de Maxine se moverem, apertando até que os nós dos dedos se projetassem como lanças. Natalie não conseguia mais olhar. Seus olhos varreram a sala e ela viu Duncan deitado de bruços embaixo da pia, braços e pernas abertos em contorções absurdas. Sua cabeça descansava em uma poça de sangue. Ele estava, sem dúvida, morto.

Apesar de todo o horror, essa visão despertou um traço de esperança em Natalie. Ela só ouviu um tiro, e se eles atiraram em Duncan, talvez David ainda estivesse vivo. Ela tinha que sair daquela maldita sacada. Ela podia ver de Maxine o que esperar se ela ficasse. Ela olhou para ela novamente e nunca antes percebeu com tanta clareza que a vida sempre carregava consigo seus pesadelos e estava sempre pronta para trazê-los à luz. Ela estava prestes a se virar quando viu o estuprador de Maxine deslizar para baixo. O que aconteceu a seguir foi tão rápido que ela mal pôde acreditar: enquanto um homem estava deitado ao lado de Maxine, respirando rápido e fora de ação por enquanto, o outro agarrou o queixo de Maxine, ergueu-o em sua direção e cortou-a com um único golpe. um movimento natural através da garganta.

Natalie se segurou na parede da casa e vomitou o jantar, depois escalou a grade da varanda e pulou no abismo. Ela sentiu a grama orvalhada entre os dedos, os joelhos nus na terra recém-revolvida. Ela teve que vomitar uma segunda vez.

Quando ela se levantou, seus olhos ficaram pretos, mas ela se defendeu vigorosamente contra o desmaio iminente. Apesar do horror, ainda havia algum instinto de vigília dentro dela que lhe dizia para ficar de pé e correr para salvar sua vida. Ela cambaleou ao redor da casa para o quintal, e ali quase chorou de alívio, pois viu David saindo da casa; ele parecia bêbado, mas depois ela descobriu que ele havia levado um soco na têmpora. Na longa carta que lhe escreveu - também mais tarde - e na qual tentou explicar-lhe tudo, justificar-se, disse que tinha ficado meio sem sentidos e não tinha entendido quem vinha em sua direção do jardim escuro era . Ele pensou que estava lidando com um criminoso. Mas Natalie, reconstruindo aqueles segundos repetidamente em sua mente, estava absolutamente certa de que o olhar que ele havia lançado sobre ela era claro e que no momento em que a viu ele a reconheceu. Ela observou enquanto ele destrancava a porta do carro com os dedos trêmulos e se sentava no banco do motorista. Agora sem se preocupar se eles poderiam ser vistos da casa ou não, Natalie correu em direção ao carro. Ela tentou abrir a porta do passageiro, mas ainda estava trancada. Ela bateu com os punhos na vidraça. "David! Abra, David! Deixe-me entrar, rápido!"

A lua brilhava diretamente em seu rosto enquanto ele o virava para ela agora, e ela podia ver seus olhos arregalados e preocupados. Ele estava tão pálido quanto um humano poderia estar.

"Davi!" Era realmente a voz dela que soava estridente durante a noite e quase falhava? "David, pelo nome de Deus, abra a porta!" Ela bateu no vidro novamente, e desta vez uma dor aguda atravessou sua mão e subiu por seu braço. Mais tarde descobriu-se que ela havia quebrado o dedo mindinho, mas no momento seu medo não permitia que ela cedesse à dor nem por um momento. Ela gritou o nome de David o mais alto que pôde enquanto observava incrédula enquanto ele ligava o carro e acelerava em direção à garagem. Ela ouviu os pneus cantando quando ele dobrou a esquina para a rua, e então alguém colocou a mão sobre sua boca e a arrastou para dentro.

Natalie sempre acreditou que, se alguém a estuprasse, ela não superaria. Tinha sido um tópico popular de conversa entre ela, Gina e Mary em Saint Clare imaginar o que seria a pior coisa na vida de cada uma delas. Nessa época, Gina tinha pesadelos noturnos em que se engasgava com um objeto grande e sinistro em sua boca e acordou lutando para respirar. Ela explicou que a coisa mais assustadora em que conseguia pensar era ser enterrada viva e sentir a terra encher sua boca e sufocá-la. Mary, por outro lado, que nunca aprendera a nadar, tinha um medo profundo de água e empalidecia só de pensar em um naufrágio.

Natalie foi a única que não pensou em morrer ao imaginar o horror absoluto. 'Antes morrer do que ser estuprada. Qualquer coisa, qualquer coisa, eu poderia suportar melhor do que isso!

Havia três homens com ela na sala e eles se revezavam. Natalie estava deitada no tapete, uma mantinha as mãos juntas acima da cabeça, a outra pressionava as pernas abertas firmemente no chão, a terceira a estuprava. Doeu pra caramba, mas Natalie sempre conseguia abafar os gritos que cresciam em sua garganta. Ela sempre pensava: Se eles fizerem isso de novo agora, eu vou gritar. Eu vou gritar mais tarde. Eu vou gritar da próxima vez!

Mas ela não gritou nenhuma vez, ela ficou tão imóvel e silenciosa quanto Maxine antes. Na parede oposta, ela podia ver uma foto emoldurada de Maxine e Duncan no dia do casamento. Duncan usava um terno um pouco apertado demais e sorria timidamente, e Maxine usava um penteado preso e um longo véu de tule esvoaçante. Ela parecia muito feliz e apaixonada. A imagem estava tão arraigada na memória de Natalie que durante anos ela seria capaz de descrever cada detalhe. Por que os dois tiveram que morrer? Por que eles estavam deitados em seu sangue lá em cima no quarto agora? O que aconteceu aqui, qual era o ponto? Por que ela teve que experimentar esse horror? Fugazmente, ela se perguntou se os pesadelos de Gina e Mary também se tornariam realidade. Talvez um dia Mary tenha se afogado, talvez Gina tenha sido enterrada viva. Não há nada tão horrível que as pessoas não façam.

Quando as sirenes do carro da polícia soaram e os homens a largaram, Natalie imediatamente recuou para um canto entre duas poltronas e espiou como um animal pronto para atacar. Ela não tinha ideia de que havia mordido o lábio até sangrar e o sangue escorrer pelo queixo. Mais tarde, ela ouviu que era uma visão horrível quando a encontraram e que ela lutou com todas as suas forças contra os policiais que tentaram ajudá-la a se levantar. Ela não percebeu que houve troca de tiros entre policiais e assaltantes e que um dos assaltantes foi morto. Mais tarde, um policial disse a Natalie: 'Esses homens pertencem a um pequeno grupo fanático envolvido em exorcismos e missas negras. Você sabe - aqueles rituais estranhos nas noites de luar em alguma parede de uma velha igreja... corações de carneiros sangrentos sendo pregados no portão, as entranhas ainda se contorcendo dos animais de sacrifício consumidas junto com misturas horríveis de ervas. Quanto aos nossos criminosos aqui, eles afirmam ter sido instruídos a destruir a natureza pecaminosa deste mundo e veem a personificação do pecado na feminilidade. Eles estão obcecados com a ideia de profanar e matar mulheres. Você entende?"

"Por que", Natalie perguntou cansadamente, "eles mataram Duncan?"

"Porque ele ficou no caminho deles. Mas eles apenas atiraram nele. Eles nunca atirariam em uma mulher, não seria solene ou cruel o suficiente. Ele olhou atentamente para Natalie. "Você entende?" ele perguntou novamente.

"Sim", ela disse, mas as palavras dele chegaram até ela como se através de um véu espesso. Até a audiência do tribunal, da qual ela deveria comparecer como testemunha, passou por ela como um sonho distante e estranho. Um de seus estupradores cuspiu em seu rosto quando ela passou por ele, mas ela mal registrou isso também. Fazia quatro semanas desde os eventos em Crantock e foi apenas aqui no tribunal que Natalie viu David novamente. Com exceção de uma, ela havia devolvido suas cartas fechadas porque não queria mais ler suas explicações, desculpas e autocensuras. Toda vez que ele ligava, ela imediatamente desligava o telefone. Ele fora a King's Lynn para vê-la, mas ela não abrira a porta. Agora, no tribunal, ele agarrou o braço dela. "Natalie! Por favor, deixe-me explicar..."

Ela se libertou. Por um momento ela se sentiu pronta para falar com ele e talvez perdoá-lo, mas então, de repente, a névoa que pesava sobre ela o tempo todo se dissipou e imagem após imagem daquela noite surgiu cristalina em sua memória. e o medo e a dor se fizeram presentes. Ela não poderia perdoá-lo, não agora e possivelmente nunca.

Ela deixou o tribunal, correndo os últimos passos, sem olhar para trás.

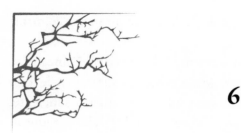

6

Natalie rezou para que as luzes não se apagassem. Ela não tinha certeza se poderia suportar a escuridão. Não está realmente escurecendo, ela disse para si mesma, o sistema de iluminação ainda está lá e os faróis.

Estava opressivamente quente no corredor. Uma fábrica abandonada nos arredores de Norwich, onde mais de mil pessoas se reuniram. Um dia de setembro estava terminando em cores brilhantes lá fora, enquanto dentro do salão a temperatura subia para quarenta graus. As pessoas, em sua maioria jovens, estavam espremidas como arenques, uma encharcada com o suor da outra. Luzes de néon brilhavam ao longo do teto. Mas logo acabaria se os spots fossem voltados para o palco, e aí apareceria Billie Crime, a nova estrela do rock dos EUA e o novo ídolo dos jovens. Natalie podia ver a expectativa encantada no rosto da maioria das garotas. Eles esperavam ansiosamente por "sua" Billie. Sem dúvida, eles estavam ansiosos por esta noite há semanas.

E sem dúvida, pensou Natalie, eles estão aqui voluntariamente.

Ela mesma veio em nome do Sr. Bush para escrever um relatório sobre o show para "Limelight". Tendo tido medo da maioria das coisas desde Crantock - escuridão, multidões, espaços fechados, por exemplo - a ideia de ir para lá tinha sido um pesadelo dias antes. Ela havia feito treinamento autogênico e ouvia sua nova fita todos os dias, uma voz masculina profunda e gentil tentando convencê-la de que ela era calma, forte e confiante. Quando ela chegou a Norwich, ela estava tão nervosa que parou em um cruzamento no vermelho e quase causou um acidente. Ela tomou banho no hotel, mas uma crise de enxaqueca ainda estava por vir. Ela nunca tinha tido uma dor de cabeça antes! Ela se secou, secou o cabelo e vestiu o jeans. Ela também usava uma camisa masculina branca, um cinto de couro tingido de prata e algumas correntes de prata. À noite, ela estava se sentindo tão infeliz que decidiu pular o show e escrever uma história de fantasia - ela conhecia a música de Billie Crime de qualquer maneira, e a experiência mostrou que eventos desse tipo sempre aconteciam da mesma maneira. Ela estava começando a se sentir melhor com essa ideia quando o telefone tocou. Era o Sr. Bush. Sua voz soava estranha de excitação. 'Temos uma entrevista com Billie Crime! Natalie, acredite ou não, consegui organizar isso. Você deve ir ao vestiário imediatamente após a apresentação. Mas, pelo amor de Deus, seja pontual, meio minuto atrasado pode significar que Billie Crime mudou de ideia! O Sr. Bush riu nervosamente. "Se você estragar tudo, Natalie, você pode pegar a corda, você sabe disso."

Natalie forçou uma risada e começou a chorar assim que desligou o telefone. Agora ela tinha que ir, isso estava claro, porque não podia correr o risco de perder o resultado do show e sua chance no Billie Crime. Ela tomou duas aspirinas, lavou os vestígios de lágrimas manchadas de tinta do rosto e partiu, os membros pesados de chumbo.

Aconteceu exatamente como ela temia: as luzes mal haviam se apagado, os holofotes mal haviam saído da escuridão em direção ao palco, e ela se sentiu tonta, e seu único pensamento foi: Fuja! Quando a música começou com um estrondo e um Billie Crime prateado reluzente rasgou o palco, ela pensou que sua cabeça iria quebrar em mil pedaços. Piscou diante de seus olhos. No salão, um grito poderoso ergueu-se de mil gargantas, ensurdecedoramente alto, penetrante e sustentado. Os espectadores começaram a se enfurecer, ergueram os braços, bateram palmas e pisotearam. Natalie teve a impressão de que a temperatura no corredor havia subido mais dez graus em poucos segundos. O suor escorria por todo o seu corpo. Sua claustrofobia foi bem alimentada aqui, e desesperadamente - mas em vão - ela tentou suprimir o conhecimento de que não poderia sair daqui. Seria mais fácil escalar o Monte Everest do que atravessar a multidão. Natalie viu as feições totalmente desorganizadas de uma adolescente ao lado dela. A garota usava uma camiseta do Billie Crime, uma minissaia cravejada de botões do Billie Crime e um colar em volta do pescoço com letras prateadas penduradas que diziam: "Eu amo Billie" . Ela sorriu para Natalie, mostrando descaradamente seus enormes dentes de cavalo. "Ele não está com tesão?" ela gritou.

Natalie assentiu fracamente, desejando que houvesse algo aqui para se segurar. Ela sentiu muito claramente como a histeria nela se acumulou em um tamanho imprevisível e aumentou lentamente. Era a histeria que se apoderava dela quando tinha de passar por um túnel escuro, de repente se via espremida no meio da multidão em um mercado, quando a noite chegava e caía, ou quando ficava presa em um engarrafamento com o carro e não avançava. nem reverso veio. Na maioria das vezes, ela começava a chorar e sentia-se à beira de um colapso. Mas isso não podia acontecer agora, porque ela tinha que ficar em forma para a entrevista em todas as circunstâncias. Ela se concentrou em uma jovem parada à sua frente, agarrando-se visualmente a ela para manter os pés no chão. Ela tentou descrevê-la mentalmente para trazer alguma ordem aos seus sentidos confusos. Essa menina tem cabelo loiro escuro, é muito magra, usa um vestido camiseta preta com um cinto largo... o cabelo dela vai até as nádegas... sempre desejei que meu cabelo fosse tão comprido... a mente dela vagou para a outra direção, ela não conseguiu segurá-los. Crantock à noite e eles cortaram a garganta de Maxine, David foi embora e eles caíram sobre ela... Sua respiração estava ofegante. Ela não aguentava mais, inferno com Billie Crime, ela não ia ficar mais um segundo. Ela cutucou o adolescente mordido por cavalo ao lado dela. "Você pode, por favor, me deixar passar?"

"Era?"

"Não estou me sentindo bem... por favor, deixe-me passar..." Ela teve que gritar para se fazer entender. Os dentes do cavalo olhavam para ela como se ela estivesse falando chinês. Natalie agarrou seu pulso áspero, sem saber que estava cravando as unhas na mão da outra. "Por favor... eu tenho que sair..." Já havia um tom estridente em sua voz. Olhos azuis pálidos e opacos a encaravam. Mas mesmo que os dentes do cavalo tivessem um modo de pensar mais rápido, ele não seria capaz de dar um único passo para o lado. Estava preso como Natalie. E percebendo que de fato não havia saída, ela começou a gritar. Ela gritou e gritou, mas ninguém percebeu porque todos estavam gritando. Não foi até que todas as pessoas e sons estavam longe, e os strass na fantasia de Billie Crime se transformaram em um céu cheio de estrelas, quando seus joelhos cederam, alguém pareceu perceber o que havia de errado com ela, pois entre os música e os guinchos, ouvi sua reputação. "Paramédico! Um paramédico, rápido!"

A última coisa em sua mente antes de desmaiar era que o Sr. Bush sem dúvida a demitiria.

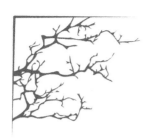

gina

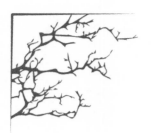

1

Gina parou na porta aberta do jardim de seu quarto e olhou para o jardim. A balaustrada de mármore branco do terraço brilhava, o ar quente tinha um cheiro doce e pesado de rosas e glicínias e um pouco de sálvia selvagem também. Em algum lugar um pássaro gritou alegremente. Sombras dançavam nas paredes da sala. Os raios do sol iluminavam delicadamente as pequenas laranjeiras em vasos de latão ao longo das colunas do alpendre.

John havia desamarrado a gravata e estava deitado na cama com as mãos cruzadas sob a cabeça. O dia tinha sido longo, John parecia cansado. Gina olhou para o rosto dele: as maçãs do rosto angulosas e fortemente definidas, o maxilar rígido e delineado, a boca estreita. O rosto de John era tão uniforme que Gina se sentia desajeitada ao lado dele. Tudo nele parecia estar em harmonia - o nariz, o queixo, a testa, nada perturbava o equilíbrio. Seu cabelo escuro estava repartido de lado e penteado para trás. Sob as sobrancelhas retas havia olhos castanhos escuros com anéis profundos embaixo. Os anéis tornaram-se proeminentes no início da manhã, perderam um pouco de sua nitidez com o passar do dia e ficaram mais fortes novamente à noite, quando John estava se sentindo cansado. Ela e as rugas dos dois lados da boca quebravam a regularidade do rosto. Gina estava convencida de que John parecia melhor agora aos quarenta anos do que quando era jovem.

Ela desviou o olhar dele e olhou ao redor da sala. Desde o início ela achou este quarto como um oásis. As paredes com papel de parede de seda amarela pálida, as poltronas macias de veludo quase branco, o carpete fofo branco-creme e as cortinas de veludo cor de champanhe na ampla fachada de vidro que dava para o jardim eram quentes e cheias de luz. Lustres de cristal sustentavam velas douradas. Cinzeiros, vasos, fruteiras na sala eram de ouro maciço. Luxo, beleza e opulência luxuosa foram reunidos aqui. E fora do paraíso florescente da Califórnia, um jardim em Beverly Hills, longe da poluição e do barulho, um deserto perfumado, colorido e bem cuidado.

"Você parece deprimida", disse John da cama, "algo errado, querida?"

Lágrimas brotaram em seus olhos porque ele disse "querida". Sua ternura sempre a perturbara. Desde o início de seu relacionamento, John se divertia com o fato de que qualquer coisa bonita e romântica pudesse fazer Gina chorar, enquanto atacá-la era totalmente impossível de provocar uma única lágrima dela. Em uma discussão, ela podia ser totalmente insensível, revelar toda a sua ironia e mordacidade, sua agressividade, alguém poderia lançar um insulto após o outro em sua cabeça sem evocar qualquer expressão além de um sorriso zombeteiro em seu rosto. Mas um magnífico pôr do sol carmesim e roxo profundo sobre o Pacífico a surpreendeu. "Você vai", John costumava dizer, "derramar um oceano de lágrimas se começar a chorar por tudo que é bonito."

Agora ele se levantou da cama, aproximou-se de Gina, envolveu-a com os dois braços e deitou a cabeça em seu ombro. "Qual é o problema, Gina?"

"Não é nada, John, realmente: eu simplesmente não me sinto muito bem." Ela passou a mão na testa. Ela não conseguia espantar a imagem... David, parado sob a luz do sol e rindo, e havia algo cruel em sua risada... Um medo sem sentido tomou conta de Gina e não a deixou ir.

"Vou descer e preparar uma bebida para nós", disse John, "você vem então?"

Ela assentiu e o observou sair da sala. Ele tinha uma voz calorosa e ela pensou que não podia ser bom amar alguém do jeito que eu o amo.

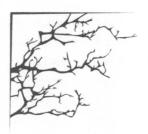

2

Gina Loret veio de uma família cujas raízes estão em Marselha, na costa francesa. "Gina pode não ser filha de um comerciante de seda, mas está destinada a ter uma grande vida", seu pai costumava dizer. No século XVIII, quando o reinado de terror dos jacobinos estava em seu auge, um descendente do clã, o jovem Jacques Loret, só conseguiu salvar sua cabeça literalmente deixando sua terra natal no último segundo e emigrando para a Inglaterra. Ele fundou o ramo inglês da família - e lançou as bases para a fama e fortuna que duraria várias gerações: ele comprou uma pequena loja geral no sul de Londres, administrou-a com grande habilidade e finalmente a transformou em uma loja de departamentos. Os negócios prosperaram, afinal havia quatro lojas de departamentos chamadas Loret na Inglaterra, além de uma famosa delicatessen. Infelizmente, o avô de Gina, Brian Loret, era um jogador notório. No curso de sua vida, ele jogou mais dinheiro do que possuía sob os olhos incorruptíveis do crupiê. Quando o pai de Gina assumiu o negócio, eles já estavam no vermelho.

Como costuma acontecer quando famílias muito ricas lentamente empobrecem, Andrew Loret, sua esposa Jennifer e sua filha Gina inicialmente ainda viviam em circunstâncias extremamente luxuosas, vivendo de um dinheiro que na verdade não tinham. Andrew era um homem quieto, melancólico, de aparência ligeiramente degenerada, que usava apenas cuecas de seda, tomava banho três vezes ao dia, sofria de uma misteriosa doença crônica do estômago e subsistia à base de caviar vermelho e corações de alcachofra. Jennifer tinha um temperamento explosivo e uma certa falta de mundanismo - ela conseguiu usar joias no valor de cem mil libras em volta do pescoço e dos braços enquanto fazia compras em um mercado de peixes, simplesmente porque havia esquecido de tirá-las depois da festa na noite anterior . Ela falava um pouco frequentemente com o álcool. Como Andrew, ela adorava a pequena Gina, aquela linda criança de cabelos escuros e olhos topázio.

Ao longo do ano, os três fizeram as maiores viagens. Seja Nice, Mônaco, Marbella, seja Acapulco ou Rio de Janeiro, seja o deserto da selva australiana ou a estepe da África, seja Melbourne, Tóquio, Paris, Nova York ou São Francisco - quase não havia lugar na terra onde Gina tivesse ainda não fui. Da maioria dos lugares ela se lembrava de pouco ou nada, no entanto, porque ela só tinha andado por lá em um carrinho de bebê quando era bebê. O que ela lembrava: eles passavam três semanas em julho todos os anos em uma pequena cabana no norte da Inglaterra, perto da fronteira escocesa. Junto com o irmão de Andrew, Robert, sua detestável esposa Margaret, suas quatro filhas e a avó Loret. Esta última era a dona da casa, e foi ela quem manteve a tradição de reunir a família ali. Curiosamente, todos atenderam a esse desejo, embora o feriado lá em cima costumasse ser chuvoso ou trazer muitas discussões. Apesar disso, e embora ela odiasse o frio e a chuva e seus primos, esses verões familiares permaneceram associados a um sentimento de segurança e calor para Gina ao longo de sua vida. Vovó Loret era uma dessas velhas duras que, aos oitenta anos, ainda andam a cavalo, deixando o batom secar e as joias acumularem poeira. Ela andava apenas de jeans e um suéter, seu cabelo branco amarrado para trás com um laço de veludo preto, e adorava a vida simples. Ela bebia leite de vaca fresco e comia peixe que pescava no lago próximo, fazia comentários depreciativos sobre "damas bem vestidas" quando passavam programas de moda na TV e fumava como uma lenha. Gina, que corria o grande risco de se tornar uma bonequinha mimada e esnobe (porque sua mãe havia criado todos os pré-requisitos para isso), aprendeu algo com a avó que jamais esqueceu pelo resto da vida. Mesmo mais tarde, quando ela morava na Califórnia com John e possuía tudo o que uma pessoa poderia desejar, ela nunca sucumbiu aos luxos que a cercavam. Ela gostava dele, mas mantinha uma distância irônica dele.

Na casinha do norte da Inglaterra havia apenas um banheiro para todos, aquecido por um grande fogão de ferro no qual a avó acendia todas as manhãs. Gina adorava ouvir as toras quebrando. Sempre havia guarda-chuvas para escorrer na banheira antiquada e no corredor você tropeçava em botas de borracha, raquetes de pingue-pongue e livros sobre cavalos. Havia uma sensação de "grande família feliz" em tudo, embora eles estivessem sempre brigando e Jennifer dissesse que sua cunhada Margaret era uma vaca pomposa e tacanha.

Gina tinha seis anos quando o idílio se desfez. Era julho, chovia e as férias no norte da Inglaterra haviam acabado. Jennifer sonhava com o Caribe. Andrew havia prometido a ela que passariam agosto lá. Eles voltaram em seu grande e velho Bentley, Andrew dirigindo como um motorista apaixonado. Nem ele nem Jennifer apertaram o cinto. Gina estava sentada no banco de trás, espremida entre bolsas, casacos e uma enorme cesta de piquenique. Ela folheou um livro ilustrado, entediada. Lá fora, a chuva caía como uma cortina cinza, a rua brilhava negra; folhas verdes e pingando balançavam para a esquerda e para a direita na floresta. Sheep olhou através da névoa para os transeuntes.

Jennifer olhou-se no espelho de bolso. 'Estou terrivelmente pálida. Não é de admirar que eu não fique bronzeado com esse tempo, mas estou começando a sentir que as férias lá em cima estão drenando o pouco de cor que me resta. Você também acha que estou pálido, Andrew?

André virou-se para ela. Ele olhou para ela com ternura e amor. Ele olhou para ela por um momento longo demais.

Ele viu o carro esporte americano branco cheio de jovens exuberantes rugindo em sua direção uma fração de segundo tarde demais, em um momento em que não era mais possível evitá-lo. Ambos dirigiram muito rápido, então ambos cortaram a curva. Eles se encontraram no meio e bateram de frente. Os carros estavam tão apertados que mal dava para distinguir dois carros, apenas uma enorme e indefinível pilha de metal. A chuva ainda caía quando a polícia e os helicópteros de resgate chegaram. Das oito pessoas envolvidas no acidente, apenas uma pessoa foi resgatada com vida: Gina.

Gina esteve no hospital por meses com uma fratura na coluna e um choque severo. Quando ela foi liberada, ela estava magra como uma folha de grama e pálida como um fantasma, mas ainda podia andar em vez de ficar paralisada para o resto da vida, como os médicos temiam. O irmão de Andrew, Robert, havia dito que não havia nada que ele pudesse fazer por Gina, então a avó Loret estava lá quando sua neta voltou da clínica.

"Se você concordar", disse ela, "você vai morar comigo de agora em diante." Os dois passaram dois anos no deserto idílico e, muito lenta e hesitantemente, as feridas mentais de Gina começaram a cicatrizar. Enquanto isso, o negócio há muito podre de seu pai morto faliu com um estrondo. As lojas de departamento Loret não existiam mais da noite para o dia, uma empresa americana as havia incorporado por um dinheiro ridiculamente baixo. Quando a velha resiliente Sra. Loret morreu repentina e inesperadamente de um derrame, Gina, agora com oito anos, foi deixada sozinha com nada no mundo além de um fundo fiduciário que sua avó havia resgatado da massa falida e depositado com um advogado de Londres. O dinheiro não estava disponível gratuitamente para ninguém e só poderia ser usado pelo advogado, e apenas para a melhor educação possível que uma criança poderia ter na Inglaterra. Com oh e barulhento seria apenas o suficiente para isso.

Joyce Hamilton era prima da falecida Jennifer, mas não tinha nada remotamente relacionado com ela. Quando meninas, as duas estudaram juntas e se odiavam. Joyce tentou copiar os vestidos elegantes de Jennifer, mas como ela era baixa e gorda, nunca conseguiu se parecer com a prima. Ela morava com o marido Fred em uma pequena vila em Kent. Todos os dias ela trotava pela rua da aldeia para fofocar com as outras mulheres da aldeia por cima das várias cercas do jardim. Por alguma razão, sua casinha sempre cheirava a couve-flor, mesmo quando ela cozinhava algo completamente diferente. (Embora os Hamiltons sempre tivessem couve-flor.) Ela era muito organizada e limpa, mas sempre parecia um pouco suja em seus aventais com flores grandes e sapatos gastos. Todo sábado ela passava horas varrendo o caminho do jardim, depois lavava o cabelo e o enrolava em grandes bobes. Então, no domingo, ela vestiu uma blusa branca de babados e uma saia preta um pouco justa demais - via-se através do tecido exatamente onde as linhas estavam onde sua calcinha cortava sua carne - penteou o esplendor de seu macarrão de ovo -amarelo, cabelos curtos e encaracolados, e trotou para a Igreja. Com o passar da semana, seu cabelo inevitavelmente caiu no lugar até que, na sexta-feira, estava apenas grudado em sua cabeça como fios finos e oleosos. Algumas pessoas diziam que era o cabelo de sua esposa que levava Fred Hamilton ao pub com tanta frequência.

Joyce adorava assumir o papel de bom samaritano na frente das pessoas ao seu redor. Ela também tinha uma forte necessidade de poder e ficava feliz em saber que os outros dependiam dela. Isso e possivelmente o desejo de uma vingança tardia contra Jennifer a persuadiram a acolher a órfã Gina.

A vida no ninho burguês da tia era tão diferente do que Gina conhecera que uma criança menos robusta provavelmente teria quebrado nas novas circunstâncias. Mas em algum lugar dentro dela Gina tinha o mesmo núcleo resistente, duro e resiliente que havia distinguido a avó Loret, e isso agora estava provando ser extraordinariamente importante. Seus pais despertaram em seu amor pelo luxo, beleza, países distantes e vida generosa, sua avó a ensinou auto-zombaria, independência e energia. Agora com a tia Joyce, ela desenvolveu uma língua afiada e a habilidade de se defender. Ao todo, ela acabou por ser uma garota interessante que todos acreditavam que faria o seu caminho sem muitos arranhões por dentro. Possivelmente o pobre Charles Artany, seu pretendente de longa data e depois marido, foi a única pessoa que percebeu que ela tinha uma alma ferida, e só ele entendeu que sua paixão por terras quentes e sol eterno também estava relacionada ao seu espírito gelado. Uma noite, pouco depois de ela se formar em Saint Clare, ele a convidou para um concerto em Londres. Ela veio com um vestido de renda branca, sem adornos, cabelos escuros até a cintura, e ela parecia tão frágil que sua pena fez sua garganta apertar. Ele sabia que ela achava a música perturbadora, mas ela estava alegre e feliz durante toda a noite, até que no final uma cantora alemã subiu ao palco e cantou Mignonlied de Goethe. »Você conhece o país onde os limões florescem e as laranjas douradas brilham na folhagem escura...«

Os olhos de Gina se encheram de lágrimas, suas mãos agarraram a bolsa.

A cantora tinha uma voz quente e esfumaçada. "... e estátuas de mármore param e olham para você: O que eles fizeram com você, pobre criança?"

Gina deu um pulo e saiu correndo da sala. Charles a seguiu, é claro, e por mais distante que fosse, ele até correu atrás dela para o banheiro feminino, onde ela se sentou em uma cadeira, dobrada em soluços. A atendente do banheiro curvou-se sobre ela, impotente: "Mas, menina, não vale a pena chorar por ele desse jeito!" Então ela notou o perturbado Charles. 'Realmente, senhor, isso está indo longe demais! Este é o banheiro feminino!

Charles não se importava com ela. "Gina, qual é o problema? Por que você está chorando? Você não está bem?"

"Oh droga, Charles Artany!" Ela olhou para cima. "Você não entende, eu sempre tenho que chorar quando algo é tão incrivelmente lindo!"

Charles sentiu um desejo quase irresistível de puxá-la para perto, confortá-la e prometer-lhe que cuidaria dela e a protegeria por toda a vida. Mas ele não ousou, pois sabia há muito tempo que ela não o queria. Era o grande amigo com quem ela ia ao cinema ou a um concerto. Não mais.

Ao longo de sua infância, Gina conseguiu razoavelmente bem escapar de tia Joyce. Ela viveu no ninho medonho por dois anos, então - cumprindo o legado de sua avó - ela foi enviada para o exclusivo colégio interno Saint Clare, onde encontrou o mundo que havia perdido. Na medida do possível, ela passava as longas férias com Natalie em Somerset, ou ficava na escola com Mary e seu pai. Algumas vezes, porém, tia Joyce insistiu em ver seu pupilo. Gina retaliou aparecendo de minissaia e salto alto, fazendo beicinho igual ao de Bardot. Ela ia aos pubs com o tio Fred e pacientemente oferecia-lhe o ombro para chorar quando ele estava tão bêbado que foi dominado pela dor do mundo. Ela gostava do tio, ele era um sujeito bom, chato e pobre que nunca fazia mal a uma mosca. Tia Joyce, é claro, imediatamente suspeitou que havia mais coisas acontecendo entre as duas, pois era exatamente disso que ela achava que a filha de Jennifer era capaz. Ela contraiu fortes cólicas biliares, ficou de cama por seis semanas e forçou a enfurecida Gina a passar as férias de verão como enfermeira.

Tia Joyce não permitia que uma janela fosse aberta em seu quarto, nem que as cortinas fossem fechadas. Ela ficou deitada no ar abafado e quente e no crepúsculo perpétuo e lamentou incessantemente. Todos os dias Gina tinha que aplicar uma loção de cheiro doce enjoativo em todo o corpo, o que a deixava quase enjoada de nojo. Como ela odiava aquele corpo gordo, enrugado e fedorento! Como ela odiava a mulher toda!

Joyce, claro, sentiu o desgosto mostrado a ela. "Você nunca encontrará alguém que te ame", ela disse com despeito. "De qualquer forma, ninguém que te conheça bem vai te amar. Eu sinto muito por você! Você é como sua mãe - superficial, em busca de prazer e sem um único sentimento verdadeiro! Tudo o que você tem em mente são suas lindas roupas e como deixar o maior número possível de homens loucos por você! Mas mulheres como você não vão muito longe. Ela acenou com a cabeça presunçosamente, então acrescentou sombriamente: "Você estará deitado de bruços na poeira um dia - e então você se lembrará de minhas palavras!"

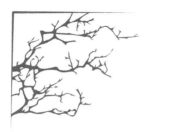

3

Gina cuidou de Natalie, que, enrolada em uma toalha sobre o corpo nu, saiu do quarto para ir ao banheiro. Estava tão quente no sótão como num forno. O lençol emperrou. Gina se aninhou para frente e para trás por um tempo, depois se levantou. Ela foi até a janela aberta e olhou para os galhos da macieira. Nenhum vento frio da noite soprava ainda. A umidade opressiva pesava na pequena cidade costeira francesa. Da cozinha, logo abaixo dela, Gina podia ouvir as vozes animadas de David e Steve.

Que boas férias eu tenho aqui! E amigos tão legais! Está quente e a vida é gloriosa!

não sentiu horror nem choque com o que acabara de acontecer com Natalie. Foi bom, prazeroso, como um banho morno, terno, excitante - mas não foi mais do que isso, pelo menos não para ela. Natalie tinha se sentido diferente, ela sentia isso instintivamente. Lembrou-se de ver a amiga aproximando-se de sua cama e pensando como de repente ela parecia erótica, eletrizada, como se todos fossem pequenos, loiros, cabelos delicados eriçados na pele e esticados para o que lhes era oferecido. Natalie havia tomado a iniciativa, Natalie ardia de febre o tempo todo.

Natalie era lésbica.

Gina se afastou da janela. Ela sentiu uma pontada de culpa, com medo de ter inspirado alguém com uma esperança que ela não seria capaz de realizar. A única coisa que a fez rir desconfortavelmente por um momento foi a ideia de que tia Joyce descobriria sobre isso e provavelmente teria outro ataque bilioso devido ao choque.

Não querendo encontrar Natalie naquele momento, vestiu rapidamente o roupão, penteou os cabelos, passou um pouco de batom e saiu do quarto. No final da escada, ela encontrou David. Ele a encarou.

'Olá, David', ela disse alegremente, 'parece que você nunca me viu na vida. Algo está errado?"

"Não, estou bem", respondeu David. Parecia um pouco tenso. Ela passou por ele na cozinha. "O quê, você comprou alguma coisa? Oh espaguete! Tomate, queijo, cebola! Vocês são ótimos! Podemos começar a cozinhar imediatamente!«

"Tudo bem", respondeu David. Ele ainda estava olhando para ela.

Então veio a questão de Steve e seu irmão, os eventos rolaram para trás e os dias ensolarados das férias de St. Brevin foram banhados por uma névoa que muitas vezes perdura no passado. O tempo da vida fácil parecia irrevogavelmente acabado. Nada de chá à luz de velas com os amigos, nada de noites sussurradas, nada de festas em que circulavam alguns cigarros de haxixe. Uma estranha magia pairou sobre este tempo; eles sentiram que pertenciam um ao outro, nunca mais eles conspirariam de forma tão inquebrantável. Agora o vento os separou, o vínculo se rompeu, de repente eles estavam sozinhos e tiveram que lutar pela vida, que eles começaram a suspeitar que poderia ser inesperadamente hostil.

No que dizia respeito a Gina, ela enfrentava o problema de quase não sobrar dinheiro. Tudo o que a avó Loret deixou para trás foi para a escola - e para aulas de tênis, aulas de direção, roupas elegantes, ingressos para shows e viagens de férias. Gina tinha vivido o estilo Santa Clara, o que significava gastar bem mais de mil libras por mês. O advogado informou que havia exatamente £ 500 restantes na conta.

"É melhor você ser uma secretária", disse tia Joyce. "Eu já falei com o Sr. Richard." O Sr. Richard era dono de um armazém geral na aldeia. — Ele precisa de alguém para fazer a papelada para ele. Ele concordou em contratá-lo e ensiná-lo o que você ainda não sabe. Ele não vai pagar mal. O Sr. Richard é um homem generoso. Tia Joyce fez uma careta como se fosse culpa dela. Ela acrescentou magnanimamente: "Você pode continuar morando aqui se me der uma ajudinha".

Gina olhou para a tia incrédula por um momento, depois começou a rir. "Tia Joyce, você não pode estar falando sério! Você realmente é a pessoa mais adorável que eu conheço! Você acha que eu estudei em uma escola como a Saint Clare por anos e lutei em todos os exames para acabar preso naquele armazém geral do Sr. Richard?

"Você não pode se dar ao luxo de ir para a universidade, você sabe disso!"

"Talvez não. Mas o mundo é grande. De qualquer forma, não preciso ficar neste lugar horrível."

Tia Joyce ficou amarela, desde que a vesícula dela ficava quando ficava excitada. "Nunca conheci alguém tão ingrata quanto você, Gina. Depois de tudo que fiz por você..."

"O que você fez por mim?" Gina zombou. »Eu vivia com o dinheiro da minha avó. E eu passava meu tempo em sua casa sendo sua faxineira e enfermeira gratuita. As coisas são assim!«

Joyce se assustou e procurou uma resposta apropriada. Finalmente ela perguntou lentamente: "E onde você pretende buscar sua fortuna?" Naquele momento Gina teve a certeza de que concretizaria o plano que há muito rondava sua cabeça.

"Eu estou indo para Nova York", ela disse calmamente.

Agora era Joyce quem ria com desdém. "De todas as coisas! Para Nova York! Você deve saber que vai descer para lá, uma coisa jovem e inexperiente como você! É mais seguro do que qualquer outra coisa no mundo!" E então ela acrescentou o que sempre gostou de dizer: 'Não pense que vou ajudá-lo quando estiver na terra!'

"Eu nunca esperei que você fizesse isso de qualquer maneira", Gina respondeu, e essas foram as últimas palavras ditas entre ela e Joyce, porque quando Gina voltou da América, muitos anos depois, Joyce havia morrido de um abscesso no apêndice, e o tio Fred estava em um asilo de bêbados lutando em sua terceira reabilitação.

Gina sacou as últimas £ 500, comprou uma passagem de avião e guardou o restante no fundo da bolsa. Por fim, ela ligou para Charles para lhe contar seus planos. Como esperado, ele reagiu com horror. »Gina, Manhattan é o lugar mais perigoso do mundo! Você não tem ideia do que esperar!"

"Eu fui para Nova York quando tinha um ano de idade", Gina retrucou, pensando em uma foto dela nos braços de Jennifer em frente ao Empire State Building.

A voz de Charles era baixa e desesperada. "Tenho medo por você, Gina, sério. Você vai lá sem emprego, sem conhecer ninguém, com umas ridículas 300 libras no bolso. O que você faz quando fica doente? Ou se alguém roubar de você? Ou..."

"Charles, você não pode comprar seguro para todas as situações. Algo poderia acontecer comigo aqui tão facilmente quanto lá . Você cai de pé ou não, e então você vê o que vem a seguir."

"Se você cair aqui", disse Charles, "eu estarei ao seu lado e o pegarei."

Gina ficou tentada a dizer: "Você precisa de alguém para pegá-lo você mesmo, Charles", mas engoliu em seco. Em vez disso, ela disse: "Eu sei disso. E mesmo estando lá, me fará bem saber que tenho um amigo aqui".

"Eu gostaria de ser mais do que um amigo para você, Gina. E eu vou esperar por você toda a minha vida."

Ao desligar o telefone, Gina sentiu uma pontada de culpa por alguns segundos, mas depois disse a si mesma que nunca lhe dera esperanças e que não era culpa dela não compartilhar os sentimentos dele. Ela afastou qualquer pensamento de Charles Artany e se concentrou no que estava por vir.

New York a pegou com os longos braços de um enorme polvo, segurou-a com força e ameaçou sufocá-la no início. Gina viu os sem-teto no metrô e na beira da estrada, viu-os revirando as latas de lixo e sendo empurrados para o lado pelos transeuntes apressados, e percebeu que a vala que os separava deles era estreita. Ela havia alugado um quarto em um hotel barato na rua 22 e, durante as primeiras semanas, experimentou todos os restaurantes baratos no Soho e em Chinatown onde se podia conseguir uma refeição razoavelmente decente por um dólar. Sua luta durante os primeiros sete dias foi comer uma dieta razoavelmente decente e lidar com a sensação de solidão sem fim que inevitavelmente a acometia todas as manhãs assim que ela abria os olhos e só a deixava à noite quando ela se atrasava e caía. dormindo com o estômago roncando. Ela correu para cima e para baixo na Quinta Avenida, tonta de ver tantas pessoas e carros, meio surda de tanto buzinar e gritar por toda parte. Ela quase morreu esmagada no metrô e vomitou em Chinatown porque o fedor de um dos restaurantes fez seu estômago revirar. Ela dirigiu por Manhattan até o Claustro de John D. Rockefeller, sentiu-se por um momento de volta à Europa, vagou sozinha pelas margens do Hudson, sonhou o sonho americano e se perguntou onde batia o coração dele, onde procurá-lo. Ela ficou no telhado do World Trade Center, no meio de turistas tirando fotos, sentiu uma solidão impiedosa, olhou para Manhattan e soltou baixinho entre os dentes: »Eu te odeio! Eu te odeio tanto!"

Por quinze dias, parecia que Nova York estava lentamente nocauteando-a. Mas Gina foi se levantando dia após dia, e aí a cidade desistiu de mordê-la e abriu os braços. Gina caminhava pelo Central Park no crepúsculo da tarde, era quase fim de verão de novo, ela estava cansada e faminta e por algum motivo todos ao seu redor pareciam estar sorrindo. Alguns corriam, os jovens jogavam beisebol, outros chutavam ruidosamente as latas de Coca-Cola ou observavam um malabarista fazendo truques com bolas e bolas. Cães latindo alto se misturavam às centenas de vozes. Ao redor, o horizonte de arranha-céus se destacava nitidamente contra o céu azul da noite. Cheirava a salsichas fritas, batatas fritas e folhas mortas. Gina caminhava com dificuldade pela lateral do campo de futebol com os pés doloridos quando de repente uma negra velha e gorda se interpôs em seu caminho e disse olá. Gina fez uma pausa, então se lembrou de onde ela conhecia a mulher. Eles haviam dividido uma mesa em um restaurante completamente lotado no Village três dias antes, e o velho deixou cair a garrafa de ketchup. Gina a ajudou com lenços, eles conversaram sobre isso. O nome da velha era Peggy, ela tinha um filho e trabalhava como faxineira. Ela ficou fascinada quando soube que Gina era da Inglaterra.

Eles poderiam considerar uma grandiosa coincidência terem se reencontrado repentinamente nesta cidade, mas para Gina era mais. Quando ela olhou para o rosto gentil e moreno de Peg, o bálsamo pousou em seu espírito saudoso e, de repente, a imagem brutal que ela tinha de Nova York perdeu seus contornos rígidos e ela viu o céu claro, as pessoas, os arranha-céus e ela capturou a respiração tempestuosa. da cidade. Estou na América, pensou ela, estou onde sempre quis estar toda a minha vida!

Peggy, notando a luz no rosto de Gina, disse: "Está um lindo dia, não está?"

"Realmente", respondeu Gina. Então ela decidiu presentear a si mesma e a Peggy com uma porção de batatas fritas.

Peggy era uma mulher simples e certamente não era o tipo de namorada que Gina adoraria, mas de certa forma ela provou ser bastante útil. Pouco depois do réveillon - os anos 1980 haviam começado e Gina estava enfrentando os dias festivos melhor do que pensava - ela colocou Gina em contato com um casal de idosos que morava na East 32nd Street e sublocou um quarto, que acabou sendo ainda mais barato. do que o hotel. E, em fevereiro, ela conseguiu um emprego para Gina que, embora estranho, ainda lhe pagava alguns trocados regularmente: ajudar um pintor que estava fazendo pinturas colossais cafonas de velhos castelos e pores do sol na pressa de vender seu trabalho, levando um a imagem Quinze por cento de comissão. Surpreendentemente, sempre havia compradores que não eram repelidos pelas molduras douradas ornamentadas ou pelos anjos tocando trombetas nos quatro cantos, de modo que Gina era capaz de pagar o aluguel com a renda e se alimentar razoavelmente. Peggy encontrou um emprego no McDonalds ao mesmo tempo e conseguia dar a Gina um cheeseburger ou algumas batatas fritas de vez em quando.

Quanto à acomodação, estava longe de ser luxuosa, mas Gina se sentia mais confortável ali do que no quarto miserável do hotel. Ed e Rosy, seus senhorios, tiveram pouco durante toda a vida, agora que estavam velhos possuíam ainda menos, e estavam tão cegos que não notavam a sujeira em cada rachadura e as baratas rastejando ao redor. Gina sabia que toda Nova York estava infestada de baratas, mas estava convencida de que outras famílias lidavam melhor com o problema. Ela tentou selar cada rachadura em seu quarto, cada pequeno buraco na parede, mas ela só teve que deixar cair uma migalha de pão, pois minutos depois os insetos irritantes haviam se infiltrado misteriosamente novamente. Como era apenas uma pequena câmara escura de qualquer maneira, com uma janela que dava para um poço com um pedaço de céu brilhando na extremidade superior, ela se resignou ao resto dos efeitos colaterais desagradáveis. Como muitas pessoas que nascem ricas, havia algo de irreal na pobreza, e ela a considerava uma doença temporária, como um resfriado comum. Por dentro, ela acreditava em sua boa sorte e sentia como se tivesse quase conquistado o novo mundo.

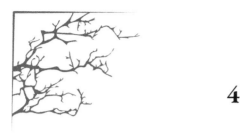

4

John Eastley era de São Francisco, de uma família que morava lá desde os tempos dos primeiros pioneiros. Seus ancestrais vieram para o oeste através das Montanhas Rochosas e através das salinas a cavalo e em carroças, e o pai de John, que aspirou a uma carreira política, nunca deixou de apontar que, em certo sentido, foram seus ancestrais que cultivaram a Califórnia. . Nos Estados Unidos, e especialmente no Ocidente, isso era alguma coisa.

O pai de John havia buscado seu caminho para o Partido Republicano, mas um derrame pouco antes de seu trigésimo aniversário acabou com seus sonhos antes que ele pudesse começar a realizá-los. A sua tristeza, a sua frustração, a sua dor ardente, que a consciência da sua derrota lhe infligia todos os dias de novo, ele transformou em esperança. Esperança de que seu filho alcançaria o que seu pai não conseguiu.

Em todos os sentidos, sempre e em todos os lugares, John tinha que ser o primeiro, o melhor e o maior. As melhores escolas do país eram boas o suficiente para ele. Ele se destacou em todas as disciplinas, foi claro o presidente do ano, capitão do time de futebol e um excelente jogador de tênis. Ele passou em exames fantásticos e conseguiu uma vaga na Sorbonne em Paris e depois em Tóquio. Ele estudou ciência política, história e direito e completou seus estudos na Universidade de Columbia em Nova York. sempre que voltava para casa com a notícia de um novo triunfo, o velho Eastley parecia passar por um choque elétrico e reencontrava forças para suportar sua vida, que consistia essencialmente em internações em hospitais e spas. Ele tinha sido um homem forte e orgulhoso que preferia ter sido um perpétuo sedutor de sua bela esposa a torná-la sua primeira ama.

'Mas você', ele disse a John, 'você pode fazer isso. Você está fazendo tudo que eu queria fazer e não consegui. John, um dia terei orgulho de você!"

Muitas crianças teriam sucumbido à pressão, mas ele herdou de sua mãe, que era de Savannah e tipicamente sulista, uma espinha dorsal de aço e a habilidade de não desperdiçar sua força reclamando, mas de tirar o melhor proveito das circunstâncias. Seu pai queria que ele fosse um vencedor e ele viu os benefícios que viriam para sua vida.

Aos vinte e sete anos ele conheceu Veronique Lasalle, filha de uma família francesa da Louisiana. Houve algumas histórias antes, nada sério, mas o velho Eastley achava que seu filho tinha que se casar agora para evitar ser considerado um playboy.

"Eu conheci uma garota lá", disse John cautelosamente. - O nome dela é Veronique. Véronique Lasalle."

— Convide-a para o próximo fim de semana. Estou olhando para ela, John, não para tratá-lo com condescendência, mas porque sua escolha de esposa é extremamente importante para sua carreira. Sua esposa deve ser bonita, mas não muito sexy. Ela deve ser elegante, mas não deve se vestir de maneira tão cara e extravagante que outras mulheres fiquem com ciúmes. Sua inteligência não deve ser intrusiva e eles devem simpatizar com todos os pobres do mundo, mas sob nenhuma circunstância devem apresentar ideias revolucionárias. E ela tem que estar disposta a apoiá-lo 100% desde o início."

Veronique parecia atender a todos os requisitos. Como ela e John também eram muito apaixonados um pelo outro, foi celebrado um casamento glamoroso.

O casamento durou exatos dez anos, foi um martírio para os dois, e foi finalmente desfeito por Veronique, então com 33 anos, suicidando-se com uma overdose de remédios para dormir. Ela já havia tentado suicídio duas vezes, sofria de cirrose hepática e deveria ter ido a um sanatório no dia seguinte pela sétima vez para fazer abstinência alcoólica. Em sua carta de despedida ela pedia a compreensão de John que ela não queria mais viver. Ela não resistiu à pressão da família. O velho Eastley havia martelado nela por tanto tempo que sob nenhuma circunstância ela deveria cometer um erro, que ela realmente cometeu contratempo após contratempo em todas as festas e recepções: ela derrubou sua taça de vinho na mesa ou confundiu a mulher com uma Senadores com uma das garçonetes e entregou-lhe o cinzeiro transbordante. Sua insegurança crescia a cada contratempo. No final, a única maneira de esconder o nervosismo era beber uma pequena garrafa de champanhe antes de cada ocasião oficial. Quantidades maiores e, finalmente, bebidas mais duras seguiram-se mais tarde. Ela estava no seu melhor quando tinha bebido o suficiente para ser charmosa e espirituosa, mas não bêbada o suficiente para fazer papel de boba. Mas ela estava quase no limite e, eventualmente, é claro, ela apareceu bêbada na festa de aniversário do governador da Califórnia e fez uma cena muito feia e embaraçosa com John. Não havia um jornal que não relatasse alegremente o desempenho da Sra. Eastley na manhã seguinte. O velho Eastley se enfureceu. "Esta mulher está arruinando você!" ele gritou com seu filho. — Você não pode garantir que ela não beba mais uísque? Além disso, por que diabos ela não engravida?

"O médico disse que ela está bem", disse o filho, "mas mulher não engravida por ordem, pai."

O que ele não contava era que ele e Véronique viviam há muito tempo em quartos separados e que ele praticamente não visitava mais a mulher à noite. Antes do casamento, eles gostavam muito de dormir juntos, mas como Veronique estava sob pressão para ter um filho, ela ficou tão tensa que o sexo sempre terminava em fiasco para ela e John. No final, John decidiu não visitá-la em seu quarto. Na noite anterior ao suicídio dela, eles estavam em uma festa no jardim em Santa Monica; eles queriam passar a noite em um hotel e voar de volta para San Francisco no dia seguinte. Véronique quase não havia bebido nada, estava pálida e apática, e seus olhos tinham um brilho febril. O hotel estava cheio, então eles não tiveram escolha a não ser alugar um quarto duplo. Veronique imediatamente se agachou em uma cadeira funda, puxou as pernas para perto do corpo e as envolveu com os braços. Ela usava um vestido de renda branca, com nada além de uma delicada corrente de ouro no decote, e trazia uma rosa branca em cada lado das têmporas. Ela parecia ter cerca de vinte anos, exceto pela melancolia em seus olhos que John quase se acostumou, mas que de repente o atingiu hoje e o machucou. Ele se ajoelhou ao lado dela e gentilmente tocou suas pernas nuas e ela imediatamente se encolheu e olhou para ele.

"Veronique," ele disse suavemente, "sinto muito."

"O que é?" ela perguntou impassivelmente.

Ele quis responder que destruí sua vida, mas não disse. Em vez disso, ele disse: "Eu gostaria de dormir com você, Veronique."

"Ah, João..."

"Você costumava gostar tanto quanto eu, não se lembra disso?"

"Isso foi há muito tempo. Isso foi em outra época." Seu olhar se desviou para algum lugar na parede oposta, e provavelmente uma imagem do passado se formou diante de seus olhos: uma jovem de Nova Orleans que se apaixonou por um homem da Califórnia e pensou que tinha sorte . amanheceu para ela esta noite, e agora ela via diante de si uma série interminável de anos cinzentos e frios que ela passaria na reabilitação e sob o terror constante de seu sogro.

Na noite seguinte, em seu quarto em San Francisco, ela cometeu suicídio.

O velho Eastley conseguiu encobrir a maior parte do caso, atribuindo a morte de sua nora a um aborto espontâneo, mas o boato ainda fervilhava e alguns jornalistas chegaram perigosamente perto de suas suspeitas.

"Isso faz você recuar, John", Eastley disse severamente, "isso atrapalha você, mas... não mata você. Só que você não pode cometer mais erros agora. Você tem trinta e sete anos, isso não é mais tão jovem. Se você se casar pela segunda vez, é claro, depois de um tempo razoável, tem que ser o certo dessa vez."

5

Dia após dia, Gina ainda arrastava as fotos kitsch de Billie Hawkins para o Central Park, apenas para colocá-las em alguma esquina e oferecê-las aos transeuntes. Ela mudava de localização a cada três horas. Felizmente os quadros não pesavam muito nas molduras de madeira clara, mas eram grandes e volumosos e no geral não foi um trabalho fácil. Gina ficou cada vez mais magra e ganhou braços fortes. Ela estava em Nova York há mais de um ano e sentia que algo em sua vida precisava mudar.

Era o último domingo antes do Natal quando, sem querer, foi parar numa igreja e, como já havia irrompido no meio do sermão, sentou-se num dos bancos do fundo e ouviu as palavras do pároco. . Estava muito frio lá fora, um vento gelado soprava forte do East River na cidade, e Gina, que vendia fotos desde o início da manhã, realmente queria descansar e se aquecer por um momento . Mais tarde, quando ela pensou naquele domingo, ela teve a impressão de que o destino a levara proposital e inevitavelmente àquela igreja.

Foi o dia em que ela conheceu John Eastley.

Ele chamou sua atenção por dois motivos: ele parecia excepcionalmente nervoso, suas mãos segurando o hinário tremiam ligeiramente e seus pés raramente paravam. E por outro, ela amarrou o rosto dele. Ele tinha um dos perfis mais uniformes que ela já vira. Ele não fez as orações, e como Gina também não fez isso, seus olhos de repente se encontraram. Ele deve ter uns quarenta anos, pensou Gina. Mais tarde, John disse a ela que pensava: Certamente um europeu. Você tem mulheres incrivelmente bonitas lá na Europa.

Após o culto, ela o seguiu. Ela o seguiu como se estivesse magicamente atraída por ele. Ele usava um casaco grosso de inverno cinza-carvão e um lenço da mesma cor em volta do pescoço. Ele caminhou firmemente pela Park Avenue, Gina atrás dele à distância, sua pilha de fotos debaixo do braço. Por sorte, ela não estava usando o jeans surrado e a velha parka de sempre, mas um vestido justo de tricô verde-escuro, botas de camurça verde e um casaco de camurça marrom. As coisas vinham de seus tempos de Santa Clara e eram muito elegantes. Gina congelou miseravelmente.

O homem dirigiu-se a uma pequena lanchonete na 95th Street. Consistia em uma pequena sala, o papel de parede, cortinas, capas e almofadas tinham todos o mesmo padrão floral, e havia mesas e cadeiras marrons ou brancas, todas deliciosamente antigas e ornamentadas. Os garçons, dois jovens bonitos vestidos todos de branco, moviam-se graciosamente, carregando cestas de baguetes perfumadas à sua frente. O homem sentou-se de frente para a porta e Gina sentou-se de frente para ele. Ela pediu panquecas e um café, que estava muito além de seu orçamento, mas ainda assim uma saborosa mudança em relação ao seu fast food habitual. Ela despejou grandes quantidades de calda sobre as panquecas e começou a comer com apetite.

O estranho gradualmente parecia ficar mais calmo. De vez em quando seus olhos se voltavam para Gina. Finalmente ele se levantou e foi até a mesa deles. 'Sinto muito', disse ele, 'provavelmente não foi uma ideia muito original iniciar uma conversa com você, mas na verdade eu estava me perguntando na igreja mais cedo o que havia naquele pacote que você carrega o tempo todo.' Ele apontou para as fotos.

Gina ouviu sua voz, fascinada; ela era calorosa e profunda, uma voz que os gatos adoram, e pareceu a Gina como se ela tivesse se tornado uma gata de rua nas últimas semanas. Ela se apaixonou por sua voz antes que qualquer coisa tivesse acontecido entre eles.

"Fotos", ela respondeu à pergunta dele, sem saber que naquele exato momento seus olhos começavam a lhe fazer as mais belas promessas.

"Quadros? Você é pintor?"

"Ah, não. Nunca segurei um pincel em toda a minha vida. Só vendo essas pinturas."

"Aha - um comerciante!"

'Um vendedor ambulante. Eu vendo essas coisas para os caminhantes no Central Park e ganho a vida com a comissão. Mais ruim do que bom, mas ainda assim. «

Nesse ínterim, ele a identificara como uma inglesa por sua pronúncia, e há muito ficara claro para ele que não estava lidando com uma garota simples. Um estudante, ele suspeitava, que trabalhava meio período.

"Posso ver as fotos?" ele perguntou. "Talvez eu compre um então."

Gina zombou dele, de seu terno elegante e de seu cabelo bem cortado, e olhou para sua loção pós-barba, que sem dúvida devia ser cara. "Acho que não", disse ela. "Você tem bom gosto."

Ela desembrulhou a foto de cima, um castelo em ruínas em uma montanha arborizada outonalmente. O sol se punha atrás das ameias e um pássaro preto esvoaçava acima da torre. John Eastley engasgou. "Ah..." ele disse surpreso.

Os dois olharam para a foto e de repente Gina teve que rir. Ela deu sua risada forte, sustentada e excitante, e finalmente John se juntou a ela. "Quem é o artista?" ele perguntou.

'Billie Hawkins. Você provavelmente nunca o verá no Metropolitan Museum, mas ele ganha dinheiro com seu trabalho. Vinte dólares esta coisa.

John olhou atentamente, então pegou sua carteira e acenou com algumas notas de um dólar. "Eu compro. Como lembrança. Em memória de uma manhã muito fria de dezembro e de uma jovem muito bonita."

Ela pegou o dinheiro e empurrou a foto de Billie para ele, e seus olhos estavam muito dourados na luz branca do meio-dia. "Se você não se importa, eu vou sentar com você e vamos tomar um café", disse ele. – A propósito, meu nome é John Eastley. «

"Meu nome é Gina Loret." E posso me apaixonar por você, acrescentou ela, espantada.

Se há coincidências, então o amor entre John e Gina nasceu por acaso, no dia mais frio do ano, num pequeno café algures nas ruas de Manhattan. Quando exatamente isso aconteceu com ele? John nunca soube exatamente como dizer. Já estava na igreja quando seus olhares se encontraram? No café quando Gina estava morrendo de fome e devorando suas panquecas e a calda grudava em seus dedos? Quando ela mostrou a ele a foto de Billie Hawkins e de repente começou a rir alto e incontrolavelmente? Eventualmente aconteceu. Era para ser, e John, que depois de Veronique só queria ser sensato e cauteloso, percebeu que não tinha escolha. Gina era o amor de sua vida.

Ele mostrou a ela sua Nova York. Ele estava na cidade a negócios e planejava voltar direto para Los Angeles, sua casa atual, mas agora ele ficou e não pensou na Califórnia. Eles jantaram no famoso Rainbow Room do Rockefeller Center e dançaram ao som de Frank Sinatra. Eles assistiram ao musical "Cats" no Wintergarden Theatre na Broadway. Sentaram-se no bar do Plaza, ouvindo o pianista e bebendo um pouco de vinho demais. Eles foram convidados de Donald Trump e tiveram um almoço fantástico de caviar, lagosta e alface com creme de amêndoa, e o champanhe estava tão gostoso que Gina quis pular da Trump Tower porque pensou que poderia voar.

Todas as manhãs, o carteiro trazia para ela um pacote de John: dentro havia um lenço de seda bordado, um xale de mohair branco, um relógio de ouro, brincos com pequenos rubis em forma de coração. Ele teve que passar o Natal e o Ano Novo com a família na Califórnia e, como não via nenhuma das férias como uma oportunidade adequada para apresentar a nova mulher em sua vida, Gina ficou em Nova York. Ela tinha medo de se sentir sozinha, mas então uma centena de rosas vermelhas veio de John na manhã de Natal, e na véspera de Ano Novo ele ligou para ela metade da noite. À meia-noite, horário de Nova York, cada um deles tinha uma taça de champanhe do outro lado da fila. "Querido, você está desperdiçando uma fortuna", disse Gina depois de três horas, mas John respondeu: "Não me importo. Escute, querido, estarei chegando em Nova York na noite de 2 de janeiro e depois quero ver você imediatamente, ok?"

Gina e John comeram naquela primeira noite após a separação no Nirvana, um restaurante no Central Park South onde você se senta em uma varanda de vidro no alto dos telhados e tem uma bela vista do parque e da Quinta Avenida. Os poucos dias em que não estiveram juntos mostraram como eram viciados um no outro e que estavam envolvidos em algo sério; talvez nada mais sério jamais voltasse a acontecer em sua vida.

Lâmpadas brilhavam no Central Park nevado, e as luzes nos arranha-céus ao longo da Quinta Avenida pintavam pontos brilhantes na noite escura. O tráfego rugia incessantemente lá embaixo. John estava vestindo um terno escuro, e Gina notou pela primeira vez que seu cabelo estava ficando grisalho na testa. Ela afundou em seu rosto, em seus olhos enquanto ele falava sobre a Califórnia, o país das fadas que ela nunca poderia ouvir o suficiente. Bebeu muito vinho e ouviu a suave música oriental que enchia a sala.

Talvez eu durma com você esta noite, ela pensou.

Eles se conheciam há duas semanas e fizeram muito durante esse tempo, mas não dormiram juntos. Ambos tinham certa timidez sobre isso; John, porque era vinte anos mais velho que Gina, e Gina, porque tinha medo de mostrar sua própria inexperiência para um homem tão experiente quanto ele. Durante seu tempo em Saint Clare, ela fez brincadeiras superficiais com muitos garotos, mas não dormiu com nenhum deles. Ela gostaria de ter tentado Charles Artany pelo menos uma vez, mas não tinha, e agora tinha que fazer.

John a levou para casa em seu carro alugado. Barbra Streisand cantava no rádio e Gina cantarolava baixinho. Ela se sentiu um pouco tonta. Quando eles pararam em frente à casa na rua 32, ela perguntou em voz baixa: "Você vem comigo?"

Seu coração estava na garganta, mas ela parecia estar muito calma.

João olhou para ela. "Realmente?"

"Claro." Ela saiu e destrancou a porta da frente, acendeu a luz. A lâmpada elétrica nua brilhava brilhante e branca no teto manchado de água. Enquanto Gina subia a escada barulhenta, consciente de que John a estava seguindo, ela se perguntou, inquieta, como ele reagiria à pobreza em que ela vivia. Por medo instintivo, ela evitara confrontá-lo sobre isso. Como ela ainda tinha roupas caras e elegantes de antes, nunca foi um problema levá-lo para sair e aparecer no teatro, no Met ou em um bom restaurante. John sabia que ela tinha pouco dinheiro, mas ela duvidava que ele realmente tivesse visto a pobreza. Esperançosamente, nenhuma dessas malditas baratas apareceu. Por sorte, Ed e Rosy sempre iam para a cama às seis horas e, sendo surdos, provavelmente não notariam o visitante noturno. Ela respirou fundo antes de destrancar a porta da frente. "Psst!" ela disse. "Ed e Rosy..."

Ele assentiu e entrou no quarto dela. Ela apenas acendeu a pequena lâmpada de cabeceira, mas infelizmente ela imediatamente lançou um brilho sobre dois insetos que estavam sentados embaixo da pia. John parecia confuso e de repente Gina ficou com raiva. "Sim, é um buraco onde eu moro", ela retrucou. 'Estreito e escuro, e agora insetos também. Tudo o que posso dizer é que meu pai era um homem muito rico e eu morei nos melhores hotéis do mundo quando era criança, mas infelizmente ele morreu muito jovem e sua fortuna com ele e não consigo me lembrar de nenhuma das malditas fotos de Billie faça outra coisa senão isso!"

"Gina, eu não disse nada!"

»Seu olhar falou bastante!«

John sentou-se na cama e puxou Gina para perto dele. "Querida, você está realmente imaginando isso agora. Eu não dou a mínima agora se estamos em uma sala de lixo, na Casa Branca ou na lua!' Ele tinha uma expressão em seus olhos que ela nunca tinha visto antes, e ela pensou: Realmente é ele indiferente.

Subitamente inquieta, levantou-se. "Vou pegar algo para bebermos."

João sorriu. "OK."

Ela caminhou até a cozinha e ficou amarga ao descobrir que Rosy mais uma vez atacou seus suprimentos. Não havia nada na geladeira, exceto um leite azedo. "Merda," ela murmurou. Ela voltou para a sala onde John estava parado na janela olhando para o poço escuro. Quando ela o viu, ela pensou de repente: Não há como eu perder você!

Ela disse: 'Não temos nada para beber. Eu poderia, no máximo, fazer uma xícara de chá.

Ele se virou para ela. 'Não temos que beber nada agora. Por que você está tão nervoso?"

"Porque eu..." Ela não sabia onde colocar as mãos enquanto falava. "Porque eu não sei o que vai acontecer agora."

John veio em sua direção e seus braços envolveram seu corpo, do jeito que ela gostava: não muito apertado, mas ainda com um aperto suave. Ela sentiu o cheiro de Davidoff e ouviu seu coração batendo.

"Quero que você venha para a Califórnia comigo, Gina", disse ele. "Para Los Angeles." Suas mãos acariciaram suas costas suavemente, descansando em seus quadris. Ela sentiu seu corpo ficar pesado, cheio de calor. John puxou o vestido pela cabeça dela e ela ficou na frente dele em sua calcinha branca creme. Ela tremeu quase imperceptivelmente enquanto o observava se despir. Por fim, deitaram-se lado a lado na cama. Estava bastante escuro na sala, apenas um pouco de luar vazava pelo vão e pintava o contorno da janela como uma sombra na parede oposta. A pele de John estava agradavelmente quente. Gina estava deitada de bruços ao lado dele, envolta em seus longos cabelos. Ela estava completamente relaxada e deixou John acariciá-la como um gato, ela se espreguiçou e fez um som agradável de prazer. John estava deitado de lado, um braço apoiado. Ele disse calmamente: "Eu nunca vi uma pessoa tão bonita quanto você. «

Ela levantou a cabeça e olhou para ele. Seus olhos se ajustaram à escuridão para que ela pudesse distinguir vagamente o rosto dele, e o olhar de ternura nele a dominou. Ela rolou de costas e o puxou sobre ela. As pontas de seus seios tocaram a pele dele e ela sentiu como se estivesse se abrindo completamente para outra pessoa pela primeira vez em sua vida. Como vai ser? Como vai ser? passou por sua mente. Ela ouviu John sussurrar: "Meu querido...", mas não respondeu, apenas se concentrando na sensação de levá-lo para dentro. Malditamente romântico, ela disse zombeteiramente para si mesma, e ao mesmo tempo um sentimento de amor a inundou tão forte que trouxe lágrimas aos seus olhos. Quando ela soltou um soluço rouco, o rosto de John estava imediatamente próximo ao dela. "Não chore, por favor, não chore..." Mas ela chorou do jeito que chorava com uma bela música e tudo que era sobrenatural, e ela sabia que de agora em diante ela amaria John para sempre. Até o meu último segundo, ela pensou, até o meu último segundo, vou sentir saudades de você e vou me lembrar de como foi maravilhoso.

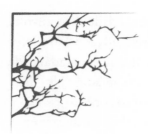

6

"Ela é muito bonita", disse o velho Eastley ao filho. Ele estava sentado em uma cadeira de rodas perto da janela de seu escritório. John o apresentou a Gina - uma Gina nervosa e loucamente apaixonada que imediatamente o envolveu em seu dedo mindinho. "Ela é mais bonita do que a minha Maybelle era quando tinha essa idade, e ela era a garota mais bonita dos Estados Unidos." Eastley olhou para a porta pela qual Gina havia desaparecido. Ela provavelmente sabia que estava sendo falado agora, mas ela não se importava porque sabia que poderia pagar.

Essas pernas longas, pensou Eastley. Ele gostava que ela desse passos largos. Horríveis, aqueles gatinhos, correndo e batendo os cílios. Gina não gostava de coqueteria, seu charme era do tipo áspero e recatado.

— Ela ama você apaixonadamente, John. Ela se despedaçaria por você. No entanto..."

"E então?"

"O que você sabe sobre a vida passada dela?"

'Sem casos. Não sérios, se é isso que quer dizer, padre.

"Tanto assim. Mas isso não diz nada. É excêntrico, profundo, difícil. Não é de todo a garota legal e descomplicada que ela estava tentando parecer aqui. Ela é exatamente o tipo de pessoa que não passa pela vida sem alguns pontos escuros. «

"Pai..."

'Tenha um pouco de cuidado, John. Você não pode cometer um segundo erro. Você quer ser governador da Califórnia um dia, não é?

"Sim."

"Então . . ." Eastley pensou, parecia ouvir seu eu interior. Como se fosse um súbito instinto, ele disse: 'Não se case com ela ainda, John. Espere um ano e então você pode ficar noivo, e então espere mais um ano antes de se casar com ela. Não se apresse. A ambição exclui a imprudência. Ele agarrou os braços de sua cadeira de rodas com seus dedos gotosos, e John sabia que ele estava dominado pela lembrança de sua própria ambição fervorosa de dias atrás. Sua voz velha e áspera, uma vez treinada em cursos de retórica, soava profunda e comovente. "Quero ver, John, quero ver você de pé na frente do Capitólio em Washington e fazendo o juramento que o tornará o homem mais poderoso do mundo ocidental. Ao Presidente dos Estados Unidos da América."

Eles ficaram com a família de John em San Francisco por três dias e, com a orientação de John, Gina descobriu a "Cidade das Colinas Douradas". Eles dirigiram sobre a Golden Gate Bridge de 400 pés até Sausalito, observaram a cidade de Twin Peaks e visitaram a Prefeitura, o Louise M. Davis Hall e o Museu de Arte Moderna. Eles atravessaram a agitação da movimentada Grand Street em China Town, a maior Chinatown estrangeira do mundo, e à noite comeram vinte andares no Top of the Mark, de onde havia uma vista maravilhosa do brilho cidade. Gina achou difícil imaginar que um terremoto e um incêndio em 1906 teriam destruído esta vasta metrópole, mas John disse que tremores catastróficos semelhantes são esperados neste século. Foi divertido chacoalhar em um teleférico subindo Nob Hill até Fisherman's Wharf e lá passeando pelas mesas e barracas de hippies, sobras de crianças de flores exibindo joias e artigos de couro.

"Só não se apaixone demais por San Francisco", advertiu John, vendo o rosto encantado de Gina, "você sabe que moramos em Los Angeles!" Eles poderiam ter voado para Los Angeles, mas como Gina nunca esteve na Califórnia, John sugeriu que alugassem um carro e seguissem para o sul pela rodovia do Oceano Pacífico. Eles fizeram sua primeira escala em Monterey; Gina sempre amou Steinbeck e estava morrendo de vontade de ver a famosa Cannery Row. Eles visitaram o Hearst Castle, o monstruoso castelo do templo grego que o rei dos jornais havia construído e que inspirou Orson Welles a escrever Citizen Cane. E eles ficaram no "Madonna Inn", que superou até as fantasias mais loucas. O kitsch reunido e empilhado aqui era tão estranho que quase tinha estilo novamente.

"Incrível!" disse Gina e sentou-se em uma cadeira com encosto em forma de coração. "Dizem essas coisas sobre a América, mas nunca se acredita que ela realmente exista!"

John sorriu. 'Espere até vermos a Disneylândia! Estou lhe dizendo, você não ficará desapontado. Ele pegou as mãos dela e puxou-a para cima de sua cadeira com encosto de coração. "E eu nunca vou te decepcionar também," ele adicionou suavemente. "Eu juro para você, Gina, você nunca ficará triste por minha causa. Eu nunca quero te deixar triste."

7

Ela encostou-se à porta do pátio e ouviu os passos desvanecidos de John. A luz que inundou a sala do lado de fora era da cor quente da noite. Ouro escuro, o fogo suave capturado em um âmbar. Ele envolveu a sala em um brilho avermelhado. De repente tudo parecia ter ficado mais intenso: cores, sons, cheiros. Lá fora, os pássaros gritavam triunfantes, o perfume das rosas tornava-se mais doce e selvagem. Gina podia ver as gotas finas e brilhantes de água do sistema de irrigação do gramado, fazendo um arco alto no ar. Um ano. Um ano com John na Califórnia. Um momento que a fez esquecer o que havia de ruim: o acidente de carro. morte da avó . Tia Joyce e a casa que sempre cheirava a couve-flor. As madrugadas com o tio Fred no bar, onde bebia o suficiente para aguentar a depressão. Tudo pertencia a outra vida; sob o sol, os dias escuros haviam desaparecido, mas Gina percebeu que eles estavam lá mesmo assim. Eles acenaram para ela como se estivessem de longe, fantasmas que sobreviveram a si mesmos. Ocorreu-lhe um pensamento que já tivera antes, em uma noite fria de janeiro em Nova York, e que a encheu do mesmo horror que agora: nunca devo perder John! Ela olhou para a cama. Esta manhã ela acordou nele, tão despreocupada e feliz quanto nos dias anteriores. Ela e John acordavam sempre ao mesmo tempo, como se um sentisse um novo ritmo na respiração do outro até adormecerem. O rosto de John parecia pálido e vulnerável quando ele abriu os olhos. Gina adorava quando a mão dele deslizava para baixo das cobertas e pousava carinhosamente em seu corpo. Nada pode acontecer comigo de novo, nunca mais, ela pensou então.

idiota que eu sou! Nenhum ser humano é invulnerável.

Ela pescou um cigarro no bolso da saia e o acendeu. A manhã deslizou por sua memória - uma manhã primeiro, como sempre. Ela havia tomado café da manhã com John no jardim e conversado sobre um filme que queria ver no cinema, então John dirigiu até o escritório. Gina vestiu um short e uma camiseta e saiu para uma longa caminhada com Lord, o husky cinza de John, que tinha os olhos mais azuis com quem qualquer cachorro já havia caminhado.

Enquanto caminhava pelas ruas tranquilas de Beverly Hills, ao longo dos jardins floridos que sonhavam por trás de altos muros, cada um representando seu próprio pequeno paraíso, ela pensou no quanto sua vida havia mudado. Parecia uma eternidade desde que ela ficara com as mãos congeladas no Central Park de Nova York vendendo fotos horríveis de Billie Hawkins, desde que ela voltara noite após noite para seu quarto miserável de vermes inextinguíveis. E agora ela morava em Beverly Hills! Ela havia escrito para tia Joyce, mas não obteve resposta. Ela provavelmente estava explodindo de inveja.

Quando ela voltou, decidiu sentar-se à escrivaninha e escrever uma história. Ela escrevia regularmente para vários jornais, contos e colunas, às vezes séries policiais. A ideia surgiu quando ela se lembrou de Natalie ganhando dinheiro dessa maneira quando estava na escola, e ela pensou que não faria mal tentar também. Para sua surpresa, suas coisas foram bem recebidas. Ela tomou banho, vestiu um confortável vestido de algodão e estava prestes a sair em busca de sua caneta prateada — Lord sempre a carregava — quando o telefone tocou.

"Loret."

"Bellino. David Bellino. Você se lembra, Gina?"

Ela se lembrou? Ela engasgou. "David? Onde você está? Você parece tão perto!"

"Certo, meu coração." Ele parecia no melhor dos espíritos. "Não estou apenas na América, não apenas na Califórnia – estou até em Los Angeles. Para ser mais preciso: No Bei Air Hotel. Você conhece isso?"

"Sim."

"Gina, eu poderia pegar um táxi e ir até você. Se está tudo bem com você?"

Eu não gosto nada disso, Gina gostaria de ter respondido. Sua primeira reação instintiva foi ficar na defensiva. eu não quero você. Você pertence a outra vida, e além disso, eu nunca gostei de você. Você é alguém que anda sobre cadáveres e não dá a mínima para as outras pessoas. Você colocou Steve em uma confusão do caralho, você é meio que culpado pelo destino de Mary, e quanto a Nat, você nunca poderá compensar o que foi feito com ela. Eu deveria te perseguir até o inferno!

Ela não sabia, era polidez, era uma certa curiosidade - de qualquer maneira ela disse: 'Claro, David. Se você estiver em Los Angeles, deveria passar por aqui."

"Vejo você em breve, então", disse ele e desligou. Xingando, ela colocou os papéis de lado, fumou três cigarros para mantê-la nervosa e andou pela sala enquanto esperava.

"Você sabe quantos milhões de dólares o Império Bredow movimenta?" perguntou Davi. Ele estava muito bonito, cabelo mais curto do que antes, jeans branco, camisa branca, um Rolex no pulso. Ele agiu alguns graus mais confiante do que antes.

O que dá dinheiro, pensou Gina, realmente muda as pessoas.

»Andreas possui uma enorme fortuna. E ele realmente me faz seu herdeiro. Ainda acho que estou sonhando!"

"O que exatamente Andreas Bredow faz?"

'Qualquer coisa que traga dinheiro. Hotéis, lojas de departamentos, ações de editoras, emissoras de TV, companhias aéreas... Estou me esforçando para ter uma ideia geral. No momento, sou o mensageiro de Andreas, a quem ele corre pelo mundo para enfiar o nariz em todos os lugares. Suponho que seja algum tipo de teste. Ele riu nervosamente. "Posso fumar outro cigarro?"

Gina empurrou a caixa sobre a mesa para ele. Sentaram-se no alpendre, à sombra da grande tília. Kate, a empregada, havia trazido uma vodca martini para David e um suco de laranja para Gina. Estava opressivamente quente.

"Então, o que você está fazendo em Los Angeles agora?" Gina perguntou.

"Só estou aqui até hoje à noite, então vou voar de volta para Nova York. Andreas planeja construir aqui um centro de férias à beira-mar. Devo comparecer às conferências relevantes e depois me reportar a ele. A última é hoje à tarde, graças a Deus. Minha cabeça está girando!" Ele riu novamente. "O dinheiro está sendo empurrado para frente e para trás na mesa, é pura loucura!"

"Você vai ter que se acostumar com essa loucura. Se você realmente herdar tudo isso, você apenas voará ao redor do mundo em um jato particular e controlará sua riqueza.«

"Sabe, eu estava realmente com medo disso, pensei que uma vida assim seria completamente avassaladora. Mas Natalie também disse. . .' Ele se interrompeu e mordeu o lábio.

Gina ergueu as sobrancelhas. "Agora você está na ladeira escorregadia, não é?"

"Você está com raiva de mim?"

"Tenho razão?"

"Eu não sei... sim, provavelmente. Não decepcionei Natalie de propósito um ano atrás, mas..."

"Você sempre foi um covarde", disse Gina impiedosamente. David estremeceu. "Agora, se você está se referindo à coisa do Steve..."

'Para a coisa com Steve. Para a coisa com Mary. E especialmente a coisa com Natalie. Tem muita coisa vindo junto. Em breve você passará por todos eles, na verdade só falta eu. Você sabe o que eu estava pensando quando você ligou? Ela olhou para ele com olhos brilhantes. "Eu pensei: eu deveria mandá-lo para o inferno! Como você sabia que eu moro em LA?

'De Maria. Pelo menos ela não será negada ao telefone quando eu ligar. Ao contrário do resto de vocês, ela até responde às minhas cartas.

"O que você esperava? Steve provavelmente perdeu o interesse em escrever cartas na prisão, e eu entendo que Natalie perdeu o emprego e está correndo de um neurologista para outro."

"E você?"

"E eu?" Ela deu uma longa tragada no cigarro. "Afinal, não estou a fim de ter muito a ver com você, David Bellino, para ser honesto."

Se ela bateu em David com isso, ele não demonstrou. "Sua honestidade sempre foi seu ponto forte, Gina. Mas pensei que fôssemos amigos.

Ela deu sua risada irônica, com a qual ela poderia machucar mais as pessoas do que com palavrões. "Nós nunca fomos amigos, David, certamente nenhum de nós."

"Uma pena. Quero dizer, é uma pena que você se sinta assim. Eu realmente pensei que..."

"E então?"

"Olhe para nós, Gina. Somos os dois vencedores da equipe. Vivemos na América, temos sucesso, dinheiro..."

"Você talvez", disse Gina, "você pode ter dinheiro. Não eu. Tudo isso pertence a John."

'Meu Deus, pare de dividir os cabelos. Você ou John, o que isso significa? Mais cedo ou mais tarde você está casado, então você é a Sra. Eastley e pode descansar em uma conta bancária abarrotada pelo resto de sua vida. Talvez um dia você seja nossa primeira-dama em Washington. Dizem que John Eastley quer ir para onde Ronald Reagan está hoje!«

'Ainda não é tão longe. Anos separam o presidente Ronald Reagan e um possível presidente Eastley. Mas talvez um dia ele seja governador da Califórnia e, claro, farei de tudo para apoiá-lo. Mas eu o amei antes de saber o que ele era e quem ele era. Se isso — ela fez um movimento quase depreciativo em direção à casa — se isso é apenas um lindo sonho e tão fugaz quanto a névoa, então isso não muda nada. Nunca."

"Palavras grandes. Ok, é uma coincidência que você viva na riqueza. Também é uma coincidência para mim. Mas você acredita em coincidências?"

"Eu acredito em propósito", disse Gina.

Ambos ficaram em silêncio por um longo tempo. David esvaziou o copo e inclinou a cabeça para trás, semicerrando os olhos para o sol que espiava por entre os galhos. "Destino", ele murmurou, "sim, talvez a vida seja apenas destino." Ele notou o nervosismo de Gina e se levantou abruptamente. — Você quer que eu vá, não quer? Você estava desconfortável em me ver desde o início. Você provavelmente já se sente um traidor de nossos amigos porque eu sentei aqui no seu jardim e conversei com você.«

"Claro que não", Gina respondeu desconfortavelmente.

David sorriu, mas havia um olhar em seus olhos que Gina reconheceu confusamente como triste e solitário. 'Acredite ou não, eu gostaria de ter sido amigo de todos vocês. Eu sempre quis amigos de verdade. Eu realmente queria ser amado. Bem,' ele encolheu os ombros. "Você não pode mudar as coisas, pode?"

"Talvez você devesse ter se comportado de forma diferente às vezes."

"Muito sábio. A propósito, mesmo que isso o deixe desconfortável, nos veremos com mais frequência de agora em diante. Você sabe, um homem que quer progredir na política não pode superar a economia. A Bredow Industries também poderia ser muito importante para John Eastley. É possível que ele precise de uma injeção de dinheiro para uma campanha eleitoral."

"Se isso é uma oferta", disse Gina, "ficarei feliz em repassá-la a ele."

David assentiu e caminhou pela ampla entrada de cascalho até o portão do jardim. Gina o seguiu. Já era quase meio-dia e o sol estava quente. Lord pulou pelo gramado latindo. A fonte espirrou suavemente, dando as boas-vindas aos visitantes logo no início da entrada. O idílio perfeito... tudo muito normal. Uma jovem acompanhou um amigo que ela não via há muito tempo até o portão do jardim. Tomamos um drink juntos e conversamos um pouco sobre o passado e as coisas que mudaram desde então. O que havia de ameaçador nesta situação, neste dia?

Mas algo estava no ar. Gina ficou alerta.

David virou-se para ela. O sol batia em seu belo rosto bronzeado. Havia amor pela vida em seus olhos – e um pouco de crueldade.

'Os regulamentos', disse ele, 'seguem sua própria lei. E muitas vezes acontece de forma muito diferente do que pensamos. Houve um tempo em que eu teria visto seu caminho de vida se fundir com o de Natalie.

O silêncio seguiu suas palavras. Então um pássaro disparou no ar, gritando alto. Gina perguntou suave e bruscamente: »O que você quer dizer com isso?«

Agora ele não olhava mais para ela, mas olhava com indiferença e calma para o jardim. "Naquela época... em St. Brevin..."

"Sim? O que havia?"

— Escute, Gina, eu não deveria ter começado isso. Não sei por que eu... Provavelmente porque continuamos conversando sobre regulamentos e coisas assim. Esqueça!"

"Você não esqueceu. O que havia em St. Brevin?"

"Eu vi você com Natalie. Naquela noite quente, quando Steve e eu voltamos das compras. Vocês estavam no quarto de Nat, e... Deus do céu, agora não olhem para mim desse jeito! Não queria te espionar, só queria te dizer que voltamos. Claro que bati, mas você não ouviu e não esperava

198

encontrar vocês em uma situação... embaraçosa, entrei assim. Você também não percebeu isso."

Se foi um toque de malícia que o fez falar de St. Brevin, agora ele se arrependia. Sua voz parecia genuinamente angustiada quando ele acrescentou: 'Droga, eu não deveria ter dito isso. Eu não estava pensando. Gina, não deixe isso ficar entre nós de agora em diante, eu imploro!"

Cúmplices, ela pensou com raiva, não deveriam esperar simpatia. Ela ainda estava encostada na porta e olhando para a noite brilhante. "Você tem alguma coisa?" John perguntou. Ela adoraria ter respondido a ele. Mas ela não podia, ela não podia dizer a ele. O que já aconteceu? Duas meninas e a tentação de um momento. O que isso significa?

Nada pra mim. Absolutamente nada para mim. Mas os outros tinham uma palavra para isso: chamavam de amor lésbico, e para muitos havia apenas tolerância teórica para isso. E apenas alguns aqui na América. A esposa de um político tinha que ser impecável, mais no Novo Mundo do que em qualquer outro lugar. A esposa perfeita para John Eastley... com um passado lésbico... impossível!

David - – a famosa sombra no paraíso.

De repente, o florescimento e o cheiro ao redor lhe deram dor de cabeça. A velha vida a alcançou e pôs tudo em questão.

Ela pensou no que John havia dito na noite anterior, no que ele dizia cada vez mais ultimamente: "Quero me casar logo, Gina."

Ainda não, ela pensou nervosa agora, ainda não. Você pode se arrepender, John.

Ela fechou a porta do pátio - nunca tinha feito isso no verão, sempre ficava aberta a noite toda - e voltou para o quarto. Ao passar pelo espelho, levou um susto: era como se a pequena Gina Loret a olhasse com olhos grandes e assustados de criança.

Nova York, 29 de dezembro de 1989

A noite havia caído há muito tempo, ainda estava nevando. O inspetor Kelly havia se retirado para o escritório do falecido David Bellino e colocado a pasta com os registros na mesa à sua frente. Ele aprendeu algumas coisas muito interessantes com isso, e Gina, Nat e os outros também, hesitante e relutantemente, lhe deram algumas informações. O inspetor Kelly não conhecia todos os pensamentos ou sentimentos dos envolvidos nas histórias, nem, é claro, sabia de vários detalhes íntimos. Mas ele estava ciente de uma série de fatos, e juntos eles já formavam uma imagem bastante clara. Ele resumiu em sua mente: Pobre Mary Brown, com o rosto pontudo e o comportamento de um rato assustado. Foi difícil para ela quando criança, ela perdeu a mãe muito jovem e depois cresceu completamente sob o domínio de seu pai tirânico e fanático. Quando David Bellino a abandonou no Paraíso Perdido, ele naturalmente não tinha ideia do que estava fazendo, mas a cadeia de eventos que se seguiram levou Mary a uma situação desesperadora. Grávida aos dezessete anos de um libertino charmoso e frívolo, acabou em um casamento arranjado pelo pai, ela havia desistido de esperar por uma reviravolta feliz. Infelizmente, ela era do tipo que se enredava tão desesperadamente. Centenas de outras garotas não teriam problemas com a história na boate de Londres, mas isso não deveria ter acontecido com Mary. A garotinha que sonhava com um jardim cheio de flores... Kelly suspirou.

Steve Marlowe. O homem com a existência quebrada. Filho de pais ricos, filho mimado de sua linda e elegante mãe. Ele tinha uma carreira garantida em um dos bancos mais renomados de Londres. Se não fosse pelo irmão que mata pelo IRA. Se não fosse aquele 5 de julho de 1979, quando Alan Marlowe conhece Steve em Nantes e pede um álibi. E então, como se a situação já não fosse precária o suficiente, surge David Bellino, concorda em apoiar o álibi e logo em seguida desmorona no banco das testemunhas, hipernervoso como está, cheio de medo, um risco real o espera correr . Apesar de tudo, o que poderia ter dado certo para Steve e seu irmão agora está se transformando em um desastre. Steve Marlowe é acusado de perjúrio, confessa e pega dois anos de prisão. Será anotado impiedosamente em seus papéis para sempre, o fim de sua carreira. E Steve Marlowe, esse jovem delicado e sensível não é do tipo que luta contra o destino. Ele desce nele.

Natália Quint. Kelly gostou do rosto dela. Inteligente, alerta, focado. Sem dúvida uma mulher muito talentosa e muito interessante. Mas com o Valium (ela admitiu ter engolido bastante) ela iria se arruinar. Ela não tinha os nervos sob controle desde o massacre de Crantock e só conseguiu controlar suas fobias com a ajuda das pílulas. Ele a imaginou como uma criança: intelectualmente precoce e lutando constantemente com sua mãe superficial e em busca de prazer. Ao lado dele estava o pai amigo, que só se interessava por cachorros e cavalos. Uma garotinha talentosa em uma propriedade rural isolada com quartos altos e arejados, lareiras frias e fileiras intermináveis de retratos ancestrais nas paredes. Ela se sentiu solitária, entendeu? Bem, de qualquer maneira, uma Natalie Quint não quebrou. Ela seguiu seu caminho, implacável e confiante. Somente quando olhou para o inferno, quando experimentou o horror em primeira mão, ela se ajoelhou. Ela se levantou de novo, mas apenas com a ajuda da droga do diabo, que provavelmente estava engolindo em doses crescentes. Como ela se sentiu naquela noite quando David foi embora e a deixou? Poderia uma mulher como ela perdoar isso?

Sim, e depois havia Gina Loret, hoje Lady Artany. A mais bela de todas, uma mulher orgulhosa, corajosa e obstinada. No entanto, o medo havia entrado em sua vida. Ela amava um homem ambicioso e determinado em sua carreira e sabia que tinha que fazer sua parte. John Eastley aspirava ao cargo mais alto que os Estados Unidos da América tinham a oferecer. O belo advogado de Los Angeles, com inúmeras conexões com setores influentes do mundo dos negócios, queria estar na Casa Branca. Sem dúvida, ele amava Gina. Mas como ela poderia ter certeza do que ele teria sacrificado em caso de dúvida? Sua carreira ou sua esposa?

"Ele a assustou, aquele David Bellino," Kelly murmurou, "ela sabia que se ele não calasse a boca sobre o interlúdio de St Brevin, o velho Eastley iria forçar um rompimento com John. Ela era orgulhosa demais para se entregar a isso. Portanto, ela decidiu renunciar voluntariamente ao casamento por enquanto - para não ter que passar pelo turbilhão confuso de um divórcio no caso de um desastre. Provavelmente muito típico desta jovem independente.«

Ele viu as imagens de sua vida passarem diante de seus olhos em uma dança: a criança de cabelos escuros que viajou pelo mundo com seus pais bastante exaltados, de um playground jet-set para outro. O adolescente rebelde na casa de classe média de sua tia Joyce. A linda garota do internato de elite, entre as aulas de tênis, indo a shows e o admirador não amado Charles Artany. A jovem durona e divertida que vivia em um albergue precário em Manhattan e vendia quadros de um pintor de terceira categoria. Gina em Los Angeles - riqueza e luxo. Verdadeiramente uma vida variada em seus eternos altos e baixos. Talvez um dia ela realmente acabasse na Casa Branca. Quem sabia sobre essa mulher?

Houve uma batida na porta e quando o inspetor Kelly chamou 'Entre', Laura Hart entrou na sala. Ela havia se trocado e parecia muito luxuosa no vestido de veludo cor de vinho na altura do tornozelo, uma coleção impressionante de rubis no pescoço e nos braços - enquanto antes ela era uma jovem perfeitamente normal em seus jeans velhos, com cabelos despenteados e sem maquiagem. -up em seu rosto. Desta vez ela está disfarçada, Kelly pensou consigo mesma. "Por que você não está com os outros?" ele perguntou. Laura fez uma careta. "Estes não são meus amigos, eu não sou um deles. Além disso, o jantar acabou de ser servido e Deus sabe que não estou com fome. Ela foi até o bar e se serviu de uma dose. "Gostaria de um também, inspetor?"

Kelly balançou a cabeça. "Não, obrigada. O que a traz até mim, Srta. Hart?"

"Achei tudo muito interessante. Pessoas estranhas, amigos de David. Isso significa que ele não tinha mais muito a ver com eles. Qual deles você acha que o matou?

"Você tem certeza que foi um deles?"

Ela bebeu seu schnapps de um só gole e ficou parada no meio da sala. "Você não?"

— Ainda não encontrei nenhuma prova. Mas talvez você tenha descoberto alguma coisa? Ele olhou para Laura com expectativa. Ela se sentou na mesa em frente a ele e cruzou as pernas. Suas joias brilhavam à luz da lâmpada. Ela provavelmente tem cerca de cem mil dólares pendurados, pensou Kelly. "Como você vê os amigos de David?" ele perguntou.

A resposta de Laura veio rapidamente e sem hesitação. "Esta Mary Gordon é um verdadeiro rato cinza. Sem ânimo, sem coragem. Alguém que deixa os outros ditarem sua vida e depois chora miseravelmente quando as coisas não saem do jeito que ela imagina. A agressão acumulada ao longo dos anos pode facilmente levar essa pessoa ao assassinato. «

Ela fala como se entendesse as coisas, Kelly pensou divertida, mas ela é uma coisinha muito inteligente.

'Steve Marlowe é um covarde', continuou Laura, 'absolutamente incapaz de assumir o controle de si mesmo e de sua vida. E o olhar em seu rosto – céus, ele está olhando para você como um cachorro espancado. Eu, pobre Steve! Como a vida tem sido ruim para mim! O que o destino fez comigo! Ele está se banhando em autopiedade, e eu simplesmente não consigo suportar. «

"Você está sendo bastante implacável, Srta. Hart."

"Não suporto gente que reclama o tempo todo. Sabe, eu sou do Bronx, e se eu te contasse sobre minha infância, você veria que eu teria boas razões para sentir pena de mim também. Mais razões do que o resto combinado. Mas se eu perdesse meu tempo com isso, provavelmente ainda estaria lá embaixo na terra hoje. Em vez de . . ." Ela sorriu, um sorriso estranhamente vulnerável, e suas joias brilhavam.

Kelly assentiu. "Entenda. Continue."

"Esta Natalie Quint é uma mulher inteligente. Uma mulher muito, muito inteligente. Eu a admiro porque sempre admirei a inteligência mais do que qualquer outra coisa. Mas ela está tomando alguma coisa, algum tranquilizante forte, e acho que ela está completamente viciada nisso. pena dela. Mas pelo menos ela não está reclamando."

"E o que você acha de Gina Artany?"

"Ela é linda. Ela acrescentou, pensativa: "Na verdade, gosto muito dela. Acho que ela joga com apostas altas e arrisca grandes perdas. Ela não se esquiva."

Kelly assentiu lentamente. — Então é assim que você vê. Então me diga, quem você acha que matou David Bellino?

Laura se levantou e deu outro tiro. Quando ela se sentou novamente, seu rosto expressava total desamparo. "Eu não sei. Eu realmente não sei. Tudo o que sei é que não deixaria isso passar por nenhum deles."

"Ainda há uma chance de os ladrões terem atirado em Bellino, não é?"

"Não!" Laura respondeu bruscamente.

Kelly levantou uma sobrancelha. "Não? Por que você descarta isso com tanta determinação?"

'Bem... porque... por que eles fariam isso? E onde está o motivo?

"É simples: Bellino a surpreendeu."

"Eles eram meio crianças", disse Laura. 'Eu abri a porta para eles. rapazes de sangue. Nada de assassinos.

'Esses rapazes muito jovens dominaram e amarraram você em um piscar de olhos. Tão habilmente - e provavelmente rotineiramente - que você nem conseguia gritar. Muito espertos, esses meio-crianças, não acha?

"Eu penso..."

"Você é do Bronx, Srta. Hart. Você conhece o lado negro de Manhattan. Você sabe tão bem quanto eu que crianças de doze anos matam.

"Bem..." Laura murmurou vagamente. Ela parecia inquieta, bebeu seu schnapps e flexionou os dedos nervosamente.

Kelly a observou atentamente. Ele levantou-se. 'Uma coisa', ele disse, 'eu gostaria de saber depois que você me deu análises de caráter tão claras de nossos quatro suspeitos. Como era David Bellino? Quem era ele?

O rosto de Laura fez uma careta quase imperceptível. "Ele era notavelmente insensível. E um egocêntrico por completo."

"Isso é tudo? Quero dizer, isso é tudo que você tem a dizer sobre ele?"

"Essa é talvez a coisa mais importante sobre ele."

"Então." Ele a olhou severamente. — Acho que você sabe mais sobre ele, Srta. Hart. Você não é a mulher que vive com um homem há dois anos e não enxerga um pouco mais a fundo. Por exemplo, como foi o relacionamento dele com você?"

"Ele me amava."

"Tem certeza?"

"Sim. Como David poderia amar Bellino, ele me amou. Mas ele fez tudo errado. Ele me tratou de tal forma que tudo que eu realmente queria fazer era ir embora.«

"Como ele a tratou?"

Laura suspirou e recostou-se. — Receio que tudo isso seja bastante complicado, inspetor. Veja bem, David Bellino basicamente passou a vida inteira morrendo de fome para ser amado. Não daquele jeito tolo, doentio e neurótico com que sua mãe e Andreas Bredow o adoravam. Ele só queria ser amado pelo David que era - o esnobe David com sua paixão por carros velozes e ternos elegantes e muita pompa e pompa. Eles o deixaram tão sobrecarregado quando criança com as enormes exigências que fizeram a ele que ele se tornou uma pessoa completamente insegura e cheia de dúvidas - auto-aversão também, eu acho."

"Auto-ódio?"

"Sim. Ele se odiava por não ser o que eles queriam. Ele odiava todas as suas fraquezas. E quanto mais os odiava, mais desesperadamente se agarrava a eles. Ele queria tanto ser ele mesmo."

Kelly assentiu. "E ele precisava de amor para se autoafirmar."

"Sim. Mas isso nunca funcionou. Antes de me conhecer, ele trocava de esposa semanalmente."

"O que foi aquilo?"

»Para David, uma mulher não era uma parceira, um indivíduo livre que existia ao lado dele. Uma mulher era sua posse. Completamente. Ele se comportou de acordo – ofereceu-lhes o céu na terra e os escravizou ao mesmo tempo, e isso simplesmente não era possível.«

"E como foi com você?"

'Acho que apareci para ele como a solução para seus problemas. Eu era o que ele sempre procurava: uma menina muito jovem, bastante perturbada, tímida e insegura. Para trás de mim está todo o horror que a pobreza e uma família desfeita podem representar para uma criança. Eu não era uma das damas inteligentes e seguras que ele teve antes, aquelas garotas ousadas que não sonhariam em se submeter nem um pouco aos desejos de um homem. Eu tinha fome de segurança, de ternura, de ser cuidada e cuidada, de poder me apegar a alguém. Absorvi todo o seu calor e ele começou a me amar loucamente por não se rebelar contra ele. Ele era muito inseguro para suportar uma mulher emancipada. Mas finalmente..."

"Sim?"

— Nunca estudei em uma boa escola, inspetor, e na verdade sou da sarjeta, mas sou uma pessoa comparativamente inteligente. Simplesmente não poderia correr bem. No final das contas, eu também não fui feita para o papel de Eliza Doolittle."

Kelly assentiu. Ela não era apenas uma pessoa comparativamente inteligente, mas também muito inteligente. Ela adquiriu uma quantidade relativamente grande de educação em um tempo muito curto e seus olhos alertas e inteligentes o fascinaram desde o início.

'No final', ela continuou, 'acabamos em uma situação insuportável: ele entendeu que eu estava prestes a fugir de sua influência, mas ele sabia onde me pegar: no meu medo da pobreza. Ele disse que sem ele eu teria que voltar para onde eu vim e com aquela ameaça ele me atormentou e me fez continuar. Tremi de medo e permaneci em silêncio. Ele me intimidava por amor e eu me deixava intimidar por medo. Foi assim que tudo foi feito."

"Você o odiou?"

Ela olhou para ele muito abertamente. "Sim. E ao mesmo tempo senti a maior pena do mundo por ele."

'E ele? Ele também odiava você?

"Ah, sim. Quando ele percebeu que eu iria embora, ele começou a me odiar. O que, por mais louco que pareça, não mudou seu amor no final." Ela fez uma pausa e disse pensativa: "Ele era uma pessoa que simplesmente não conseguia seguir com sua vida."

Agora ambos estavam em silêncio, cada um perdido em seus próprios pensamentos. Kelly olhou pela janela. Uma estranha quietude desceu sobre a cidade com a neve.

"Bem," ele disse finalmente, "acho que devemos voltar para os outros agora. Talvez ainda haja algo para comer e você abrirá o apetite. Além disso, a história continua."

Ela se levantou, passou pelo inspetor até a porta. Uma onda »Chanel No. 5" a envolveu. Laura usava o que ela leu sobre...

"Realmente?" ela perguntou mal-humorada. "Essas histórias de vida vão além?"

Kelly assentiu. "Acho que é aqui que as coisas ficam realmente dramáticas", disse ele.

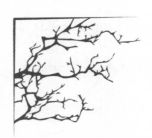

III.

Um livro

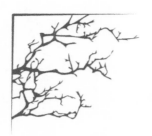

agosto de 1981

"Sabe", disse o Dr. Parker, olhando muito atentamente para Natalie, "é claro que seria melhor se pudéssemos resolver seus problemas em vez de drogá-los. ' Ele tinha olhos bondosos, um rosto velho, confiável e muito enrugado.

Natalie, em um terno branco severo, com uma quantidade razoável de maquiagem e se esforçando para manter as mãos imóveis, sorriu nervosamente. — Claro, doutor. É que você é o terceiro terapeuta que eu vejo, e você está me dizendo que vai demorar muito até eu... de novo... bem, normal..."

— *Você é* normal, Natalie. Você está doente no momento, mas mesmo que esteja resfriado, não se considere anormal!"

"Mas nós dois sabemos que não é nada parecido com um resfriado, Dr. parkers Em primeiro lugar, leva mais tempo. E eu não tenho tempo. Tenho que trabalhar e não posso me dar ao luxo de continuar falhando no meu emprego. dois jornais porque falhei em momentos cruciais - mais precisamente: meus nervos falharam. Em um caso, durante um show de rock que seria seguido por uma entrevista muito importante, desmaiei e me vi na mesa de um médico. No outro caso , Eu tinha um compromisso para entrevistar Joan Collins no saguão do Savoy Hotel, mas enquanto eu esperava por ela lá, um grupo de turistas japoneses gesticulando descontroladamente e gritando alto entrou correndo e, de alguma forma, achei a situação ameaçadora. Entrei em pânico novamente. ...aquela claustrofobia, sabe...e eu saí correndo do hotel, corri pelas ruas, corri como se todos os males do mundo estivessem atrás de mim, corri e corri, e em algum café caí em uma cadeira , e foi aí que percebi o que havia acontecido: em ambos os casos, custei muito dinheiro aos jornais envolvidos. O problema é... Natalie enfiou a mão na bolsa para pegar um cigarro. Parker a despediu, ela deu uma longa tragada e recostou-se na cadeira. "O problema é que não consigo me controlar nesses momentos. Não consigo mais me controlar.«

"Faz parte da natureza de uma fobia, Natalie."

"Seguro. Mas é algo que eu não sabia sobre mim antes. Desde que eu vivi, sempre estive no controle de mim mesmo. Sempre."

Ele acenou com a cabeça, olhou para o rosto estreito e frio com os olhos inteligentes. Naturalmente. Uma mulher como Natalie Quint não se deixaria levar por nenhuma situação.

"Não consigo evitar que minhas mãos tremam", continuou Natalie. »Eu começo a suar por todo o meu corpo, meus olhos ficam pretos. Meus joelhos estão fracos, estou prestes a desmaiar. Eu não posso evitar."

A Dra. Parker, percebendo o tom de desespero em sua voz, disse com urgência: – Pelo que você passou, Natalie, isso não é incomum. Não se preocupe muito, muito menos se sinta culpado. Eles são..."

'Doutor, eu sei disso. Eu sei de tudo isso. Também sei que você provavelmente pode me ajudar a longo prazo. Mas isso não me serve no momento. Veja bem — ela deu outra longa tragada no cigarro —, me ofereceram um emprego na televisão. A BBC quer que eu apresente um talk show. É uma grande oportunidade para mim, possivelmente a última depois de tudo o que fiz. Nada deve dar errado!«

O dr. Parker disse gravemente: — É claro que um estúdio de televisão não é exatamente para você, tenho certeza de que você mesmo sabe disso. Lá é quente e apertado, muita gente, câmeras, a maioria sem janelas. Você deve pensar com muito cuidado sobre..."

"Meu trabalho era minha vida, Dr. parkers. Isso significa que ele ainda é. Vivo para minha carreira como jornalista. Se alguma vez sonhei com alguma coisa, é com isso. Não posso e não vou desistir disso só porque tive a infelicidade de cair nas mãos de sectários malucos. Dr. Parker", sua voz era vítrea, "se você não me prescrever o Valium, irei a outro médico. Encontrarei alguém que me escreva um prescrição!'

"Não é que eu queira recusar você por princípio. Você também sabe disso. Fiz você tomar 10 miligramas de Valium por dia nos últimos 12 meses. Mas não quero aumentar essa dose porque aumenta o risco de você ficar viciado".

"Mas eu preciso de mais."

"Bom Deus! Você sabe que dificilmente conseguirá sair dele então?" Parker rasgou o cabelo. Ele olhou para o rosto duro e determinado do outro lado da mesa e sabia que Natalie não recuaria. tente me persuadir. Além disso, você tem três aulas comigo toda semana!'

"Dois. Não tenho mais tempo."

Eles se entreolharam. Com um movimento descontrolado, o médico rasgou um pedaço de papel de seu receituário. "Bom. Duas horas. Mas as regulares."

"Claro", disse Natália. Ela enfiou a receita na bolsa e se levantou. 'Obrigado, doutor. Acho que posso fazer assim."

O Dr. Parker apertou-lhe a mão em despedida. Ele pensou consigo mesmo, ela vai conseguir, mas terá que pagar um preço muito alto por isso.

Quando Steve saiu da prisão, sentiu como se tivesse envelhecido décadas e ficou quase surpreso ao encontrar Londres inalterada e descobrir que ainda havia céu, flores e árvores. As rosas desabrochavam nos parques, era um dia quente de verão.

Steve estava a caminho do Wentworth & Davidson Bank, na Fleet Street. Ele estava vestindo seu melhor terno, uma gravata azul-escura, e tinha ido ao cabeleireiro no dia anterior. Ele parecia tão arrumado que alguns skinheads que cruzaram seu caminho esbarraram nele e o chamaram de palavras obscenas. Steve começou a suar, afrouxou a gravata e enxugou a testa com um lenço. Essa maldita insegurança que não o abandonava mais. Imediatamente após sua libertação, ele foi para um hotel e tomou banhos de espuma, banho e esfregou o corpo com essências perfumadas. Isso não ajudou. Depois sentiu-se tão sujo quanto antes, ainda sentia na língua o gosto da comida da prisão cozida demais, via os grafites obscenos sobre os banheiros e à noite ouvia gemidos vindos da cela vizinha onde dois homens faziam sexo. Ele pensou desesperadamente: vou carregá-lo comigo para sempre.

A secretária de Jack Wentworth relutou em marcar uma entrevista com ele. Steve teve que implorar, mas na prisão ele teve que implorar pelo menor benefício com tanta frequência que era quase uma rotina para ele fazer isso. 'Eu era tão bom quanto contratado, . . . dois anos atrás. Eles queriam me enviar o contrato de treinamento. Por favor, dê-me uma chance. É... nada mudou para mim.«

"Sr. Marlowe..." A secretária era uma pessoa discreta. Ela não queria articular o que havia mudado em sua vida, mas sem dúvida estava na ponta da língua. Ela se contorceu de vergonha, e provavelmente foi graças para seu desconforto, ela finalmente marcou uma hora para ele. Ela viu isso como a única maneira de encerrar a conversa. "Bem, então, em nome de Deus, o Sr. Wentworth está livre amanhã às quatro horas."

Era uma instituição venerável, o Wentworth & Davidson Bank. Ao entrar pela porta giratória equipada com pesadas maçanetas douradas, a pessoa era imediatamente recebida por um perfume um tanto empoeirado, mas extremamente saboroso, que inspira confiança e exige respeito. A Wentworth & Davidson era como a Grã-Bretanha, conservadora, orgulhosa, tradicional e incorruptível. Steve se sentiu como um vagabundo entrando no Palácio de Buckingham: totalmente deslocado.

A secretária do Sr. Wentworth, uma loira enérgica e envelhecida em um vestido de algodão turquesa, sorriu docemente quando Steve se apresentou e fez sinal para que ele se sentasse por um momento. Steve sentiu sua garganta apertar. Ele discretamente puxou as mangas de sua jaqueta, puxando-as para baixo até a metade de suas mãos. Ninguém tinha permissão para ver as cicatrizes em seus pulsos.

Uma máquina de escrever chacoalhava na sala ao lado e as vozes no corredor soavam abafadas. Uma atmosfera de decência... não o assustara antes, pelo contrário. É aqui que ele se encaixaria. Mas agora este não era mais o seu mundo, e ele se perguntou se a prisão nunca mais voltaria.

Depois de uma hora, a secretária apareceu e informou friamente a Steve que o Sr. Wentworth estava pronto para recebê-lo. Steve sabia que sua testa devia estar brilhando de suor, mas não ousou tirar o lenço. Nunca lhe acontecera não saber o que fazer com as mãos, mas agora, ao entrar no santuário interno do Jack Wentworth, estava muito consciente de seus braços e pernas. Ele sentiu como se estivesse se movendo como uma marionete desajeitada sendo manejada por um jogador ruim. Sua primeira visão foi o retrato em tamanho natural de Benjamin Wentworth, bisavô do atual Sr. Wentworth e fundador do banco. Sua expressão dizia que devia ser mais fácil amolecer uma pedra do que ele.

Com um segundo olhar, ele notou o descendente de pé sob a foto e entendeu imediatamente: o Sr. Jack Wentworth andava com vencedores, não perdedores. O facto de o ter recebido hoje deveu-se a um último resquício de cortesia, que prestou ao Steve de outrora e ao seu pai.

Levantou-se, mas não estendeu a mão ao visitante. — Por favor, sente-se, senhor Marlowe. Infelizmente não tenho muito tempo, mas...' A frase ficou no ar. Steve sentou-se; ele percebeu que estava respirando muito rápido e devia estar causando uma impressão desfavorável. "Sr. Wentworth, eu realmente não quero desperdiçar seu tempo..."

Como estava abafado aqui!

Não havia sorriso no rosto do Sr. Wentworth. "Sabe, Sr. Marlowe, acho que não há nada que eu possa fazer por você."

Com dedos trêmulos, Steve pegou o lenço e enxugou a testa suada. A conversa, ele sabia, estava decidida antes mesmo de começar.

Peter Gordon tinha duas paixões: adorava assistir a jogos de futebol e corridas de cavalos na TV. E ele se sentou por horas em seu pub favorito, a poucos passos de seu apartamento, com seus amigos, bebendo uma cerveja após a outra e repreendendo os políticos. Sua terceira paixão, a hora de dormir com Mary, havia esfriado. Na maioria das vezes ele era muito preguiçoso ou muito bêbado, e realmente não a achava atraente. Ele gostava de loiras peitudas com um toque vulgar, a pequena ruiva Mary não era nada para ele. Ele prefere comprar uma revista pornô e se trancar no banheiro com ela. De qualquer forma, Mary sempre agiu tão mal-intencionada porque ele supostamente não era terno, gentil e atencioso o suficiente. Sempre quis ser manuseado com luvas de pelica, não fazia ideia de que um homem realmente queria agarrar.

Quanto a Mary, ela inicialmente registrou a mudança com alívio. Ela nunca gostou de ir para a cama com Peter. Mas então chegou o verão, o verão em que a pequena Cathy fez dois anos e estava correndo cada vez mais para fora, e a situação ficou ainda mais cinzenta, ainda mais sombria do que o normal. Era um verão quente, mais quente e seco do que os verões costumam ser na Inglaterra, e de repente tudo parecia ainda mais insuportável para ela. O ar no pequeno apartamento estava abafado e abafado, o trem passou roncando, levantou a poeira e a soprou pela janela inclinada da sala para o carpete desbotado. As xícaras no armário da cozinha chacoalharam. Mary tapou os ouvidos com as duas mãos. Não aguento mais, pensou exausta, não aguento mais! Ela implorou a Peter que se mudasse para outro apartamento. Por algum tempo ele trabalhou como zelador em uma escola e Mary trabalhava em uma lanchonete quatro noites por semana. Não tinham muito dinheiro, mas daria para viver um pouco mais decentemente.

— Pelo menos uma sacada, Peter. E algo verde por perto para Cathy não ter que brincar naquele quintal sujo. E talvez algo onde ele . . . Ela teve que gritar porque o próximo trem estava chegando. "Algo que não seja tão alto!"

"Está fora de questão. Não conseguimos em nenhum outro lugar tão barato quanto aqui. Em qualquer outro lugar você tem que pagar quase o dobro do aluguel!"

— Mas nós poderíamos pagar. Para que você quer economizar o dinheiro? Sempre apenas para apostas em cavalos. . ." Maria quase chorou. Ele levou todo aquele bom dinheiro para a pista e nunca, nem uma vez, ganhou nada. Não parecia incomodá-lo nem um pouco que Cathy estivesse brincando entre latas de lixo e pneus velhos. Mas é claro que Cathy não era filha dele. Ele não tinha motivos para se interessar por ela. E então a ideia lhe ocorreu: um segundo filho. Um filho de Pedro. Isso o ligaria à família, talvez lhe desse o senso de responsabilidade que ela tanto sentira falta dele. Chega de apostas em cavalos, chega de visitas a pubs. E um belo apartamento, talvez até no andar térreo, com um pequeno jardim na frente onde ela poderia plantar suas amadas flores. Uma criança, era isso.

Ela convenceu Peter a levar ela e Cathy para a praia por duas semanas. 'Poderíamos viver barato, dormir e tomar café da manhã e ir à praia durante o dia. Faria muito bem a todos nós, Peter. Todo mundo precisa de uma mudança de ares de vez em quando. Você também gostaria, eu sei disso!"

Peter lutou com as mãos e os pés. Por que mudar de ares, por que ir embora? Aqui ele tinha tudo de que precisava - seu pub, seus amigos, sua TV. Ele achava viajar desconfortável e chato.

Ele finalmente cedeu, principalmente porque Mary não desistiu desta vez e seus exercícios constantes o irritaram a longo prazo. Além disso, alguns de seus amigos estavam viajando também, e não era mais tão divertido no pub. Resmungando e relutantemente, ele fez as malas. Mary havia alugado dois quartos de uma família em Wellsnext-the-sea, uma pequena cidade turística em Norfolk; um pequeno para Cathy e um maior para ela e Peter.

'Desperdício', Peter rosnou depois que eles chegaram e a senhoria lhes mostrou os quartos, 'poderíamos ter colocado outra cama aqui para Cathy e teríamos pago menos. Mas você obviamente não quer entender que não temos dinheiro!'

"Peter, eu pensei que nós..." Ela se virou para ele. Seu cabelo brilhava vermelho escuro sob o brilho do sol poente. "Pensei em tirar um tempo para nós mesmos neste feriado também." Ela olhou para a cama, cor ruborizando suas bochechas pálidas.

Pete sorriu. "Oh! Esses são sons novos! Eu sempre pensei que você não gostava que eu te tocasse!"

— Eu era muito jovem quando nos casamos, Peter. E eu passei por um momento difícil...' Ela falou bem baixinho. Na verdade, ela teria vontade de sibilar para ele: Sim, isso mesmo, não suporto quando você me toca! O que quer dizer com não sofrer? Eu mal posso levá-lo! Você é terrivelmente rude e não dá a mínima para os meus sentimentos. Para você, uma mulher é apenas um meio de satisfação – algo como comer, beber e apostar em cavalos. Não mais.

"Eu senti falta de dormir com você, Peter." Ela foi para a cama, puxou o vestido pela cabeça. Por baixo, ela usava uma nova lingerie com acabamento de renda. Peter olhou para o lugar onde as meias terminavam e a pele começava. "Novo?" ele perguntou.

Ela sorriu enquanto a luxúria indisfarçável com que ele a olhava lhe causava uma dor quase física. Porco sujo, ela pensou com ódio. "Sim. Novo. Para você."

Estava quente, a viagem de trem havia demorado muito e Peter realmente não estava com vontade. Havia uma sala no andar de baixo onde você podia assistir TV, foi a primeira coisa que ele descobriu. Na verdade, ele queria ver se eles poderiam transmitir a corrida de Ascot... Mas Mary parecia muito bonita com seus suspensórios... Ela também tinha um bom perfume, como ele notou agora.

"Gastar tanto dinheiro em lavanderia", ele resmungou, mas não estava realmente zangado. Ele estava começando a se sentir como Mary. Deve ter passado um ano desde a última vez que dormiram juntos. Desde que ele teve uma esposa. Ele sorriu novamente. "Se o pequenino vier agora..."

"Eu a coloquei na cama, ela estava morta de cansaço. Ela dorme pelo menos uma hora. Maria tirou a calcinha. Oh Deus, eu odeio tirar minhas roupas! Como eu odeio quando ele me olha assim. Mas vou pegá-lo hoje. Ele não pode voltar agora.

Com pressa demais para o menor indício de romance, Peter tirou as calças e a camisa. Ele se aproximou de Mary com movimentos como... sim, é assim que um gorila se aproxima de uma banana que está morrendo de vontade de comer. Ele cheirava a suor e cerveja quando se deitou ao lado de Mary, sua pele úmida ao toque, mas ainda havia algo poderoso em seu corpo e seus músculos estavam duros e tensos. Possivelmente, pensou Mary, havia mulheres que o achavam atraente. Se ele não fosse tão fleumático, provavelmente a teria traído o tempo todo.

Como sempre, ele a tratou rudemente, menos brutalmente do que desajeitadamente e com indiferença, mas felizmente tudo acabou rapidamente. Enquanto ele gemia, Mary prendeu as pernas em volta da cintura dele, forçando-o mais fundo dentro dela, e pensou, selvagem e furiosa ao mesmo tempo, Faça-me um bebê! Oh Deus, por favor, faça-me um bebê!

Ela sentiu uma certa sensação de satisfação. Ele não tinha ideia do que poderia acontecer. Inflexível que ela estava tomando pílula. Ela não faz isso há dez semanas. Oh, sim, preparei tudo muito bem, pensou ela.

Ele saiu dela, rolou para o lado e começou a roncar. Ela sabia que ele sempre adormecia logo depois, mas durou apenas cinco minutos, então ele acordou e estava com sede. "Você pode me trazer uma cerveja?" ele rosnou. Cada vez que ela entrava na cozinha, pegava uma cerveja na geladeira, um copo limpo, se sentia humilhada. Às vezes ela se perguntava o que teria acontecido se ela tivesse se rebelado contra o pai. Eu deveria ter ido para a Califórnia, descalço, carregando meu violão pelas montanhas... Ela muitas vezes ria da ideia. Não combinava muito com ela.

Pedro abriu os olhos. "Deus, estou com sede. Você poderia me trazer uma cerveja?"

Maria levantou-se e vestiu o roupão. Talvez já tivesse funcionado. Talvez ela realmente tenha tido um bebê...

Desceu a escada caiada de branco até a cozinha. A senhoria estava à mesa e abriu uma massa de bolo. Ela era uma mulher maternal com bochechas rosadas, olhos azuis gentis e um grande avental branco esticado em torno de seus quadris arredondados.

"Você está confortável conosco?" ela perguntou, sorrindo.

Mary corou e disse: "Sim, eu... acabei de tomar banho..." Ela sentiu a necessidade de explicar para os outros porque ela estava usando um roupão de banho; em nenhum caso ela deve adivinhar a verdade.

"Sim, isso é uma coisa maravilhosa em um dia tão quente", disse a mulher. Ela começou a cobrir a massa com fatias de maçã. Gritos de crianças vinham do jardim. Mary pensou: Que vida linda, tranquila e caseira ela tem. Filhos, uma casa aconchegante, um jardim. Ela provavelmente cultiva cebolinha e feijão lá, e aos domingos eles vão todos juntos à igreja...

"Posso tomar uma garrafa de cerveja?" ela perguntou. "E um copo?"

"Naturalmente. Está na geladeira. Anote e resolveremos depois."

Mary se afastou com a cerveja. Peter já estava de pé e vestindo suas roupas. "Ótimo", disse ele, pegando a garrafa da mão de Mary, "é exatamente disso que preciso agora!" Ele engoliu metade da garrafa e colocou-a sobre a mesa. 'Vou descer para assistir TV. Talvez eles mostrem algo da corrida em Ascot.

Maria agarrou sua mão. "Você se divertiu?" ela perguntou baixinho. Depois de tantos anos, e apesar do cálculo com que o trouxera para sua cama, ainda havia aquele desejo de ternura, aquela fome ardente. Seus olhos imploravam. Peter arregaçou as mangas da camisa. "Mas. Claro que foi bom!" Ele puxou o cabelo dela, doeu. "Bom para variar, não acha?"

"Sim," ela respondeu, forçando um sorriso.

A porta se fechou atrás de Peter. Mary correu para a cama, enroscada como uma criança pequena, envolvendo as pernas com os braços. Ela estava prestes a começar a chorar. Ela tentou focar seus pensamentos em outra coisa - em um bebê. Um bebê, ela estava convencida, mudaria tudo.

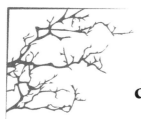

dezembro de 1981

Em outubro, o médico havia confirmado que ela estava grávida. De repente, com medo de que Peter não estivesse tão entusiasmado quanto ela, ela esperou até o início de dezembro antes de contar a ele. Ela preparou cuidadosamente o momento da verdade, decidiu surpreender Peter com um banquete e, em seguida, informou-o cuidadosamente dos fatos. Ela foi até a delicatessen e comprou costeletas de cordeiro, feijão e batatas, e uma salada Waldorf para entrada. Certa vez, Peter foi designado para uma família para a qual ele fazia jardinagem e tem elogiado desde então. Então ela decidiu por um abacaxi maduro e perfumado, cerejas de coquetel, kiwis e uma garrafa de espumante. Ao chegar em casa, passou o aspirador na sala, colocou uma toalha branca sobre a mesa, cobriu os velhos pratos de borda dourada que Peter herdou da mãe e colocou uma vela cor de mel no centro. A luz avermelhada da noite fluiu para o quarto. Ela olhou para o seu trabalho com satisfação. Ela foi até a cozinha e serviu a salada em dois copos altos. De antemão, ela queria oferecer a Peter um copo de xerez como aperitivo, fazer batatas fritas dauphin com as batatas, retirar o abacaxi e enchê-lo novamente com cubos de abacaxi embebidos em porto, cerejas e kiwis e cobrir com chantilly com lascas quebradiças. . Enquanto ela batia o creme, ela ficava cada vez mais enjoada, seu estômago enjoado. Ela deu um pulo quando Cathy entrou na cozinha. "O que é? Você está dando uma festa, mamãe?"

"Papai e eu estamos dando uma festa, querida. Você se importa se comer sozinho em seu quarto esta noite? Apenas hoje! Porque tenho algo para contar ao papai.

"O que?"

"Vou te contar sobre isso mais tarde, também. Eu prometo!"

Cathy resmungou por um momento, mas finalmente concordou em retirar-se para seu quarto. O coração de Mary agora palpitava e ela sentia as palmas das mãos úmidas. Ela tomou banho, lavou o cabelo e colocou um vestido verde que a vendedora disse que combinava muito com seu cabelo. Ela generosamente distribuiu seu perfume das férias no decote e nos braços. Ouvir Peter na porta a fez sentir alternadamente calor e frio.

Ela foi ao seu encontro. "Boa noite, Peter."

Ele tinha bebido. Uma onda de vapor de cerveja a atingiu quando ela se aproximou dele. Ela quis cumprimentá-lo com um beijo, mas ele se afastou. "Noite," ele respondeu mal-humorado.

"Você está cansado? Você parece um pouco exausto!"

'Claro que estou cansado. Você também não estaria cansado, depois de um dia tão longo?"

"Mas. Mas eu também fiz algo especial para você comer."

Ele rosnou algo e passou por ela para a sala de estar. Na porta, ele parou surpreso. "O que diabos isso quer dizer?"

A luz das velas tremeluzia em pratos e copos. Os olhos de Peter estavam cheios de raiva. "Isso é sobre o quê?" ele repetiu com um tom perigoso em sua voz.

— Temos algo a comemorar, Peter. Então preparei uma refeição especial. É realmente uma coisa linda que tenho a dizer a você."

"Comemorar? Você diz que estamos festejando?" Atirou-se no sofá, olhando com nojo para as taças de champanhe: "Você não toma uma cerveja?"

Ela correu para a cozinha e trouxe uma cerveja. Tudo deu errado, tudo deu errado agora. Ele estava com um péssimo humor, pior do que de costume, e além disso já tinha bebido. Ele sempre ficava agressivo quando bebia. Mas quando ele bebeu? ela pensou. Depois de um tempo, ele voltou direto para casa do trabalho.

Quando ela entrou na sala, a televisão estava ligada. Eles estavam exibindo Coronation Street, a série interminável sobre um casal de famílias que viviam na mesma rua. Peter era viciado em séries.

"Gostaria de experimentar um pouco da salada?" Maria perguntou timidamente.

"Não estou com fome."

A essa altura ela estava realmente assustada. E se Peter agora se sentisse traído? Afinal, ele estava convencido de que ela tomava pílula. Ela serviu a salada em silêncio. Ela não gostou, sua garganta estava apertada e seu estômago se rebelou. Ela desejou que aquela peça boba da TV acabasse, sentindo-se esmagada pelas vozes excitadas que tagarelavam.

"Delicioso", murmurou Peter, "realmente de muito bom gosto, toda a sua encenação aqui."

Mary ergueu os olhos da salada. "O que voce quer dizer?"

"Comemore! Especialmente hoje! Hoje, de todos os dias, você acha que temos que comemorar alguma coisa! Isso é realmente quase bom de novo!"

"Eu não entendo ..."

— Não, madame não entende! Claro que não. Você acha — ele deu a ela um olhar malicioso —, você acha que eu vim direto para casa do trabalho?

"Sim, eu pensei..."

"Você pensou de novo! Você pode ver que eu andei bebendo! Eu devo ter estado em um bar então, não devo?"

Quando ela não respondeu, ele gritou: "Droga, eu preciso!"

"Sim. Suponho que você deve."

"Você vê. E porque? Quero te dizer, quero te dizer qual é o motivo que temos para comemorar o dia de hoje. Uma razão fantástica, maravilhosa!' Ele inclinou a cabeça para trás e caiu na gargalhada. »Celebramos a minha liberdade! A liberdade de Peter Gordon! Você gosta de ter um homem livre?

"Um homem livre?" Ela olhou para ele, confusa e com medo. Ele abaixou o copo de cerveja com um estrondo. "Sim, de fato. Sou um homem livre desde o meio-dia de hoje. Desde que me demitiram."

"Peter!"

"Peter," ele zombou dela. "Sim, a senhora não esperava isso! O seu marido está desempregado, senhora. Os bons tempos acabaram!"

Que bons tempos, ela se perguntou, meio entorpecida pelo choque. Um trem rugiu lá fora. Por segundos ele abafou as vozes na TV.

"Sem mais camarão e sem mais champanhe", Peter continuou quase alegremente, "e, claro, sem viagens de férias. Os subsídios de desemprego são escassos. Vamos ter que nos esticar bastante para passar!' Ele não disse nada, é claro, sobre o dinheiro que ainda recebia do pai de Mary. Ele gostava de assustar Mary.

Ela não conseguia pronunciar uma palavra. Peter relaxou no sofá. "Então. Agora é a sua vez. O que você ia comemorar naquele maldito dia?"

Ela entendeu tudo isso muito lentamente e com dificuldade. Preciso contar a ele, pensou, não posso mais adiar.

"O que eu queria comemorar? Eu... bem, nós..."

"Eu não entendo uma palavra."

"Nós vamos ter um bebê, Peter."

Agora ele estava sem palavras. Na verdade, ele não conseguiu encontrar as palavras por alguns minutos. Então, finalmente, completamente atordoado, ele disse: "Isso não pode ser verdade!"

"Mas. Eu sei desde o meio-dia de hoje. É bastante seguro."

"Você está tomando pílula! Não há absolutamente nenhuma maneira de você estar grávida!"

"Eu tenho..." ela não ousou olhar para ele. "Faz um tempo que não tomo."

"O que?"

— Por favor, Peter, não fique zangado comigo. Eu queria tanto ter um filho com você. Eu queria tanto. Eu ainda quero agora. Entenda que..."

Peter deu um pulo e desligou a TV. Então ele se virou para Maria. Ela nunca o tinha visto tão zangado antes.

"Droga", ele disse muito suavemente, "você está indo longe demais com suas piadas."

Ela não respondeu, porque podia ler em seus olhos que ele sabia que ela não estava brincando. De repente, de um segundo para o outro, ele rugiu: "Sua vaca! Sua vaca estúpida! Você me enganou! Daí toda a merda, roupa de cama nova, perfume e um quarto só para nós! Tudo planejado por você para arrancar uma criança de mim! E eu, idiota, ainda acho que o ar do mar faz maravilhas porque, de repente, minha esposa me quer de volta em sua cama! Você queria o diabo! Como um garanhão reprodutor eu estava bem com você, nada mais, você tem..."

"Peter, por favor! A casa inteira pode ouvir!"

"E se sim! Você acha que isso me interessa? Vocês vão notar se um bebê chorar de repente aqui!"

"Eu não te conhecia..."

222

"O quê? Você está dizendo que pensou que eu era feliz? Não minta para mim! Você não poderia ter certeza, caso contrário não teria que fazer tudo isso secreta e insidiosamente! Você queria me apresentar um fato consumado, e então você acreditou que não havia mais nada que eu pudesse fazer e que acabaria abraçando você feliz. Mas você estava errado sobre isso. Estou te dizendo, eu não quero esse filho. De jeito nenhum e sem preço!

As lágrimas agora escorriam pelo rosto de Mary, contra as quais ela vinha lutando tão tenazmente o tempo todo. 'Como você pode dizer uma coisa dessas? Como você pode..."

'Posso falar o que eu quiser, entendeu? E vou te dizer mais uma coisa agora: Claro que você vai ao médico. E vamos dar alguns conselhos sobre como... bem, caramba, o que você pode fazer para evitar que essa criança nasça. Está claro?"

Ela o encarou, quase cega pelas lágrimas e pelo desespero. "É do seu filho que você está falando também, sabia? Seu filho, a quem você quer condenar à morte!"

Peter mal conseguia controlar sua raiva. 'O que você quer dizer com sentença de morte? Eu nunca quis que isso vivesse! Eu não tinha ideia do que você estava fazendo! Em meus sonhos mais sombrios, nunca teria me ocorrido que você pudesse ser tão estúpido, tão profundamente estúpido! Você quer colocar outro bebê naquele buraquinho! Você pode me dizer onde planejamos colocá-lo? A gente já tá pisando no pé da outra, mas a senhora quer muito que outra pessoa ande por aqui para que fique bem incômodo! Uma excelente ideia, realmente! Principalmente agora que temos que viver com meu seguro-desemprego. Mas não lhe ocorre que talvez não seja capaz de assumir a responsabilidade por isso. Você cede a todas as ideias idiotas que surgem em sua cabeça. Mas não comigo. Esta criança não vai nascer." Ele bateu a garrafa de cerveja na mesa e se levantou. "Não importa", ele rosnou, "eu vou voltar para o pub. Está ficando muito estúpido para mim aqui!"

A porta se fechou atrás dele. Cathy saiu de seu quarto intimidada. "Mamãe, por que você está chorando?"

Maria tentou enxugar as lágrimas. — Está tudo bem, Cathy. Nada aconteceu. Vá para o seu quarto, estarei aí com você. Eu só tenho que fazer um telefonema rápido primeiro.

Suas mãos tremiam tanto que ela mal conseguia segurar o fone. Ela teve que começar a discar três vezes porque estava tão nervosa que estava discando os números errados. Finalmente houve um toque constante e, finalmente, um clique. "Esta é a secretária eletrônica de Natalie Quint..."

Natalie sentou-se na sala de maquiagem do estúdio de TV tentando relaxar. Trinta minutos até o talk show dela. Duas entrevistas ao vivo com personalidades proeminentes. Uma delas – Claudine Combe – era uma jovem atriz da França que, até algumas semanas atrás, era completamente desconhecida. Ela interpretou Ophelia no Old Vic e recebeu uma tempestade de aplausos da crítica e do público. Desde então, tem sido considerada a maior nova descoberta na história do teatro inglês nos últimos vinte anos. A segunda convidada foi Liza Minelli, que por acaso estava na Inglaterra na época. A BBC ficou imensamente orgulhosa de tê-la contratado para uma entrevista.

A maioria dos colegas de Natalie releu rapidamente seu conceito na máscara ou memorizou as palavras introdutórias. Natália nunca o fez. Ela tentou relaxar enquanto uma esponja de maquiagem acariciava seu rosto, mãos habilidosas a polvilhavam com pó e blush, enquanto seus lábios eram cuidadosamente delineados e preenchidos, e seus cílios fortemente rímel. Ela ouviu o zumbido calmante e constante do secador de cabelo. Nancy, a maquiadora, havia borrifado fixador no cabelo e agora estava pinçando as mechas individuais e usando o secador para ajudar a mantê-las no lugar.

— Agora você realmente não precisa ficar nervosa, Natalie. Todo mundo vai pensar que você é linda."

Natalie abriu os olhos. Com a ajuda de maquiagem, pó e blush, ela parecia muito saudável e enérgica. Ela usava um elegante terno de linho ruivo com uma blusa de seda creme por baixo, como sempre um pouco rígido demais para sua idade, mas muito adequado ao seu rosto.

"Não estou nem um pouco nervosa, Nancy", disse ela.

Isso não era verdade e ela sabia disso. Ela estava tão nervosa quanto um ser humano poderia estar, e sem o Valium ela poderia simplesmente ter fugido. O show desta noite foi o terceiro que ela apresentou.

"É sempre mais difícil no começo", disse a produtora confortavelmente enquanto se agachava em sua cadeira como um monte de miséria e olhava para as câmeras em pânico antes de seu primeiro show. 'Mas a coisa toda está virando rotina, acredite. Um dia isso não será mais um problema."

Não há problema algum! Às vezes ela pensava com raiva: O que você sabe sobre meus problemas! Não estava melhorando, ela tinha a impressão, estava piorando. O Valium era coisa do diabo e, por mais que precisasse, odiava. Acalmava-se na superfície, tornava-se tonto e fleumático e estendia-se como uma mão fria sobre as terminações nervosas que se contraíam. Mas o formigamento continuou por dentro, o medo à espreita pronto para atacar, a necessidade de gritar ainda sentida - apenas o sino do Valium do lado de fora impedia qualquer grito.

"Você realmente não precisa ficar nervosa", disse Nancy agora e colocou um pouco mais de gloss nos lábios de Natalie. "Eu sempre acho que não é bom. Você tem que passar por isso de qualquer maneira, e você só torna sua vida miserável se ficar chateado com isso.' Nancy tinha sua própria filosofia sobre cada assunto e estava disposta a compartilhá-la. Não adiantava tentar fazê-la entender que algumas pessoas eram mais complexas do que ela.

Agora desamarrou Natalie da capa de seda que colocara sobre os ombros por precaução e voltou a escovar brevemente o vestido. "Então, pronto, Natalie!"

- Obrigado, Nancy. Você foi ótimo, como sempre. Natália levantou-se. Estou muito calma, disse a si mesma implorando, nada pode me acontecer, tenho meus comprimidos na bolsa e se estiver passando mal posso tomá-los a qualquer hora.

Ao entrar no estúdio, ela agarrou a bolsa como uma mulher que se afoga agarra o famoso canudo.

Claudine Combe, uma jovem loira delicada, estava ainda mais nervosa que Natalie e isso a acalmou um pouco. Ela não estava sentada diante de uma estrela internacional bem-sucedida, impulsionada ao desempenho máximo pelo fato de que tudo o que ele dizia estava sendo filmado. Essa coisa altamente sensível, talentosa e delicada precisava de ajuda para sobreviver aos próximos quarenta minutos. Natalie iniciou a conversa de maneira amigável e sensível. Claudine, que estava completamente tensa no início, relaxou visivelmente e foi ficando cada vez mais relaxada. Natalie se certificou disso também. Ela sabia que era boa.

Seria ridículo se o Valium me deixasse para baixo, ela pensou enquanto Claudine explicava por que ela amou Shakespeare toda a sua vida.

Ela não deveria ter pensado na palavra "Valium". O tempo todo seus pensamentos estavam completamente concentrados em Claudine, a quem ela tinha que ajudar repetidamente. Agora a garota se absolveu e, por um segundo, Natalie não prestou atenção, deixou-se levar.

O medo imediatamente surgiu nela. Ela veio com todos os sintomas familiares: suor por todo o corpo, dedos trêmulos, joelhos fracos, batimentos cardíacos acelerados e garganta apertada. Os ouvidos de Natalie começaram a rugir, ela só ouvia a voz de Claudine de longe. Desesperadamente, ela olhou para o grande relógio do estúdio. Mais dois minutos e o primeiro round acabou. Antes de chegar a vez de Minelli, uma banda de jazz de Nova Orleans tocaria por sete minutos. Sete minutos... tempo suficiente para correr ao banheiro e engolir um comprimido.

Uma pílula a colocaria de pé rapidamente, isso era certo. Agora se ela... ela tivesse um copo de água mineral ao seu lado. Mas era muito perigoso. Se a câmera focasse nela naquele exato momento, o jornal do dia seguinte diria que o apresentador do Weekly Adventure estava tomando estimulantes ou que ela sofria de uma doença grave. Ela olhou para o relógio novamente. Só um minuto.

As paredes pareciam vir em sua direção. Isso foi o pior. Isso às vezes acontecia com ela em quartos fechados, e então ela começou a perder o rumo. Aqui também havia um ar para cortar... Ela começou a respirar com dificuldade. Por que diabos ela não colocou um vestido decotado que deixou seu pescoço exposto? A blusa com o laço quase sufocava sua respiração, mas ela não podia simplesmente desfazer o laço.

Seu rosto estava molhado. Provavelmente estou ficando sem pó, ela pensou, e Nancy fez minha maquiagem tão lindamente!

Apesar da névoa que a cercava, ela notou que Claudine havia parado de falar. Ela tinha que dizer algo agora. Qual foi a última coisa que Claudine falou? Natalie sorriu, mas – não posso apenas sorrir nos últimos 45 segundos, ela pensou.

"Obrigada, madame Combe", disse ela com uma voz que não soava familiar à dela, "obrigada pela entrevista."

Quarenta segundos antes! Ela não viu a expressão indignada do produtor e suas mãos acenando. Ele a conhecia, ela não teria mais nada a dizer por Deus agora. A banda de jazz ainda não estava pronta e por alguns segundos ninguém sabia o que fazer. O cinegrafista se revezava para tirar fotos de Claudine e Natalie, mas como nenhuma delas falava nada, essas fotos não davam muito.

Por fim a banda começou com estrondo logo na primeira nota, a luz vermelha da câmera responsável pelos músicos acendeu. Natalie levantou-se imediatamente e caminhou cambaleante até a porta do estúdio. O produtor correu para encontrá-la. "O que é que foi isso?" ele sibilou. 'Você não checou o relógio? Você terminou muito cedo!

"Desculpe."

"Realmente não deveria acontecer. Você também não respondeu à última declaração de Claudine Combe. Quase tive a impressão de que você realmente não a ouviu no final.

Sem responder - porque não tinha forças para fazê-lo agora - ela abriu a porta e saiu para o corredor.

"Senhorita Quint!" ele disse bruscamente. Um dos cinegrafistas se virou e colocou o dedo na boca em advertência. Natalie não se importava. Ela tropeçou pelo corredor até a porta marcada como banheiro feminino. Lá dentro, ela se encostou na parede fria de azulejos. Ela podia ver seu rosto no espelho; ela estava mortalmente pálida apesar da maquiagem, com olheiras amarelas profundas sob os olhos; quebrada, ela parecia tão quebrada! As palavras do médico ecoaram em seu ouvido: "Você pode se viciar nessas coisas!"

Ela tinha pouco controle sobre as mãos enquanto vasculhava a bolsa em busca dos comprimidos. Quando ela não encontrou a caixa imediatamente, ela entrou em pânico. Ela não seria capaz de fazer o Minelli sem uma pílula. Jogava no chão tudo o que encontrava, chaves do carro, carteira, batom, um pacote de chicletes, pente, lenços de papel... enfim, no fundo, os comprimidos. Natalie colocou as mãos em concha com água, engoliu o

227

comprimido e respirou fundo. Ela se sentiria melhor agora. Seus ouvidos parariam de zumbir e as paredes ficariam retas novamente. Ela poderia voltar ao estúdio e terminar o show, e seria perdoada pela gafe que cometeu antes. Basicamente tinha sido bom, a conversa com Claudine tinha tido força e profundidade.

"Estou bem", ela disse para seu rosto, que estava olhando para ela no espelho, séria e com os olhos arregalados e começando a recuperar um pouco de cor, "eu só preciso me livrar dessa maldita coisa."

A porta se abriu e Claudine Combe entrou. Surpresa, ela olhou para Natalie, que se olhava no espelho, e para o conteúdo de sua bolsa espalhado por toda parte. "Você está bem, Srta. Quint?"

Natália estremeceu. "Oh, Claudine... sim, está... está tudo bem..." Ela notou que os olhos de Claudine estavam na caixa de comprimidos e rapidamente os guardou no bolso de sua jaqueta.

'Eu estava preocupada com você', disse Claudine, 'você não estava se sentindo bem nos últimos minutos de nossa conversa. Você parecia muito doente.

"Me desculpe se eu não estava prestando atenção", disse Natalie, um tanto rígida. "Na verdade, não me senti muito bem por um momento. Eu tinha perdido o fio.'

"Você foi maravilhoso", disse Claudine calorosamente. "Você tornou tudo tão fácil para mim. Foi por isso que senti tanto quando percebi o quanto você se sentia mal. Você está realmente melhor agora?

"Claro", Natalie a assegurou. Ela olhou para o relógio. "Tenho que voltar para o estúdio, vai ser o Minelli em dois minutos."

As duas mulheres se agacharam no chão e guardaram a bolsa. Natália ergueu os olhos. "Você não tem que me ajudar, Claudine." Seus olhos encontraram os dos outros. Ela não tinha notado antes que Claudine tinha olhos verdes, verdes como grama, com pequenas manchas douradas neles.

Como ela é linda, pensou Natalie. Ela acordou. "Eu tenho tudo, eu acho", disse ela. — Obrigado, Claudine. Você vai ficar até o final do show?

"Naturalmente."

"Então talvez possamos tomar uma taça de vinho juntos em algum lugar mais tarde. Se você quiser..."

Claudine olhou para ela por um longo tempo. "Eu adoraria fazer isso, Natalie."

"Em ordem. Agora tenho que me apressar." Natalie já estava fora de casa. A pílula funcionou. Enquanto ela caminhava pelo corredor, ela se sentia ótima e cheia de energia.

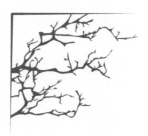

2

O rosto de Mary estava tão pálido e pontiagudo que Natalie temeu que a amiga fosse desmaiar. Ela agarrou a bolsa com tanta força que os nós dos dedos se sobressaíram. Seu olhar parecia atormentado e quase em pânico.

As duas mulheres estavam em um táxi, que estava parado no meio do trânsito de Londres e não podia andar para frente ou para trás no momento. Natalie se inclinou para a frente e empurrou para trás o vidro que a separava do motorista do carro. — Podemos chegar à Marylebone Road às cinco? ela perguntou.

— Difícil dizer, mãe. Mas ainda pode funcionar.«

"Nós deveríamos ter pegado o ônibus," Mary guinchou. Ela defendeu isso desde o início, principalmente porque não tinha dinheiro para um táxi. Mas Natalie ficou muito enérgica. "De jeito nenhum! Você vai precisar de sua força para fazer o que vai fazer, e é absolutamente assustador andar de ônibus neste momento."

"Mas..."

- Eu pago o táxi. Por favor, não se preocupe com isso!"

"Se nos atrasarmos", disse Mary agora, "Madame LeCastell pode mudar de ideia."

"Com o dinheiro que ela está ganhando", Natalie respondeu cheia de convicção, "ela definitivamente não vai mudar de ideia, aposto que ela!"

Durante o resto da viagem, os dois ficaram em silêncio. Era uma tarde clara e seca de dezembro, o primeiro crepúsculo caía sobre as casas, as luzes se acendiam nas janelas e se refletiam nas águas do Tâmisa. Os pedestres ao longo da margem empurravam folhas farfalhantes à sua frente a cada passo. Inverno de novo, pensou Natalie, as árvores de Natal estão brilhando na Regent's Street e a Harrod's está brilhando como um palácio feito de glacê. Que bela cidade é Londres!

Estava ficando tarde naquela noite com Claudine, e Natalie só voltou para seu apartamento por volta de uma e meia. Ela verificara a secretária eletrônica mais por hábito do que por interesse. David foi o primeiro a responder. "Natalie, este é David. Estou ligando de Nova York, mas estarei em Londres na próxima semana a negócios. Acho que seria bom se pudéssemos nos encontrar para jantar. Me ligue de volta..." Seguiu-se um número.

"Você pode esperar muito tempo", disse Natalie em voz alta. "Desista, David!"

A voz de Mary veio em seguida, em pânico e muito mais aguda do que o normal. "Nat, por favor, me ligue assim que puder! Eu realmente preciso falar com você. Aqui está meu número de novo..."

Natalie não ousou ligar naquela noite porque a pobre Mary provavelmente teria problemas com seu terrível marido. Mas na manhã seguinte, logo após o café da manhã, ela discou o número de Mary.

"Natalie, eu tenho que encontrar alguém para tirar meu filho de mim..."

O assunto revelou-se extremamente difícil, pois por mais que procurassem, não conseguiam encontrar um médico disposto a realizar a operação. Em sua maneira não mundana, Mary havia esperado muito tempo. Ela estava grávida de quinze semanas e eles não conseguiram encontrar ninguém que não se esquivasse de tal risco.

Nat também ficou nervoso e tentou dissuadir Mary de seus planos, mas Mary simplesmente começou a chorar, balançando a cabeça e olhando para ela com tanto desespero que Natalie entendeu a gravidade da situação. Ela conseguiu localizar Madame LeCastell, que arranjava abortos para mulheres como Mary, ou para aquelas que precisavam ter certeza de que em nenhuma circunstância alguém ficaria sabendo disso.

Natalie se ofereceu para acompanhar Mary e pagar pelo procedimento. "Tenho certeza que você pode retribuir o favor algum dia, Mary. Agora não faça fila e pegue o dinheiro!" Mas ela estava muito preocupada com Mary. Quando eles desceram na Marylebone Road - às cinco e sete - ela perguntou: 'Mary, você realmente quer isso? Você sempre pode mudar de ideia, você sabe disso!"

Mary virou-se, desacostumada a ver seus olhos brilharem. "Eu não posso fazer isso! Peter não quer o filho, ele só vai intimidá-lo e dificultar sua vida em geral. E eu também não posso deixá-lo, com dois filhos e sem emprego!"

Natalie olhou quase furiosamente para o rosto pontiagudo e pálido e pensou: Nenhuma mulher deveria mais falar assim hoje em dia. Os tempos acabaram. Hoje nós somos os artífices da nossa própria felicidade, você também, querida Maria!

Madame LeCastell morava em uma bela casa antiga, no andar de cima, em três cômodos minúsculos que deviam ter sido os aposentos dos empregados. As paredes eram tão inclinadas que você só podia ficar de pé no meio. Estranhas pequenas esculturas de argila espalhavam-se por toda parte, com bolas de vidro e conchas entre elas, lâmpadas pintadas de vermelho penduradas no teto, lenços de seda de todas as cores espalhados sobre poltronas e cadeiras. Não havia almofada, cortina ou manta que não fosse enfeitada com volumosas borlas ou borlas. Fotografias emolduradas cobriam as paredes: Madame LeCastell em todas as esferas da vida e do país, agachada de pernas cruzadas entre os índios, capacete na cabeça caminhando pelas selvas da Nova Guiné, chineses de olhos puxados nas ruas movimentadas de Hong Kong e - como o pico do grotesco - nas costas de um camelo em frente às pirâmides egípcias. Madame LeCastell pesava uns bons duzentos quilos, e nem mesmo as vestes de seda esvoaçantes com as quais ela se envolvia conseguiam escondê-lo. Ela usava uma peruca cacheada vermelho-tizian e um diadema de prata em volta do pescoço que era tão apertado que parecia sufocá-la. Ela estava com raiva porque Mary e Natalie estavam tão atrasadas. "Eu não perdi meu tempo!" ela gritou. 'Cinco horas foi combinado, e quando você vem? Se ao menos o médico tivesse ido embora agora!

Acontece que o Doutor nem estava lá. Mary e Natalie foram colocadas em um sofá em uma das pequenas salas - ela não deve ter arejado aqui por dez anos, Natalie pensou - que então caiu quase no chão com um suspiro. Poeira levantou-se dos travesseiros com cheiro de mofo. Mary parecia tão infeliz que Natalie procurou algo para distraí-la. Ela deveria contar a ela sobre Claudine? Não, melhor não, Mary não era exatamente a pessoa certa para isso e Natalie não queria envergonhá-la.

"A propósito, David está na Inglaterra", disse ela, "ele queria me conhecer, mas é claro que recusei."

"Claro", disse Mary, e Natalie ficou surpresa com o tom de sua voz.

Como ela o odeia, pensou espantada.

Às quinze para as seis apareceu o médico que madame LeCastell costumava contratar para seus clientes. Ele arrecadaria dois terços dos belos honorários que a velha havia pedido, e ela o terço restante.

"Venha comigo", Madame LeCastell disse a Mary. "Tire a roupa e deite-se na cama."

Maria levantou-se, tremendo como uma folha. Quando Natalie estava prestes a se levantar também, Madame LeCastell disse: "Você fica aqui."

— Eu vim com você para ajudar Mary. Quero estar presente durante o procedimento.«

'Então o médico não vai funcionar. Por uma questão de princípio, ele não permite que seus parentes assistam. Estou aqui para ajudá-lo e isso basta!'

"Agora a senhora quer ou não?" veio a voz impaciente do médico.

— Não importa, Natalie. Espere por mim aqui. Mary parecia morta quando entrou na sala ao lado. Ela teve permissão para se despir atrás de uma tela e depois subiu na cama alta. Enquanto se espreguiçava, pensou que nunca se sentira tão miserável em sua vida. Madame LeCastell deslizou os pés por duas presilhas de couro e apertou as tiras. Mary sobressaltou-se horrorizada. "Por favor, não... por favor, não me amarre!"

'Sem frescuras para você, pequenino. O que você acha, depois dói, aí você começa a chutar, aí acontece outro acidente. Não, o médico insiste que seus pacientes usem cintos de segurança.

Ela estava deitada de costas, as pernas dobradas e abertas, seu corpo vulnerável aos instrumentos frios e brilhantes do médico. Seus olhos se encheram de lágrimas ao pensar que agora ele usaria aquelas ferramentas para penetrá-la e arrancar seu filho, esse filho que ela tanto desejara, para fora do ninho quente do útero. Ela também estava apavorada.

"Vai doer muito, Madame LeCastell?" ela perguntou suavemente.

"Não é moleza, mas as garotas antes de você passaram por isso, então superem isso."

O médico havia lavado bem as mãos e agora se aproximava da cama. "Quantos anos você tem?" ele perguntou asperamente.

"Acabei de fazer vinte anos."

"Você já deu à luz?"

"Sim, há dois anos."

"Hm..."

Isso é bom ou ruim, Mary quis perguntar, mas não ousou. Ela sentiu o metal frio entre as pernas e pôde sentir seu corpo apertar.

"Não tenha cãibras!" o médico estalou para ela. "Você só está tornando as coisas mais difíceis para nós dois!"

"Estou tentando", disse Mary firmemente. Ela realmente tentou. Ela tentou pensar em algo inócuo e bonito - verão, férias à beira-mar, a linda casa em que moraram. Ela costumava gostar de ir à praia com Cathy todas as manhãs e construir castelos de areia e segurar suas mãos enquanto corria. em direção à água e guinchando alto enquanto as ondas batiam nela...

"Oh, não..." Ela gemeu alto.

Uma dor percorreu seu corpo, tão violenta e repentina que ela não conseguiu reprimir um grito. Ela podia sentir o suor saindo de ambos os lados de suas narinas.

"Shhh!" sibilou Madame LeCastell.

A mente de Mary se afastou das férias, voltando para seus dias em Saint Clare. Isso também foi bom, às vezes ela até se sentia completamente despreocupada lá. Até aquela noite em Londres. Foi anos atrás, décadas, uma vida inteira? Ela se lembrou do momento terrível quando David se foi, oh ela estava com medo, com tanto medo! Seria este o fim do caminho que havia começado naquela noite? Ela sentiu a raiva apertar dentro dela, como um punho grande e forte que pode e quer socar.

Eu o odeio, eu o odeio, ela pensou, e nem mesmo se surpreendeu que seu ódio não significasse nem Peter nem seu pai, apenas David. Davi sozinho. Talvez ela pudesse superar isso se o odiasse com todas as forças que tinha. A dor agora era quase insuportável. Eles brilhavam até as pontas dos dedos dos pés e até as têmporas. O metal dentro de Mary parecia enorme e afiado como uma navalha, e era frio, tão frio! De longe ela ouviu o médico dizer: "Vou começar a excisão agora."

Só então Maria percebeu que estivera chorando, seu rosto estava molhado, até os cabelos presos nas têmporas. Ela provou sangue. Ela tinha mordido o lábio? A dor tomou conta dela em ondas, mas Mary estava completamente imóvel agora, exausta demais para lutar, convencida de que a dor nunca iria acabar e que não havia mundo além.

"Feito", disse o médico. Doeu muito de novo quando ele tirou os instrumentos dela, e ainda doeu depois disso, mas não era mais insuportável. Mary podia ver que Madame LeCastell estava carregando uma pilha de trapos ensanguentados e também estava ocupada com outras coisas.

"Tchau", disse o médico severamente. Mary, agora não mais dependente de sua boa vontade, não respondeu, apenas virou a cabeça para o lado. Adeus! Ela nunca mais queria vê-lo enquanto não estivesse viva.

Madame LeCastell estendeu um cobertor sobre Mary e disse: "Você pode ficar aqui por meia hora, então, por favor, vá. Realmente não deve haver mais complicações. Em casa, é melhor você ficar na cama por uma semana."

De repente, o suor em seu corpo esfriou e Mary começou a congelar. Menos de dois minutos depois ela estava tremendo de frio e seus dentes batiam.

"Provavelmente alguma febre", Madame LeCastell diagnosticou. 'Não é incomum. vai se acomodar."

O ruído fraco do tráfego subia da rua. A escuridão além das janelas cheia de fantasmas. Mary já estava caindo em um torpor que não podia ser claramente distinguido: ela estava em casa? Ou ela estava em Saint Clare? Não, ela estava em casa, mas onde estava o trem que deveria ter passado pela janela há muito tempo? Lágrimas brotaram em seus olhos novamente porque ela não sabia onde estava. Então uma sombra se inclinou sobre ela. "Mary! Você sobreviveu! Sou eu, natalie, estou com você!" Natalie... ela estava em Saint Clare afinal. Então tudo estava bem. Ela agarrou a mão de Natalie, deixou sua cabeça cair para o lado - e adormeceu. Ela sonhou com uma haste de prata cavando em seu estômago, torcendo e girando de novo e de novo.

Ao mesmo tempo, Steve Marlowe estava sentado em um escritório mobiliado de maneira muito austera perto do Hyde Park, ouvindo uma mulher magra e de cabelos grisalhos que o olhava com severidade. "Bem, acho que você tem tudo planejado agora", disse ela, "e espero que se mostre digno da confiança da Sra. Gray em você!"

"Farei o possível", respondeu Steve da maneira educada e correta que lhe garantiria uma carreira bancária tranquila, "obrigado pela cooperação."

"Sra. Gray vê como seu dever dar uma chance àqueles que não a encontram em outro lugar — disse a mulher magricela, alisando presunçosamente a blusa branca lisa, que de qualquer maneira não mostrava o menor vinco. Ela endireitou um par de lápis, colocou o vaso com os ramos de pinheiro na janela e se levantou. — Então, Sr. Marlowe, este é o seu escritório a partir de hoje. Se você tiver alguma dúvida, pode sempre entrar em contato comigo. «

"Obrigado", disse Steve, também de pé. Ele pensou consigo mesmo: Maldita velha bruxa! Você se considera o maior benfeitor da humanidade, assim como sua sagrada Sra. Grey, mas você só faz o bem para poder se elevar acima dos outros e humilhá-los novamente todos os dias.

A Sra. Gray era uma velha viúva rica que fora bonita o suficiente em sua juventude para se interessar por um homem que pudesse lhe proporcionar uma vida de luxo com brilho e glamour. Nicolas Gray era um negociante de arte de Londres que havia ganhado muito dinheiro e agora tinha os dedos em todos os tipos de negócios. Apaixonou-se pela Patrícia de cachos dourados e olhos azuis, que sabia sorrir coquete e olhá-lo como se fosse um deus, e até sua morte não percebeu que ela não estava falando dele, mas sobre o dinheiro dele. Ele deixou para ela uma fortuna de cerca de dez milhões de libras. Naquela época, Patrícia tinha 52 anos.

A beleza de Patrícia sempre fora menos um dom da natureza do que o resultado de uma disciplina férrea e do uso de todos os cosméticos imagináveis. Ela passava a maior parte do tempo com esteticistas, cabeleireiros, em academias de ginástica, em fazendas de beleza e sob as mãos de seu massagista. Acima de tudo, ela estava morrendo de fome. Sua composição genética, ou seja lá o que diabos por trás disso, ela pensava como uma mulher voluptuosa, pesada, ligeiramente transbordante e, portanto, cada mordida, por menor que fosse, tinha um impacto imediato nela. Mas Patrícia tinha na cabeça ser como uma gazela de pés leves e não ter um pingo de gordura por todo o corpo. Ela estava morrendo de fome, quase morrendo de fome; Durante décadas, ela só conseguiu adormecer com quantidades crescentes de pílulas para dormir, porque, caso contrário, inevitavelmente passaria a noite toda tendo alucinações de salada de macarrão com maionese e creme com chantilly.

Por fim, ela decidiu: a partir do dia em que ficar viúva, comerei qualquer coisa que eu goste!

Isso é exatamente o que ela fez. Assim que Nicolas foi para a clandestinidade, ela se jogou em todos os prazeres epicuristas com os quais ela apenas sonhara antes, e menos de seis meses depois ela já estava pesando trinta quilos, doando todas as roupas apertadas, caras e que abraçavam o corpo e embrulhando doravante apenas em mantos esvoaçantes. De repente , ela era uma mulher gorda e feliz que se sentia muito melhor do que nunca. Ela morava em uma propriedade herdada de Nicolas, com uma matilha de cachorros e a mal-humorada Srta. Hunter, que trabalhava como sua secretária e era devotada a ela em todos os sentidos.

Agora que seu tempo não era mais gasto cultivando sua beleza, Pat Gray precisava encontrar algo para concentrar suas energias, e foi assim que ela descobriu sua veia social. Ela decidiu doar sua vasta riqueza para os necessitados. crianças. Ela não teve filhos porque a gravidez teria prejudicado muito sua figura e, em retrospecto, ela se arrependeu amargamente.

"Como eu fui estúpido!" ela disse para a Srta. Hunter. "Mas agora pelo menos vou fazer algo pelos filhos dos outros!"

Ela entrou em contato com a Associação Inglesa de Bem-Estar Infantil e depois que eles aceitaram com relutância que ela não queria apenas ser uma doadora, mas queria ser uma parte ativa, ela foi eleita para o conselho e teve permissão para desempenhar um papel fundamental na todas as decisões a partir de então. Ela montou um escritório exclusivo em Londres e começou a trabalhar. Ela estava em pé de guerra contra os orfanatos ingleses superlotados, mas também estava empenhada em ajudar crianças famintas no terceiro mundo. Ela viajou pessoalmente para Calcutá, observou Madre Teresa e suas irmãs trabalhando e voltou profundamente impressionada. "Remédios e comida têm que ir lá regularmente", disse ela, "precisamos de dinheiro, dinheiro, dinheiro!"

Fosse na Índia, na África, nas favelas do Rio ou de Hong Kong, Pat Gray estava comprometido com todos. Ao mesmo tempo, ela ajudou a financiar abrigos de animais nos países do sul porque a situação dos cães e gatos famintos tocou seu coração. Você podia vê-la falando em uma manifestação contra o abate de baleias ou contra os testes em animais, além de fantasiada de Papai Noel em um orfanato inglês, onde distribuía montanhas de presentes e sorria como se fosse ela mesma quem estivesse recebendo os presentes .

"Ela é um anjo", diziam as pessoas sobre ela, e os tablóides comemoravam: "Pat Gray - um conto de fadas moderno!"

Quanto a Steve, ele não compartilhava dessa avaliação e, se tivesse alguma chance, teria fugido do escritório e da imaginária Srta. Hunter imediatamente. Mas ninguém em todo este maldito país parecia disposto a dar-lhe um emprego decente, e a única pessoa que lhe estendeu a mão foi Pat Gray.

Eu provavelmente sou para ela o mesmo que um órfão ou um cão vadio, ele pensou amargamente, algo para afiar seus dentes sociais mais uma vez. Ex-presidiário que precisa de ajuda. Ela provavelmente não tinha.

A Sra. Gray o encarregou da arrecadação de fundos, o que significava que ele era responsável pela contabilidade, recibos e notas de agradecimento. "Você disse que queria ir ao banco mais cedo", disse Pat, "então deve ser o ideal, certo?"

Na medida! Ele deveria arrastar os pés em gratidão e relinchar como um cavalo que recebe um torrão de açúcar? E pensar que ser capaz de sentar aqui no escritório com esses religiosos envoltos em halo e registrar as doações recebidas era a menor compensação por sua carreira bancária perdida! Foi realmente pago por doações? Isso seria realmente uma piada, ele absolutamente tinha que descobrir. Então seria realmente e definitivamente um caso social e pelo menos não poderia afundar mais.

'Então...' disse a Srta. Hunter lentamente, querendo dizer que você pode ir.

Ele também obedientemente fez sua reverência de despedida, pegou seu casaco e saiu da sala. Saindo para a rua abaixo, ele estremeceu - como estava fria a noite de dezembro! O tráfego passou por ele, carro após carro. Que pressa eles estavam todos. Algo bom provavelmente estava esperando por ela - uma casa aconchegante, boa comida, família, amigos... O que estava esperando por ele? O pequeno sublocado em Trafalgar Square, onde através das paredes finas ele podia ouvir a TV de sua senhoria e o ronco do marido. Será que ele tinha alguma coisa para comer na geladeira? Um pote aberto de picles, se bem se lembrava, e uma enguia defumada que sobrou de ontem.

Atravessou a rua, caminhou indeciso, sem saber para onde ir. Os transeuntes passaram correndo por ele e um quase empurrou o guarda-chuva em seu estômago. Ele não se desculpou.

Provavelmente, pensou Steve, eu já pareço alguém que não precisa mais se desculpar.

Ele comprou o Daily Mail de um vendedor ambulante e seguiu em frente. Apenas mais alguns passos e ele estava de pé no Tâmisa. A água abaixo dele brilhava inescrutavelmente escura. Bem abaixo dele. Você estaria morto se pulasse? Provavelmente não. A água provavelmente era profunda o suficiente para não atingir o solo, e ele podia nadar muito bem e por muito tempo. Além disso, ele era muito covarde para tentar novamente. Quem sempre o chamou de covarde? Gina, a Gina de língua afiada que tinha o dom de rastrear verdades desconfortáveis e pronunciá-las impiedosamente. Mas Gina também estava errada. O que mais ela havia prometido a ele - uma carreira brilhante? Sim, você vê, super inteligente Gina, como as coisas às vezes acontecem diferentes! O homem com a carreira brilhante está parado na margem do Tâmisa em uma noite fria de inverno e se pergunta se não seria melhor afundar toda a vida de merda nas ondas escuras. Mas covarde como ele é, ele não vai fazer isso. Ele se apresentará à Srta. Hunter amanhã de manhã às oito horas em ponto e, a partir de agora, será o servo zeloso de duas mulheres assertivas que estão determinadas a tornar o mundo um lugar melhor. Embora um vento particularmente frio soprasse aqui perto da água e ele sentisse um frio terrível em seu casaco fino, ele começou a folhear seu jornal sob um poste de luz.

Nada de especial aconteceu hoje. Apenas uma pequena mensagem na penúltima página despertou seu interesse. "Cidade de Nova York. Uma tentativa de assassinato foi feita ontem à noite na cabeça do mundialmente famoso império Bredow, Andreas Bredow. A motivação do autor do crime ainda não está clara. Ele disparou três tiros contra Bredow quando ele, acompanhado de seu herdeiro e vice-presidente da Bredow Industries, David Bellino, saía do Plaza Hotel em Nova York onde jantava com membros do conselho das companhias aéreas americanas Pan Am e American Airlines . O agressor atirou de uma distância considerável e atingiu sua vítima na têmpora direita com um tiro. Desde então, os médicos lutam pela vida do múltiplo milionário.« Seguiu-se a conhecida vita de Bredow, a bela história do órfão alemão que se tornou um dos homens mais ricos dos EUA.

Steve se virou e olhou para a água. "... os médicos estão lutando pela vida do multimilionário..." Quando Bredow morreu, David herdou uma fortuna. David, que sempre teve sua própria vantagem em mente. Eu nem mesmo daria crédito a ele por ter organizado tal assassinato apenas para conseguir seu dinheiro, Steve pensou com ódio. Mas por dentro ele sabia que não era verdade e que realmente não acreditava nisso. Apenas a raiva profunda e inextinguível que ele sentia por David inspirou esses pensamentos.

Ele queria odiar David e não queria fazer-lhe justiça. Na verdade, ele sabia que David nunca agiria de forma traiçoeira, que nunca planejaria nada que pudesse prejudicar uma pessoa. Ele ficaria lá parado com os braços pendurados se isso acontecesse por acidente. O que equivale quase à mesma coisa, pensou Steve com hostilidade. David tinha feito muito com ele para realmente tentar entendê-lo. Havia premonições nele, premonições da própria turbulência interior de Davi, de seus abismos, de seu desamparo diante da vida. Mas Steve não permitiu que seus palpites formassem pensamentos. Ele a empurrou para o fundo da gaveta de sua mente. Ele odiava Davi - e o odiaria até o Dia do Julgamento.

Steve amassou o jornal e o enfiou em uma cesta de lixo. Então ele levantou a gola do casaco e seguiu em frente, com as mãos enterradas nos bolsos.

Ele parou em frente ao bar mais próximo — Excalibur, como se chamava. Ele nunca em sua vida tinha entrado voluntariamente em um pub desacompanhado; Beber e berrar, só a companhia de tantos homens o repelia. Agora ele entrou, sentou-se a uma mesa e pediu rapidamente um uísque duplo.

Ele bebeu metade da noite. Aos doze estava tão bêbado que só conseguia pronunciar o próprio nome com grande dificuldade e depois de muito pensar.

"Você deveria encerrar o dia", disse o estalajadeiro bem-humorado quando Steve o arrastou de volta para sua mesa, "caso contrário, será realmente demais. Quer que eu chame um táxi?"

"A... um duplo... duplo... W... uísque," Steve grunhiu.

— Você vai se sentir miserável amanhã, garoto, acredite em mim. É realmente melhor você parar agora. Você tem um motivo para ficar bêbado assim?

Steve olhou para ele com os olhos marejados. "Tudo... merda," ele murmurou.

"Claro", concordou o estalajadeiro, "é tudo uma merda. Também não melhora nada!" Ele apontou para o copo de uísque que Steve estava segurando. Steve olhou para o copo como se procurasse a verdade dentro dele.

"K... Venha", disse ele ao estalajadeiro, "beba m... m... comigo!"

"Para que?"

"D...que b...logo alguém vai colocar uma ku...bala na porra da cabeça de D...David B...B...Bellino," Steve disse e bebeu o último gole.

"Ok, um último copo", o estalajadeiro cedeu e pegou a garrafa. Ele sabia disso; quando os meninos ficavam cheios, todos queriam atirar em alguém, enforcá-los ou esquartejá-los. É uma coisa boa que eles não foram capazes de fazer isso no momento. Mais tarde, isso se acalmou novamente.

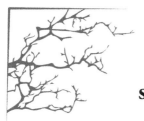

setembro de 1982

Gina decidiu pegar John em seu escritório. Era uma noite quente de setembro e o vento trazia um aroma picante, o cheiro acre de sálvia.

Como este país é lindo, pensou Gina enquanto caminhava até o carro. Ela tinha esse pensamento com frequência, quase todos os dias, e sabia que nunca deixaria de ser grata por poder morar aqui.

Seu rosto estava refletido na janela do carro quando ela destrancou a porta. A sorte é linda, diziam, e Gina agora estava convencida de que era verdade. Cabelos sedosos, olhos brilhantes, pele clara e saudável - às vezes ela sentia vontade de abraçar sua própria imagem.

Ela estava particularmente bonita hoje, vestindo seu novo terno verde-escuro e um longo lenço de seda em cores brilhantes de outono em volta do pescoço. Ela sentiu vontade de tomar um drink com John em algum bar e depois comer em um bom restaurante. Pela primeira vez em muito tempo eles tiveram uma noite só para eles, sem convidados e sem serem convidados para lugar nenhum. Depois ela faria sua amada pipoca em casa - ela comprou milho extra - e então havia um faroeste estrelado por Gregory Peck. John tinha uma paixão por westerns.

"Não, senhor, você não pode vir conosco agora, mas se assistirmos TV mais tarde, você pode se deitar entre nós." Ela entrou no carro e dirigiu pela calçada. Ao virar para a rua, ela se perguntou se havia machucado John gravemente ontem. Eles haviam ido a uma festa em Santa Mônica — era o aniversário de um amigo de John — e à meia-noite, enquanto todos estavam no jardim para assistir aos fogos de artifício que inevitavelmente marcavam a comemoração, John abraçou Gina e perguntou baixinho: " Você não poderia se decidir a se casar comigo agora?

A princípio ela achou injusto que ele estivesse se aproveitando do clima romântico, mas depois decidiu que a maioria dos pedidos de casamento são feitos em situações românticas. Teria sido tão fácil, tão bom, apenas dizer sim. Aconchegar-se a ele, olhar para o céu noturno de cores vivas e sonhar com o futuro. Por que ela não? Por que ela ainda estava se esquivando? Agiu de tal maneira que ele teve que sentir sua hesitação?

Eu o amo, ela pensou enquanto passava pelas tranquilas vilas e jardins, e não consigo imaginar um futuro sem ele. Mas ela nunca poderia silenciar a leve inquietação, o vago medo dentro dela. Quando ela se sentiu assim pela primeira vez? Na época em que David a visitou aqui em Beverly Hills e disse a ela com um sorriso que a estivera observando com Natalie, naquele verão em St. Brevin. Ela pensou em uma cobra no paraíso, parada ali em seu lindo jardim florido, e David na frente dela, a quem ela de repente percebeu como um perigo. Um perigo imponderável e secreto à espreita em segredo. Uma cobra deitada silenciosamente na grama e de repente correndo em direção a sua vítima. David poderia destruir tanto em sua vida. E ela teve que continuar lutando contra a vaga noção de que ele realmente faria isso. Ela se dizia exagerada, louca, histérica, mas não conseguia lidar com o medo que a invadia.

Para o inferno com as premonições! Ela sempre os tivera, mesmo quando criança. A avó Loret disse a ela que ela estava inquieta nas semanas anteriores à morte de seus pais, dormia em suas camas todas as noites e os queria por perto o tempo todo. "Não se afastem de mim, mamãe e papai..."

Não vá embora, João! Ela pisou no freio com força porque de repente um coelho pulou na estrada. O carro parou imediatamente, Gina estava pendurada nos cintos de segurança. "Foda-se", ela murmurou. O coelho desapareceu entre os arbustos do outro lado. Gina seguiu em frente.

Não penso mais nisso, disse a si mesma.

John tinha seu escritório na cobertura de um prédio alto no meio de Century City. Na subida do elevador, Gina apertou os lábios e passou um pente no cabelo. Ela sorriu, ansiosa pela noite. O elevador parou no 18º andar e Gina saiu. Havia mais alguns degraus até a cobertura. Ao entrar na ante-sala, descobriu que Carol, a secretária de John, já havia saído. A luz vermelha do telefone em sua mesa estava acesa, o que significava que John estava ao telefone. Gin hesitou. Melhor ela esperar um momento; John odiava ser interrompido durante conversas importantes. Sentou-se numa das grandes cadeiras de visitas, acendeu um cigarro e esperou.

A porta do escritório de John estava entreaberta. Ele deve ter ouvido a outra parte o tempo todo, porque Gina não tinha ouvido um som dele até agora. Sua voz saiu agora, agitada e abafada. "Você é louco, Gipsy!"

Ciganos, pensou Gina, ciganos. Que nome peculiar!

"E eu não vou mais ouvir essa loucura. Eu lhe dei mais dinheiro nos últimos dois anos do que você normalmente ganharia em toda a sua vida!"

Houve silêncio por alguns segundos. Então John novamente: "Um milhão de dólares! Você acha que eu posso carimbar isso do chão? Você sempre foi louco, Gipsy, mas nunca foi tão louco. Só posso culpar sua doença.«

Gina franziu a testa. A cinza do cigarro caiu no carpete, mas ela não percebeu. Do que João estava falando?

Novamente ele ficou em silêncio por um longo tempo e, quando falou, sua voz era razoável e calma. — E se você tornasse isso público? Você não acha que eu poderia explicar a todos como era naquela época? O Vietnã foi uma situação excepcional para cada um de nós. E as pessoas também sabem disso!«

Gina se levantou. Ela olhou para o telefone na mesa de Carol. Ela seria capaz de ouvir toda a conversa de lá? Como se atraída por um passe de mágica, ela se aproximou do aparelho. Silenciosamente, silenciosamente, ela pegou o fone. Relutantemente, ela apertou o botão de transferência para o telefone de John. Ela estava falando!

A voz daquela cigana soava feia. Rugindo, quase chocalhando. Cada respiração veio com um chocalho alto.

'Se você quer arriscar, John, por favor, faça isso. Vou entrar em contato com algum jornal da Califórnia e tenho certeza absoluta de que vão arrancar minha história das minhas mãos. As pessoas adoram ouvir sobre as aventuras de seus políticos no Vietnã!' Ele riu, alto e longo, e imediatamente pagou por isso com um violento acesso de tosse. Quando pôde falar novamente, continuou: "É tudo muito bonito, não é? O advogado John Eastley ajuda as pessoas a conquistar seus direitos. O governador eleito Eastley promete defender aqueles que não recebem uma grande fatia de a torta dos sonhos americanos. E quando jovem, esse Eastley também lutou por seu país com milhares de outros garotos americanos nas

245

selvas verdes do Vietnã. Se não fosse por esta pequena história suja, certo? Esta muito suja história!' Ele riu novamente.

'Gipsy, éramos camaradas naquela época. Você sabe disso ..."

— Não fique sentimental, John. Não comece com camaradagem e coisas assim. Os anos se passaram e cada um tem que ver por si mesmo como progredir. Você se esqueceu de mim de qualquer maneira, você nunca deu a mínima para o que eu estava fazendo!

— Vamos conversar, cigano. Vamos conversar sobre tudo."

Aquela risadinha feia e asmática de novo. 'Agora ele quer conversar. Tudo bem, vamos conversar. Mas no final eu quero meu milhão, John, e então não haverá mais conversa. Espero que você tenha entendido isso."

"Vou até você em Nova York e..."

"Não. Vou visitá-lo desta vez. Sempre quis ver a terra dos contos de fadas da Califórnia. Você pagará minha passagem por causa de uma velha amizade!"

"Eu realmente prefiro..."

"Eu faço as regras do jogo, ok?"

"Ótimo. Eu ligo de volta." Os dois desligaram.No mesmo instante, Gina soltou um grito baixinho de dor: o cigarro tinha queimado e chegava a seus dedos.Ela os deixou cair sobre a mesa bem arrumada de Carol.

John entrou na sala, estava muito pálido e olhou surpreso para Gina. "Você está aqui? O que... Então ele percebeu o que significava o fone na mão dela e empalideceu outra sombra. "Você ouviu!"

Gina não negou. "Sim. Sinto muito, John, não estava certo. Vim aqui porque queria buscá-lo para jantar, mas quando vi que você estava ao telefone, não quis incomodá-lo e sentei-me para espere: eu realmente não pude evitar de ouvir o que você estava dizendo. Parecia tão confuso e assustador que finalmente fui até o telefone de Carol e escutei. Por favor, desculpe-me."

John afundou em uma cadeira. Cansado, ele acariciou o cabelo. "Então você sabe tudo agora."

"Não sei de nada! Nada!" Ela correu para John, pegou sua mão. "Eu não entendo nada disso! Quem é cigano? Por que ele quer dinheiro de você? Ele está chantageando você, não é? O que é esse negócio feio que ele vive falando? ?"

- Tudo isso - disse John calmamente - foi há muito tempo. Não quero sobrecarregá-la com isso, querida.

'Mas eu quero saber. Eu tenho direito a isso. Eu moro com você, John!

'Sim... Ele parecia completamente atordoado.

A determinada Gina pegou sua bolsa. — Vamos, John. Vamos a algum lugar comer alguma coisa, você me conta o que está acontecendo de uma forma simpática, calma e detalhada, e depois procuramos uma saída."

'Gipsy e eu', disse John, 'fomos amigos uma vez. '67 no Vietnã. Gostávamos um do outro e dependíamos um do outro. «

Eles estavam sentados em um restaurante mexicano em Pacific Palisades, em uma alcova perto da janela, com vista para o Pacífico. O sol estava se pondo no mar e pintando cores selvagens no horizonte. A música tocava suavemente; Os copos batiam, os garçons corriam de um lado para o outro sem fazer barulho, também eles eram iluminados de vermelho pelo magnífico espetáculo da natureza que ali se desenrolava sobre as ondas. Bebericaram vinho e esperaram pela comida.

"Você nunca me disse que estava no Vietnã", disse Gina.

"Não. Eu sabia que você descobriria mais cedo ou mais tarde, porque em uma campanha eleitoral eu teria que explorar isso também, já que neste país é importante ter estado lá. Mas imaginei que você não necessariamente me daria crédito por isso."

"Prossiga."

'Eu tinha 26 anos, tenente-coronel, e como todo mundo, entrei nessa guerra sem saber no que estava me metendo. Gipsy era tenente da mesma companhia que eu. Seu verdadeiro nome verdadeiro é George, mas todos o chamavam de Gipsy porque ele tinha cabelos e olhos pretos e parecia tão selvagem em geral, mas ele não era realmente isso, quero dizer, selvagem e indisciplinado. Ele era um garoto muito sensível recém-saído de Westpoint."

"Ponto oeste?" Gina engasgou. "Este homem estava em West Point?"

John olhou além dela para o mar. "O homem que você ouviu ao telefone não era o cigano que ele costumava ter", disse ele. "Aquele era o homem com doença terminal que fugiu no Vietnã."

"Oh..."

'Bem, para encurtar a história, nós estivemos lá por um bom tempo, e vimos o suficiente para não sermos mais jovens, vimos muito horror, muito pavor... nenhum de nós iria ser melhor do que depois de voltar para casa quando ele saiu. As dificuldades físicas também nos atingiram... o moral despenca quando você está com fome, com sede, picado por mosquitos, e o céu é como um prato de cobre em brasa do qual você não pode escapar. Fazia calor, muito calor, e caminhávamos pela selva, sentíamos o cheiro da febre, da podridão, respirávamos, e já nos sentíamos enjoados e no limite de nossas forças. Nós — éramos cinco homens, Gipsy e eu. Um passeio de reconhecimento, basicamente rotineiro, mas mais perigoso do que de costume, porque só nos restavam dois rifles e as novas armas que deveriam ter chegado pela manhã não haviam chegado. Nosso comandante de companhia nos mandou embora de qualquer maneira. Eu tinha uma arma e andava na frente do trem, Gipsy tinha a outra e andava na ponta. Carregávamos facas parecidas com sabres conosco, que usávamos para lutar para nos libertar. Samambaias gigantes, trepadeiras, troncos de árvores... o suor escorria por nossos corpos em riachos. Alguém acabou de dizer - acho que foi Fred, aquele cara alto que estava morrendo de saudades do Alabama - bem, Fred disse que gostaria de dar um tempo e todos gostaram da ideia. Ao mesmo tempo, tiros soaram à direita e à esquerda. Fomos emboscados pelos vietcongues e de repente eles vieram de todos os lados. Eles estavam em grande desvantagem numérica, acho que havia cerca de trinta contra nós sete.

John ficou em silêncio por um momento; ele olhou para trás ao longo dos anos, para uma tarde quente no Pacífico, para um drama representado sob o dossel verde impenetrável da selva.

Gina tomou um gole de seu vinho. João olhou para ela. 'Nós realmente não tivemos uma chance. Isso significa que Gipsy e eu tivemos um pequenino porque tínhamos as armas. Os outros lutaram com facas e punhos nus, e era apenas uma questão de tempo até que todos estivessem mortos no mato. Gipsy e eu abrimos caminho, foi apenas sorte que nenhuma das balas voadoras nos atingiu, e então. . .' Ele parou.

Gina disse: "E então todos vocês decolaram."

John estremeceu. "Sim. Enquanto nossos camaradas estavam sendo massacrados, Gipsy e eu voltamos para o acampamento."

Um garçom trocou discretamente os cinzeiros.

Gina perguntou: "Faria diferença se você e Gipsy tivessem ficado?"

"Mudado? Bem, eu certamente não estaria sentado aqui hoje. E Gipsy não em Nova York. Teríamos apodrecido na selva como os outros. Não poderíamos ter derrotado nossos oponentes ou resistido por mais de cinco minutos. . Certamente não."

"Então você não é culpado pelas mortes de seus camaradas. Por que você deveria ter morrido pela amizade com eles? Quem teria se beneficiado com isso?"

- Ninguém, claro que não. Mas não quero zoar: corri para salvar minha própria vida e nesses momentos não pensei muito se ainda poderia ajudar os outros ou não. E então Gipsy e eu tolamente decidimos. . .' Ele parou de falar enquanto a sopa fumegante estava sendo servida. Quando o garçom se foi, John continuou: 'Bem, decidimos encobrir a história para não ter que responder a perguntas embaraçosas do comandante da companhia. Queríamos alegar que dois de nossos camaradas carregavam rifles e foram imediatamente baleados pelo vietcongue, de modo que as armas caíram nas mãos do inimigo. Escapamos como os únicos sobreviventes após uma batalha feroz... bem, foi assim que contamos. Enterramos as armas sob os galhos de uma samambaia e voltamos correndo para o acampamento. Ninguém duvidou que estávamos dizendo a verdade. Gipsy e eu juramos que esta história permaneceria nosso segredo, e então ela permaneceu adormecida... até agora...'

Lá fora, o sol havia se posto no mar.

O rosto de John parecia muito perturbado. Gina gentilmente tocou seu braço. "Se te incomoda continuar falando, então..."

»Não, pelo contrário, é bom para mim. Você é a primeira pessoa com quem posso falar sobre isso."

"Você diz que Gipsy foi quebrado pela guerra."

'Ele voltou para a América e começou a beber. Desistiu da carreira de oficial, tentou este e aquele trabalho, mas nada funcionou porque ele ficava bêbado a maior parte do tempo. A princípio tentei manter contato, mas ele foi tão desdenhoso e hostil que acabei desistindo. Não tenho notícias dele há anos. Pouco antes de nos conhecermos, ele me ligou uma noite. Com aquela voz estranha e rouca que você também ouviu. E descobri : Gipsy é um homem em estado terminal. câncer de pulmão. O corpo todo cheio de metástases. Fiquei com medo, perguntei se ele tinha bons médicos, se precisava de ajuda, se tinha alguma coisa que eu pudesse fazer. Ele apenas riu. Quero dinheiro, John, disse ele, dinheiro suficiente para viver como um rei nos meus últimos meses. Quero tomar banho de champanhe e começar o dia com caviar e dirigir o Rolls-Royce para meus tratamentos de radiação. Achei que ele estava bêbado de novo, mas ele estava totalmente sóbrio. E então ele me disse o que faria se não conseguisse o dinheiro. — Você está mirando alto na política, John, ouvi dizer. Não seria estranho se as pessoas descobrissem sobre aquela pequena confusão no Vietnã? Eu fiquei assustado. Eu voei para Nova York para vê-lo.

"Foi em dezembro que nos conhecemos?"

"Sim. Quando nos conhecemos nesta igreja, eu vim direto de Gipsy. Ele morava em um buraco em um apartamento nas docas, com vista para a Srta. Liberty. Ele é mais novo que eu, mas parece vinte anos mais velho. Um naufrágio, destruído pelo álcool, consumido pelo câncer. Quebrado, completamente quebrado. Você entende, também mentalmente e emocionalmente quebrado. Um homem sem moral, vegetando, odioso, vingativo. Eu não reconheci nenhum dos ciganos anteriores nele e percebi que não havia Não adianta falar com ele. Eu fiz um cheque para ele, depois fui embora, fugi, e me encontrei nesta igreja... ultimamente é quase macabro que foi Gipsy quem nos uniu!'

Ela pensou o que sempre pensara naquela época: Esses caminhos estranhos e inescrutáveis que o destino segue...

'Claro', disse John, 'eu estava convencido de que Gipsy... bem, pensei que talvez dois meses, isso é tudo que ele tem, isso é tudo que ele pode ter, ele já parecia morto. Mas... ele está vivo. É um milagre, mas ele está vivo e bem, um homem que, pelos padrões humanos, não pode mais viver...

provavelmente o ódio que ele tem pelo mundo o está mantendo vivo... eu não sei."

"Ele poderia realmente ser perigoso para você?"

"Ah, sim. Só de pensar em como um oponente em uma campanha eleitoral exploraria a história me deixa tonto. Eu seria tachado de covarde para sempre, poderia dizer o que quisesse. Está absolutamente claro, Gina, se Gipsy falar, posso enterrar minha carreira política".

Comeram o prato principal em silêncio.

"Gostaria do cardápio de sobremesas?" o garçom perguntou quando terminaram. John olhou para Gina. Ela balançou a cabeça. Ela se inclinou para a frente e sussurrou misteriosamente: 'Eu poderia fazer pipoca em casa. Tem também uma taça de vinho e um faroeste!"

"Eu te amo, Gina," John disse calmamente. Eles deixaram o restaurante de braços dados. Um repórter do "People" estava esperando na entrada, imediatamente levantou sua câmera e tirou uma foto dos dois. "Sr. Eastley, é verdade que você quer se candidatar a governador da Califórnia na próxima campanha?"

"Isso ainda terá que ser considerado."

O repórter virou-se para Gina. "Senhorita Loret, quando você e o Sr. Eastley vão se casar?"

"A qualquer momento, 'Pessoas' serão as primeiras a saber."

"É verdade que você ainda não obteve a cidadania americana, senhorita Loret?"

"Farei isso em breve."

John puxou-a. "Vamos, ele ainda está nos fazendo perguntas no estômago!"

Enquanto estavam sentados no carro, ele disse: 'Veja, ela está interessada em tudo em nossas vidas, e se eu realmente me candidatar, ela ficará ainda mais interessada. Como você acha que eles vão pular em uma história como a de Gipsy?

Havia uma foto deles na próxima edição da People. A manchete dizia: *John Eastley: "Agora estou a caminho da Casa Branca!"*

2

Steve estava um pouco atrasado para o escritório, não muito, mas dez minutos. Na noite anterior, ele havia jantado com uma jovem muito simpática que conhecera na festa de aniversário da Sra. Gray. A Sra. Gray comemorou na semana passada e convidou todos, quer trabalhassem com ela ou para ela. Steve estava sentado bem longe da mesa, o que o incomodou a princípio, mas quando viu como sua vizinha estava bonita, seu ânimo melhorou. Sheila Willard tinha dezenove anos e fazia parte de um comitê para crianças com câncer. Ela tinha cabelos castanhos macios e olhos escuros suaves. Steve a achava muito atraente. Ele a convidara para jantar no dia anterior porque de repente teve a sensação de que não conseguiria sobreviver à noite sozinho. Ao meio-dia telefonara para os pais em Atlanta, o que era basicamente uma loucura, porque essas ligações transatlânticas custavam muito dinheiro, mas como seus pais nunca ligavam para ele, ele tinha que fazer isso se quisesse falar com eles.

"Mãe, é o Steve!"

Segundos de silêncio. Então: "Ah... Steve..." Sua mãe falou como sempre, mansa e arrastada, um pouco sonolenta. Ela falava como um gato lolls.

"Mãe, você está bem?"

"Sim, sim, obrigado. Estamos bem."

De novo aquele nó na garganta. Toda vez que ele ligava para Atlanta, em algum momento ele tinha que desligar o telefone abruptamente porque as lágrimas brotavam de seus olhos. Por que mamãe nunca perguntou como ele estava? Ela, que costumava fazer um grande circo sempre que ele chegava da escola com apenas um arranhão no braço. Então ela o chamou de seu "único", seu "anjo", seu "cordeirinho". 'Conte para a mamãe o que aconteceu! quem te machucou Você gostaria de um pedaço de chocolate? Vamos

252

comprar uma coisa legal para você, vi um suéter legal na Harrod's, caxemira, eu sei...' Mãe, às vezes ele queria gritar hoje, foi tão ruim assim o que eu fiz?

Embora ela não tivesse perguntado, ele disse ao telefone: 'Também estou bem, mãe. Eu ganho mais dinheiro. «

"Que legal."

Eles não se importam nem um pouco, ele pensou. Seus olhos já estavam nadando. "Você... você ouviu falar de Alan?"

"Desculpa, o que?"

"Alan! Você já ouviu falar de Alan?"

"Não." Isso soou quase surpreso. Por que deveríamos ter ouvido falar de Alan? *Quem é Alan?*

'Bem, mãe, acho que vai sair caro. Diga olá ao papai por mim, ok? Eu voltarei para você." Ele simplesmente desligou o telefone antes de sua voz falhar. Ele andou pelo quarto, lutando contra as lágrimas, ajustando algumas coisas inutilmente, e finalmente parou em frente a um pedaço de papel impresso pendurado em um porta-retrato na parede. Era um artigo de jornal, apenas um breve relatório, que informava que Andreas Bredow havia sobrevivido aos ferimentos à bala, mas ficou cego como resultado. Steve aplaudiu. Azar Davi! Nenhuma herança, pelo menos não ainda. Como você tremeu, esperando que o velho raspasse! Mas esta geração é difícil. Vai fazer isso por um tempo, o garoto da Alemanha.

Ele se virou e voltou resolutamente ao telefone. Havia um bilhete ao lado. A adorável Sheila Willard havia lhe dado seu número.

Eles tinham ido ao Harpsichord, um restaurante de primeira linha no oeste de Londres. Música abafada, luz de velas, garçons andando discretamente, de fraque preto, claro. Steve vestia seu melhor terno dos velhos tempos, que mandara confeccionar por um alfaiate de segunda categoria, e Sheila usava um vestido comprido com flores espalhadas por Laura Ashley, que a fazia parecer uma delicada boneca de porcelana. Steve pediu o melhor vinho e eles comeram uma refeição de cinco pratos. O garçom recebeu uma gorjeta generosa, então Steve se levantou, pegou Sheila pelo braço e disse: "Agora vamos dançar".

Na boate ele comprou uma garrafa inteira de champanhe, Taittinger, e do menino que estava correndo oferecendo rosas brilhantes, ele comprou três buquês, fez um e deu para Sheila. Ele gostou do olhar surpreso dela, mas pensou inquieto: Não é você, Steve, que está se exibindo tanto, que está bancando o grandalhão! Como você é nojento!

À uma hora eles estavam de volta à rua, Sheila segurando seu buquê de rosas, Steve em seu velho terno, e enquanto ele ainda se debatia se deveria apenas beijá-la ou se seria melhor sugerir despreocupadamente que eles poderiam ir para ele, Sheila disse suavemente, "Foi uma noite muito agradável, Steve, obrigado por isso. Eu... quero dizer a você que... bem, parece bobagem agora..." Ela riu impotente.

"Diga-me," Steve disse suavemente. Estou prestes a beijá-la, pensou.

— Estou noiva, Steve. Acho que você deveria saber disso. Meu noivo tem uma bolsa de estudos na Sorbonne de Paris, mas vem para casa no Natal e depois nos casaremos.

Fora de. O sonho acabou. Um sonho curto, muito curto. Teria finalmente havido uma pessoa para quem a vida teria sentido, para quem se poderia ter começado a luta, a luta para não se sentar mais no fundo da mesa, mas no topo. Mas o destino quis capturá-lo ainda mais, e ele conseguiu fazê-lo esplendidamente.

— Você vai se atrasar — disse a srta. Hunter incisivamente, apontando para a mesa dele. "Há um monte de correspondência que você precisa passar."

Cobra venenosa, pensou. Com que estranheza ela o encarava, penetrante, espreita. Ah, imaginação! Ela está me observando? Ela está contando secretamente? Bobagem, então ela teria atacado há muito tempo, teria corrido para o velho Gray uma centena de vezes e teria soado o alarme.

Durante seis meses, ele regularmente desviou doações. No começo, era apenas uma questão de pequenas quantias. Nem sempre eram cheques que passavam por sua mesa, às vezes vinham cartas com notas de uma libra soltas, cartas tocantes de velhinhas que haviam lido sobre o trabalho da vida da Sra. Gray no jornal e espontaneamente decidiram apoiá-la. Cartas de crianças que haviam desviado parte de sua mesada. Ou de donas de casa que haviam organizado alguma coisa, um bazar ou uma rifa, e agora queriam doar os lucros para a fundação da Sra. Gray. Às vezes havia cinco libras nas cartas, às vezes dez, às vezes até cem. Steve escreveu as cartas de agradecimento - havia um único texto, muito comovente, escrito pela Sra. Gray na mais bela generalidade - tudo o que ele tinha a fazer era colocar a data, o destinatário e o valor e assiná-lo no endereço da Sra. Gray. em nome de. Normalmente, é claro, eram feitas cópias das cartas, uma cópia indo para o correio e a outra para o arquivo do escritório. Além disso, os doadores receberam um recibo de imposto. Aqui estava o perigo: quando Steve guardava fundos para si mesmo, o valor logicamente não aparecia na conta da Grey Foundation, mas desaparecia no fundo do bolso da calça. Uma auditoria fiscal poderia revelar irregularidades porque os doadores deduziram valores que não haviam sido registrados em nenhum lugar. É claro que, em todos os casos em que enriqueceu, Steve não fez cópias das cartas de agradecimento.

Ele pegou dinheiro pela primeira vez em março. Tinha sido um dia frio e ventoso, gaivotas cantavam famintas sobre o Tâmisa, e Steve estava tão deprimido que entre os dias de trabalho ele apenas olhava pela janela e meditava. Ao abrir a carta de uma senhora idosa e uma nota de cinco libras caiu em sua direção, ele de repente pensou quase com hostilidade: eu também sou um necessitado. Eu também preciso de ajuda! Eu também sou alguém desfavorecido pelo destino.

Ele enfiou a nota de cinco libras no bolso interno do saco. Cinco libras! Não importa, não faz mal a ninguém!

Mal sabia ele que naquele momento estava começando algo que logo não seria mais capaz de controlar.

Claro que ele agiu com cautela: se a nojenta Miss Hunter enfiou o nariz comprido nos papéis dele, ela não deve ter notado que de repente não havia mais nenhum derramamento ali, apenas os grandes recibos. Por isso ele só deixava alguma coisa desaparecer de vez em quando. Uma carta de 2 libras hoje, 10 libras amanhã. Então nada por três dias, finalmente seis libras novamente. O dinheiro veio em uma caixa de aço com fechadura, que ele comprou e guardou em seu armário. Ele usava a chave no pescoço dia e noite.

No verão, ele ficava ganancioso. Miss Hunter saiu de férias por três semanas, ele se sentiu despercebido e foi para cheques maiores. Cinquenta libras, cem libras. . . ele sabia que seria uma caminhada na corda bamba de agora em diante. Ele tinha que levar os cheques ao banco e depositá-los em sua conta; o dinheiro roubado saiu aos olhos do público do segredo oculto dos bolsos das calças e cofres de aço. A probabilidade de que ele acabasse sendo pego aumentava.

Ele fez um plano: deixaria a Inglaterra. Este país onde ninguém mais lhe dava chance, onde ele era só lixo. Quando tivesse dinheiro suficiente, iria para a Austrália. Para Sidney. Talvez um banco o contratasse lá, ele só precisava ter dinheiro para se manter à tona por um tempo e ser o mais sério possível. É claro que escapadas como a noite passada com Sheila abriram um buraco enorme em suas economias. Ele era muito estúpido!

Ele esperou que a Srta. Hunter saísse de seu escritório - seja lá para o que aquela bruxa estava se esgueirando por ele! — então ele começou a abrir a correspondência. Doações, doações, doações, muitas petições — mas ele não era o responsável por elas —, hinos de louvor, páginas de elogios às boas ações de Pat Gray... ah, ele estava farto de tudo isso! Outra carta, outra carta... não acabou aí?

Ele segurava um envelope nas mãos, cinza claro, muito estreito, muito fino e muito caro. O forro de seda estalou quando ele o abriu. Um cheque caiu — mil libras!

Steve olhou para o papel azul datilografado. Assinado por Sir Charles Aylesborough. Mil libras, isso era muito raro. A cada poucos meses, talvez. Nesses casos, Pat Gray assinava ela mesma as cartas de agradecimento e muitas vezes até convidava o doador para sua propriedade, onde passava horas contando a ele sobre seu trabalho e seus sucessos.

Steve já havia mantido suas mãos longe de tais somas. O ferro estava quente demais para ele. Ele estava assumindo riscos suficientes, não precisava arriscar ao extremo. Mas esta manhã, exausto, frustrado e amargo como estava, ele não achava que poderia passar sem esse tempo. Ele sentiu que estava no limite. Se não conseguisse começar uma nova vida logo, escorregaria e talvez nunca mais se levantasse. Mas para uma nova vida ele precisava de dinheiro.

Ele enfiou o cheque no bolso interno da jaqueta.

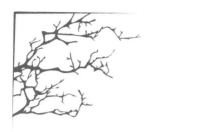

3

Na mesma manhã em East London. Maria voltou das compras. Ela sempre comprava com uma semana de antecedência, depois o dinheiro acabava, mas estava a salvo do acesso de Peter: ele não podia mais carregá-lo para o bar. E ela teve a chance de cozinhar algo decente todos os dias durante uma semana.

Ela realmente queria ver o dentista antes e estava firmemente convencida de que teria uma consulta. Mas quando ela correu para o escritório, descobriu que não tinha compromisso até amanhã. Típico, ela pensou. Coisas assim aconteciam com ela cada vez com mais frequência, ela misturava tudo, aparecia no lugar errado na hora errada, colocava açúcar na sopa em vez de sal, lavava o suéter de Cathy tão quente que depois cabia em suas bonecas e alcançava para a escova de dentes quando ela realmente queria pentear o cabelo. Eles também arranharam meu cérebro com a criança, ela pensava com frequência. Ela não tinha sido a mesma desde então, ela sabia disso. De alguma forma ela vivia sob um sino.

Tudo parecia mudo para ela, distante. Parecia que ela estava apenas meio viva. O quente, o vivo, o jovem, ou o diabo sabe o que era, se foi nela. Parecia-lhe que o sangue corria mais devagar desde então, que seu coração batia mais devagar. Tudo reduzido. Como as cores de uma foto antiga desaparecendo lentamente.

Apenas... eu não sou velho!

Subiu lentamente as escadas até seu apartamento, as sacolas de compras estavam pesadas e ela já as havia arrastado pelas ruas desde o ponto de ônibus até a porta da frente. Havia uma carta de Natalie na caixa de correio. Mary ansiava por lê-lo. Eu esperava que Peter - que ainda não havia encontrado um emprego - já tivesse ido para o bar, então ela estaria em paz. Ela preparava uma xícara de café forte, sentava-se confortavelmente na cozinha e lia.

Quando ela destrancou a porta do apartamento, ela imediatamente notou que a jaqueta de Peter ainda estava pendurada no vestiário. Droga, ela pensou exausta, então ele ainda está aqui! A paz e o conforto estavam muito distantes. Ela levou as sacolas para a cozinha e ficou surpresa por Cathy não ter vindo correndo para cumprimentá-la como sempre.

"Cathy?" ela chamou no corredor. "Onde você está querida?"

Nenhuma resposta. Ela saiu e quis abrir a porta do quarto das crianças, mas estava trancada. A chave estava dentro. Surpresa, ela o virou e entrou. Cathy estava sentada na cama, com as pernas encolhidas, o rosto apoiado nos joelhos, os longos cabelos escuros caindo para a frente como um véu. Ela estremeceu com soluços. Maria correu para ela e a tomou nos braços. — Cathy, o que foi? O que aconteceu? Quem trancou você?

Cathy levantou a cabeça, com os olhos vermelhos e inchados. "Papaí", ela soluçou, "Papaí fez isso!"

"Papai? Por que ele fez isso?"

"A mulher estranha voltou e disse que tinha que me trancar de novo e que me mataria se eu contasse."

"Uma mulher estranha?" Mary sentiu-se gelar, fria de horror, mas também de raiva. Ela acariciou o cabelo de Cathy. "Não se preocupe, pequena. Papai não vai bater em você até a morte. Ainda estou aqui!' Seus joelhos tremiam quando ela saiu da sala e atravessou o corredor até o quarto. Outra mulher! Embora a criança estivesse lá, ele fez entrar no apartamento uma daquelas mulheres vulgares que rondam o bar! Ela abriu a porta.

Peter estava parado no meio da sala, apenas vestindo seu manto. Seu cabelo estava despenteado - ele não cortava o cabelo há meses porque de repente achou que estava na moda parecer "selvagem" - e havia uma grande mancha vermelha em seu pescoço. Ele olhou estupidamente para Mary, como se um fantasma tivesse aparecido de repente na frente dele.

Na cama estava deitada uma mulher loura, de rosto rosado, cílios postiços, boca pequena e vermelho-escura e muito ruge nas faces. Ela estava deitada nua de bruços, e a primeira coisa que Mary pensou foi, Deus sabe que ela tem a bunda mais gorda que eu já vi! Seus pés pareciam os de Miss Piggy; eles saíam de sandálias prateadas muito apertadas com saltos pontudos de dez centímetros.

A loira abriu a boca primeiro. Ela disse: 'Ei... aquela é sua esposa, Peter?

"Maria, caramba!" disse Pedro. Ele acariciou o cabelo, evidentemente percebendo que era uma visão desfavorável. "Eu acho que você está no dentista!"

"Não, como você pode ver, eu estou aqui. A consulta com o dentista é só amanhã.

Ela se virou e fechou a porta atrás de si. Do lado de fora, no corredor, ela afundou em uma cadeira e começou a chorar.

No quarto, a loira levantou da cama. Ela parou em seus sapatos, que eram muito pequenos e muito altos. "Isso é uma merda absoluta", disse ela. Ela vestiu a calcinha vermelha e procurou o sutiã vermelho. "Eu não gosto desse tipo de surpresas!"

"Ela disse que vai ao dentista. Honestamente, Lue, foi o que ela disse!"

Lue bufou. "Homens que acreditam em tudo que suas esposas dizem são os maiores idiotas. Eu teria pensado que você tinha um pouco mais de cérebro. Mas isso não é mais rebuscado do que qualquer outra coisa! Lue deslizou em sua saia de malha preta apertada, em seguida, puxou-a sobre os quadris para prender as meias nas ligas. Ela estava furiosa. Este Peter agora a catapultaria para fora do apartamento às pressas, porque então teria uma briga enorme com sua velha. Lue esticou o lábio inferior, puxou a saia para baixo de suas coxas enormes e vestiu um suéter de lã verde que a abraçava com tanta força que as costuras ameaçavam estourar a cada respiração que ela dava.

Claro, Peter aguçou as orelhas. "O que você quer dizer, Lue? O que não está longe?"

"Você pode adivinhar três vezes! Cadê minha bolsa?"

"Foi ótimo para você também! Você disse que..."

Lue fez uma expressão desdenhosa e soprou uma mecha de cabelo de sua testa. "Peter, querido, eu já disse antes, não acredite em tudo que as mulheres dizem. Ah, lá está ela! Ela havia descoberto sua bolsa de couro de crocodilo, um presente de um pretendente abastado muitos anos antes, e ela só teve que dormir com ele uma vez para isso. Ela abriu a porta e passou tropeçando pela chorosa Mary — bebê chorão, pensou com desdém, eu não choraria, daria um tapa no cara dos dois lados — e saiu para a escada. Seus saltos ecoavam — clac, clack, clack. Do lado de fora vinham os assovios estridentes com que os jovens que circulavam em suas motos no pátio reagiam à visão de Lue.

Pedro saiu da sala. ele disse com raiva. "Por que você está entrando sem bater?"

Mary ergueu a cabeça, os olhos inchados de tanto chorar. 'Em plena luz do dia', ela deixou escapar, 'eu poderei entrar no meu quarto sem bater! Ou eu deveria ter adivinhado que você está na cama com uma mulher estranha? Sua voz quase falhou novamente. "No nosso apartamento! Na minha cama!"

"Ainda é minha casa, entendeu?" Pedro gritou. Lue o havia humilhado profundamente, ele tinha que ir a algum lugar com sua raiva agora. »E no meu apartamento posso fazer o que eu quiser! Com quem eu quiser! Você não tem nada a dizer!

"Eu sou sua esposa! Não vou deixar que me tratem assim!"

"Ah, não! Você quer o divórcio?" Peter estava agindo de maneira legal, mas a verdade é que ele fez a pergunta com um pouco de medo: se Mary se divorciasse, ele não receberia mais dinheiro do marido dela.

"Não sei... ainda não pensei nisso..."

"Onde você estava indo com o garoto de qualquer maneira?" disparou Pedro. "Você tem sorte de ter permissão para rastejar aqui comigo!"

"A criança! Meu Deus, Peter, você não tem vergonha nem de trazer aquela cadela vulgar para dentro do apartamento na frente da criança!"

"Lue não é uma vadia! Não diga isso de novo! Lue é uma garota legal que sabe como fazer um homem feliz! Não uma vadia pudica como você! Pelo menos eu ganho meu dinheiro com Lue, e só posso te dizer, nunca me diverti nada com você! Você também não tem nada com você, apenas costelas e ossos que você pode alcançar, e de qualquer maneira eu fico doente só de olhar para você!"

"Não tão alto! Você não pode..."

"Eu posso fazer qualquer merda!" gritou Pedro. "Tudo que eu quero! Oh, Deus, como estou farto de você!"

Eles se entreolharam e Mary pensou, não vou aguentar muito mais. Eu não posso mais!

"Se você vai me trair", ela finalmente disse, "então, por favor, faça isso em outro lugar no futuro. Leve essa cadela para algum dosshouse, *ou* .

No segundo seguinte, ela congelou, porque Peter de repente puxou e deu um tapa na cara dela. Foi tão repentino e inesperado que a princípio Mary achou que estava errada. Mas sua bochecha ardeu e ela viu que Peter estava muito branco.

"Se você fala assim comigo, não se surpreenda se minha mão escorregar em algum momento!"

"Não me surpreenda? Não estou surpreso? Você sabe o que você fez lá?" O terror tomou conta dela. Ela estava de pé na terra, mais profunda e definitiva do que ela pensava. Ela estava agora a um passo da vida que seu pai havia imaginado para ela em suas profecias sombrias. E um mundo inteiro estava entre ela e seu sonho... A casinha, um jardim cheio de flores, uma família feliz... Ela nunca esteve tão longe disso.

Ela se levantou e cambaleou até a sala, sentou-se com as pernas dobradas em uma cadeira, aconchegou-se em um cobertor, tentou se fechar em si mesma como fazia quando criança. Só então ela teve seus sonhos de um futuro melhor - quando eu crescesse... Ela não conseguia mais acreditar no futuro. Ela não conseguia mais acreditar em nada.

Ela ficou sentada assim por horas, e só quando já estava escurecendo na sala ela se lembrou da carta de Natalie. Ela se levantou - cada osso doía por ficar sentada tão tensa por tanto tempo - e foi até a cozinha. Ela abriu. Natalie informou que ela estava deixando a Inglaterra e indo para a América.

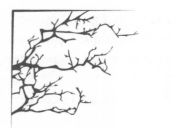

4

"Estamos nos aproximando de Nova York e pousaremos no JFK em cerca de meia hora", disse o capitão. Natalie, que estava cochilando, começou. Ela olhou pela janela. Nuvens, nada além de nuvens.

Ela se lembrou do último final de semana em casa quando quis se despedir dos pais. Embora ela não tivesse necessidade de ver sua mãe, ela tinha dirigido obedientemente para Somerset no final da tarde de sábado. Quando mamãe tivesse falado o suficiente, ela poderia ter uma chance de dar um passeio sozinha pela propriedade. O jardim de rosas, os piquetes, a floresta, o pequeno lago através do qual peixes prateados disparavam como flechas. Ela quase ansiava por ver tudo de novo. Apesar de tudo, no fundo ela era apegada à sua casa. Ela cantarolava para si mesma enquanto estacionava na entrada da garagem.

Quando ela viu os muitos carros estacionados no pátio, ela se sentiu mal. Rolls-Royce, Bentley, Mercedes, um carro grande ao lado do outro. A alta sociedade do condado havia se reunido? A luz brilhante derramou na escuridão de todas as janelas.

Oh não, pensou Natalie, mamãe!

Sua mãe a recebeu na porta da frente, usando um vestido de renda preto até o chão, suas joias de safira e segurando uma taça de champanhe. "Querida, finalmente! Mas você demorou muito! Estamos todos esperando por você! Todo mundo quer te ver, estou tão orgulhosa!" Ela abraçou a filha e Natalie quase engasgou com o cheiro doce do perfume que a envolveu.

"Mãe, o que está acontecendo aqui?"

— Organizei uma festinha para você, querida. Quando você me ligou e disse que uma estação de televisão americana queria que você apresentasse um talk show, é claro que tive que contar imediatamente aos nossos amigos. «

Naturalmente! pensou Natália.

»Uma mãe fica tão orgulhosa quando seu filho é bem-sucedido!«
De repente, mãe. Mas ouvi sons completamente diferentes!
'Estávamos todos muito entusiasmados. Você está prestes a conhecer as pessoas mais famosas do mundo com certeza! Você pode entrevistar a princesa Diana também, não acha?

— Não sei, mãe. Ela se sentiu mal. Por que você teve que estragar seu adeus tranquilo e suave? Sua mãe pegou-a pela mão e puxou-a para a sala principal, de onde irrompeu risos, tilintar de copos e música. Uma festinha, diga-se de passagem! Havia pelo menos cinquenta pessoas aqui, muitas de fraque e vestidos de noite, e o cheiro de perfumes caros flutuava pela sala. Natalie estava na frente deles, vestindo uma blusa verde-oliva, jeans e tênis, e todos os olhares se voltaram para ela.

"Ah!" exclamou um senhor idoso. "Lá vem a estrela da TV americana!" Todos aplaudiram. Natalie percebeu que mamãe estava explodindo de orgulho. Ela olhou em volta e viu seu pai, que havia se retirado para a lareira com alguns outros cavalheiros e provavelmente estava falando animadamente sobre sua nova égua reprodutora. Pobre papai, pensou Natalie. Ela sabia que ele odiava festas, e encontrar algumas pessoas para conversar sobre cachorros e cavalos era seu único conforto. Ela atravessou a sala, aproximou-se do pai e beijou-o.

"Papai! Estou tão feliz em ver você!" Ela estava muito feliz. Seu nariz corado de álcool, suas maldições rudes, sua conversa animal constante costumava irritá-la, mas agora ela achava tudo cativante e o via pelo que ele era: um homem mais velho e de boa índole que amava para beber um gole dos camponeses locais, e que se agarravam a cada folha de grama que possuía com amor idólatra.

Ele acariciou seu cabelo com ternura. "Natalie! Como você está bonita!" Ele acrescentou mais calmamente, "Eu não pude evitar. Você conhece mamãe..." Eles sorriram um para o outro em um acordo tácito.

A festa durou até uma hora da noite. Natalie estava completamente exausta quando finalmente conseguiu ir para a cama. Todos quiseram fazer um brinde com ela, todos lhe garantiram o quão fantástico era ela estar fazendo uma carreira tão brilhante.

"E eles sempre dizem que só as mulheres bonitas chegam ao topo", gorjeou Lady Crawl, a melhor amiga da Sra. Quint. Então, percebendo que alguns poderiam achar esse comentário sem tato, ela acrescentou apressadamente: "Não que você não seja bonita, Natalie, mas..."

"Eu sei que não sou uma beleza deslumbrante", disse Natalie, sorrindo. Mas, felizmente, sou mais inteligente do que todos vocês juntos, ela pensou consigo mesma.

"Natalie merece ser tratada gentilmente pelo destino", exclamou uma senhora. "Depois da coisa terrível que ela experimentou naquela época!"

"Estava em todos os jornais ..." disse outro, e o arrepio agradável que percorreu a sala era quase palpável.

Sim, foi uma festa de sucesso. A Sra. Quint poderia se orgulhar disso. A bomba estourou na segunda-feira seguinte: um repórter do The Sun descobriu que a jovem atriz francesa Claudine Combe, que saudou a Inglaterra como a descoberta dos últimos vinte anos, não havia renovado seu noivado em Londres, mas sim com o conhecido jornalista de televisão Natalie Quint iria para a América para assumir um talk show na ABC. Engenhoso, como deve ser um repórter do The Sun, ele também descobriu o que muitos já sabiam para permanecer em segredo por muito mais tempo: os Combe e os Quint viviam juntos. O Sol, claro, não tratou esse fato com muita discrição.

Era a manchete do início da semana.

Em lágrimas, a Sra. Quint ligou para a filha. 'Estou envergonhado até os ossos. Como você pôde fazer isso comigo? Todo mundo que estava na nossa festa leu o The Sun, e você pode imaginar a pena insultuosa com que me ligaram. Nat, você tem que negar isso! Isso é calúnia. Temos que processar o Sun e eles têm que imprimir uma contra-declaração e..."

"Tudo o que eles escrevem é verdade", disse Natalie calmamente.

Segundos de silêncio. Então a Sra. Quint começou a ofegar baixinho. Natalie não se impressionou. Enquanto ela estava viva, sua mãe tentou fingir ataques de asma quando ela não se sentia confortável com alguma coisa.

Ofegante, a Sra. Quint engasgou, "Seu pai e eu não podemos mais ser vistos em boa companhia!"

Vai ficar tudo bem com o papai, pensou Natalie. Ela disse em voz alta: 'Mãe, você tem que viver a sua vida, eu vou viver a minha. Sinto muito pelo que aconteceu. Também não gosto que meus assuntos particulares sejam revelados. Mas jornais como o Sun prosperam com a fofoca, e você nunca será capaz de resistir a ela. Além disso", ela acrescentou maliciosamente, "você e seus amigos adoram muito este jornal e acham que não há problema em jornalistas escreverem sobre coisas que não são da conta de ninguém".

"Desculpe interromper a conversa", disse a Sra. Quint, recuperando o fôlego. 'Mas eu... não me sinto bem. Eu tenho que deitar."

Natalie gostaria de se despedir da mãe em paz, mas aparentemente isso não foi possível. Eles sempre discutiram e estavam discutindo agora.

A aeromoça pediu aos passageiros que colocassem o cinto de segurança. Natalie cutucou Claudine. — Claudine, acorde. Estamos prestes a pousar!"

Ela gostava quando Claudine acordava. Ela adorava o olhar sonolento e confuso que lançava ao seu redor, gostava de olhar para eles quando sua pele estava tão pálida e seus olhos estreitos e muito verdes. "Você tem que apertar o cinto."

Claudine apertou o cinto. Ela tinha os dedos mais macios e finos que Natalie conhecia. Discretas joias de ouro brilhavam sobre ela, cada peça cuidadosamente selecionada e muito preciosa. Como ela estava bonita e elegante hoje em sua calça de seda preta, blusa de seda verde clara, batom rosa claro, seu cabelo loiro penteado para trás na testa e amarrado na nuca com um laço de veludo verde. Enquanto ela dormia, uma mecha de cabelo se soltou e caiu sobre seu rosto; parecia comovente e um pouco infantil. Natalie lembrou-se das violentas discussões que tiveram entre eles. 'Você não pode parar de atuar em Londres agora, Claudine. Você está prestes a se tornar uma grande estrela!'

»Também posso jogar na América!«

"Você não é tão conhecido na América. Você dá três passos para trás. Se você é *o combe* na Europa, pode ir para os EUA. Mas é muito cedo."

"Eu vou onde você for."

"Você não pode jogar fora seu talento. Por favor, Claudine, pelo meu bem.

"Eu vou com você."

"Então vou desistir da América e ficar na Inglaterra."

"Você não faz isso. Além disso, eu já pedi demissão. Tudo aconteceu.«

Para frente e para trás, para frente e para trás. No final, Natalie cedeu, basicamente ela sabia na hora que faria isso. Ela não podia desistir da

América, não dessa chance, com ou sem Claudine. A carreira sempre viria em primeiro lugar para ela, o amor para Claudine.

A máquina pousou suavemente, rolou. "Por favor, permaneçam sentados em seus cintos de segurança até que cheguemos à nossa posição de estacionamento e os motores sejam desligados."

Claudine procurou seu passaporte. "Quando estamos no Waldorf, a primeira coisa que faço é tomar um banho demorado. E então me deito por um momento. Você tem que conhecer o pessoal da ABC hoje?

"Não amanhã. Hoje posso cuidar do meu jet lag. Eu... só quero ligar para um velho amigo."

Claudine parecia curiosa, mas Natalie permaneceu em silêncio. Sua mão apertou um pedaço de papel em sua bolsa. O dr. Harper escrevera nele o nome de um colega de Nova York. »O Dr. Brian é um terapeuta muito, muito bom, e espero que ele não seja muito mole com você, Natalie. Já que aumentei de novo a sua dose diária... meu Deus!' Harper ainda estava desanimado por ele ter cedido. Natália sorriu. Ela definitivamente não queria discutir isso com Claudine, mas ela diria ao Dr. Pedir a Brian para prescrever mais para ela. Ela precisava disso, era a única maneira de estar à altura de seu novo emprego.

Esse, ela pensou um pouco amargamente, será meu primeiro ato em Nova York.

O Porsche novinho em folha de David, azul-escuro metálico com bancos pretos, parou em frente ao Waldorf Astoria. David, muito elegante em um terno preto, desceu e deu a chave ao rapaz do hotel. Ele estacionaria o carro para ele.

Lanternas brilharam. Jornalistas o cercaram. David sorriu gentilmente para as câmeras. Ele adorava ter seu próprio show. É por isso que ele veio em seu Porsche e deixou Andreas dirigir sozinho em sua limusine. Ele não precisava de motorista, gostava de dirigir sozinho.

"Sr. Bellino", perguntou uma bela e jovem jornalista, que o observara com grande divertimento enquanto ele dirigia o Porsche, "a Bredow comprará a Morgan Industries?"

"Se Morgan chegar a um preço decente, tenho certeza de que podemos chegar a um acordo durante o jantar aqui no Waldorf." David disse isso friamente, mas por dentro ele tremia de orgulho. Morgan Industries era *o seu* negócio. Ele descobriu que a empresa estava no vermelho, muito fundo para sair. Ele persuadiu Andreas a emprestar cada vez mais, até que a Morgan Industries fosse, de certo modo, três quartos de propriedade da Bredow. O resto foi brincadeira de criança. Um luxuoso jantar no Waldorf Astoria de Nova York, algumas sutilezas trocadas, por trás das quais a pergunta contundente estaria: você está disposto a vender, Morgan, ou devemos colocar os parafusos de dedo?

David pacientemente respondeu a mais algumas perguntas, então ele entrou no foyer. Natalie, que acabara de voltar de sua visita ao Dr. Brian, voltou e pediu a chave do quarto. Ela se virou e viu David imediatamente. Seu primeiro encontro desde Crantock.

Natalie foi a primeira a se recuperar da surpresa e se dirigiu para os elevadores. David a seguiu. "Natália!"

Ela não respondeu. Ele a alcançou e agarrou seu braço. Ela se libertou. "Por favor, não me incomode, Sr. Bellino", ela disse muito bruscamente e muito alto. Alguns espectadores perceberam. David deu um passo para trás.

— Eu só queria dizer olá, Natalie. Depois de tantos anos...!' De repente, ele não era mais o empresário autoconfiante que acabara de dirigir em seu Porsche e falar com os jornalistas que esperavam. De repente, ele tinha uma espécie de garotinho olhando para Natalie implorando. "Nat, por favor, me escute..."

"Não temos nada a dizer um ao outro." Ela gostaria de sair imediatamente, mas o maldito elevador ainda estava demorando a chegar. Tudo o que ela podia fazer era ficar lá e olhar hipnotizada para as portas com painéis de madeira.

— Você vai ficar em Nova York, Nat? Por favor, olhe para mim!' Como se a vida dele dependesse de ela responder agora e lhe dar uma chance! De repente, Cornwall estava vivo novamente e tudo o que ele havia dito soou em seus ouvidos. Ela entendeu o que estava acontecendo dentro dele. Lá estava seu antigo desejo de amizade e aprovação, havia o namoro novamente... *mas havia Crantock também!* Lá estavam os homens novamente que cortaram a garganta de Maxine e atiraram em Duncan, que a estuprou, Natalie. Novamente ela sentiu o medo sufocante daquela noite, seu terror de pesadelo, a descrença com que ela viu David fugir e abandoná-la. Tudo foi destruído para ela naquela noite e ela nunca se recuperaria de seus ferimentos. E ela não perdoaria David, nem agora nem no futuro, e também não queria. Ela não pode!

'Não poderíamos jantar juntos? Nat?

Senhor do céu, finalmente mande o elevador!

'Ou pelo menos tomar uma bebida em algum lugar? Apenas meia hora! Natalie, posso ligar para você aqui amanhã?

O elevador parou e as portas se abriram silenciosamente. Natalie entrou, mas antes de flutuar para longe, ela sibilou para David: "De uma vez por todas, David, me deixe em paz! Deixe-me encontrar minha paz e nunca mais atrapalhe meu caminho!"

Enquanto ela estava viva, ninguém jamais a olhara daquele jeito: tão magoada, tão abalada e tão desesperada.

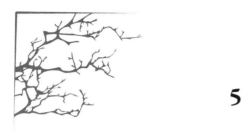

5

O vôo para Los Angeles foi chamado. Os últimos passageiros correram para o portão apropriado. La Guardia, Nova York, em uma manhã de sexta-feira, negócios como sempre, nada de especial. Os viajantes que esperavam pelo voo da Delta Airlines para Los Angeles olhavam para o homem baixo de terno cinza mal ajustado com uma sacola azul pendurada no ombro. Ele se curvou como se estivesse com dor e seu rosto estava contorcido em uma careta feia. As veias em sua testa inchavam a cada passo. Sua pele estava coberta de eczema desagradável e ele fedia muito a suor. Uma mulher ao lado dele se virou e foi embora. "Isso é uma impertinência", ela murmurou.

Uma aeromoça compassiva se aproximou do gnomo. "Posso ajudar? Talvez se eu levar a mala dela no avião..."

"Não!" ele retrucou, lançando-lhe um olhar tão odioso que ela se encolheu. Antes disso, e antes de seu mau hálito. Poderia um humano feder assim?

Gipsy sorriu maliciosamente para si mesmo. Desde que começou a beber, há dez anos, não escova os dentes nem toma banho. Pelo que? Todo mundo podia beijar a bunda dele, todo mundo, como aquela cabra que fugiu dele e aquela samaritana nojenta que queria carregar a bolsa dele. Ele estava com uma doença terminal, poderia mandá-los todos para o inferno, mas ninguém mais poderia ajudá-lo. Mas eles pareceriam muito estúpidos se ele se estabelecesse na primeira série. Sim, ele tinha uma passagem de primeira classe, tenho certeza que ninguém esperava por isso. Gangue suja... fez você morrer e assistiu com total tranquilidade. Por quem ele baixou a cabeça no Vietnã? Para todos eles, para toda a maldita e presunçosa nação! Nós americanos! Estrelas e listras para sempre... O presidente Reagan estava ocupado tornando o orgulho nacional popular novamente. Entronizado na Casa Branca e pregou a glória e o esplendor da América... Era bom pregar se você fosse um daqueles que não sofria. Gipsy odiava o presidente Reagan.

Ele odiava ainda mais o presidente Johnson, que havia começado o drama do Vietnã.

Ele rapidamente enfiou a mão no bolso do paletó, tirou uma caixa, tirou um comprimido e o engoliu sem água. Ele respirou fundo. A maldita dor... os ataques eram cada vez mais frequentes, cada vez mais violentos. Seu consumo de comprimidos aumentou drasticamente nas últimas semanas. Se isso continuasse, ele logo estaria devorando um maço por dia. Mas ultimamente não importava do que você morria. Se ao menos não fosse tão cedo! Gipsy não rezou uma vez desde o Vietnã, mas ultimamente ele se viu enviando uma oração ao céu às vezes. Querido Deus, me dê um tempo, só um pouco de tempo, deixe meu corpo podre respirar um pouco mais...

Amanhã ele seria um milionário. Ele não tinha dúvidas de que John Eastley lhe daria o dinheiro... Eastley... ele pensou no homem alto e bonito. O excelente aluno de Columbia, o advogado brilhante - Eastley, sempre o mais rápido, o mais alto, o melhor. Impulsionado por uma ambição ilimitada e insaciável. Eastley sacrificaria tudo por essa ambição, Gipsy tinha certeza disso, inclusive um milhão de dólares.

Não escapou a ele que todos os passageiros o olhavam furtivamente. Se o fizessem, não importava para ele, pois logo seria um homem rico. Se ele gostasse da Califórnia, vejamos, talvez ficasse por lá e alugasse um apartamento chique à beira-mar. Ele bebia champanhe e os melhores vinhos, comia caviar, lagosta e salmão. Quando chegasse ao fim, quando ele não conseguia se levantar e precisava de morfina todos os dias, não precisaria ir para um quarto de hospital miserável de terceira classe, poderia pagar uma enfermeira particular para cuidar dele dia e noite. Seus últimos dias devem ser dignos. E tudo porque conheço uma história sórdida da vida do homem que um dia você pode eleger seu presidente, pensou ele, olhando para todos os rostos ao seu redor, que lhe pareciam vazios e sem graça. Pobre bando!

A aeromoça disse que eles estavam prontos para embarcar e Gipsy mancou em direção à saída. Todos recuaram involuntariamente. Aquele fedor de suor e podridão, era insuportável. Gipsy sorriu novamente. Você ainda vai fugir de mim quando eu for milionário?

John achou muito arriscado deixar Gipsy ir a sua casa. O perigo de um dos criados ouvir algo era muito grande, e então você teria um segundo chantagista em suas mãos. Um lugar neutro teve que ser escolhido.

Gina, que nunca tinha visto John tão nervoso, pensou: Meu Deus, você está morrendo de medo daquele doente de Nova York!

Depois de muita deliberação, John finalmente teve a ideia de realizar a reunião na fazenda de seu amigo nas montanhas. O nome do amigo era Paul, e John disse que eles poderiam pedir a Paul para deixá-los administrar a fazenda por uma semana.

"Dizemos que queremos relaxar e ficar sozinhos pelo menos uma vez. Paulo entende isso. Tenho certeza de que não haverá problemas."

Também não havia. Paul ficou feliz em fazer um favor a seu velho amigo. "Claro que você pode viver lá o tempo que quiser. Você está realmente completamente imperturbável lá. Max e sua esposa vêm de manhã e à noite para cuidar dos cavalos, mas eles não precisam incomodá-lo."

"De manhã e à noite", disse John a Gina. "Devemos cuidar para que lidemos com Gipsy no meio!"

John havia sacado dinheiro em vários bancos e explicou que precisava com muita rapidez e urgência por motivos particulares e que era um assunto de família. Como ele era muito estimado e as pessoas confiavam nele, ninguém pedia por muito tempo. Eventualmente, ele tinha um milhão de dólares, que escondeu em uma pasta preta. Gina, que o viu correndo pela casa com a coisa, sentiu como se estivesse em um filme de gângster americano. O que os homens estavam realizando aqui? As ruas de São Francisco? Implantação em Manhattan? Lá eles correram com pastas cheias de dinheiro e locais secretos de entrega foram combinados. Por que os homens sempre levavam a sério o que lhes era mostrado na televisão?

Um dia antes da chegada de Gipsy, Gina e John, Lord no banco de trás, dirigiram para as montanhas. Era um dia lindo e claro. Gina não conseguia o suficiente das cores ao redor. Este outono californiano glorioso, colorido e quente! Rosas silvestres floresciam, bagas brilhavam vermelhas nas sebes. Acima, o céu era de um azul quase fanático. O sol estava quente e Gina vestia apenas shorts, camiseta e sandálias. Ela estava sempre relaxada com a liberdade e a beleza da natureza, e teria se sentido mais feliz se seus olhos não caíssem continuamente no rosto tenso e tenso de John. Eles estavam dirigindo por uma estrada deserta, mas ele parecia tão concentrado como se estivesse dirigindo o carro na hora do rush de Los Angeles. Ela tocou o braço dele gentilmente. "Tudo ficará bem!"

O olhar em seus olhos era assombrado.

Eles chegaram no final da tarde. A fazenda revelou-se surpreendentemente grande, uma vasta área cercada por florestas e prados. Lord imediatamente saltou do carro e correu latindo alto. Os cavalos - Gina contou doze - empinaram para frente e para trás animadamente; eles haviam se reunido em um portão vindo do pasto e pareciam estar esperando para serem alimentados. Pouco tempo depois, apareceram Max e sua esposa Clarisse, dois simpáticos idosos que cuidavam da fazenda enquanto Paul estava fora.

"Você mesmo cuida de todos os doze cavalos?" Gina perguntou incrédula.

Max assentiu com orgulho. "Claro. De manhã e à noite. Cavalos são minha paixão, senhora. E estes são particularmente bonitos, são animais maravilhosos. O preto ali", ele apontou para um grande cavalo preto com uma estrela branca em seu testa, 'ele é particularmente nobre. Mas um pouco perigoso. Você tem que tomar cuidado com esse, senhora. Você não deve entrar no portão sem a minha presença. Se o negro enlouquecer, os outros podem enlouquecer também, e então . . .' Max parecia preocupado.

"Definitivamente não vou entrar", garantiu Gina.

"Às vezes me preocupo com meus cavalos. É verdade que tudo está protegido com alarme, e se alguém tentasse entrar no estábulo ou no pasto, soaria assim para mim, digo-te que os mortos poderiam acordar dele. Não moro longe, logo estaria aqui. Mas se não tocar... quero dizer, até onde se pode confiar na tecnologia... Max coçou a cabeça.

John sorriu impacientemente: "Sim." Ele não queria ter uma longa conversa sobre cavalos ou sistemas de alarme.

Clarisse havia trazido uma galinha e uma cesta inteira de vegetais para o jantar. Quando ela e Max foram embora, Gina fritou o frango e fez uma salada de pepino e tomate. Lord abriu uma lata de comida de cachorro. À luz da lamparina a querosene sentavam-se na varanda, comiam e bebiam, ouvindo mil vozes sussurrantes das florestas e montanhas. Em algum lugar uma fonte escorria suavemente.

"Seu frango tem um gosto muito bom", disse John. Parecia um pouco mais calmo. Depois de dois copos de cerveja, seu humor melhorou. Eventualmente, ele até acendeu um cigarro, recostou-se e fumou relaxado.

Tinha esfriado, a umidade subia da varanda dos prados. Gina entrou para vestir calças compridas e um suéter. Na cama do quarto, ainda desempacotada, estava a sacola de John. De repente, ela sentiu vontade de pegar um de seus suéteres. Ela adorava se aconchegar nas roupas enormes e sentir o cheiro familiar de sua loção pós-barba. Ela remexeu no bolso. Certamente ele havia embalado aquele feito de lã cinza claro... Para sua surpresa, ela de repente segurou um revólver nas mãos. Ela o encarou por um momento como se nunca tivesse visto nada parecido, então, vestida apenas com jeans e sutiã, correu para a varanda e enfiou a brilhante arma preta sob o nariz de John.

"Por que você está carregando essa coisa com você?" ela perguntou bruscamente.

John não estava nem um pouco chateado. "Eu acho que é apropriado durante uma estadia em uma fazenda solitária nas montanhas", ele respondeu, "especialmente quando, como nós, você está viajando com um milhão de dólares em dinheiro!"

"Mas eu não quero que você segure essa coisa em suas mãos amanhã, quando Gipsy chegar!"

"Deus, você acha que eu vou atirar nele?"

Gina colocou o revólver na mesa à sua frente e de repente sentiu-se muito cansada. - Quero que tudo corra bem amanhã. Quero que Gipsy pegue o dinheiro e vá embora para sempre.

John riu, parecendo cínico e nem um pouco feliz. — Ele não vai embora para sempre, receio. Os chantagistas nunca fazem isso. Eles voltam e ordenham a vaca enquanto podem. Quanto a Gipsy, só posso esperar que, como diz o ditado, Deus o leve logo.

Ambos dormiram inquietos naquela noite. Acordaram cedo e tomaram o café da manhã. O sol nasceu atrás das montanhas com uma beleza de tirar o fôlego, fazendo as florestas de outono brilharem e o orvalho brilhando na grama. Gina decidiu levar Lord para passear. Correr pelo ar fresco e claro, que estava esquentando lentamente, lhe fez bem. A estranha sensação de tensão interior aliviou um pouco. Ela parou e observou Lord sorver avidamente a água de uma nascente límpida. Ela estava muito preocupada com o comportamento de John. Ela sempre o vira calmo e composto, e agora ele de repente parecia estranho para ela. Quando preocupado com sua carreira, ele adotou uma expressão que ela não gostou. Tenso, excessivamente nervoso, pronto para qualquer coisa.

"Senhor!" ela gritou, e se virou. Tais pensamentos não levaram a nada.

De volta à fazenda, ela encontrou um animado John. "Max e Clarisse estavam lá", ele relatou, "e eu pensei que eles não queriam ir embora. Max começou a dar uma palestra interminável sobre cavalos e Clarisse começou a limpar a casa. Eu disse a ela que realmente não era necessário e acho que ela está ofendida agora. Ela assou um enorme bolo de frutas para nós, está na cozinha. Eles estão se tocando, mas...' Ele passou os dez dedos pelos cabelos. "Espero não ter sido muito rude para eles", murmurou.

Exatamente o que Gina temia. Ela entrou e ligou para Clarisse para agradecer pelo bolo e dizer algumas palavras gentis. Ao entrar na cozinha, ela viu John mexendo na caixa de fusíveis.

"O que você está fazendo?"

"Vou desativar o sistema de alarme. Imagine se Gipsy acidentalmente tocar na cerca do paddock! Dentro de cinco minutos teríamos Max aqui, rifle em punho, pronto para defender seus corcéis.

No mesmo instante o telefone tocou. Era Max quem ouvia a campainha de sua casa quando o sistema era desligado na fazenda. Ele perguntou desconfiado o que estava acontecendo. Com a paciência de um anjo, John explicou que não achava que o alarme precisava ficar ligado o tempo todo enquanto ele e Gina estivessem na fazenda. 'Nosso cachorro continua pastando ao longo da cerca. Não quero que ele acione acidentalmente o mecanismo..."

"Naturalmente. Além disso, eu só estava preocupado porque pensei que você poderia querer ir para os cavalos. Preto não é para brincadeiras..."

"Sim, você disse isso", disse John com um esforço para se controlar. "Obrigado, Max. Adeus." Ele desligou e se virou para Gina. »Não se deve viver na era da eletrônica! Tudo é monitorado. Por que não poderíamos ficar presos no oeste selvagem? EU . . ." Ele interrompeu e ouviu. "Um carro! Você ouviu? Deve ser o táxi!" Ele ficou muito pálido.

"Aquele é Gipsy", disse ele.

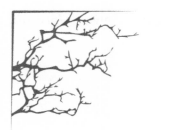

6

— Então você é a mulher com quem John mora — disse Gipsy, sorrindo, olhando Gina de alto a baixo sem pudor. 'Que menina linda, linda! John é um garoto de sorte, eu sempre disse isso."

Gina tentou respirar pela boca para evitar o fedor desse humano. Apesar do calor do dia, ela sentiu arrepios nos braços e nas pernas. De repente, ela entendeu por que John havia falado de Gipsy com tanto horror. Aquele rostinho comido pelo ódio. O escárnio. A feiúra absurda, o fedor desse homem. Pessoa? Você dificilmente poderia mais chamá-lo assim, era um... controle-se, Gina, ela ordenou a si mesma. Ele está com uma doença terminal, a vida o destruiu. Pare de desprezá-lo assim.

'Não gostaria de se sentar, senhor...' Qual era o nome dele? John ao menos disse o nome dele?

»Cigana. Me chame de cigana. Sim, onde devemos nos sentar? Lá?' Ele apontou para a varanda sombreada e começou a andar. Gina procurou por John, que ainda estava negociando com o taxista. Eles decidiram enviar o motorista ao pub da cidade próxima, comer e beber às custas deles e esperar até que o chamassem novamente. Então ele poderia levar Gipsy de volta ao aeroporto.

Gipsy deixou-se cair em uma das cadeiras de vime e esticou as pernas. "Você tem algo para beber para mim, mocinha?"

"Naturalmente. O que você deseja? Água? Suco?"

"Uma boa cerveja gelada, se puder, seria o ideal." Ele foi acariciar Lord, que se aproximou dele com cautela, mas o cachorro rosnou e se afastou. Imediatamente Gipsy estava cheio de raiva novamente. "Cães que mordem devem ser fuzilados! ele disparou para Gina.

"Ele não mordeu você!" E em sua mente ela acrescentou: O pobre animal só tem um nariz muito sensível.

Quando ela voltou para a varanda com a cerveja e três copos, o motorista do táxi havia sumido e John subia os degraus, lenta e dolorosamente. Por um momento ele ficou no crepúsculo, uma sombra escura contra o pano de fundo do dia claro. Ela lançou-lhe um olhar que dizia: Estou com você, John. Nós fazemos isso!

Ela esperava que ele visse o olhar.

Gipsy bebeu meio copo de um só gole e começou a soluçar, que não conseguia parar. "Meu estômago está embrulhado", explicou ele, "não posso fazer nada a respeito."

Nem John nem Gina responderam. Gipsy pegou seus analgésicos e engoliu um. 'Horrível, essa dor. Já sou um pobre porco! Deve ser bom para você fazer as últimas semanas de seu dinheiro melhorarem para um pobre homem moribundo! Seus olhos pareciam querer devorar John, embora sua boca estivesse sorrindo. "Peguei champanhe no avião. E algo bom para comer. Porém, não me agradou, meu estômago está embrulhado desde então!' Ele esvaziou o copo, então tentou um golpe baixo. "Sim/Sim. Nós dois éramos mais jovens e saudáveis no Vietnã, não éramos, John?"

Ninguém disse nada. Finalmente, depois de um tempo, a voz de John saiu, baixa e tensa. — Estou com o dinheiro aqui, cigano. Pegue e vá embora.

— Por que tão rude, John? Nós nos dávamos muito bem, anos atrás, naquele maldito inferno quente ali."

— Anos atrás, Gipsy, você diz. Tudo isso se foi há muito tempo. Esqueça e vamos nos separar!"

Gipsy sorriu. Ele só tinha cotos marrons na boca, exceto pelos dois caninos superiores, e isso, pensou Gina, provavelmente era o que tornava seu sorriso tão desconfortável. Ela teria gostado de pegar a mão de John, mas o gesto poderia tê-lo feito parecer fraco aos olhos de Gipsy, então ela não o fez.

"Seria melhor para você, claro, John", disse Gipsy, "se eu simplesmente me esquecesse. Sim, posso imaginar que você deseja isso! Mas eu tenho que desapontá-lo. Minha cabeça ainda está funcionando bem. Não há muito mais em mim, e logo vou morder o pó, mas minha memória, tudo bem. Está tão claro que parece que foi ontem quando nós dois corremos pela selva e enterramos nossas armas debaixo de um arbusto, bem embaixo dos galhos. Eles ainda estão lá hoje? Provavelmente nenhuma alma viva jamais os encontrou!«

John apertou os lábios. Gipsy continuou: 'Os gritos de nossos camaradas sempre soarão em meus ouvidos. Alguns nem atiraram neles, lembra? Eles a mataram com a coronha de seus rifles. Um homem chora lamentavelmente quando é morto. Como um coelho. Às vezes, quando estou acordado à noite porque minha dor não me deixa dormir, ouço os gritos." Ele ficou em silêncio e olhou para o pátio ensolarado. Os cavalos tinham vindo do pasto e se amontoavam no portão da frente; a presença de humanos perturbava seu ritmo habitual e eles esperavam constantemente para serem alimentados.

"Você tem belos cavalos aqui. São todos seus, John?

"Um amigo. A fazenda inteira pertence a um amigo." John apertou as mãos. O mais calmamente que pôde, ele disse: "Ouça, Gipsy, vamos ser breves. Vou ligar para o escritório agora e pedir ao motorista para dizer a ele para estar aqui em meia hora. Até então, ele podia para comer e beber uma coisinha. Você pega o dinheiro e depois vai para o aeroporto. Ainda vai pegar o avião para Nova York!"

"Ah, não vou voltar para Nova York", disse Gipsy calmamente.

João o encarou. "O que isso significa? Eu te enviei uma passagem de volta!"

"Sim, eu sei. Mas pensei comigo mesmo que é muito melhor aqui do que em Nova York. Especialmente agora que o inverno está chegando. Os invernos no leste são terrivelmente frios! Não, vou alugar um belo apartamento aqui com uma varanda onde posso me deitar ao sol. Isso também significa que estou perto de você e quando estou triste tenho um bom amigo com quem posso contar!'

Os olhos de John se estreitaram. — Esqueça, cigano! Estamos empatados com o milhão. Você não vai me ver de novo e nem eu vou te ver. Não importa onde você vive!"

— Você também não vai abandonar um amigo que tem uma memória tão boa? perguntou Gipsy maliciosamente.

"Eu o acusaria de chantagem se fosse necessário", disse John friamente.

"Você acha que eu me importo? Sou uma pessoa morta que por acaso está viva. Não tenho mais medo de nada nem de ninguém. Durante todos esses anos, o álcool precisou amortecer minha angústia e meu medo, mas agora estou livre. sim, não tenho medo. Não mais."

O rosto feio e arruinado quase assumiu uma expressão de dignidade durante essas palavras. Atônita, Gina pensou: não consigo odiá-lo. Não - tenho pena. Pena e um pouco de medo dele.

João se levantou. — Vou ligar para o motorista. Você pode ser levado para onde quiser."

— O dinheiro — lembrou Gipsy.

Raiva e desprezo transpareciam nas feições de John. "Naturalmente. Vou conseguir o dinheiro também."

Ele desapareceu dentro de casa. Gipsy descansava confortavelmente. Lord, que estava cochilando debaixo da mesa, levantou-se e foi embora. O fedor era demais para ele.

'Um dia ele será governador da Califórnia', disse Gipsy, 'e talvez um dia ele realmente viva na Casa Branca. Sua ambição é uma chama que arde e arde e sempre precisa de novo alimento. É uma pena que não poderei mais seguir sua procissão triunfal."

"Você provavelmente não vai", Gina concordou calmamente.

"Caso contrário, eu estaria sentado na frente da TV e assistindo eles xingá-lo na frente do Capitólio e diria, sim, aqui está ele, o novo presidente que você elegeu, e ele só conseguiu porque é bom o velho cigano manteve a boca fechada.

— Não se empolgue muito, cigano. Afinal, você é muito bem pago."

Ele deu a ela um olhar rápido e malicioso. "Sim, eu sei. Ele sacrifica um milhão de dólares por sua carreira. Mas ele sacrificaria tudo, tudo! Ele sacrificaria até você, Gina, e isso seria um erro sangrento dele, mas ele o faria."

"Receio que você não saiba do que está falando."

'Sim eu sei. E você sabe que eu estou certo. Você é uma garota muito esperta para perseguir qualquer fantasia ou se entregar a qualquer ilusão. Você tem uma mente clara e razoável.

"Não é da sua conta, Gipsy."

"Não", ele disse pacificamente. Então ele se levantou e caminhou pelo pátio até o portão onde os cavalos estavam se empurrando atrás da cerca. Ela cuidou dele, mas estava perdida em seus próprios pensamentos.

Gipsy tinha razão. Esse chantagista doente terminal, insano e fedorento estava certo em cada palavra que dizia.

Droga, ela pensou, de repente se sentindo muito cansada.

Ela se encolheu quando John saiu para a varanda. Ele segurou o estojo com o dinheiro nas mãos. "O motorista estará aqui em vinte minutos", disse ele. Ele olhou em volta com atenção. "Onde está Gipsy?"

»Ele foi para... De repente, Gina sentou-se. 'Ele está com os cavalos! John, ele está no portão! É perigoso, disse Max. Devemos ..."

John pôs a mão no braço dela. "Deixe-o. Isso é problema dele."

Atordoada, ela olhou para ele. "Ele não tem ideia de que está em perigo, John!" Ela desceu correndo os degraus e atravessou o pátio. Ela não queria gritar, porque isso poderia ter causado um verdadeiro susto nos cavalos empinados nervosamente.

No meio do caminho, de repente, houve um tiro. A princípio ela pensou, não pode ser, eu estava errado. Mas então ela viu os cavalos. O grande homem negro empinou e relinchou estridentemente. Os outros seguiram o exemplo. Em nenhum momento o pânico tomou conta do curral. Um grupo de cavalos furiosos. E no meio um humano.

"Cigano!" Ela gritou o mais alto que pôde. "Cigana!"

Gipsy também ouviu o tiro e instintivamente o associou a si mesmo. Ele não sentia nada além da dor que sentia o tempo todo, então ele não achava que tinha sido atingido por uma bala. Mas no mesmo instante os cavalos enlouqueceram e ele entendeu o significado do tiro. Se não conseguisse alcançar o portão, seria pisoteado até a morte pelos cavalos amaldiçoados.

Ele tentou acalmá-la. »Psiu! Acalmar! É tudo de bom! Quieto!"

Mas os cavalos entraram em um estado de histeria no qual não podiam mais ser alcançados. O preto estava apenas esperando por isso. Supercriado e altamente nervoso, ele estava morrendo de tédio na fazenda tranquila e estava com um humor em que o estalo de um fósforo poderia explodi-lo. Ele ficou lá, empinando-se, girando as pernas. Gipsy recuou quando os cascos desceram, mas ele esbarrou em outro cavalo. Ele segurou seus braços protetoramente na frente de seu rosto. Um golpe atingiu sua mão e ele gritou de dor. O próximo roçou seu ombro e rasgou sua camisa em pedaços. Ele tentou subir no cavalo atrás dele, mas ele também empinou, e ele não foi rápido o suficiente com a mão quebrada. Ele deslizou de volta para baixo impotente. O preto havia se virado e chutava os cascos para trás. Ele quebrou o joelho esquerdo de Gipsy e imediatamente o chutou na virilha, fazendo-o cair, semiconsciente. Ao cair, de repente sentiu um medo mortal, esmagadoramente violento. Isso o intrigou, porque há muito ele estava certo da morte e não entendia por que ainda se agarrava a essa vida dolorosa, quebrada e dominada pelo câncer. Mas ele estava apegado a ela, apegado a ela com cada fibra de seu ser. Ele soluçou, toda a loucura dos últimos anos piscando em sua memória, e o pior de tudo foi a dor de sua vida ter sido inútil e malfeita, que ele a deixou passar em uma tontura bêbada, encasulada em seu ódio . O sangue quente escorria de seu nariz, ao mesmo tempo que enchia sua boca por dentro, borbulhando sobre seus lábios.

De longe ele ouviu seu nome; ele sabia que era a garota de cabelos escuros chamando por ele. Esta bela jovem... e John a deixaria ir para o inferno. Como ele. Um casco atingiu sua cabeça. Ele estava morto no mesmo segundo.

"Aveia!" John rugiu. 'Despeje a aveia no cocho! Isso os distrai!«

"Onde está a aveia?"

- Meu Deus, eu também não sei. No celeiro, provavelmente. Apenas olhe!"

Ela correu para o estábulo, xingou e procurou o interruptor de luz, finalmente o encontrou e acendeu as luzes fracas. Ela olhou em volta apressadamente e finalmente descobriu um grande saco com a inscrição "aveia" nele. Ela pegou um balde que estava por aí, mergulhou fundo no saco, puxou de novo meio cheio de aveia e correu para o quintal. O balde era pesado. Ela cerrou os dentes.

Querido Deus, deixe Gipsy viver!

Os cavalos ainda estavam furiosos. Nenhum sinal de Gipsy, ele deve ter caído em algum lugar no meio do emaranhado furioso. John arrancou o balde da mão de Gina e correu para a cerca onde o cocho de aveia corria por dentro. "Ei!" ele chamou o mais alto que pôde. "Ei, suas malditas criaturas, vocês têm comida aqui!"

Os cavalos entenderam na hora e se apressaram. Em um momento houve silêncio. Eles permaneceram harmoniosamente em fila e comeram sua aveia.

Gina imediatamente correu para dentro do portão. Ela descobriu Gipsy como um pedaço de humano sangrento e sem vida. À beira das lágrimas, ela se curvou para ele e cuidadosamente tentou desatar o emaranhado de braços e pernas entrelaçados. "Gyppsy! Gipsy, você pode me ouvir?"

Doente e exausto como estava, seu corpo ainda pesava muito. Gina mal conseguiu tirá-lo do lugar. John apareceu ao lado dela. Juntos, eles arrastaram Gipsy para fora do portão para o quintal pelos braços. Lá eles o largaram. Um fino rastro de sangue marcava o caminho.

"Ele está morto", disse John depois de examinar Gipsy.

Gina olhou para ele horrorizada. "Tem certeza?"

"Sim, ou você já viu alguém vivo que não tem pulso nem coração?" exclamou John. Ele olhou para o rastro de sangue e disse: "Certamente deve haver uma mangueira de jardim por aqui com a qual eu possa me livrar dela!"

"Precisamos de um médico", insistiu Gina, "faça com que ele dê mais uma a Gipsy..."

"Você está louco? Para que ele possa chamar a polícia, se possível?"

"Sim, o que mais você quer fazer? Se Gipsy está realmente morto, você vai esconder a morte dele?"

"Devo colocar no jornal?"

"Você não pode simplesmente enterrá-lo na floresta, pode? Gina exclamou, fora de si.

Ambos não disseram nada. Parada e quente, a calmaria do meio-dia voltou a descer sobre a fazenda. Mosquitos zumbiam no ar. Mas um tiro soou no idílio; ambos sabiam disso. Agora tudo o que se ouvia era o mastigar quieto e constante dos cavalos, com o chapinhar da nascente ao fundo. Lord correu em um grande círculo ao redor do pequeno grupo, ainda sem ousar tocar no cigano fedorento.

"O taxista pode chegar a qualquer minuto", disse John, nervoso.

"Então vamos mandá-lo buscar um médico." Para sua própria surpresa, a voz de Gina parecia calma e determinada. "John, o que aconteceu aqui foi um acidente. Gipsy entrou nos cavalos por conta própria. Max pode dizer a todos como isso é perigoso. «

"Se o alarme não tivesse sido desligado..."

'Se estamos de férias aqui por uma semana, há uma boa chance de desligarmos o alarme durante o dia. Estamos em uma fazenda, não em Fort Knox.'

"Oh Deus!" Como sempre, quando John ficava chateado, ele passava os dez dedos pelos cabelos. 'O que eu digo se eles querem saber por que Gipsy estava aqui?'

— Um velho camarada de guerra seu. Você acabou de descobrir como ele está doente e o convidou para passar alguns dias agradáveis. John", ela pegou as duas mãos dele, dolorosamente ciente do grotesco da situação: ajoelhados na poeira sob o sol escaldante, as mãos estendidas sobre um cadáver. "John, ninguém vai achar isso estranho. Acredite em mim. Ninguém sabe que você tem uma mala de um milhão de dólares na varanda e ninguém jamais saberá. Nunca!"

Ele ergueu o olhar do cigano morto e seu espanto ocorreu com a rapidez com que ela se recuperou, com o quão incondicionalmente ela estava disposta a ajudá-lo e como ela foi justa em não mencionar o tiro. 'Se você apenas... deixá-lo desaparecer', ela continuou, 'você está se colocando em um perigo muito maior. Pelo menos o taxista sabe que ele esteve aqui.

"Ele não vai se lembrar de todos os passageiros."

— Neste, receio que sim. É possível que ninguém jamais pesquise sobre Gipsy, mas você sabe o suficiente sobre a vida dele para descartar isso completamente? Você não deve correr nenhum risco."

Essas eram palavras que ele entendia. "Sim", ele disse, "sim, você está certo. Devemos ..."

Uma buzina alegre soou na entrada da garagem do quintal. O táxi dobrou a esquina. John agora estava branco como a parede. "Gina..." Se tudo correr bem, você vai se parabenizar pela morte dele, ela pensou amargamente. Ela disse em voz alta: 'Tudo como discutido. Entendi?" Saiu tão forte que ele se encolheu. Ela já havia se levantado e caminhado em direção ao taxista.

Ele olhou para o cadáver com uma mistura de curiosidade e horror, e obviamente se parabenizou por aquele homem ter acabado de entrar em seu carro no aeroporto. Primeiro ele quase desmaiou, o feio fedia assim, e não adiantava nem abrir as janelas e o teto. Mas então tornou-se uma longa viagem para as montanhas, e isso rendeu muito dinheiro. Ele também deveria trazê-lo de volta, isso trouxe tanto dinheiro novamente. Um almoço grátis no meio - e agora o cara também estava morto! A bela jovem implorou com entusiasmo para que ele chamasse um médico imediatamente, e ele olhou em seus olhos âmbar cintilantes e se perguntou por que nunca havia conhecido tais mulheres.

'Claro', ele disse, 'eu farei isso. Vou procurar um médico e chamar a polícia. Coitado, aquele velho! Você já experimentou algo assim? Pisado até a morte por cavalos! Ele estremeceu feliz.

Gina agiu como se estivesse em apuros, e o fez de forma tão convincente que John a encarou com admiração. Se a polícia aparecesse, ela se agitaria desamparada e horrorizada, e no final os policiais sentiriam mais pena dela do que do morto. Ele pensou em sua própria falta de cabeça e sabia que teria que agradecer a Gina se tudo desse certo.

Preciso dela, pensou, preciso dela para o resto da minha vida.

"Vou ligar para Max", disse ela. Pela janela aberta, ele ouviu a voz excitada dela. "Max, esta é Gina Loret. Algo terrível aconteceu. Você deve vir em um momento..."

Houve muita agitação e comoção, e quando a noite caiu e finalmente houve silêncio novamente, Gina sentiu como se sua cabeça estivesse prestes a explodir. Confusas e selvagens, imagens e vozes do dia correram por sua memória: Clarisse, que estava parada no meio do pátio, chorando incrédula, e finalmente precisou de dois schnapps porque estava prestes a cair.

Max, que repetia várias vezes: "Mas eu avisei expressamente contra o homem negro!" Até que John se cansou e gritou com ele: "Sim, caramba, você fez, e agora aconteceu de qualquer maneira, então cale a boca !«

Os dois funcionários, um dos quais registrou o curso dos acontecimentos com uma expressão impassível, fizeram perguntas muito factuais e não pareceram surpresos com nada. Seu colega pensou em confortar Gina. Ele ficou ao lado dela o tempo todo, segurou sua mão um pouco demais e disse: "Vai dar tudo certo, minha jovem, vai dar tudo certo!"

Depois havia o taxista, de quem John pagava há muito tempo e de quem se despedira pelo menos três vezes, mas que não conseguia se desvencilhar da cena.

Um médico - com uma expressão de nojo no rosto - declarou a morte. Ele então pegou agradecido um schnapps que Gina lhe ofereceu, esvaziou metade da garrafa e tinha um andar ligeiramente instável quando finalmente se afastou.

Um repórter apareceu de repente, um homem baixo e magro, que falava violentamente e tinha cabelos loiros longos e ralos. Gina presumiu que o taxista o tivesse informado. Ele tinha um pequeno gravador que não rebobinava, então ele estava constantemente lutando com a fita e tendo que torcê-la com os dedos. Ele irritou a todos, foi apenas agredido e encontrou a única vítima voluntária na pobre Clarisse, que, no entanto, não conseguia pronunciar uma palavra em meio aos soluços e, portanto, provou ser uma entrevistada inadequada.

E finalmente John, ele estava tão pálido. Gina sempre pensou, espero que ele supere isso. A certa altura, parecia que ele gostaria de expulsar o rato de um jornalista da propriedade, mas felizmente ele se controlou. Eles tinham que parecer o mais inofensivos possível, perturbados, é claro, porque um bom amigo havia morrido horrivelmente, mas não temiam nem a polícia nem a imprensa. John não deve se desacreditar espancando um jornalista.

Onde estava John afinal? Miserável e exausta, Gina desabou em uma das cadeiras de vime na varanda, controlada o suficiente para evitar a cadeira em que Gipsy estava sentado. Agora ela se levantou e escutou dentro de casa. De fato, ela pensava assim. Ela ouviu o som familiar de cubos de gelo caindo em um copo. Então John preparou outra bebida, quantas nas últimas horas? Ela foi para a sala. John estava parado no bar empurrando a garrafa de vodca para longe. O cinzeiro sobre a mesa quase transbordou. A tez de John era de um cinza fantasmagórico.

"Você deve estar com fome," Gina disse suavemente, "você quer que eu faça algo para comer?"

John estava assustado, ele não tinha ouvido ela chegando. "Não", disse ele, "não vou trazer nada agora."

"Oh, um monte dessas coisas, não é?" Ela sentiu pena dessa observação. Ela não tinha a intenção de ser cínica. "Com licença, você teve um dia difícil. Talvez você devesse sentar comigo na varanda, poderíamos... conversar sobre qualquer coisa?"

Ele tomou alguns goles. "Não adianta mais."

"Também não adianta ficar bêbado."

'É de alguma utilidade para mim. Então eu não penso tão claramente sobre tudo o que foi."

Você não lembra mais que matou um homem!

Ambos não disseram nada. O telefone tocou no silêncio. Gina queria decolar, mas John foi mais rápido. Ela viu o rosto dele assumir uma expressão assombrada.

"De onde você ouviu isso?" ele perguntou. Então, depois de um tempo, ele disse com veemência: 'Sim, sim, é verdade. E agora, por favor, deixe-me em paz. É ultrajante ligar a esta hora! Ele bateu o fone no gancho. — Foi aquele idiota de hoje à tarde. Queria saber se eu sou o Eastley que os republicanos podem querer colocar como favorito na próxima eleição para governador da Califórnia. Eu não tinha escolha a não ser admitir. Oh maldito! Arrancou de novo os cabelos, já espetados em todas as direções, o que lhe dava um tom tocantemente infantil. »Agora vai sair na imprensa!«

Ele esvaziou o copo, sentou-se em uma cadeira e parecia ter perdido até a última gota de energia.

Gina caminhou até ele e gentilmente acariciou sua cabeça. — Você supera isso facilmente, John. É um caso desconfortável, mas ninguém vai culpá-lo por isso. Você chamou a polícia imediatamente. Max tem dito a todos, quer eles queiram ouvir ou não, o quão perigoso é o garanhão preto. E ninguém sabe disso. . ." Ela se interrompeu.

João olhou para ela. "Diga, Gina. Ninguém sabe que meu tiro de pistola deixou os cavalos em pânico, você quis dizer isso, não é?"

Ela assentiu. Levou todo seu autocontrole para não gritar com ele: "Sim, é isso que eu ia dizer, John, e me diga por que diabos você fez isso? Por que, por quê?"

Mas ela não disse nada e ouviu John sussurrar baixinho: 'Não sei o que deu em mim. eu não sei..."

Você já sabe disso, pensou ela, seu eterno medo por sua carreira tomou conta de você, esta carreira pela qual você não pararia por nada...

'Ninguém,' ela disse com firmeza, 'nunca saberá o que aconteceu aqui. Nunca."

"Gina, eu..." Ele a segurou pela cintura e pressionou o rosto em seu colo, e ela sabia que o amava apesar de tudo.

"Vou fazer algo para comer agora", disse ela, mas John se levantou e pegou sua mão. "Não. Vamos para a cama."

Aha, a panaceia masculina em situações difíceis.

Eles caminharam até o quarto, cada um se despindo sozinho, de costas um para o outro, concentrados em si mesmos. Gina foi ao banheiro e escovou os dentes. Ela olhou para seu rosto no espelho. Algumas sardas apareceram no nariz. John matou um homem hoje, ela assistiu e ajudou a encobrir. Como era uma mulher fazendo isso? Nada diferente de antes, ela percebeu. Ela esguichou alguns esguichos de perfume no pescoço e nos braços, escovou o cabelo e voltou para o quarto. John já estava na cama, parecendo vulnerável e indefeso. Ela se esgueirou para baixo das cobertas com ele como em uma caverna, embora fosse ela quem tinha que dar-lhe proteção e conforto hoje. Ela passou os dois braços ao redor dele. "Você é meu querido, John", ela sussurrou, "para sempre."

Eles nunca se amaram por tanto tempo, com tanta ternura, tão profundamente. Eles se deitaram e se abraçaram, um acariciando o outro, abraçando-o com força, sussurrando palavras de saudade. Acariciaram-se com os lábios, lamberam-se como gatinhos, rolaram-se como crianças, riram baixinho e imediatamente voltaram a ser solenes. Estavam em êxtase, como se descobrissem pela primeira vez algo que nunca haviam conhecido. Eles se moviam com cautela, aumentando sua luxúria, apenas para ficarem em silêncio novamente e apenas tocarem o outro com as mãos e os lábios. E de repente sua luxúria se transformou em uma paixão insustentável.

Depois ficaram ali entrelaçados, dormindo como os bichinhos, surpreendidos no meio da brincadeira. Eles acordaram e se aconchegaram ainda mais e era como se fossem um batimento cardíaco, uma respiração. Amanheceram, sonharam...

John pensou que ela não me ama menos do que antes e estou segura.

Gina pensou, estranho, não é diferente do que costumava ser, é mais legal, não somos apenas amantes, somos cúmplices.

Ela finalmente adormeceu com esse pensamento.

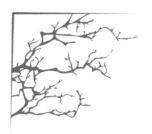

abril de 1983

A noite de abril estava fria e chuvosa. Um vento incômodo soprou pelas ruas de Londres. Primavera, pensou Steve, correndo pela Regent Street com a gola do casaco levantada e as mãos enfiadas nos bolsos do casaco, hora de ir para um país mais quente.

Ele tinha a passagem de avião! Londres-Sydney Para sexta-feira, 15 de abril. Amanhã então.

Se a Caçadora, aquela velha bruxa, soubesse que hoje era seu último dia no estúpido escritório dela! Pela última vez: 'Sim, Srta. Hunter.' — Não, senhorita Hunter. Ele deu a ela um sorriso muito amigável quando ele saiu. — Adeus, senhorita Hunter. Vejo você amanhã!' Ele estava imaginando, ou ela estava realmente olhando para ele maliciosamente? Mas desde o começo ele teve a sensação de que ela o espreitava como um gato em volta de um rato. Provavelmente era apenas o jeito dela. Fugazmente, ele sentiu pena do pobre idiota que se tornaria seu sucessor.

Enquanto descia a Regent Street, ele ponderou como seria amanhã no escritório. Ele estava muito atrasado ultimamente, então Hunter não acharia particularmente incomum se ele não estivesse em sua mesa às oito horas. Ela resmungaria e provavelmente decidiria finalmente convencer a Sra. Grey de que ela absolutamente tinha que expulsar esse sujeito não confiável. Mas ela certamente não correu direto para a polícia. De alguma forma, ele ainda nutria um vago medo de que essa mulher pudesse armar uma armadilha para ele no último segundo. Ele não poderia se sentir seguro até que o avião estivesse no ar - ainda melhor se tivesse passado pelo controle de passaporte em Sydney sem dificuldade. O avião partiu às oito horas. Ele poderia ter deixado a Inglaterra uma hora antes de o Caçador começar a se perguntar. Primeiro ela deve ter ligado para a casa dele. Sua senhoria provavelmente atenderia o telefone. — Não, senhorita Hunter, o senhor Marlowe não está aqui. Ele não veio trabalhar?

É claro que a dona da casa não deve ter notado que ele saiu de casa muito cedo, muito menos que trazia consigo uma mala. Mas Steve não tinha nenhuma preocupação: a senhoria teve um sono abençoado e geralmente não saía da cama até tarde da manhã.

Ele possuía quase cinco mil libras. Isso não o tornou um homem rico, é claro, mas ele poderia sobreviver por um tempo. Se ao menos um banco o contratasse! Claro, você também encontraria a nota em seus papéis na Austrália que se referia ao seu tempo na prisão, mas ele estava convencido de que não seria visto de forma tão restrita lá. Ele pensou onde a primeira população branca no distante continente do Pacífico Sul havia sido recrutada: condenados britânicos que haviam sido levados em navios no século XIX para trabalhar e de alguma forma sobreviver. Muitos que vivem lá hoje eram descendentes de ladrões, cercadores, assassinos. Quase irônico que ele estivesse pensando em fazer fila lá. Mas muito apropriado. Se ao menos ele estivesse aqui!

Um instinto lhe disse que era hora de ir embora. Nem uma semana a mais. A sorte esteve com ele por muito tempo. Claro, cada centavo importava, e cada semana que ele ficava o tornava mais rico. Mas o perigo também aumentou. Ele não podia ser descuidado agora, não podia arriscar nada. Cinco mil libras devem bastar. Com isso ele começaria uma vida decente. Ele ansiava tanto por isso. Ajustado à sociedade de classe média, respeitado por quem valorizava a honra e a decência. Ele sempre quis isso, nada mais.

Em uma loja de roupas masculinas, ele comprou um jaleco branco e claro. Aparência era importante agora. Ele hesitou quando viu os relógios na vitrine de uma joalheria. Pelo menos uma nova pulseira de couro... Mas então ele balançou a cabeça. Tudo muito caro. Ele teve que se contentar com isso.

Quanto mais perto chegava de seu apartamento, mais nervoso ficava, e não conseguia explicar a estranha sensação de ansiedade. Afinal, ele havia planejado tudo com muita precisão, agora ele só precisava implementar lentamente seu plano passo a passo na realidade.

Pouco antes da Trafalgar Square, ele se virou e decidiu comer algo em outro lugar. Numa pequena pizzaria cujo dono gostava dele porque cá vinha com frequência, comeu uma pizza com atum, alcachofras, cebolas e azeitonas e bebeu um quarto de litro de vinho tinto. Ele fumou lentamente dois cigarros e ouviu uma canção de amor ofegante na jukebox. O vinho o fez se sentir melhor. Passava um pouco das dez horas.

O senhorio aproximou-se da mesa. — Outro café, talvez? «

"Sim, eu gostaria." Ele nunca tomava café à noite porque ficava acordado a noite toda. Mas desta vez - ele realmente não sabia por quê - ele buscou um adiamento após o outro. Finalmente, pouco antes das onze, saiu do restaurante.

A casa estava quieta e quieta, sem luz em qualquer lugar. Isso é bom, então a senhoria estava dormindo. Ela nunca mais o veria porque ele sairia de casa às seis horas da manhã seguinte. Ele tirou a chave e estava colocando-a na fechadura quando duas sombras emergiram dos arbustos de forsítia de cada lado da porta.

"Steve Marlowe?" Eram dois homens de sobretudos claros, um de chapéu, o outro com um guarda-chuva pendurado no braço. "Você é o Sr. Steve Marlowe?"

Por um momento, a ideia de dizer "não" passou por sua cabeça, mas então ele percebeu o quão absurdo teria sido e disse: "Sim". Ao mesmo tempo, ele sentiu como se alguém o tivesse socado no estômago.

"Polícia", disse o de chapéu, sacando sua identidade. "Sr. Marlowe, você foi acusado de peculato. Infelizmente, temos que pedir que venha conosco."

"Não pode ser", afirmou Steve, mas sentiu como se não fosse ele quem falasse as palavras, mas sim um autômato dentro dele que assumira a tarefa de formar frases e pensamentos. Ele sentiu as palmas das mãos ficarem úmidas.

— Uma certa senhorita Lydia Hunter afirma que você desviou pelo menos £ 15.000. «

"O que a faz pensar isso?" Oh, Deus, os Caçadores! A velha errada! Ele sentiu que ela o estava perseguindo, perseguindo-o, olhando para ele como se soubesse tudo sobre ele. Por que ele não confiava em seus instintos?

— A senhorita Hunter tem provas. Mas não devemos falar sobre isso aqui. Se quiser, podemos acompanhá-la até seu apartamento para que possa arrumar algumas coisas.

Mas não é isso, pensou em pânico, no final vão encontrar a passagem de avião. E minha mala pronta está no canto!

'Não preciso levar nada comigo', disse ele, 'porque espero voltar logo de qualquer maneira. Só pode ser um erro."

'Como quiser. Então, por favor, venha comigo.

Enquanto ele seguia os dois policiais pela rua, começou a chover. O brilho da lanterna se refletia no asfalto. Aqui e ali ardiam luzes nas casas, claridade quente e suave. As gotas de chuva atingiram Steve no rosto. Por que, ele pensou desesperadamente, eu não voei esta manhã?

Ele pensou sobre os avisos em seu subconsciente, sobre como ele atrasou seu retorno a noite toda. Seu idiota! Seu idiota!

Tinham chegado ao carro, estacionado numa rua lateral. Claro, eles não eram iniciantes, e um carro na frente da casa poderia ter levantado suas suspeitas. Ele teve que sentar no banco de trás, um dos homens ao lado dele, o outro atrás do volante. Os limpadores de para-brisa roçaram uniformemente o para-brisa. Apenas alguns carros vieram em sua direção. Não havia muita coisa acontecendo em Londres naquela noite chuvosa.

Steve olhou para suas mãos apertadas em seu colo. *Se eu for preso de novo, eu me mato!*

Ele não percebeu que as lágrimas escorriam pelo seu rosto.

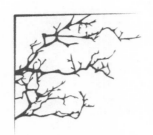

agosto de 1983

1

Natalie se perguntou como o público americano reagiria se ela aproveitasse a oportunidade e despejasse sobre ele. "A única maneira de passar todos os dias da minha vida é tomar 30 mg de Valium. Estou bem porque estou empolgado com as coisas. O que você acha que acontece se eu deixar de fora? Receio que nenhum de vocês me reconheceria..."

Estranho, pensou Natalie, ser convidada de um talk show. Durante nove meses, ela entrevistou celebridades na televisão americana e, assim, tornou-se uma pessoa conhecida nos EUA. Ela teve avaliações de 30%. "Isso é tudo que Ronald Reagan ganha", disse certa vez seu produtor. Natalie sentiu-se honrada por ser convidada para o apresentador de talk show mais famoso da América, mas é claro que ela passou por todos os infernos de medo do palco.

"Você conhece muito bem o estúdio de TV", Carson disse a ela quando falaram ao telefone antes do show. "Eu não tenho que explicar muito para você, e suponho que você não ficará muito nervoso!"

"Ah, não se engane!" Ela forçou uma risada. "É uma coisa diferente quando de repente você mesmo passa pelo espremedor!" Na verdade, ela se sentia muito mais miserável do que gostaria de admitir. Em seus próprios shows ela estava sempre cercada pela mesma equipe, eles conheciam suas fraquezas e aprenderam a se adaptar a elas. Assim que começou o interlúdio musical obrigatório, o maquiador estava pronto com o pó de arroz, alguém trouxe um copo d'água, o produtor - um bom jovem gay de trinta e cinco anos - colocou o braço em volta dos ombros dela e disse: " Calma, Nat. Respire fundo . Está tudo ótimo! Ela não havia contado a ninguém que estava tomando pílulas, mas suspeitava que as pessoas ao seu redor estavam suspeitando de alguma coisa. Uma vez, por acaso, ela ouviu duas pessoas conversando na batedeira. 'Muito talentosa, a garota da Inglaterra. Pena que eles... .'

O resto se perdeu em um sussurro. Natalie estava convencida de que haviam conversado sobre drogas.

Aqui com Johnny Carson, ela estava trilhando novos caminhos. Ninguém a ajudou aqui. Ela usava um vestido Valentino, de seda verde, muito justo, com um cinto largo e colorido na cintura. Seu cabelo estava mais comprido agora, liso e brilhante, caindo sobre os ombros. Natalie sabia que ela era bonita, e isso lhe dava um pouco de segurança. Ela ouviu atentamente a próxima pergunta de Johnny Carson. "Já houve um momento em sua vida que você diria que foi um ponto de virada em sua vida?"

"Não. Não houve uma virada na minha vida. Não no que diz respeito ao meu trabalho, minha profissão. Sempre soube exatamente o que queria e fui em direção a isso - bastante direto, acho ."

"E quanto à sua vida pessoal?"

Ela o olhou fixamente. "Mesmo lá, não posso dizer que houve um ponto de virada."

"Natalie", disse Johnny. — Você causou grande alvoroço na imprensa quando deixou a Inglaterra. Porque você não foi sozinho naquela época. Você estava acompanhado por uma jovem atriz que desistiu de um futuro brilhante em Londres por sua causa. O nome dela: Claudine Combe. Dizem que seu relacionamento com Madame Combe é de natureza muito íntima.

Ele olhou para ela com expectativa, ela devolveu o olhar em silêncio. Ele não tinha feito uma pergunta, então ela não respondeu.

"Não te incomoda", disse Johnny Carson, "ser retratada publicamente como lésbica?"

Ela deveria negar? Fugir? Evitando habilmente o penhasco?

A noite anterior veio à sua mente: Claudine viera da Filadélfia, onde estava gravando um filme para Nova York, para não deixar a nervosa e febril Natalie sozinha.

"Vamos comer, Nat. Não é bom você ficar em seu apartamento a noite toda. Você precisa de um pouco de distração agora!

"Não posso. Não posso sair hoje à noite. Estou doente e..."

"Você está doente porque provavelmente não come há horas. Venha comigo!"

Natalie finalmente se permitiu ser persuadida. Ela agora tinha um pequeno apartamento na East 72nd Street que na verdade dividia com Claudine. Mas já faz algum tempo que Claudine está constantemente viajando a negócios. Algo em seu relacionamento havia mudado. A princípio, em Londres, tinha sido Claudine quem amava com mais intensidade e constantemente cortejada para receber em troca tanto carinho quanto dava. Ela estava com saudades de sua família e de Paris, e Natalie claramente tinha os pés no chão. A maré virou na América. Claudine se acostumou a não estar mais com os pais e de repente encontrou prazer em sua vida independente. Natalie, por outro lado, precisava de mais e mais Valium, não conseguia se dar bem com seu terapeuta e, como resultado, reagia ansiosa e nervosamente ao Babylon Manhattan. Discussões irritáveis eclodiram entre ela e Claudine quando Claudine fez as malas novamente por algumas semanas. "Você sempre me deixa em paz! Eu me pergunto por que você veio para a América!«

Eles acabaram em um restaurante chinês que era famoso muito além do reino da Big Apple por seu maravilhoso pato à Pequim. Eles também bebiam saquê quente. Claudine falou sobre seu novo filme e conseguiu fazer Natalie relaxar um pouco durante a noite.

De braços dados, eles finalmente voltaram para casa na noite quente de agosto. As lanternas estavam acesas no Central Park e havia muita gente nas ruas. Claudine olhou em volta com olhos de expectativa, como se esperasse algo novo a cada esquina, e Natalie percebeu que seus nervos estavam tremendo. Pela primeira vez ela admitiu para si mesma: a América não era para ela. Muito alto, muito grande, muito ocupado. Se ela fosse saudável, ela teria corajosamente aceitado o desafio e subido, mas em sua condição, este país a derrubou no chão uma e outra vez. Se havia alguma chance de ela ficar boa, era apenas na Europa. Ela olhou para cima e para baixo na movimentada Quinta Avenida, e o antigo pânico agitou-se dentro dela. Fora, vamos!

Naquela noite, ela se aconchegou em Claudine como se quisesse segurá-la. A ternura infinita de sua primeira vez voltou por horas. Quando adormeciam, deitavam-se enlaçados e o suor brotava onde a pele se tocava, pois a noite não trazia frescor e o calor do dia ainda perdurava no quarto.

Johnny Carson olhou para ela com expectativa. 'Não te incomoda ser publicamente retratada como lésbica? «

Sua voz era surpreendentemente firme e clara ao responder na frente das câmeras: "Não me incomoda, não. Porque você vê, é verdade!"

Quando ela chegou em casa, Claudine esvoaçou animadamente em sua direção. "Você foi ótimo", ela exclamou, abraçando a amiga. "Mas... você não acha que..."

"Eu sei", Natalie interrompeu, "eu estava sendo um pouco franca."

"Há muitas pessoas que são preconceituosas", disse Claudine cautelosamente. "E se você quer construir uma carreira..."

O telefone tocou. Natália atendeu. Era a produtora de seu próprio programa. 'Nat, você está de bom humor? " ele gritou. "Por que você não manteve sua boca fechada?"

"Já passa da meia-noite", disse Natalie, cansada. "Nós podemos conversar amanhã?"

'Aqui os telefones estão esquentando! Todos os seus fãs – seus antigos fãs – qualquer um que conheça Natalie Quint como uma senhora legal e elegante quando..."

"Como uma mulher sem abdômen, eu sei."

"Meu Deus, Nat, é a sua imagem. Você tem aquela vibração gelada que faz você pensar que não tem sentimentos da cintura para baixo. Você sabe que isso é bobagem, eu também sei, mas é assim que eles querem ver você e o público não vai te perdoar se você roubar suas ilusões. Lamento ser tão duro com você, mas você estragou tudo esta noite.

"Eu disse a verdade."

"A verdade! Quem se importa com a verdade? Olha, Nat, eu não me importo se você transar com homens ou mulheres, eu farei o que der e vier, mas você não precisa esfregar isso na cara de todo mundo. Especialmente não na América! Eles são muito mais atrasados e pudicos aqui do que você pode imaginar, em alguns aspectos eles são ainda mais conservadores do que vocês, ingleses! Oh cara!"

O produtor era o namorado dela, Natalie sabia disso, e provavelmente por isso ele estava tão chateado. "Você deveria ter sido mais cuidadoso, Nat, sério!"

"Sem problemas", disse Natalie calmamente. "Eu vou voltar para a Europa de qualquer maneira."

"O que?" veio a voz incrédula tanto do telefone quanto de Claudine.

'Inglaterra ou França. Eu vou pensar sobre isso."

Agora eles estavam falando com ela de dois lados, mas Natalie não disse nada além de: 'Estou cansada. Eu quero dormir agora." Ela encerrou a ligação com um breve "Boa noite" e desligou.

'Você não quis dizer isso!' disse Claudine, chocada.

"Sim." Natalie examinou rapidamente a correspondência que Claudine havia colocado na mesa da sala. "Oh! Uma carta de Mary!"

"Nat, você realmente pensou sobre isso?"

Natalie não respondeu, mas abriu a carta de Mary e leu. Ela gritou baixinho. "Oh não! Steve está na prisão de novo! Por um ano e meio sem liberdade condicional. Por peculato!«

"O irmão do assassino, certo?"

"Sim. Meu Deus! Ironicamente, ele desviou vários milhares de libras de uma fundação de caridade, mas aparentemente foi observado mais de perto por um superior do que ele pensava. Eles o pegaram um dia antes de ele ir para a Austrália. Pobre Steve!" Ela olhou para cima, olhando pela janela para a noite. "O que aconteceu com todos nós? Tínhamos mil sonhos, mil planos, e estávamos convencidos de que nada poderia acontecer conosco. Mas agora..."

"Você ainda é jovem," Claudine lembrou gentilmente.

Natalie virou-se e, momentaneamente perdendo a paciência, gritou: "Eu não sou mais jovem! Olhe para mim! Eu os vi cortar a garganta de uma mulher. Eu fui estuprada, não apenas uma vez, não, duas, três vezes, quatro vezes! Estou em psicoterapia há anos e não posso sair de casa sem grandes quantidades de Valium. Estou perseguindo sonhos profissionais que não consigo realizar porque meus nervos não estão à altura. Não estou jovem, Claudine, sinto-me uma velha louca!'

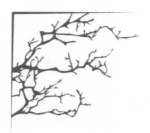

2

Um ano atrás, ninguém mais pensava na morte de Gipsy, ninguém duvidava de que tudo havia acontecido como John e Gina haviam descrito: um trágico acidente nas montanhas da Califórnia. Não havia amigos ou parentes que tivessem pedido investigações mais detalhadas. O nome de John estava nos jornais, é claro, mas ele quase poderia chamar isso de publicidade bem-vinda. Sem exceção, ele se saiu bem. Seu passado no Vietnã voltou a se destacar, destacando-se como um dos heróis patrióticos que se destacou pela América nos dias sombrios do final dos anos 1960. Sua amizade com o velho e doente cigano o tornou simpático. Considerando tudo, as coisas correram bem para ele.

Superado o choque inicial, John começou a aproveitá-lo com certa frieza. Ele encenou um funeral pomposo, Gipsy até ganhou uma pedra de mármore e um caixão de carvalho. Eles fotografaram John no túmulo de seu ex-companheiro e escreveram algo sobre "tristeza silenciosa" e "nostalgia". John leu os jornais, amassou-os e jogou-os na cesta de lixo. "Isso me irrita tanto quanto a você", disse ele a Gina, embora ela não tivesse dito nada. - Mas pelo menos tudo correu bem agora. Eu realmente gostaria que tudo isso não tivesse acontecido! Por que Gipsy teve que aparecer de novo e começar uma história tão idiota? «

Por que você teve que matá-lo? pensou Gina. Assassinato estava entre eles, uma grande sombra sinistra. Longe vão os dias em que Gina pensava que sua cumplicidade os uniria ainda mais. Havia uma diferença entre eles: John havia atirado, não ela. Ele precisava do silêncio dela, não dela dele. A situação como era o perturbou. Ele estava pressionando pelo casamento mais do que nunca e começou a pressionar Gina.

"Você não quer se casar comigo porque isso aconteceu na fazenda. Você provavelmente me vê como um assassino."

"Foi um acidente", respondeu Gina, pensando no dia quente e parado nas montanhas quando um tiro quebrou o silêncio. "Você agiu por reflexo."

Isso era realmente verdade? Às vezes ela acreditava, às vezes não. Mas ela o amava, com saudade, dolorosamente e com medo de que pudesse acabar, algum dia. Durante o dia ela estava feliz e radiante, ria sua gargalhada e exalava tanta energia quanto entusiasmo pela vida. Só John conhecia as noites escuras quando ela se apertava contra ele como uma criança congelada. Freqüentemente, quando ela acordava nas primeiras horas da manhã e o sentimento de solidão a dominava, ela vinha até ele, aconchegava-se a ele e adormecia novamente com um suspiro profundo e satisfeito.

Eventualmente, uma daquelas noites, ela cedeu. Eles se amavam, ela estava em seus braços e ele estava falando sobre casamento novamente.

— Por favor, Gina. Não desejo nada além de que você seja minha esposa!

"John... O medo estava de volta.

"Por que você está resistindo? Você não confia em mim ou em nós? É por causa daquela coisa com Gipsy?"

"Não. Eu juro para você, não!"

Ele a puxou ainda mais perto dele. Ela relaxou novamente, respirando seu perfume e sentindo sua resistência quebrar. Quando ela concordou, ele a beijou e passou metade da noite fazendo planos. Ela quase não disse nada, apenas olhou para a escuridão e se perguntou do que ela estava com medo.

Eles decidiram se casar em agosto. John teve que ir para a Europa por duas semanas e achou que Gina deveria ir com ele. Ele estava lidando com um caso muito interessante da OPEP e queria conhecer alguns membros desta associação exportadora de petróleo em Viena. Como ele teria que voar para Seul para tratar de outro assunto imediatamente após seu retorno, ele achou melhor se casar em Viena.

"Afinal, também é uma cidade muito romântica", disse ele. - Você está bem Gina?

"Naturalmente. Mas o que fazemos com nossos amigos e conhecidos? Você não acha que eles vão ficar com raiva de nós se deixarmos tudo acontecer sem eles?"

"Poderíamos fazer uma grande festa de noivado aqui antes de partirmos. Então ninguém pode reclamar.«

"Tudo bem." Pensativa, Gina mexeu sua xícara de café. Eles se sentaram para o café da manhã no terraço, na frente deles havia pãezinhos crocantes e potes de geléia. Um aroma floral avassalador emanava do jardim.

"A propósito, os jornais estão cheios de sua amiga Natalie", disse John, empurrando o Sun sobre a mesa para ela. 'Aparentemente ela estava com Johnny Carson ontem. E ela deve ter declarado diante de Deus e do mundo que estava tendo relações íntimas com outra mulher. O público está em pé de guerra.«

Gina olhou para o jornal. "A apresentadora de TV favorita da América proclama publicamente que é lésbica", a manchete chamou sua atenção. E abaixo estava escrito: »A jornalista de TV Natalie Quint, que é considerada legal e conservadora e conhecida e amada por seu programa 'Famous Faces', permitiu insights sobre sua vida íntima pela primeira vez. Embora fosse apenas um vago boato de que ela e a atriz francesa Claudine Combe estavam tendo relações sexuais, a jovem disse ao talk show de Johnny Carson na noite passada que os rumores eram inteiramente verdadeiros.

Ela causou mais confusão do que deveria. Centenas de telespectadores indignados bloquearam as linhas telefônicas da ABC naquela noite. Ameaças de morte teriam sido recebidas. Desde então, a jovem disse aos repórteres que deixará os Estados Unidos e voltará para a Europa".

'Deus', disse Gina, 'eu realmente não entendo por que as pessoas estão tão chateadas. A vida privada de Nat não é da conta dela!"

"Pessoas públicas não têm uma vida privada nesse sentido", explicou John. "Isso foi algo que Veronique nunca quis ver também." Pela primeira vez em seu longo tempo juntos, ele mencionou sua falecida esposa por conta própria.

Gina franziu a testa. "Ela pode ter querido admitir isso", disse ela, "mas pode não ter sido capaz de viver com isso."

"Mas você tem que viver com isso", insistiu John. "As pessoas não querem apenas experimentar uma pessoa proeminente no palco. Você quer olhar nos bastidores. Seja um político, um ator ou um chefe de negócios - o público quer se identificar com ele e, para isso, precisa de uma visão de sua vida privada. E isso também deve corresponder às ideias gerais. Infelizmente, eles ficarão desapontados!«

"E Natalie a decepcionou?"

'Difícil mesmo. Natalie tinha uma certa imagem que agora foi completamente abalada. Natalie era a intelectual fria com charme, elegância e reserva. Uma mulher bonita - mas sem sexo.

»Não existe ser humano sem sexo. E se ela dormisse com um homem? O público aceitaria isso, certo?"

"Isso seria normal. Não é desonroso."

"O que há de vergonhoso em mulheres dormirem juntas?" Gina exclamou com raiva. "Em que época estamos vivendo?"

"Querida, você não precisa me convencer. Nesse caso, acho que as pessoas são tão estúpidas quanto você. Mas é assim que as coisas são e não podemos mudá-las. Sua namorada deveria ter observado o que ela diz!"

A voz de Gina soou amarga. "Sim, sempre observe o que você diz! Por favor, as massas, pelo amor de Deus, conforme o gosto geral! Só não desenvolva nenhuma peculiaridade, apenas não seja quem você é! Você não tem ideia de como eu acho isso vomitar. Eu não acho que eu poderia lidar com isso!"

"Você vai ter que fazer isso um pouco!" John riu um pouco tenso. "Como esposa do futuro governador... A propósito", ele estava visivelmente tentando mudar de assunto, "você se importa se convidarmos seu amigo David Bellino para nossa festa?"

"David? Por que isso?"

"A Bredow Industries é uma das empresas mais bem-sucedidas da América e uma das mais sólidas financeiramente. Eu definitivamente quero usar a conexão que temos aí através de você. Preciso de financiadores se vou realmente fazer campanha."

"Então convide o velho. Andreas Bredow, ou qualquer que seja o nome dele. Afinal, é tudo dele."

— O velho cego não me serve de muito, por mais brutal que isso pareça. Ele tem um problema cardíaco grave, dizem, e a maior parte dos negócios já está nas mãos de seu sucessor. Não, eu preciso de David. John largou os jornais e se levantou. — Eu tenho que ir, querida. Não fique tão preocupado! Sei que esta festa é um verdadeiro estresse, mas pense nos bons momentos que teremos pela frente em Viena depois! Ele desapareceu entre os hibiscos e as buganvílias. Ela cuidou dele e pensou que eu nunca mais queria ver David.

No dia do noivado estava quase quente demais para festejar. "Vai ser uma tempestade terrível", disse o homem da delicatessen que veio preparar o bufê frio pela manhã. "Você deve estar preparado para de repente ter que fugir para dentro de casa com todos os seus convidados!"

"O céu é azul brilhante!" Gina protestou.

'Mas você não pode ver como está abafado? A propósito, você parece um pouco infeliz!

Então você realmente notou isso. Ela passou o dia todo infeliz, a princípio acreditando que poderia estar pegando um resfriado. Ela sorriu um pouco com esforço. "Provavelmente é realmente o clima."

Por volta do meio-dia ela teve uma dor de cabeça e, embora tenha tomado duas aspirinas, ela não cedeu até o início da noite. John a olhou preocupado. — Você está tão pálida, Gina. Como se hoje fosse seu funeral, não seu noivado.

'Tenho medo do palco. De alguma forma, este festival está no meu estômago. Eu gostaria que pudéssemos cancelar tudo e passar a noite sozinhos.«

"Você realmente não pode." John se sentiu um pouco desconfortável. Ele nunca tinha visto Gina assim antes. Eles estavam parados no quarto se trocando, Gina ainda estava com sua anágua de seda branca e borrifando fixador no cabelo. "Talvez seja por causa de David", ela disse, "eu não queria que ele viesse."

"Mas você precisa ver que..."

"Sim!" Sua voz parecia irritada. "Eu posso ver que ele é importante para sua carreira!"

Imediatamente depois, ela sentiu pena do tom áspero. Ela vestiu o vestido curto de seda azul meia-noite, ajustou as mangas largas, correu para John e o abraçou. — Sinto muito, John. Estou nervoso hoje, mas não deveria descontar em você. Com licença!"

"Não é nada. Sem problemas, querida. Todos nós temos um dia ruim."

Houve uma batida na porta. Era uma das empregadas. "Os primeiros convidados chegaram. Sr. Bellino e acompanhante.

"David? Ele está meia hora adiantado!"

A empregada encolheu os ombros, impotente.

"Tudo bem", disse Gina, "temos que dizer olá, então. Prepare-se, John, vou descer.

David estava parado no corredor, vestindo um terno dourado — que coisa sem graça, pensou Gina — e segurando um magnífico buquê de rosas. Ao lado dele estava uma mulher muito alta e esguia, com uma cara um tanto boba e muitas joias nos braços e nas mãos. Davi sorriu. "Olá, Gina!" Ele falou pesadamente.

Gina não retribuiu o sorriso. Ela o viu e pensou: Meu Deus, aquele cara está bêbado como um velho marinheiro!

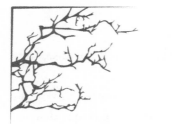

3

David teria ficado ofendido se não tivesse sido convidado para a festa de noivado, mas agora que o evento era realmente iminente, ele se sentia muito desconfortável. Ele havia perturbado sua companheira, a um tanto estúpida Lorraine, no quarto do hotel, bebendo um schnapps após o outro - o que não era nada típico dele. Lorraine tinha começado a esvoaçar nervosamente ao redor dele, fingindo ser a garotinha que franze os lábios e pergunta se ela fez algo errado. — Você está com raiva de mim, David? Você não ama mais Lorraine? Ela piscou tristemente seus cílios cuidadosamente rímel para ele. David odiava quando ela ficava assim. Ultimamente ela andava realmente dando nos nervos dele e, além disso, ele estava cada vez mais convencido de que o que ela realmente queria era o dinheiro dele.

"Está tudo bem", disse ele, com uma pitada de irritação em sua voz. "Eu só preciso de alguns goles."

Lorraine observou ansiosamente enquanto ele ficava cada vez mais bêbado.

O próprio Davi não seria capaz de explicar o que havia de errado com ele. De alguma forma, ele teve um mau pressentimento quando pensou no festival. Era parente de Gina. Ele temia que ela pudesse provocar nele algo de mau e odioso, do qual ele mais tarde se arrependeria muito. Ele estava determinado a fazer tudo certo, a ser o amigo perfeito, mesmo aquele que dava o presente mais caro - o que sem dúvida conseguiria com o verdadeiro Picasso que transportara de Nova York para Los Angeles. Gina não pôde deixar de admirar sua generosidade; ele também planejava oferecer a seu futuro marido seu apoio para uma possível campanha eleitoral tarde da noite. Depois que o democrata Edmund Gerald Brown foi governador da Califórnia desde 1975, o republicano George Deukmejian finalmente voltou a ocupar o cargo em novembro do ano passado. Por que o candidato do Partido Republicano nas eleições de 1986 não deveria se chamar John Eastley?

Ele diria isso a John. E John contaria a Gina. "David acha que há uma boa chance de eu ser a próxima governadora da Califórnia, Gina. Ele prometeu me ajudar.«

E Gina pensaria que bom amigo David é!

Mas, por mais que quisesse fazer tudo bem, correto e perfeitamente, não confiava em si mesmo. Gina trouxe à tona seu lado travesso - não quando ele pensava nela, mas quando a encarava. Provavelmente tinha algo a ver com a admiração que ele tinha por ela. De todos os seus amigos, ela era aquela cuja boa opinião ele mais valorizava — e a que mais não subornava ao insistir que tinha uma opinião ruim dele. Perder Steve, Mary e a inteligente Nat o machucaram, mas o frio desdém e a distância ameaçadora da bela, forte e confiante Gina o atormentavam mais do que tudo. Teve o prazer de mencionar a velha história de St. Brevin em sua primeira visita a Los Angeles e notar o choque que momentaneamente anulou sua superioridade. Ele gostou de aborrecê-la e se arrependeu amargamente depois. Mas agora ele estava tentado novamente - sim, ele queria machucá-la e assustá-la tanto que ela sempre se lembraria dele.

Não, ele não queria isso. Ele estava apaixonado por ela, era isso, sempre fora apaixonado por ela. Você não machuca alguém que você ama. A bebida turvou seu cérebro, seus pensamentos ficaram confusos, ele não sabia mais o que queria e o que não queria e, ironicamente, esse era o estado em que ele sempre vivera.

Engoliu mais um gole, talvez se estivesse bêbado não fizesse nada, do que depois se arrependeria, se sentiria cansado e preguiçoso e calaria a boca. Ele pegou o braço de Lorraine. — Vamos, Lorena. N-nós temos que ir agora. Ele a empurrou para fora da porta, pensando que eu terminaria com ela em breve. Muito em breve.

Incompreensivelmente, apesar do ar sufocante, o clima no festival era alto. Talvez também porque todos os convidados beberam muito por causa do calor e o álcool imediatamente teve um efeito notável. Todo mundo de Los Angeles tinha vindo: atores, produtores de cinema, escritores, advogados de alto escalão, políticos, jornalistas, um cabeleireiro popular, um dono de restaurante famoso, até mesmo um ex-ladrão de banco cuja presença agora era considerada chique. Lanternas brilhavam por toda parte no jardim, bandejas de prata com taças de champanhe eram carregadas, música tocava nos alto-falantes. Quanto mais alegre ficava, mais frequentemente um dos presentes se sentia compelido a fazer um discurso sobre o feliz casal. Essencialmente, a mesma coisa foi dita repetidamente - as mesmas piadas foram feitas sobre o mesmo assunto repetidamente.

"Você demorou bastante, mas agora, John, a armadilha está fechada!" Risada.

"Deixe-nos, velhos maridos, dizer-lhe: o martírio espera por você!"

Ri novamente. Por que eles sempre têm que fingir que nós, mulheres, estamos morrendo de vontade de casar, pensou Gina, John queria mesmo, não eu! Ela tentou rir, até porque as câmeras dos fotógrafos estavam apontadas para ela e ela não queria parecer tão séria em todas as fotos. Seu olhar caiu sobre David, que estava bebendo pelo menos sua décima taça de vinho. Ele esteve grudado nela o tempo todo, alternadamente sentimental e agressivo.

'Lembre-se, antes...' ele começou de novo e de novo, e então ele disse agressivamente: 'Realmente não é ruim o quão rápido você se catapultou, Gina! Toda atenção! Eu bebo para você e seu sucesso!«

'É melhor você não beber nada, David! Você tem o suficiente. E pare de fazer essas insinuações, você realmente não tem ideia sobre mim e meus negócios!'

Ela se manteve perto de John para não dar a David outra oportunidade de conversar com ela. Ela falou com a esposa de um senador sobre as roupas de Nancy Reagan, com um corretor da bolsa sobre sua última história de crime, com um juiz sobre proteção ambiental. Ela ria, conversava como sempre, mas o tempo todo se sentia como se estivesse em uma peça. Este opressor abafado! Esses muitos, muitos rostos. O medo surdo que espreitava em sua cabeça dolorida...

E então, de repente, houve um raio no céu, seguido imediatamente por um trovão. Todos gritaram de horror quando o céu se abriu no mesmo segundo e enviou uma verdadeira torrente para a terra. Em nenhum momento eles estavam todos encharcados.

"Para dentro de casa!" exclamou João. "Rápido! Todos corram para dentro de casa!«

A maioria largou tudo e entrou correndo, alguns pegaram seus copos, alguns até pegaram um ou dois pratos do bufê frio. As lanternas de papel balançavam entre as árvores, pingando. A piscina de repente parecia consistir apenas em pequenas fontes. Dentro da casa, todos os banheiros foram imediatamente bloqueados porque todos tentavam se esfregar com uma toalha. A esposa de um parlamentar de Washington apareceu de repente no roupão de Gina. "Prefiro fazer algo não convencional antes de pegar um resfriado", explicou ela de maneira moleca. »Quem estiver incomodado pode desviar o olhar!«

O humor havia sido severamente perturbado, a conversa alegre não voltaria tão rapidamente. Você tinha que procurar novos lugares e novas pessoas para conversar. Gina calmamente tomou uma terceira aspirina. No silêncio, a Sra. Brown, uma advogada de Santa Monica, perguntou: 'Você leu sobre o escândalo? Aquele escândalo envolvendo Natalie Quint..."

"Eu não li apenas no jornal", gritou um homem baixo e gordo que Gina não sabia onde colocá-lo no momento, "eu até assisti o drama ao vivo na tela. Muito embaraçoso, devo dizer !'

"Eu também vi", disse Lucia Drake, dublê e modelo com conexões ousadas com Washington. 'E eu pensei que Nat Quint era muito corajoso. Por que ela não deveria me dizer como ela é? Cada um tem o direito de amar quem e como quiser!«

"Mas é desagradável falar sobre isso na TV."

'Johnny perguntou a ela sobre isso. Se alguma coisa, isso era desagradável para ele. O que ela deveria fazer? Negar? Talvez pese a ela ter que negar seu amor sempre e em todos os lugares.«

"Acho o amor entre mulheres extremamente repulsivo", disse o baixinho gordo, e Gina não pôde deixar de pensar que fazer amor com *ele* devia ser repulsivo. "Quando penso nisso... desconfortável. Muito desagradável!«

"Muitos homens gostam de imaginar isso", disse a sra. Brown, "eles acham isso estético".

"Como isso deveria funcionar?"

Lúcia Drake riu. 'Está indo muito bem. Você não precisa de rabo para tudo. De qualquer forma, as lésbicas afirmam que os paus são os amantes mais insensíveis do mundo. Desajeitado e cru.«

"Ouça ouça!" Aquele era Davi. Ele se inclinou para frente, seus olhos brilhando de forma não natural. 'Por que você está lutando pelas lésbicas, Sra. Drake? E com tanta veemência? Experiência relevante?"

'Claro que não.' Agora Lúcia se sentia desconfortável. 'Quero dizer, eu realmente tentei muito na minha vida, mas com uma mulher? Não. Eu não gosto nada disso!"

Ela havia puxado a cabeça para fora do laço. David olhou em volta, seus olhos presos em Gina. "Você gostou? Naquela época com Natalie?" Houve um silêncio absoluto na sala por um momento, você poderia ter ouvido o famoso alfinete cair. Então veio a voz do companheiro de David: 'Você bebeu demais esta noite, David. É melhor irmos agora.

"Por que então? Estou falando inofensivamente com Gina!"

Lucia Drake riu estridentemente. "Pelo menos os tablóides têm algo a relatar amanhã."

John acordou de sua paralisia. "Sr. Bellino", disse ele o mais educadamente que pôde, "acho que a jovem tem razão. Realmente é melhor você ir agora!"

O homem baixo e gordo olhou para Gina com o lábio inferior caído. "O que o Sr. Bellino quer dizer?"

Aquele gnomo gordo, o trovão lá fora e a risada estridente de Lucia Drake — combinados para sempre em um pesadelo na memória de Gina.

Ela ouviu a si mesma dizer, abafada e como se estivesse de longe: "David, Natalie e eu nos conhecemos desde pequenos. Nós fomos para a escola juntos. Nenhum de nós conhecia as tendências de Natalie.

"Realmente não?" David pegou o próximo copo, sua namorada o pegou dele. "Vamos!" ela sussurrou.

'Por que Gina e eu não deveríamos refrescar algumas memórias de infância? Já passamos por muita coisa juntos! Você ainda pensa em Santa Clara às vezes, Gina?

"Sim!" Querido Deus, deixe um milagre acontecer. Faça David parar de falar!

Ninguém disse nada. Todos olharam de Gina para David e de David para Gina. John parecia ter sido atingido por um raio. Ele parecia incapaz de reagir de alguma forma.

'Depois de nossos exames finais, todos nós fomos de férias para a França juntos', continuou David, 'toda a turma. Não, espere, a pobre Mary não estava lá. Havia quatro de nós. Steve, Natalie, Gina e eu. Você se lembra de St. Brevin, Gina? Daqueles dias longos e quentes? Éramos muito jovens e muito livres. Realmente - extraordinariamente grátis. Principalmente você Gina. E Natália.

"Jogue-o fora, Gina", disse a Sra. Brown. "Este homem claramente fala demais."

"Saia da minha casa imediatamente!" John disse bruscamente. "No local!"

"Isso não é sábio de você, Sr. Eastley!"

"Ir!" John repetiu suavemente.

"OK." David se aproximou da porta com as pernas instáveis. "Eu já parti. Mas os fatos permanecem, e nem mesmo você, Sr. Eastley, pode afastá-los tão facilmente. A mulher com quem você quer se casar teve um caso com a famosa e recentemente condenada jornalista Natalie Quint quando ela era jovem. Você deveria pense se isso é bom para sua carreira! «

"Eu não dou a mínima para calúnias sujas", disse John, mas ele estava branco como um tijolo.

"Aleluia", disse Lúcia.

Lorraine pôs a mão no braço de Gina. — Sinto muito, senhorita Loret. Você poderia fazer a gentileza de nos chamar um táxi?

Na manhã seguinte ainda estava chovendo, mas havia um vento quente. Às sete da manhã, o telefone tocou. John, que não havia dormido um minuto naquela noite, pegou o fone. Era seu pai e ele estava fervendo de raiva.

"Você já leu o jornal hoje?" ele gritou.

João fez uma careta. Ele estava com dor de cabeça de qualquer maneira, e os gritos de seu pai, alto como se ele estivesse sentado ao lado dele e não em São Francisco, não ajudou em nada. — Não, pai, não li nenhum jornal hoje. Mas posso adivinhar o que há nele."

'Isso é um escândalo!' John teve que segurar o fone longe do ouvido porque a voz do velho Eastley falhou. — Isso pode arruinar você, John! Isso é pior do que qualquer outra coisa que poderia ter sido escrita sobre Gina. Você deve terminar com ela imediatamente!'

"Pai, porque um homem bêbado proferiu uma calúnia maliciosa ..."

'O que é calúnia? Onde há fumaça deve haver fogo, é o que as pessoas pensam! Droga, eu sabia, eu sentia, que devia haver uma mancha escura em seu passado! Eu não te disse? Eu não acabei de...'

'Padre', John interrompeu, 'essa história não muda nada. Gina e eu vamos para a Europa depois de amanhã, conforme planejado. E nos casaremos em Viena no dia 20 de agosto.«

Silêncio de São Francisco. Então houve um coaxar: "O que você está dizendo?"

"Você acha que eu me importo com a conversa de um arrivista nova-iorquino ou de um hacker de jornal?"

ter que ouvir as fofocas das pessoas se você quiser chegar lá!" Eastley gritou, desligando o telefone.

Dez minutos depois, ele ligou novamente. "Você não vai se casar! Eu te proíbo de fazer!"

"Não vou deixar que me proíba nada, padre", respondeu John, e desta vez foi ele quem desligou abruptamente.

Ele voltou para o quarto, onde uma Gina cansada estava agachada em uma poltrona, as pernas encolhidas, um cobertor de lã enrolado nos ombros. Ela olhou para a chuva que caía constantemente com olhos cansados. Dava para ver a noite sem dormir, durante a qual ela e John conversaram horas após horas. Sua maquiagem estava borrada, seu cabelo estava desgrenhado. Ela acabou de começar a fumar seu terceiro maço de cigarros.

'Querida', disse John com ternura, 'receio ter que ir ao escritório agora. Você deve tomar banho ou tomar banho e depois tomar um café da manhã sem pressa. Tome um café forte e depois tenha um dia confortável e preguiçoso. Ou leve algumas coisas para a viagem. E não atenda o telefone."

Ela olhou para cima. "John, não podemos fingir que nada aconteceu."

"Nós também não fingimos. Conversamos sobre isso a noite toda. Você me contou como era naquela época e eu acredito em você e não acho que seja uma coisa ruim. David Bellino acabou de escolher um momento muito ruim para encenar seu grande show porque todo mundo está falando sobre Natalie Quint agora. Após uma breve pausa, John acrescentou: "Ele é um criminoso".

O telefone tocava incessantemente.

"Talvez devêssemos..." Gina disse.

"Não. Isso é apenas o papai querendo desabafar. Podemos nos salvar disso."

"John, eu não quero que você brigue com seu pai por minha causa. E eu não quero que você..."

- Querida, não se desespere. Essas coisas são apenas exageradas e rapidamente esquecidas. Vamos, não fique tão triste! Estarei fora do escritório cedo hoje e teremos a noite toda para nós! Ele a beijou e sorriu, mas ao sair do quarto pensou: Que merda!

Gina finalmente se levantou, foi ao banheiro, tomou banho e se vestiu. Enquanto ela tentava maquiar um pouco o rosto pálido, a noite passou por sua memória e pela noite. Davi. Estranho, ela sabia o que estava por vir. Ela sabia desde o dia em que ele a visitou aqui. Era o destino de David Bellino destruir tudo o que tocava? Agora ela também?

John se comportou fabulosamente. "Não é ruim", ele assegurou a ela a noite toda. "Eu te amo, Gina. Um homem como David Bellino não pode destruir nosso amor. Quando voltarmos da Europa como Sr. e Sra. Eastley, as coisas terão se acalmado aqui e tudo será esquecido. «

Ela saiu do banheiro com ruge nas bochechas, lábios maquiados, cabelo recém-secado. Ela parecia meio normal novamente. No corredor ela conheceu a empregada Emmy. Ela parecia envergonhada e curiosa.

Claro, pensou Gina, ela também lia o jornal.

"O Sr. Eastley nos diz para não atender o telefone", disse ela, "mas o toque constante deixa você maluco!"

Aparentemente, John temia que os jornalistas ligassem e induzissem a equipe a tagarelar. Quem sabia o que uma garota como Emmy diria se pudesse se tornar importante?

"Talvez a campainha possa ser abaixada", disse Gina, "e quem ligar acabará desistindo."

Depois de duas xícaras de chá e um ovo mexido, ela já se sentia melhor. Ela deveria trabalhar em sua nova história de crime? Mais tarde, ela decidiu. Primeiro ela daria um passeio com Lord. Ainda chovia, mas o ar fresco lhe faria bem. Enquanto procurava o oleado e as botas de borracha, o telefone voltou a tocar. Fortalecida como estava agora, ela pegou o fone.

"Sim?"

"Gina?" Era Davi.

Ela respirou fundo. "Sim, esta é Gina."

"Meu Deus, estou tentando falar com você há horas! Já deveria estar no aeroporto. Meu avião sai para Nova York em três quartos de hora.«

"Então não deixe que eles te parem."

"Gina!" Parecia suplicante. "Eu queria me desculpar. Eu agi impossível ontem à noite. A única maneira que eu posso explicar é que eu estava completamente bêbado e..."

"David, eu estava prestes a dar um passeio", interrompeu Gina.

"Eu entendo que você está com raiva de mim. Também não sei porque... pode ter sido só o álcool. Tenho tido muitos problemas ultimamente. E a jovem com quem estive com você ontem à noite está morrendo de vontade de..."

"Eu realmente não me importo com nada disso!"

"Ela é como uma lapa, só fala em casamento, e eu não sei o que..."

"Ligue para a tia da caixa de sugestões da Cosmopolitan," Gina aconselhou friamente. "Eu não posso te ajudar." Ela desligou. Estupidamente, ela atendeu novamente quando tocou novamente. "O que mais?" ela perguntou irritada. No entanto, não era David. Era o pai de John.

"Ah... a própria senhorita Loret." Ele sempre a chamou de Gina. 'É bom que eu possa alcançá-lo. John está?

"Ele está em seu escritório."

"Então. Talvez devêssemos conversar então. Qual é a verdade sobre o que está no jornal?"

"Nada."

"Aha. Então David Bellino inventou isso! «

– Ele divulgou uma coisa inofensiva que aconteceu anos atrás. Ele estava bêbado e não sabia do que estava falando".

'É tudo muito feio. Isso pode ser perigoso para John.«

"John não vê dessa forma." Não se excite, Gina, implorou a si mesma, calma!

A voz do velho Eastley era ameaçadora. "Sim. John é descuidado. Sempre foi, mesmo no tempo de Veronique. Ele não entende o que está em jogo. Ele me disse esta manhã que os dois ainda pretendem se casar em 20 de agosto. Isso é correto?"

"Sim." Ela começou a tremer ligeiramente.

"Isso é impossível. Impossível! Espero que você me entenda. John tem um futuro brilhante pela frente. Todos nós, toda a família dele, investimos muito nele. Não vamos deixar que isso nos destrua. Se você tem algum senso de responsabilidade, veja e deixe-o ir!'

Deixe ele ir? O que o velho estava dizendo?

Gina sentiu a raiva crescendo dentro dela. 'John e eu', ela disse o mais calmamente possível, 'somos os únicos que temos que decidir isso. E tomamos nossa decisão. Estamos nos casando."

Ele disse suavemente: "Você não acha que vai se vingar um dia? Se John perder seu futuro, sua carreira, em algum momento ele vai te culpar. Ele não vai te perdoar."

"Você pode deixar isso comigo."

"Quero lhe dizer uma coisa, senhorita Loret. Vou deixar *isso* para suas preocupações também. Eu não me importo com o que acontece com você. Mas não vou deixar você destruir meu filho. Farei de tudo para impedir esse casamento!"

"Faça o que quiser", disse Gina. O outro lado desligou. Idiota, pensou ela, zangada e magoada. Quando tocou de novo, ela quase gritou no telefone. "Sim?"

Era Natália. Ela ligou de Nova York e parecia muito animada. "Gina! Eu li o jornal e queria entrar em contato com você imediatamente. O que aquele filho da puta do David está aprontando agora?"

Em poucas palavras, Gina relatou os acontecimentos da noite anterior. Ela notou como sua voz soava cansada e deprimida. 'Espero que nada disso afete John. Queremos nos casar no dia 20 de agosto. Mas não tenho mais certeza se devemos realmente fazer isso."

"Como David apresenta suas acusações?"

Gin hesitou. 'Lembra-se de St Brevin? Naquela época, logo após os exames?

Do outro lado do continente houve um suspiro audível. "Você pensa..."

'Ele estava nos observando. E desde que ele me disse isso, tenho medo de que um dia ele fale sobre isso. De alguma forma, eu sabia que isso aconteceria.

"Um dia", disse Natalie, "um de nós vai torcer o pescoço e eu vou parabenizar essa pessoa, vou te contar."

"Seria bom para ele, de qualquer maneira!"

'Ouça, Gina, há algo que eu possa fazer? Fazer uma declaração nos jornais que corrija tudo? Eu realmente gostaria de ajudá-lo!"

— Não, Nat, melhor não. Isso agita as coisas novamente e parece que tenho que me defender. deixe-o descansar Diga-me, é verdade que você quer deixar a América?"

"Sim. Não estou feliz aqui e Johnny Carson acabou comigo. Tenho uma oferta na França. Irei para Paris."

"Boa sorte, Nath!"

"Obrigado. Se algo acontecer, entre em contato comigo. Assim que tivermos um apartamento, escreverei o endereço para você."

"Nós?"

'Claudine e eu. ela vem comigo Adeus, Gina!«

Foi bom ouvir a voz familiar de Nat e suas palavras gentis, mas o medo ainda estava à espreita. De repente, Gina não teve mais vontade de dar um passeio. Ela preparou um banho quente e mergulhou na espuma branca e perfumada com uma taça de champanhe. Lord sentou-se ao lado dela e inclinou a cabeça para observá-la. De repente ela teve que chorar, e parecia-lhe que nunca seria capaz de parar. Ela chorou e chorou, e quando as lágrimas finalmente secaram, a água havia esfriado e o champanhe tinha um gosto rançoso.

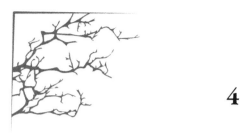

4

Fizeram o que todos os turistas fazem em Viena: deixaram-se conduzir de carruagem pelo 1º distrito, visitaram a Catedral de Santo Estêvão, subiram até ao Pummerin, observaram os Lipizzaners na Escola Espanhola de Equitação e depois foram para o Demel, onde Gina provou o bolo Sacher original pela primeira vez em sua vida. Ela ficou entusiasmada com isso, assim como com as pimentas suaves, quase de sabor doce, que descobriu no Naschmarkt. Eles admiraram as magníficas câmaras do Hofburg, ficaram muito tempo em frente ao relógio Anker e comeram o maior schnitzel obrigatório do mundo na taberna de vinhos da cidade "Figlmüller", onde Gina perdeu dez dólares para John porque ela havia apostado anteriormente que ela, é claro, terminaria o prato, mas depois teria que depor as armas muito antes da última mordida.

Eles passearam de volta ao Hofburg, maravilharam-se com a beleza do salão estadual da Biblioteca Nacional e finalmente participaram de uma visita guiada à Ópera Estatal, porque as férias do teatro significavam que não havia outra maneira de dar uma olhada lá dentro.

Nenhum deles aludiu aos eventos pouco antes de partirem. Estava tudo tão longe. Onde estava a América? Longe de tudo, eles anteciparam a lua de mel, por assim dizer.

"Eu te amo, Gina", disse John tarde da noite enquanto eles se sentavam frente a frente em Os 3 Hussardos. A luz da vela suavizou seu rosto. Gina ergueu o copo e brindou com ele. Ela pensou na próxima noite com ele como havia pensado na noite anterior durante o dia. As noites em Viena seriam lembradas com mais vivacidade do que os dias, porque ela e John nunca haviam sido tão fanáticos por seu amor.

'Em mais três dias', disse John, 'estaremos casados. Você está feliz?"

"Você deveria ver isso."

Ele agarrou a mão dela por cima da mesa. "Você está feliz, Gina?"

"Sim", disse ela, apenas fugaz e inconscientemente se perguntando se ela estava mentindo.

Na noite anterior ao casamento, haveria uma recepção na Embaixada Americana em homenagem aos convidados da OPEP em Viena. Ao longo do dia, John teve reuniões importantes, mas ofereceu a Gina que a deixasse usar o carro para que ela pudesse circular pela região.

"Nos encontramos às cinco e meia no café aqui do prédio", sugeriu ele, "então teremos tempo suficiente para nos trocarmos em paz. Cuide-se, querida!"

"Naturalmente. Você também." Ela o acompanhou até o saguão e acenou adeus quando ele entrou em um táxi em frente ao Sacher. O dia estava dourado e quente, o primeiro leve toque de outono estava no ar. Um grande buquê de crisântemos amarelos estava na recepção escrivaninha. O outono europeu também é lindo, pensou Gina, toda a vida é linda! O mundo inteiro!

Ela estava de bom humor. De jeans e camisa azul da John, óculos escuros no cabelo, ela partiu. Ela dirigiu até um dos subúrbios, deu um passeio e depois parou em uma taberna, onde bebeu vinho e comeu pãezinhos; ela não conhecia o prato, mas acabou sendo uma massa deliciosa. No início da tarde ela voltou para a cidade. Ela pretendia apenas passear e não comprar nada, mas então passou por uma butique que tinha vestidos de noite na vitrine e um deles chamou sua atenção. Era na altura do tornozelo e consistia em uma saia de renda preta com um corpete de veludo verde musgo, costas baixas e mangas levemente onduladas que afinavam na mão e ajustavam-se confortavelmente ao redor dos tornozelos.

Posso experimentar, pensou e entrou hesitante na loja, deve custar uma fortuna, mas é lindo.

Caiu como uma luva e encantou tanto a vendedora quanto as duas clientes que estiveram presentes. — Este é o seu vestido, madame! Insisto que leve com você porque não ficaria tão bem em nenhuma outra mulher!' O preço era alto, mas o vestido valia a pena, então Gina pagou sem pestanejar. Ela sabia que John gostava particularmente dela de verde. Ela deixou a loja exultante. Um vento quente soprava pelas ruas, nas quais ela pensou ter sentido o cheiro de flores e feno. Às cinco horas ela entrou no Café Sacher, levando o vestido para o quarto. Ela alegremente pediu um café. Ela bebeu em pequenos goles e olhou para a rua por onde passavam pessoas com vestidos de verão claros. Ela estava mais feliz do que nunca após a morte de Gipsy.

John tinha um ouvido sensível ao tom com que as outras pessoas falavam com ele e se perguntava se era sua imaginação ou se alguns funcionários da embaixada eram realmente mais frios com ele. Ele tinha, é claro, sido saudado calorosa e alegremente por muitos, mas em algum lugar havia uma estranha sensação de distância entre alguns. Você olhou para ele com curiosidade de lado? Você foi cuidadoso com o que disse? Você evitou perguntas excessivamente pessoais? E se sim, por quê? Ele estava prestes a se tornar um dos contatos mais importantes dos Estados Unidos com a OPEP. Ele só podia considerar suas negociações em Viena como extraordinariamente bem-sucedidas. Na verdade, ele esperava que um tapete vermelho fosse estendido para ele, não para ser olhado de soslaio.

Tudo imaginação, disse a si mesmo. Ele olhou para o relógio. Estava na hora de ir para o Sacher.

Por causa da recepção que se aproximava, o prédio da embaixada estava lotado com ainda mais policiais e agentes de segurança do que o normal. Algumas notas musicais soaram de algum lugar, aparentemente a orquestra estava ensaiando. Os arranjos florais finais foram feitos. Dois cavalheiros solitários de smoking estavam parados e pareciam estar esperando ansiosamente por uma taça de champanhe. A tensão estava no ar. John ansiava pela noite.

Ele estava prestes a sair do prédio quando ouviu seu nome ser chamado. Atrás dele estava o tenente-coronel Munroe, membro da assessoria do adido militar. Considerado um republicano obstinado, Munroe foi talvez um dos mais ferrenhos defensores de Ronald Reagan, mas carecia de carisma para seguir a carreira política. Ele era sincero e leal, mas constantemente se intrometia nos assuntos dos outros. Fazia parte de sua mentalidade que ele sempre tinha que manter as coisas em ordem. Era difícil argumentar com o fato de que ele tinha boas intenções e fazia o melhor que podia, mas ninguém gostava de ter muito a ver com ele.

Então João deixou claro que estava com pressa. 'Sim... tenente-coronel? ele perguntou apressadamente.

"Posso falar com você por um momento, Sr. Eastley?"

"Eu realmente tenho que ir. Tenho um compromisso às cinco e meia. «
"É muito importante."

John suspirou e se rendeu. De qualquer maneira, foi dito que Munroe
nunca soltou uma vez que ficou preso.

Os dois homens foram para uma pequena sala lateral, um escritório
desocupado que estava tão frio com ar condicionado que John sentiu como
se estivesse entrando em um freezer. "Bem", ele perguntou, "qual é o ponto?"

Munroe acendeu um cigarro depois de entregar o maço a John, que
educadamente recusou. "Estamos preocupados com você", disse ele.

"Quem somos nós?" John perguntou de volta imediatamente.

Munroe sentou-se, mas John permaneceu de pé; ele não queria passar as
próximas horas aqui. "Quem?" ele repetiu.

"Seus amigos do Partido Republicano. Aqueles que você gostaria de ver
governador. Qualquer um que pense que você pode fazer isso."

"Aha. E por que você está preocupado comigo?"

"Bem..." Munroe parecia estar procurando por palavras.
Aparentemente, ele havia assumido uma missão delicada. — Houve um
escândalo sobre sua noiva há uma semana. Você sabe o que eu quero dizer?
Saiu em todos os jornais. «

— Claro que sei o que você quer dizer. Essa história que um bêbado
trouxe. Você não espera seriamente que eu fale sobre esse absurdo
novamente!'

' É falado, Sr. Eastley, e esse é o ponto. Você não pode ignorar isso.
Não posso deixar de dizer que, dadas as circunstâncias, você não tem muita
chance de se candidatar na próxima eleição para governador."

"Com licença?" John sentou-se afinal, um pouco confuso e assustado. O
problema era que o tenente-coronel Munroe sempre precisava acreditar em
cada palavra que dizia. Ele não era um fofoqueiro. Se ele disse alguma coisa,
ele se certificou centenas de vezes de que era verdade.

"Você gostaria de um cigarro?" ele perguntou.

Agora John pegou um, acendeu e deu uma tragada longa e forte. "Isso
tudo é completamente absurdo", disse ele. — A senhorita Loret e eu vamos
nos casar amanhã. Do que eles a estão acusando?

Munroe estava claramente envergonhado com todo o assunto. 'Seu . . .
er. . . a futura esposa foi ! «

"Seguro. Mas não vejo como alguém aqui pode levar a sério a fofoca de um bêbado espalhada pela imprensa da maneira insuportável de sempre. Realmente, tenente-coronel, geralmente temos um pouco mais de estatura em nossas fileiras."

"A esposa de um governador deve ser impecável."

»Não existe ser humano perfeito.«

"Você sabe o que quero dizer. É claro que todo mundo tem um passado, e é claro que sempre haverá um ou dois pontos sombrios. Mas com moderação! Quero dizer, a esposa de um governador não deveria de repente sair como tendo um aborto em algum momento ... Ou que ela usava drogas. Ou que eles...' Mais uma vez ele não continuou.

John olhou para ele com ironia. 'Por que você não diz isso? A esposa de um governador não deveria ter um passado lésbico."

Munroe corou suavemente. "Sim," ele murmurou embaraçado.

"O fato é: Gina Loret não tem nenhum."

"Em ordem. Também não quero dizer isso a ela. Mas a imprensa colocou esse casaco nela. Sinto muito, Eastley, mas não podemos arriscar perder votos por causa disso."

»Os eleitores não são tão atrasados quanto vocês pensam!«

"De certa forma", Munroe disse calmamente, "eles são ainda mais atrasados."

John sentiu como se alguém estivesse puxando o tapete debaixo de seus pés. — Acho que não preciso ouvir isso. «

"Não. Mas isso não vai mudar nada." Munroe olhou para o outro homem com pena. "Você é um advogado conhecido e importante. Você sempre será. Você tem dinheiro e influência. Se você está contente com isso, você ainda é um homem que fez isso na vida. Você não precisa ser governador!"

João o encarou. "Tenho uma escolha clara? Se eu quiser alguma chance de ser indicado pelo partido para a eleição para governador, tenho que terminar com Gina Loret?"

"Para ser franco: sim."

»O que significa 'palavras grosseiras'? Sim ou não?"

"Sim."

"E quem pergunta isso?"

'É necessário. Você não entende? As pessoas estão falando sobre você e a Srta. Loret. Dizem que com essa mulher ao seu lado, você está dando votos."

'Meu Deus, como se as esposas de outros políticos não tivessem sempre alguns defeitos! Apenas pensando em Betty Ford e sua tragédia com a bebida, ou..."

"Betty Ford," Munroe interrompeu gentilmente, "não teve nada a ver com álcool durante a campanha de seu marido. Isso veio depois. Eu realmente sinto muito, Sr. Eastley, você é considerado um homem muito bom, mas sua associação com a Srta. Loret é considerada problemática e arriscada. Você sabe como é, é só falar e surge uma opinião geral. No seu caso, surgiu.«

"Por que não me contaram isso em Los Angeles? Por que estou descobrindo isso agora em Viena?"

Munroe sorriu cinicamente. 'Deus sabe que ninguém se preocupou em dizer algo tão desagradável para você. Especialmente não seus amigos de festa nos Estados Unidos. Eles querem continuar se dando bem com você, Eastley!

"Que legal!"

"Você sabe que não falei com você para me tornar importante. Não pelo prazer da fofoca também. Mas porque alguém teve que dizer, bem, eu fiz isso, o resto depende de você.' Munroe levantou-se, descartando a ligação como encerrada.

João também se levantou. 'Nestas circunstâncias', disse ele, 'claro que não irei à recepção desta noite. «

"De qualquer forma, seria melhor se você viesse desacompanhado. «

"O que está fora de questão, é claro." Havia uma raiva muda na voz de John. "Espero que você não pense que vou me deixar ser pressionado assim?"

"Eu não estou supondo nada", disse Munroe reservadamente. Ele deu a mão a John. - Adeus, Sr. Eastley. Desejo-lhe uma agradável estadia em Viena. Pessoalmente — ele se sacudiu com desgosto —, não gosto desta cidade. Muito kitsch, muita falsidade. Mas isso é uma questão de gosto. ' Ele se foi. Com um clique suave, a porta se fechou atrás dele. John deixou-se cair numa cadeira. Ele deveria ter ido com urgência — eram quase cinco e meia

—, mas naquele momento sentiu como se todas as suas forças o tivessem abandonado. Sentia-se fraco demais para sair da embaixada e chamar um táxi. Ele viu uma pilha de cacos ao seu redor e não sabia como se livrar deles. Sua primeira onda de emoção foi de desafio: o que esses imbecis estavam pensando? Até onde eles achavam que poderiam ir? Como você acha que eles podem falar sobre Gina? Esta mulher tem mais estatura do que todos os líderes do Partido Republicano juntos, e só porque um falador bêbado...

Com a raiva, sua energia voltou. Ele se levantou com determinação. Quinze para as seis. Gina estava esperando por ele. E ele a deixou esperando porque alguns políticos arrogantes não achavam que ela era a mulher certa para ele. Você deveria dar sua estúpida recepção esta noite sozinho! Uma sensação de... sim, quase alívio tomou conta dele. Acabou a luta, ele jogaria tudo no chão. A partir de agora ele não precisou mais dançar em nenhuma mensagem para nenhuma comemoração. Ele não precisava mais se preocupar em estar lisonjeando a esposa elegante de um homem importante, e não precisava ter medo de encontrar um artigo sobre si mesmo em um jornal que poderia prejudicar sua carreira. Ele compreendia a pressão sob a qual vivera todos esses anos. Medo de dizer a coisa errada. Medo de expressar uma opinião impopular. Medo de perder uma festa importante. Medo de não estar sempre onde você estava. Por que ele havia se curvado a essa compulsão, ano após ano?

Ele saiu da embaixada e foi recebido pelo sol quente da tarde. O céu azul, o aroma picante do vento anunciavam o outono. Como era bela a vida. Eles iriam jantar esta noite em um restaurante agradável e aconchegante. O brilho da vela se refletia nos olhos de Gina. Podia imaginar o sorriso no rosto dela, aquele sorriso adorável e caloroso que lhe dava calma e força. Ele nunca seria capaz de viver sem aquele sorriso.

Enquanto ele estava sentado em um táxi dirigindo por Viena, seu pai de repente veio à mente. Não solicitado e indesejado. Assim como ele sempre esteve lá para guiar a vida de seu filho na direção que ele queria.

"Um dia", disse papai com voz clara e firme, "um dia meu filho será eleito presidente dos Estados Unidos da América. E terei muito orgulho dele."

As imagens agora deslizavam rapidamente pela memória de John. Lá estava ele quando menino, ganhou o atletismo da escola, e papai disse a ele: 'Você nunca vai me decepcionar. Eu sei isso."

'Tem que ser a mulher certa desta vez. Deve ! _ Você deve se separar desta mulher imediatamente.

John recostou-se na almofada. A primeira sensação de relaxamento se foi. Ele começou a meditar.

Gina percebeu imediatamente que algo estava errado. John sorriu para ela quando entrou no Café Sacher alguns minutos depois das seis, mas ela percebeu que o sorriso era tenso.

Algo deu errado esta tarde, ela pensou.

- Querida, sinto muito, me atrapalhei. Por favor, não fique com raiva de mim." Ele sentou.

"Fiz uma espera confortável", disse Gina alegremente, "só que minha figura provavelmente não gostou. John, por que há doces tão deliciosos aqui? Simplesmente não consigo parar de comer!"

Ele se inclinou e beijou-a levemente na bochecha, os lábios frios ao toque. "Estou feliz que você gostou. Quer outro pedaço de bolo?"

"Acho que devemos mudar agora, você não acha?"

Ele hesitou. Não olhe para ela. Ela agarrou a mão dele. "E aí? Aconteceu alguma coisa. Você está muito pálido. E nervoso! «

"Gina... houve um pequeno problema."

Uma garçonete se aproximou da mesa. "O cavalheiro tem um desejo?"

— Sim, uma xícara de chá, por favor. Gina?

"Café. John, qual é o problema?"

"Não vamos àquela recepção esta noite."

"Não?"

"Não. Porque hoje me foi sugerido que eu...termine com você."

Curiosamente, não houve explosão, nem terremoto, nem relâmpago. Eles ainda estavam sentados em suas poltronas macias no simpático cafézinho, já banhados pelo suave crepúsculo da noite. A garçonete se moveu entre as mesas com passos suaves. Restava apenas um casal na sala, dois muito jovens. Gina estava olhando para ela o tempo todo. Eles pareciam ter esquecido completamente a hora e o lugar, de mãos dadas, mergulhando nos olhos um do outro. Eles eram como crianças experimentando algo novo e maravilhoso. O tempo todo passou pela cabeça de Gina: é a mesma coisa comigo e com John. Ainda depois de todo esse tempo. Ainda é algo único e maravilhoso.

De repente, ela sentiu como se essa sensação estivesse morrendo, como se seu corpo tivesse ficado vazio e frio.

A garçonete trouxe chá e café. Perdido em pensamentos, John mexeu o copo, embora não tivesse colocado leite nem açúcar. "Foi uma conversa feia", disse ele. Ele tinha duas rugas acima do nariz que ganhava quando estava preocupado.

"Com quem você falou?"

- Tenente-coronel Munroe. Um fóssil endurecido, honesto e leal por completo. Quero dizer: leal ao partido. O problema é que ele é um homem, você tem que acreditar no que ele diz."

"O que exatamente ele disse?" Gina perguntou, impressionada com a calma de sua voz. Ela tomou um gole de café e queimou a boca, mas mal notou.

"Ele diz que 'as pessoas' observam nosso relacionamento com preocupação e medo de que essa história sobre você e Natalie Quint possa me custar votos. Pode ser. «

"No século 20? Na América?"

John sorriu cansado. "Lembre-se de quem foram os primeiros colonos nesta grande terra. Os puritanos que vieram no Mayflower. Em alguns aspectos, seus descendentes mudaram muito pouco. «

"Entenda. Então... devemos nos separar."

"Gina..."

"Obviamente, se ficarmos juntos, você não será indicado para a eleição para governador. Porque não importa quanto tempo passe, seus oponentes sempre desenterrarão essa história e a usarão contra você. E ninguém pode se dar ao luxo de perder votos. «

"Você parece tão cínico."

"Realmente?" O que eu estava esperando? ela imaginou. Ao fato de ele pegar minha mão e dizer: Mas claro que nada disso me interessa. Ficaremos juntos, mesmo que o mundo desmorone ao nosso redor. O que significa para mim ser governador se eu perder você!

Ele se inclinou para frente, e agora ele realmente pegou a mão dela. "Gina, eu simplesmente não sei o que dizer, pensar ou fazer agora. Desde pequeno, vivo pelo sonho de uma grande carreira. Eu investi tanto..."

Ela disse amargamente: 'Então foi minha infelicidade ter vivido para você. Idiota fazer uma coisa dessas!"

"Gina..." Ele pensou em contar a ela sobre a primeira sensação de alívio que sentiu antes no prédio da embaixada, mas depois achou que seria melhor não contar. Mil pensamentos passaram por sua cabeça... ele estava confuso, chateado... ele precisava de tempo. Sim, foi isso. Tempo. Ele precisava de uma chance para pensar, talvez conversar com um ou dois de seus amigos em Los Angeles. 'Gina, você entenderia se eu pedisse para adiar o casamento? Tenho algumas coisas para esclarecer e tornaria as coisas mais fáceis para mim se não nos casássemos amanhã. Isso é . . ." Ele percebeu como suas palavras devem soar para Gina. "Droga, eu sinto muito por tudo."

"Por quê? Eu tenho um passado sujo, não você!"

Sou um covarde, pensou.

"Dê-me um tempo", ele pediu.

Havia raiva e tristeza em seus olhos que não combinavam com sua voz fria. — Você não acha que está pedindo demais, John? Como você acha que a espera parece para mim enquanto você pensa na melhor maneira de salvar sua carreira? O quê você espera que eu faça?" A voz dela aumentou, e a garçonete olhou para eles com curiosidade.

"Silenciosamente," John advertiu.

Gina se recompôs. "O homem que amo está me pedindo um período de tempo para considerar sacrificar a mim ou a sua carreira. Diga-me como vou aguentar!" Para seu horror, ela encontrou lágrimas brotando em seus olhos. Ela lutou contra isso desesperadamente. Qualquer coisa - apenas não chore agora. Ela pegou sua bolsa. 'Talvez você permita que eu precise de separação física dadas as circunstâncias. Não posso ficar aqui agora."

John, que tinha o rosto entre as mãos, olhou para cima. "Onde você está indo?" ele perguntou, preocupado.

"Você não se importa, não é? Você precisa de tempo e sossego para pensar. Receio que já possa lhe dizer qual será sua decisão!"

"Não, você não pode."

"Ah sim. Você vai escolher a sua carreira. Por que não? Depois de todo o trabalho, depois de tudo que você já fez por ela. De alguma forma, você sabe, eu sempre soube de tudo isso. Muitas vezes na vida você tem premonições e eu tive uma premonição de que David ia destruir alguma coisa e você ia me deixar. Gipsy também tem...' Ela parou quando viu o olhar de John.

"Eu estava me perguntando", disse ele, "quando você jogaria esse peso na balança."

A princípio ela não entendeu. Mas então ela entendeu e empalideceu. "Você tem uma opinião tremendamente ruim de mim, John Eastley", disse ela, "e talvez você esteja certo: não se case com uma mulher que você acha capaz de traí-lo!"

Ela tropeçou entre as mesas e cadeiras até a porta. Do lado de fora, ela não parou por um momento, mas correu para o estacionamento subterrâneo da ópera em frente ao hotel. Enquanto corria, ela remexeu na bolsa em busca das chaves do carro. Deixe John alugar outro carro. Ao partir, ela não tinha ideia de para onde estava indo, mas naquele momento não se importava nem um pouco. Só foi o mais longe que pôde. Ela rapidamente se fundiu no tráfego fluindo. Ela pensou em seu lindo vestido de noite estendido na cama do hotel. Oh Deus, como ela odiava esta cidade!

Ela viu a placa que dizia "Eisenstadt"; o nome não significava nada para ela, mas ela decidiu segui-lo.

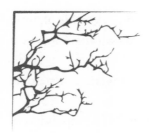

5

Ela parou em um pequeno vilarejo por volta das nove - ela não tinha ideia de onde estava - extraiu seu escasso conhecimento de alemão da escola e pediu um hotel a um homem mais velho que caminhava pela rua sombria.

"Um bom hotel", acrescentou ela. O homem olhou para o carro grande e para as pesadas joias de ouro que Gina usava no pulso. Ela falava alemão, mas com um inconfundível sotaque estrangeiro. Uma mulher rica, sem dúvida.

"É melhor você ir para Rust", disse ele, "para o 'Seehotel'. O melhor da região!"

"E como faço para chegar lá?"

'Sempre na rua. Então você verá os sinais. ' Ele acrescentou curiosamente, 'Você é da América?'

"Sim."

"De onde?"

"De Los Angeles."

"Eu tenho um tio na América. Em Andorinhas Verdes. Você conhece o lugar?

"Infelizmente não."

Gina, que sabia que ele estava pronto para uma longa conversa, correu para abrir a janela do carro. "Muito obrigado!" Ela seguiu em frente. Ferrugem. Já deve estar perto da fronteira húngara. Como era solitário e deserto aqui. Apesar da escuridão, ela ainda conseguia distinguir vagamente a ampla e plana terra ao seu redor. Isso era algo como o Puszta, a estepe húngara? Ela pensou em grama alta, lagos salgados, cavaleiros solitários e música cigana melancólica. Uma melancolia impiedosa caiu sobre ela. Por que ela se desviou aqui de todos os lugares?

Você pode se matar aqui, ela pensou com um estremecimento.

Ela encontrou Rust e rapidamente o »Seehotel«. Um edifício grande e moderno com muitas janelas salientes e torres. Os carros estavam amontoados no estacionamento, ela teve que estacionar bem longe. Espero que eles tenham um quarto disponível. Ela estava cansada e com frio. Como as noites eram frescas agora! Ao entrar no vestíbulo, ela se perguntou qual era o sentido de estar aqui e qual era o sentido da vida.

"Na verdade, temos um quarto sobrando", disse a garota atrás do balcão. 'Você vai me dar as chaves do seu carro? Então cuidaremos da sua bagagem.«

Bagagem! Só agora Gina percebeu que não havia levado absolutamente nada com ela. Fantástico. Algo assim sempre causava uma impressão particularmente boa.

"Não tenho bagagem", explicou ela, "também não sei quanto tempo vou ficar."

A garota olhou para ela com desconfiança. Gina tirou a identidade e os cartões de crédito do bolso e os colocou sobre a mesa. "Aqui. Então você pode ver que não sou um impostor. E agora, por favor, me dê a chave do meu quarto, estou terrivelmente cansado."

"Naturalmente. Você tem o quarto 217. Os elevadores estão ali."

Enquanto dirigia, ela se perguntou se estava com fome, mas percebeu que não conseguiria comer nada. Aquela sensação incômoda e vazia em meu estômago era uma ilusão. Ela destrancou a porta e acendeu a luz. Quarto pouco mobiliado, porém aconchegante, com cama de casal, duas poltronas, aparador, TV e armários embutidos. No banheiro ela encontrou pasta de dente, xampu, sabonete, espuma de banho, bolas de algodão e lenços faciais. Ela largou a bolsa na cama e saiu para a varanda. Adiante estava o deserto - ela não podia ver, mas podia sentir. Ela respirou profundamente o ar fresco e outonal. Você já podia sentir o cheiro de folhas murchas, frutas vermelhas picantes e névoa nela.

Vou morrer, pensou ela, com os olhos cheios de lágrimas, vou morrer.

Ela estremeceu e voltou para o quarto. Ela ainda estava vestindo a camisa azul fina de John. O cheiro dele pairava no tecido, a cara loção pós-barba Oscar de la Renta que ela lhe dera no último Natal.

Estou tão sozinho. Estou terrivelmente só!

Na sala ao lado, evidentemente, crianças estavam tomando banho; ela podia ouvir os respingos, as risadas e os gritos alegres através das paredes. Provavelmente tinham um patinho de borracha, amarelo com bico vermelho, que deixavam nadar entre as ondas de espuma. De repente, uma lembrança de tempos passados veio à tona em sua memória: o banheiro revestido de madeira da vovó Loret com o grande fogão de ferro que estava sempre gorgolejando e estalando e a pequena janela sobre a banheira, que na verdade ainda tinha quatro pés ornamentados. A janela se abria para a floresta e o cheiro de casca de árvore e musgo sempre enchia toda a sala. A pequena Gina havia se banhado com seu peixinho vermelho de borracha, que ela amava muito. Estranho que ela se lembrasse dele hoje, ela o havia esquecido completamente ao longo dos anos. Onde você acha que ele estava? Quantos anos se passaram desde que ela era criança e toda a ternura do mundo foi derramada sobre ela? Com horror, ela se lembrou dos longos e sombrios dias de sua juventude. Pareciam-lhe envoltos em uma névoa - Santa Clara, tia Joyce, Charles Artany - todos a olhavam como se através de uma parede cinza. Então John entrou em sua vida e trouxe o calor de volta. Como as coisas deveriam continuar sem ele?

Ela abriu o bar da sala, jogou alguns cubos de gelo em um copo e derramou água mineral sobre eles. Havia um filme na TV agora, mas Gina falava alemão muito mal para entender do que se tratava. Ela desligou o rádio novamente e se agachou na cama, as pernas pressionadas contra o corpo.

O copo estava frio em sua mão. Na porta ao lado, as crianças gritavam de alegria. No corredor, alguém passou e riu alto.

Não vou pregar o olho a noite toda, pensou Gina.

Ela ligou para a recepção e pediu pílulas para dormir. Pouco tempo depois, um jovem trouxe-lhe dois comprimidos.

"Obrigado." Ela lhe entregou algumas moedas, engoliu os comprimidos e foi ao banheiro se preparar para a noite. Ela não tinha com que tirar a maquiagem, então lavou o rosto com água e sabão, escovou os dentes, tirou a roupa e foi para a cama. Esperançosamente, as pílulas funcionaram rapidamente. Ela estava de repente acordada, bem acordada. Como se ela tivesse tomado um estimulante. Ela olhou para a escuridão com os olhos bem abertos. Onde estavam as mãos de John, acariciando suavemente seu

330

corpo? Eles sempre adormeciam um nos braços do outro, as costas dela contra o estômago dele, a respiração dele no pescoço dela. Sua voz suave na noite: "Eu te amo tanto, Gina."

Ela descobriu que seu rosto estava molhado de lágrimas. Ela agiu corretamente quando seguiu seu primeiro impulso - fugir, fugir? Em retrospecto, ela percebeu: sim. Se havia uma pequena chance para ela, era essa. Se ela tivesse ficado, cortejado John, tentado fazê-lo entender sua importância, ele teria balançado como uma folha de grama ao vento, e a agonia teria se arrastado. Ela tinha que ter clareza. Ele tinha que saber imediatamente como era sem ela. Só então ele poderia decidir.

Mas o perigo era grande. E ela estava tão apavorada. Ela jogou e virou em desespero. Quando ela finalmente adormeceu, bem depois da meia-noite, ela estava agarrada ao travesseiro e abraçando-o como um amante.

Quando Gina acordou na manhã seguinte, ainda havia neblina sobre a paisagem. O deserto de juncos do Lago Neusiedl brilhava fracamente através das faixas brancas. Gritando, os pássaros decolaram, deslizando pelo céu como pontos escuros e solitários. Gina, que estava parada perto da janela com uma toalha enrolada no corpo, sentiu a dor ainda mais intensa na pálida luz da manhã. Ela se olhou no espelho e descobriu que parecia horrível, pálida e miserável. Em sua bolsa ela encontrou um lápis kajal, um pouco de pó e um batom. Ela conseguiu se arrumar antes de vestir as roupas de ontem. Ela precisava desesperadamente de roupas limpas - se ela ficasse mais tempo. Repetidas vezes ela quis pegar o telefone e discar o número do Hotel Sacher em Viena. Conecte-se com John.

'John querido, estou em Rust. É em algum lugar em um deserto abandonado por Deus e não sei o que estou fazendo aqui. eu quero voltar para você, eu não posso viver sem você."

Mas ela sabia que não adiantava. Se ela implorasse agora, ele poderia vir, mas logo começaria a ter dúvidas novamente. Ela cerrou os dentes e saiu do quarto.

Depois do café da manhã, ela perguntou na recepção onde poderia fazer compras maiores. 'Tenho problemas com minha bagagem e preciso de algumas roupas. «

"Então é melhor você ir para Eisenstadt."

Novamente aqueles olhares curiosos e perscrutadores. Ela agradeceu e foi para o carro. A névoa havia se dissipado nesse meio tempo, e o sol brilhava quase como o verão no céu sem nuvens. Gina se sentiu um pouco melhor quando dirigiu para Eisenstadt. Sua confiança aumentou com o calor do sol. Poderia um amor como aquele entre ela e John desmoronar assim?

Em Eisenstadt ela comprou primeiro roupas íntimas, depois dois suéteres quentes para as noites frias. Também um par de t-shirts, calções, sandálias e um fato de banho, uma saia preta justa, uma blusa de seda amarela e escarpins na eventualidade de querer sair, collants e cosméticos. Então ela poderia sobreviver alguns dias. Ela decidiu dirigir um pouco mais e ver a área.

Era 20 de agosto de 1983, dia em que deveria ser o aniversário de casamento deles.

31 de agosto de 1983. John ligou para o Hotel Sacher em Viena pela terceira vez naquele dia. "Sra. Loret ainda não entrou em contato?

— Não, Sr. Eastley. Nós lamentamos."

Exausto, desligou. Sentado em seu escritório em Los Angeles, ele não sabia onde procurar por Gina. Ela ainda estava em Viena? Em outro local na Áustria? Ela tinha ido para a Alemanha ou Suíça ou para casa na Inglaterra? Ele desejou ter uma pista.

Ele próprio havia voado para Los Angeles no dia seguinte com a intenção de conversar sobre o assunto com seus amigos de festa mais próximos. No final das contas, Munroe estava certo em suas terríveis profecias: John foi informado em termos inequívocos de que, se ele se casasse com Gina Loret, teria poucas chances de concorrer à eleição para governador. Clay Anderson, o melhor amigo de John, disse: 'John, ninguém quis tão mal assim. Todos nós gostamos de Gina. É uma coisa bizarra que ela tenha sido associada a isso... a esse quint. Você pegou o que aconteceu na noite do talk show de Carson? Os espectadores quase invadiram a ABC. As ondas de indignação foram altas. Natalie Quint agora está deixando os

Estados Unidos. Imagine isso acontecendo com você no meio da campanha eleitoral com a Gina! O partido não pode pagar por isso!"

"Entender."

"John!" Clay olhou para ele muito diretamente. "Você tem que decidir se vale a pena para você. Se o seu coração está tão ligado a uma carreira política que você desiste de Gina Loret por ela. De qualquer forma, sou seu amigo."

Desistindo de Gina...

Havia as muitas imagens que ele sempre carregava em sua mente: o dia em que conheceu Gina. Essa linda garota com cabelos escuros até a cintura que estava carregando aquelas horríveis pinturas kitsch de um velho pintor por Manhattan. Como ela se sentava no pequeno café e devorava suas panquecas. Numa época em que quase todas as mulheres ficavam histéricas por estarem acima do peso e comerem nada além de alface e grãos, era um prazer para ele observar essa garota ansiando por qualquer coisa que pudesse encontrar na mesa em sua boca.

Ele se lembrou da primeira noite com ela. Ela notou o quão forte ela estava agarrada a ele? E todas as noites que se seguiram, abraçados e rejeitando tudo o que era mau, frio e hostil neste mundo. Ele tinha uma imagem em sua mente de como ela parecia quando acordou de manhã, seus olhos ainda não claros e um pouco confusos. Ele poderia dirigir de volta para o escritório, assobiando baixinho para si mesmo, se Gina não tivesse se sentado à sua frente na mesa do café primeiro? Às vezes ela olhava para além dele, perdida em pensamentos, e então ele a provocava: "Olá, Agatha Christie!"

Seus olhos brilharam: "John, com que rapidez o cianeto de potássio funciona?" "John, eu comprei um vestido lindo para mim, você precisa ver agora!"

"John, estou prestes a explodir de amor por você!"

"John? Você está bem?" Era Clay.

John se recompôs. "Está tudo bem. Ouça, Clay, eu amo Gina. Eu a amo mais do que qualquer outra coisa no mundo. Se você acha que não pode me nomear governador porque sou casado com Gina, então isso é lamentável para você porque você é vou perder um bom homem, mas não vou desistir do homem que preciso para poder viver. Gina é tudo para mim, mas eu idiota não percebi isso imediatamente.«

"Tem certeza, João?"

'Perfeitamente seguro. E agora vou ligar para o mundo, porque aquela garota tem que estar em algum lugar."

Depois que Clay saiu, John ligou para Vienna a cada meia hora para ver se Gina havia ligado. Ninguém sabia de nada. Por alguns segundos, ele foi dominado pela inquietação: Certamente ela não teria feito nada a si mesma? Mas então ele disse a si mesmo que ela era forte, uma lutadora por natureza, não alguém que se afastava da vida.

Finalmente desistiu de ligar para o Sacher; afinal de contas, as pessoas de lá não conseguiram tirar Gina do chão. Ele pensou sobre isso e depois de alguns telefonemas, seu plano foi acertado. Em vez de voar para Seul em meados de setembro, ele o faria o mais rápido possível. Então ele poderia estar de volta em três ou quatro dias, e então Gina poderia ter aparecido novamente. Eles se casariam e depois passariam a lua de mel — no México, talvez, ou no Brasil. Ou onde quer que Gina quisesse ir.

Depois de algumas idas e vindas, seus interlocutores em Seul concordaram em levar as negociações adiante. Brent Cooper, o advogado de Nova York que ele havia consultado anteriormente, também deu sinal verde. Ele já tinha um assento no vôo do meio-dia para Nova York. Tudo o que ele precisava agora era um vôo de Nova York para Seul para amanhã. Ele ligou para a informação. "O mais cedo possível, se possível."

"Um momento." A garota do outro lado da linha consultou seu computador. Então a voz ocupada voltou a soar. — Ainda está aí, senhor? Ainda tenho um assento em um jato jumbo da Korean Airlines. Partida de Nova York às 9h com escala em Anchorage. Tudo bem para você?

"Maravilhoso." Até agora tudo correu bem. Ele ligou novamente para o Sacher em Viena. "Se a Sra. Loret entrar em contato, por favor, diga a ela que eu já voei para Seul. Eu quero que ela venha para Los Angeles. Quando eu voltar, esperarei por ela lá."

Querido Deus, me dê mais uma chance!

Ele olhou para o relógio. Não restava muito tempo, afinal ele ainda tinha que fazer as malas. Ao deixar seu escritório, seu olhar caiu sobre a fotografia emoldurada de seu pai.

Sinto muito, pai, ele pensou. Não será fácil, não para você, mas certamente não para mim também.

Gina voltou de uma viagem ao lago. Durante todo o dia ela se banhou alternadamente e se deitou ao sol. Agora ela estava cansada e com fome. Através do sol quente da tarde, ela caminhou em direção ao hotel. O cheiro de água do mar ainda estava impregnado em seus cabelos, o cheiro de protetor solar estava em sua pele. Alguns homens se aproximaram dela, ela apenas se virou. Ela se perguntou se não parecia meio enjoada de saudade de John.

No hotel ela pediu alguns sanduíches para o quarto e bebeu uma taça de vinho. Então ela pegou o telefone e discou o número do Sacher em Viena. "Aqui é Gina Loret falando. O Sr. Eastley ainda está em casa?

A outra ponta parecia extremamente aliviada em ouvi-la. "Finalmente! O Sr. Eastley tem ligado o tempo todo! Ele voou de volta para Los Angeles há uma semana e agora está a caminho da Coréia de lá. Ele deixou a seguinte mensagem para você..." O texto que John ditou veio a seguir. .

"Obrigada", disse Gina, "muito obrigada."

Ela foi até o banheiro e se olhou no espelho. O longo dia na água havia bronzeado sua pele e ela parecia muito saudável e forte.

"Ele está me esperando em Los Angeles," ela disse em voz alta, "e voou para Seul duas semanas antes do que queria. Voltar e estar comigo mais cedo? Ela não ousava deixar a alegria realmente crescer, mas parecia que John havia tomado uma decisão.

"Vou esperar por ela em Los Angeles."

"E eu estou voando para Los Angeles." Ela estava eletrificada, mudada. Do lado de fora, a puszta jazia sob o sol dourado da tarde. As melancólicas melodias ciganas voltaram a soar nos ouvidos de Gina, mas desta vez ela não chorou. Tirou as coisas do armário, jogou tudo na cama, correu para o banheiro tomar banho e se vestir, voltou correndo para buscar lingerie e meias, e então se deu conta: ela não tinha mala nenhuma. Ela também não voou. Eram quase sete horas. Ela dificilmente conseguiria voar para a América esta noite.

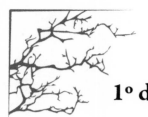

1º de setembro de 1983

O Boeing 747 da Korean Airlines zumbia uniformemente no céu azul. Muito abaixo dela estava o Oceano Pacífico. Mais de cinco horas atrás, a máquina decolou após uma escala em Anchorage. As aeromoças haviam servido café, chá e biscoitos, e a maioria dos passageiros agora cochilava. O ar-condicionado fornecia ar fresco na cabine, de modo que muitos tiraram seus casacos do bagageiro ou pediram cobertores de lã. O tempo cresceu.

John sentou-se perto da janela, mas isso não o ajudou muito porque havia apenas nuvens ao redor. No vôo de Nova York, ele estudou os arquivos do caso novamente e fez algumas anotações. Ele agora tinha uma ideia clara de como queria falar com o lado coreano. Quando ele explicou isso a Brent Cooper durante um jantar em Nova York, este último ficou cheio de admiração.

'Você é um ótimo advogado, John', ele disse, 'e as pessoas estão começando a ver isso. Você é brilhante e perspicaz. Eu profetizo um grande futuro para você. A coisa da OPEP e a Coréia são apenas o começo. Um dia você será o advogado mais famoso dos Estados Unidos."

"Não exagere, Brent."

"Não estou exagerando. Se continuar assim, logo vai conseguir."

As palavras pegaram. Por que não? ele se perguntou. Eu sou um advogado. Meus professores costumavam dizer que eu tinha um grande talento. Por que não devo trabalhar nesta carreira?

Sua confiança o animou como um fogo que aquece. O sentimento de libertação, aquele primeiro sentimento que o invadiu logo após a conversa com Munroe em Viena , tomou conta dele novamente. Como ele odiava ter que pensar sobre o que podia e o que não podia fazer durante toda a sua vida...

Liberdade. Ele e Gina estariam tão livres como ele jamais esteve em qualquer momento de sua vida. Nunca mais ele precisou se preocupar se a maioria dos californianos gostava dele desse jeito ou de outro. Se ele deveria dizer isso ou aquilo, ou deixar que seja melhor. Ou a pergunta constante do ano passado: ele deveria ter os fios grisalhos em suas têmporas tingidos de escuro porque um político de sucesso tinha que parecer o mais jovem e dinâmico possível, ou deveria deixá-lo como estava porque isso o tornava e a si mesmo mais velho? possivelmente inspirar mais confiança? Ele havia perguntado sobre tudo - mas nunca sobre si mesmo e seus sentimentos.

Como as pessoas me querem em vez de como eu quero ser?

Desde pequeno, seu pai o ensinara que, para ter uma grande carreira, ele deveria estar disposto a abrir mão de parte de sua liberdade pessoal. Com os dentes cerrados, ele obedeceu. Mas com Gina ele não abriria mão apenas de parte de sua liberdade pessoal: abriria mão de si mesmo desta vez.

Ele não estava disposto a pagar esse preço.

Cheio de uma felicidade interior pacífica, ele se sentiu no início de uma nova vida.

Quando o avião explodiu, foi tão repentino que a maioria dos passageiros não teve nenhum susto, nenhum momento de compreensão. De repente, tudo ficou brilhante e um estalo ensurdecedor quebrou o silêncio. Uma bola de fogo composta por destroços de aeronaves, pessoas mortas e moribundas caiu no mar.

"O alvo foi destruído", informou o piloto de um interceptador soviético ao controle de solo.

Um pouco mais tarde, o mundo gritou de horror quando o incidente foi transmitido por canais de notícias em todos os países: o jumbo sul-coreano com 269 passageiros a bordo saiu do curso em seu voo de Nova York a Seul e sobrevoou a soberania soviética território . Ele estava se aproximando da Ilha Sakhalin, lar de um local de lançamento de mísseis soviéticos , quando os interceptadores receberam ordens para interromper o voo. Eles dispararam dois foguetes contra o jumbo. Aviões e barcos de patrulha japoneses, que logo depois vasculharam o mar em busca de sobreviventes, não tiveram sucesso. Todos os 269 passageiros do avião morreram.

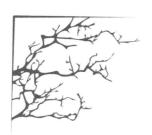

4

Um livro

Nova York, 29 de dezembro de 1989

"Sim", disse Gina, "foi assim. Um maldito interceptador soviético destruiu tudo."

O inspetor Kelly a estudou atentamente. "Você teve a sensação de que na verdade foi David Bellino quem quebrou tudo? Quem desencadeou a cadeia de eventos que levou John Eastley a finalmente estar naquele avião naquele dia? Você o odiava muito?

Já era noite. Um criado havia colocado lenha fresca na lareira e as chamas consumiam as toras, estalando e estalando. Apenas a lâmpada Tiffany em tons pastéis estava acesa perto da porta, de modo que a luz do fogo podia ser vista dançando nas paredes. Ninguém estava com vontade de jantar; apenas alguns coquetéis foram servidos e o mordomo colocou uma tigela de nozes sobre a mesa. Um perfume doce, quase natalino, enchia a sala, mas ninguém conseguia evitar uma sensação de calafrios por dentro. Ainda estava nevando lá fora. Em algum lugar do apartamento, um relógio antigo marcava onze horas.

"Eu poderia tê-lo matado", Gina respondeu à pergunta de Kelly. 'Eu poderia tê-lo matado então. Se não fosse por ele, John não estaria no avião para Seul naquele 1º de setembro de 1983; Eu não o teria perdido e com isso a chance de saber qual foi sua decisão. Mas enquanto isso... Meu Deus, David não o matou de propósito. E ele não podia prever o que estava prestes a acontecer."

Kelly assentiu.

Ele olhou em volta e estudou os rostos dos presentes. Natalie Quint parecia retraída, quase apática. Ela se agachou no sofá, olhando para as chamas da lareira. De uma forma estranha, ela parecia indiferente ao que estava acontecendo ao seu redor.

Steve comeu uma noz de cada vez. Ele parecia exausto, seu nervosismo deu lugar ao cansaço.

O homem tem muitas preocupações e problemas, pensou Kelly, para ficar excessivamente chateado com o assassinato de Bellino. Ele esperava conseguir dinheiro, mas não deu certo. Ele provavelmente está procurando desesperadamente por outro caminho.

Uma mudança havia ocorrido em Mary nas últimas horas, Kelly também notou. Ela não parecia mais tão assustada, mas tinha um olhar de determinação em seus olhos. Seu marido pode ter alguns problemas com ela quando ela chegar em casa, refletiu Kelly.

Gina voltou ao bar e se serviu de schnapps. Quantos realmente na última hora? Suas lembranças de John Eastley a perturbaram. Havia um brilho antinatural e febril em seus olhos.

Laura se comportou de maneira estranha. Ela parecia muito legal esta tarde, agora ela estava ficando nervosa. Algo estava em sua mente. Quando o relógio bateu, ela estremeceu. Ela manteve as mãos apertadas. Com o que a garota estava tão preocupada?

"Gostaria de saber", disse o inspetor Kelly, "qual era a posição de cada um de vocês quando o convite de Natal de David Bellino chegou até vocês."

"Você quer dizer, estávamos sentados no banheiro quando o carteiro tocou, ou fazendo nossa ginástica diária?" Gina perguntou incisivamente.

Kelly não achou isso engraçado. "Claro que não quero saber com certeza", disse ele, impaciente. "É sobre sua situação de vida atual. A situação geral em que você estava quando essas cartas chegaram. E é claro que também estou interessado no motivo que o fez aceitar o convite.' Ele olhou ao redor do grupo. 'Lady Artany, vamos continuar com você? Em 1983, após a morte de John Eastley, você se casou com seu fiel admirador, Lord Charles Artany. «

"1984", corrigiu Gina, "fevereiro de 1984."

A pequena igreja com paredes de pedra no final do parque. Artany Manor, muitos acres de terra, uma mansão cinza coberta de hera, estábulos, bosques. Tudo está um pouco encantado, crescido demais e - profundamente endividado.

"Basicamente tudo pertence ao banco", confidenciou a Gina uma das convidadas do casamento, uma senhora gorda vestida de seda pura. "Você não faz um bom par com Charles!"

As fotos do casamento passaram por Gina como sombras irreais. Charles de fraque escuro, incrédulo de felicidade, sempre tateando em busca da mão dela, gentil, tímido, com as bochechas vermelhas de vergonha. Seus tios e tias, que apareciam em grande número, diziam emocionados: "Bom Charles, ele finalmente encontrou a mulher para toda a vida".

O pastor, que devia ter pelo menos cem anos, tinha um fio fino de saliva escorrendo de sua boca durante a cerimônia de casamento, o tempo todo, e tossia após cada frase. No jantar, a taça de prata quase caiu de suas mãos.

Gina parecia uma mulher rica em seu vestido verde e joias de esmeralda, mais rica do que ela. Suas roupas e joias ficaram com ela, nada mais no mundo. Ela não entendeu a princípio quando Clay, amigo de John, cuidadosamente tentou explicar a ela que John não havia deixado um testamento. 'João típico. Ele nunca reconheceu a possibilidade de que ele também pudesse ser mortal. Se você tivesse pelo menos casado, você teria direito à propriedade dele por direito. Mas como ..."

Ela olhou para ele, entorpecida com sua dor, e pensou: Ele acha que eu me importo com dinheiro?

"Receio que a família não seja tão generosa", Clay continuou tristemente. "Pelo contrário. O velho Eastley ameaçou entrar com um processo em todos os tribunais do país antes de lhe dar um centavo."

'Ele deveria ficar com o dinheiro dele. Eu não quero isso. Eu queria John, só isso.

"Eu poderia pegar o seu caso, Gina. Só eu tenho pouca esperança.«

"Não", disse ela com firmeza, "não estou brigando com a família Eastley pelo dinheiro de John."

Além da dor, ela não sentia mais nada, nem preocupação com seu futuro, nem amargura porque ninguém da família a aceitaria como esposa de John. Ela não se importava se herdava alguma coisa ou não. Nada penetrou sua armadura de tristeza.

De volta à Inglaterra, ela descobriu que tia Joyce havia morrido de apêndice, que tio Fred havia vendido a casa e estava em um asilo para bêbados. Ela o visitou lá e viu um velho triste e doente sentado em uma sala mofada e olhando estupidamente para o nada. "Gina, que bom", ele murmurou. "Onde você esteve tanto tempo? Quando foi a última vez que fomos a um bar?"

"Já faz um tempo, tio Fred."

'Sim... nós nos divertimos, não é? Era divertido quando saíamos para tomar uma cerveja, não era? A esperança cintilou em seus olhos turvos. Nunca parou em uma cerveja, pensou Gina, e você não pode dar um passo para casa sozinho. Você chorou quando estava bêbado; e depois você vomitou; se eu tivesse sorte, primeiro no banheiro, geralmente já na escada.

Ela disse suavemente: "Foi um bom momento, tio Fred, é claro."

'Onde você esteve por tanto tempo?' perguntou de novo e, sem esperar resposta, acrescentou: 'Pobre Joyce. Ela nos deixou cedo demais. Ele olhou pela pequena janela quadrada de seu quarto para o quintal desolado, encharcado entre os paralelepípedos. Lágrimas brilharam em seus pálidos olhos azuis. Gina percebeu com surpresa que seu coração devia estar voltado para a mulher ossificada e sem humor com quem havia compartilhado trinta anos de sua vida. E ela percebeu outra coisa: não podia esperar nenhuma ajuda dele. Teria sido ilusório pensar que ele a ajudaria com algum dinheiro. O que o velho precisava para si mesmo já seria difícil para ele viver sua vida até o fim.

Ela se inclinou para ele e o beijou. — Vejo você de novo em breve, tio Fred. E eu vou deixar você saber onde me encontrar assim que puder se algo acontecer."

"Sim." Ele olhou além dela para o espaço. Quando ela saiu, ela o ouviu murmurar baixinho. Ele provavelmente já havia esquecido que ela esteve lá.

Charles Artany era o único a quem ela podia recorrer naquele momento. Ela não tinha dinheiro, nem moradia, só possuía três malas com roupas e joias, mas não queria vender nada disso porque John havia dado para ela. Ela ficou lá sem nada nas mãos, mas com o coração quase mortalmente ferido, congelado de dor, incapaz de assumir o controle de sua vida. Quando ela se casou com Charles em uma tarde fria e ventosa de fevereiro na pequena igreja em Artany Manor, ela se perguntou, intrigada e confusa, como isso poderia ter acontecido. Ela queria se casar com John Eastley, agora ela seria a esposa de um homem que ela não amava. Bom, fiel

Charles! Ela provavelmente finalmente cedeu à constante insistência dele por um certo senso de decência. Ele esteve lá quando ela precisou dele, ele cuidou dela, levou-a para seu pequeno apartamento, dormiu no sofá da sala para que ela pudesse ficar com o quarto. Ele nem havia protestado quando ela se trancou no banheiro por horas durante seus episódios depressivos e não respondeu à sua tímida batida na porta. Não preciso tomar banho hoje, pensou, e saiu trotando para o ensaio da orquestra.

A resistência deles quebrou no Natal; ela havia caminhado o dia todo na lama e na garoa em St James' Park em uma solidão desolada, e à noite ela sentava-se batendo os dentes em frente à lareira no apartamento de Charles. Ele montou e decorou uma pequena árvore, colocou um disco de música natalina e passou horas na cozinha preparando uma refeição de cinco pratos. Sentaram-se frente a frente à luz das velas, Gina cutucou a salada de abacate; exausta, ela pensou, ele cozinhou de novo e deixou tudo tão bom, eu finalmente tenho que me casar com ele. À meia-noite, quando ele perguntou pela centésima vez se ela queria ser sua esposa, ela disse que sim e imediatamente começou a chorar.

O casamento foi um pesadelo, mas ficou ainda pior naquela noite depois que os convidados foram embora. À primeira vista, Gina odiou o quarto, um quarto alto, arejado e desconfortável com uma velha cama francesa com dossel de seda no meio. Ela odiava ainda mais a ideia de dormir em uma cama com Charles. Ela não teve outro homem além de John e nunca quis outro. As noites com ele ainda estavam vivas em sua memória; ela não queria que nada destruísse sua memória. Quando Charles se deitou ao lado dela e timidamente estendeu a mão para ela, ela estremeceu e disse com a voz embargada: "Eu... eu não me sinto bem. Provavelmente peguei um resfriado."

Charles ficou imediatamente preocupado. 'Seu vestido era muito leve para um dia tão frio. Eu pensei assim. E as lareiras aquecem tão mal.

"Senti muito frio o tempo todo..." Tire suas mãos! Caso contrário, gritarei por socorro!

"Por que você não disse nada? Coitado! Você está se sentindo mal?

'Eu só preciso dormir um pouco. Vai ser melhor então.” Ela recuou para a beira da cama e escutou atentamente até ouvir um leve ronco de Charles.

347

Só então ela relaxou e, como tinha sido um dia cansativo, acabou pegando no sono.

Charles levantou-se cedo na manhã seguinte e levou Lord - ele era o único legado de John que Gina trouxera de Los Angeles - para dar um passeio pelos campos frios e enevoados. Ele era tão apaixonado por seu país que a neve derretida e a garoa não o incomodavam. Gina esperou que ele se fosse, levantou-se, vestiu um roupão e desceu para a cozinha, onde havia um fogo quente no fogão. Viola, a governanta, colocou uma caneca de chocolate quente sobre a mesa. — Lorde Artany disse que você está resfriado. Beba isso. Vai te fazer bem."

"Obrigado." Gina tomou um gole. O cacau tinha um sabor delicioso. De repente, uma chuva forte atingiu as vidraças, o vento uivava nas chaminés.

"Vai ficar ainda mais frio", profetizou Viola sombriamente, "e vamos pegar uma tempestade também. Sempre faz um pouco de tempo aqui..." Abruptamente ela acrescentou: "Você não escolheu um lugar particularmente quente .Tudo está começando a desmoronar aqui.«

"Eu sei. A propriedade está bastante endividada, não é?"

"Praticamente estar endividado é bom. Está carregado até o teto. Serão anos difíceis.«

"O que você viveu com Lorde Artany?" perguntou o inspetor Kelly. 'Suponho que ele desistiu de sua posição na orquestra de Londres? «

"Sim. Ele encontrou um em Edimburgo para isso. Mas era muito mal pago. Tentei vender histórias de detetive, mas funcionava apenas ocasionalmente e realmente não dava muito dinheiro. Definitivamente, não tanto quanto a maldita grande propriedade engolida dinheiro, dinheiro, dinheiro, nossas conversas giravam em torno de nada mais, mas talvez isso fosse bom, porque não teríamos outro assunto de qualquer maneira, e pelo menos não precisávamos bancar o casal feliz e alegre. "

"Você nunca amou Lorde Artany?"

Gina jogou o cabelo para trás. "Não, eu não tenho. Mas eu tenho um certo respeito por ele. Ele é um bom homem por completo."

Kelly assentiu. "Então você era uma mulher bastante infeliz?"

'Eu estava tão infeliz quanto possível, e não ajudei muito o pobre Charles. Especialmente quando ele teve a infeliz ideia de alugar a casa como uma espécie de hotel.

"Isso te incomodou?"

"Isso absolutamente me enervou! Uma horda de caipiras gordos comidos por dinheiro pisoteava e agia. Muitos americanos que adoravam passar férias em uma verdadeira mansão inglesa antiga. Nem mesmo a chuva miserável poderia afastá-los. Eles tropeçaram descaradamente em cada sala e fizeram cem mil perguntas. Charles e eu nos mudamos para uma ala lateral, que pelo menos tinha a vantagem de que os quartos eram menores e podiam ser aquecidos melhor. Mas Charles realmente queria que tivéssemos o grande jantar na mansão todas as noites, os convidados também queriam, e provavelmente era parte disso, mas eu odiava. Na maioria das vezes, deixo Charles ir lá sozinho.

"No entanto, ele a ama inalterado?"

"Não acho", disse Gina, "que alguém já tenha me amado mais do que ele."

Kelly assentiu. Por alguns segundos houve silêncio absoluto na sala. Todos olharam para Gina que estava encostada no bar parecendo uma imagem perfeita, um olhar de leve tristeza em seus olhos. Natalie, despertada de seu silêncio e subitamente mais viva, disse: "Sabe o que nos une a todos? É o sentimento de uma grande solidão interior. Éramos todos filhos mal-amados. «

"E tivemos tanto azar na vida", acrescentou Steve.

"Estou errada", Gina contradisse, "não foi má sorte. Todos nós tropeçamos em David."

"Se você tropeçar, você pode se levantar novamente." Natalie acendeu um cigarro e jogou o fósforo usado na lareira. "Apenas... achamos mais conveniente reclamar para nós mesmos."

"Como o que eu deveria ter feito?" Gina perguntou agressivamente. "Mergulhar nas profundezas do Oceano Pacífico para descobrir se John sobreviveu à queda do avião?"

"Claro que não. Mas acho que todos nós cometemos um erro: estamos sempre procurando culpados. Quem é o culpado pelo quê, a quem devemos quando estragamos alguma coisa, onde diabos encontramos o culpado ?Talvez devêssemos falar um pouco mais sobre nós mesmos.«

'David fez...' Gina começou, mas Natalie imediatamente a interrompeu. 'David não matou John, você mesmo admitiu isso. Sabe, quando você disse anteriormente que sem a ajuda de David, John nunca teria estado naquele avião naquele dia, isso me fez pensar em um romance muito famoso, The Bridge of San Louis Rey, de Thornton Wilder. Uma ponte desaba e seis pessoas não aparentadas que estavam na ponte naquele momento morrem. Suas histórias agora serão reveladas e ficará claro por que todos eles morreram naquela ponte naquele dia, naquele minuto. Há muita culpa neste romance, porque na vida dos mortos há pessoas que se culpam, que acreditam que algo que disseram ou fizeram fez com que a pessoa em questão morresse naquela ponte. Mas no final do livro há a percepção de que a questão da culpa está errada. Só podemos perguntar sobre o destino e provavelmente não obteremos uma resposta. Não, certamente não teremos nenhum. Mas temos que conviver com isso. Você também, Gina.

Gina não respondeu, mas Natalie podia ler em seus olhos que ela havia entendido, que já sabia há muito tempo, mas que não ia falar nada porque o que aconteceu ainda a doía demais.

— Gina — continuou Natalie — se casou e se convenceu de que era tudo culpa de David, uma solução conveniente quando você não quer ver seus defeitos. Mas foi o mesmo com o resto de nós. Tome-me: em vez de ir a uma clínica e entrar em reabilitação, eu corria de um terapeuta para outro, obtendo mais e mais comprimidos prescritos e odiando David com toda a minha alma por isso. Ou o que dizer de Steve? Assim que sai da prisão, ele comete peculato em grande escala porque pensa que não tem outra chance de qualquer maneira, e o responsável não é ele, mas David.

E Mary: Deus do céu, você fica infeliz ao pensar nela sentada em seu apartamento horrível e sendo intimidada pelo marido. Mary abaixa a cabeça, estende a mão e diz a si mesma que esta é sua sentença de prisão perpétua por uma coisa estúpida que ela cometeu quando tinha dezessete anos e que David instigou nas cinco esquinas. Você entende o que quero dizer? Todos nós fugimos de nossas próprias responsabilidades e encaramos obstinadamente um inimigo cuja existência nos deu a opção de não resolver o problema com nossas próprias mãos e ter que nos recompor.«

"Você está deixando as coisas muito claras, Srta. Quint", observou Kelly.

"Eu apenas digo a verdade. Sobre todos nós. «

"Não sobre todo mundo." Kelly de repente parecia muito alerta e incorruptível. "Você não diz nada sobre David."

"Eu continuo dizendo coisas sobre David. Ele é o pivô. Eu tenho..."

"Você nem se preocupa em olhar dentro dele. Você sonda sua alma e a dos outros, e o faz com muito cuidado, mas nem uma vez pergunta sobre o funcionamento interno de David Bellino. Você nunca fez. Nem seus amigos.

Os olhos de Maria se arregalaram. Gina baixou o copo que queria levar à boca. O inspetor Kelly ignorou a surpresa geral. — Todos estudaram juntos no internato. Passavam muito tempo juntos, conversavam, saíam de férias juntos. Eles eram familiares e se chamavam de amigos. Ainda assim, nenhum de vocês tentou entender David Bellino.

"Agora você está sendo um pouco injusto", disse Natalie bruscamente. 'Só descobrimos a maioria das coisas muito mais tarde - tarde demais. Foi em Crantock que David me contou pela primeira vez sobre seus problemas, antes disso eu não fazia ideia. Em Santa Clara, ele não agia como alguém em apuros. Ele estava nos deixando loucos com sua constante gabação sobre quanto dinheiro ele teria um dia e o fato de ele ter procurado nossa amizade nós realmente não notamos."

"Até mesmo a vanglória pode ser uma tentativa de implorar por simpatia. De qualquer forma, não me entenda mal: não quero julgar o que você fez, sei até que seu comportamento foi bastante normal. Os adolescentes não são muito sensíveis uns aos outros e você não fez nada que os outros da sua idade não tenham feito. Mas enquanto estamos sentados aqui lutando para ser maravilhosamente objetivos sobre tudo, vale a pena mencionar esse aspecto da história também. Nenhum de vocês sequer se preocupou em entender esse jovem - em aprender alguns dos fardos que ele carregava e o que o tornou uma pessoa tão difícil, o que o jogou nessa confusão em que vive."

Ninguém respondeu. O inspetor Kelly esperou alguns instantes e continuou com naturalidade: — Mas estávamos descobrindo o que você estava fazendo quando o convite de Bellino chegou até você. Senhorita Quint? Você estava em Paris quando a carta chegou?

"Sim eu . . ." Natalie balançou a cabeça como se quisesse afastar os pensamentos que a atormentavam; ela precisou se esforçar para responder à pergunta do inspetor de maneira razoável e focada. "Sim. Acabei de voltar de uma hora com meu terapeuta. Com o táxi. Minha fobia não me permitia andar de metrô. Eu estava muito deprimido naquele dia..."

O terapeuta de Natalie morava na avenue de Montaigne e, ao sair de casa, quase tropeçou em um clochard, um homem velho e enrugado, agachado na calçada. Ele a segurou pela bainha do casaco, tentando forçá-la a parar. Ela entrou em pânico e gritou histericamente. Alguns transeuntes pararam, em algum lugar da casa uma janela se abriu. O clochard não tinha os dois dentes da frente superiores, era um sorriso feio e bem-humorado com o qual ele olhou para a mulher horrorizada.

"Solte-me!" ela deixou escapar. "Solte-me agora!"

Ele a soltou e ela continuou andando, quase correndo, sem respirar até entrar no táxi. Ela mesma foi até a Chanel's e comprou um terninho preto e branco que havia experimentado uma semana antes e que havia alterado. Ela foi questionada se queria experimentá-lo novamente, mas ela recusou. Apenas saia rapidamente. Que ela deve estar se sentindo tão mal hoje de todos os dias. Ela tinha um jantar com Isabelle Adjani naquela noite; ela a havia conquistado para uma entrevista na televisão e agora queria ter uma conversa preliminar com ela. Ela tinha que estar em forma. acordado, concentrado. Se ela continuasse pensando em uma rota de fuga adequada do restaurante, dificilmente ouviria o que o adjani estava dizendo.

Em casa, ela encontrou duas cartas na caixa de correio. Um veio da agência Isabelle Adjanis e Natalie foi educadamente informada de que Madame Adjani não poderia dar entrevistas no momento. Lamentamos muito, mas esperamos a compreensão.

Natalie xingou, enrolou a carta e atirou para um canto.

A segunda carta foi carimbada de Nova York. A princípio, Natalie pensou que o remetente fosse um de seus amigos da América, mas então o convite caiu do envelope. "David acha mesmo que vou deixar ele me convidar?"

No final da tarde, Claudine voltou de uma visita à família. Por alguma razão, seus pais e inúmeros tios e tias sempre pareciam pensar que ela estava morrendo de fome, pois ela recebia montanhas de mantimentos sempre que passava um dia no elegante apartamento da Avenue Foch. Apenas as melhores iguarias, é claro. Ela os colocou na frente de Natalie na mesa da sala.

"Tarte aux seis leguminosas, Pate de Madame Bourgeois, Poulet de Bresse, Grelhados de Lagostins e molho tártaro... E também trouxe uma baguete fresca comigo." Claudine sorriu. – Ainda tem uma garrafa de champanhe na geladeira. Quer saber, eu poderia fazer um bufê luxuoso só para nós dois!' Ela parou. "Oh não, você tem que comer com Adjani esta noite!"

"Esqueça", disse Natalie cansada, "Madame cancelou."

"O quê? Essa besta! Mas é só o jeito dela. Oh querido, me desculpe. Eu sei que você está muito desapontado agora."

"Está tudo bem, Claudine - o que você acha se eu aceitar um convite de David Bellino, um convite para Nova York?"

"David Bellino? Você nunca mais quis vê-lo!

"Eu sei. Mas algo sobre esse convite... não sei dizer o que é... a propósito, os outros estão vindo também."

"Quem?"

"Meus amigos de antes. Steve, Mary e Gina, ou assim ele afirma. Por alguma razão, David quer nos reunir em Nova York e eu gostaria de descobrir o porquê."

"Você acha que isso é sensato? Você não acha que isso agita tudo de novo? Você sempre esteve decidida a nunca mais ver David!"

'Eu não queria um debate. Eu não queria ouvi-lo tentando explicar e justificar seu comportamento naquela época. Mas não é o caso desta vez. Os outros estão lá...'

'Natália!' disse Claudine em advertência. Natalie levantou-se, foi até a janela e olhou para a noite de novembro. 'Claudine, não sei por que, mas estou indo para Nova York.

"Você realmente não tem nenhum motivo?" Kelly perguntou.

Natália olhou para ele. — Não sei dizer por que vim, inspetor.

Ele a olhou tão abertamente quanto ela o olhou por um momento, então assentiu. "Entendo. Sim, posso imaginar isso. Você foi guiado pela emoção... exatamente o oposto do Sr. Steve Marlowe."

Abruptamente, ele mudou o parceiro de conversa. Steve deu um pulo.

353

"O que você quer dizer?"

'Bem, eu acho que sim. Não foi por isso que você foi ver Mary Gordon em particular na noite do assassinato? Você estava procurando um camarada em sua tentativa de incursão no Sr. Bellino. O que você queria dizer a ele? 'Você arruinou minha vida, agora ganhe dez mil dólares? Com cem mil dólares? O senhor veio aqui para pedir dinheiro, Sr. Marlowe, tenho certeza.

Steve estava pálido, mas pela primeira vez em muito tempo seu rosto exibia uma expressão de dignidade. "Sim. Minha situação é bastante desesperadora. Você sabe, eu estava na prisão pela segunda vez, e o emprego que encontrei após minha libertação - como caixa em um estacionamento de Londres - estava sob ameaça. Eu estava sublocando novamente, em um pequeno quartinho, e nunca sabia ao certo se teria trabalho no dia seguinte. Imagina que tipo de vida é essa? Ele olhou ao redor do círculo e, de repente, disse violentamente: "Você está procurando um motivo para o assassinato de David Bellino? Estou lhe dizendo, cada um de nós teria um. E vou lhe dizer outra coisa : Não há ninguém aqui que em algum momento não tenha pensado que deve ser bom colocar uma bala na cabeça de David Bellino. Todos nós o odiamos!'

De repente, toda a sala parecia cheia de emoções. Raiva, dor e decepção pareciam quase tangíveis. Como para escapar de uma pressão interna, Natalie se levantou. Ela estava respirando pesadamente. "Estamos sentados aqui há horas. Não podemos finalmente parar tudo isso? Quero sair, quero respirar o ar frio, cheirar a neve e ver as estrelas no céu gelado... De repente, ela pensou na casa do pai no inverno, a geada sobre os prados e o fogo crepitando em todas as chaminés. De repente, surgiu uma vontade enorme de voltar no tempo e voltar a ser criança, segura sob o teto da velha casa grande, envolta em segurança e aconchego. Se ao menos ela pudesse se livrar das lembranças de todas as coisas terríveis que aconteceram nesse meio tempo... Se ao menos ela parasse de fugir de seu medo!

"Se você quer ver as estrelas e sentir o cheiro da neve, primeiro você deve ajudar a resolver um homicídio", disse o inspetor Kelly bruscamente. " Quero saber quem matou David Bellino, mesmo que fiquemos aqui no ano que vem!"

"Divirta-se", Gina murmurou.

"Sra. Gordon", Kelly disse a Mary, "presumo que seu marido ficou muito chateado quando lhe disseram que você estava indo para Nova York?"

"Sim. Ele não estava apenas com raiva, ele estava com raiva. Ele se enfureceu. Nunca tive tanto medo dele..."

'Por que você voou de qualquer maneira? Normalmente você abaixava a cabeça em direção ao seu marido. O que fez você decidir prevalecer desta vez? Você teve o mesmo motivo de Steve Marlowe? Você queria dinheiro?

Maria corou. "Não! Eu não queria dinheiro. Nunca. Foi o que eu disse a Steve quando ele me pediu para ir com ele até David e pedir dinheiro. Nunca implorei por dinheiro na minha vida."

"Por que você veio aqui?"

As mãos de Mary apertaram a pequena bolsa que ela sempre carregava consigo. 'Sabe como foi meu casamento? Sim, você sabe, mas acho que você não pode imaginar. O pior não foi que Peter me traiu, que só voltou bêbado, que me xingou e eu não consegui agradá-lo. O pior era a desolação em que vivia. Este apartamento horrível. Às vezes eu pensava que ia gritar se esse trem passasse de novo. Os constantes xingamentos, gritos e repreensões dos outros apartamentos. E nenhum raio de sol, entendeu? Eu vi meu filho brincando entre as latas de lixo e ele começou a falar no jargão da rua que ouvia em todos os lugares. Quando a carta de David chegou até mim, tudo que eu conseguia pensar era que havia uma maneira de ficar longe de tudo por um tempo. Eu queria fugir, apenas fugir!"

Lembrou-se daquela manhã terrível em que foi a uma butique elegante comprar roupas para a viagem. Ela saqueou sua conta bancária - o pouco dinheiro que ela ganhou limpando e cuidando - e também pegou um empréstimo que o funcionário do banco lhe deu com relutância com uma cara triste. Apesar do clima frio de outono, apesar da chuva e da neblina, ela foi até a loja animada, mas sua coragem falhou quando ela viu a vendedora vindo em sua direção, uma mulher de trinta e tantos anos de estilo perfeito em um suéter de mohair rosa, com uma saia preta estreita e joias luxuosas de strass. Seu rosto estava coberto por uma pesada camada de maquiagem e seu cabelo era de um tom roxo em vez de vermelho.

"Como desejar?" ela perguntou ocupada.

Mary sentiu o desprezo que a atingiu. Ela teve um vislumbre de sua aparência em um dos muitos espelhos altos ao seu redor e se sentiu muito infeliz, parecia tão desfavorável perto dos outros. Sua pele era pálida e manchada, ela havia lambido o batom em seu nervosismo. A capa antiga e impossível que ela usava... ela queria fugir.

"Você deseja", a vendedora repetiu novamente.

'Eu... eu...' Mary reuniu toda a sua coragem, 'estou procurando um vestido para usar em boas ocasiões, quero dizer em algo... ocasiões mais festivas. Em um grande jantar. . .' Ela parou.

"No que você estava pensando?"

"Algo sombrio, talvez?"

'Temos um vestido verde musgo muito bonito. Deve combinar com a cor do seu cabelo. Experimente. Conduziu Mary a um cubículo e, com as pontas dos dedos, tirou-lhe o casaco. Um lustre de cristal brilhava na cabine e uma música suave tocava. Mary se despiu, mas é claro que o balconista de repente abriu a cortina para perguntar se ela poderia ajudar, no momento em que Mary estava lá em sua calcinha nada atraente. A Vendedora Perfeita não tentou esconder seu desprezo. "Claro que você precisa dos sapatos certos para este vestido", disse ela apressadamente. Ela conjurou um par de sapatos de salto alto cobertos de veludo verde-musgo. "E as meias certas." Eles eram extremamente finos, com finos apliques de strass nos tornozelos. "Você estaria adequadamente vestido com isso."

O vestido caiu como uma luva e destacou a figura delicada de Mary. E os sapatos... ela nunca teve nada mais elegante.

Mary finalmente teve a ideia de perguntar quanto custava tudo isso, e o preço que a vendedora disse a deixou sem fôlego. Se ela pagasse isso, todo o seu dinheiro iria embora, e ela precisava urgentemente de um casaco e botas de inverno. Deveria estar nevando muito em Nova York... Mas quando ela disse que não tinha dinheiro suficiente, ela finalmente acabou e já podia sentir o olhar dissimulado que a outra garota estava lançando para ela. Ela não podia, não, ela não podia mais se humilhar. Quando pagou, estava com lágrimas nos olhos e, ao sair da loja com uma linda bolsa no braço, a fileira de casas em frente já se esfumava. Ela odiou o vestido, os sapatos. Ela odiou a viagem para David porque não pertencia àquele lugar. Mas ela sabia que enlouqueceria se ficasse muito mais tempo no mesmo apartamento. Ela cambaleou até o café mais próximo, deixou-se cair em uma cadeira e pediu uma xícara de chá. Algo tem que mudar, ela pensou desesperadamente. Algo tem que mudar com urgência.

"Alguma coisa mudou?" Kelly perguntou suavemente.

Maria olhou para ele calmamente. "Eu acho que sim," ela disse calmamente. O som em sua voz fez todos se sentarem e prestarem atenção. Steve se virou para ela. Eles se olharam por alguns segundos.

"Vamos resumir", disse o inspetor. "Steve Marlowe veio com a intenção de pedir dinheiro a David Bellino. Ele estava determinado a obter algum tipo de compensação por seus anos na prisão. Mary Gordon voou para Nova York porque, pela primeira vez em muitos anos, teve a chance de escapar do marido e de toda a desolação de sua vida. Ela tinha medo do rico David Bellino, de todo o esplendor em que ele vivia, mas sua situação se tornara tão insuportável que ela faria qualquer coisa para se libertar por alguns dias.

Até hoje, a senhorita Natalie Quint não sabe por que concordou em ver David Bellino, a quem ela odiava. Algo no convite despertou sua curiosidade, talvez a típica curiosidade de um jornalista. Estar lá é tudo. Como podem ver, valeu a pena. «

"Não sei", disse Natalie, "existe uma diferença entre vivenciar um assassinato à distância de um jornalista e, de repente, sentar-se ali como um dos suspeitos. Como jornalista, posso sair quando quiser." Ela olhou para o inspetor com hostilidade e disse abruptamente: "Você esqueceu Gina! «

"Gina ainda não deu seu motivo", Kelly respondeu, "mas insinuou. Suponho que foi o mesmo que Steve Marlowe - dinheiro.

'Você adivinhou.' Gina estava encostada no balcão, de pernas cruzadas. "Estamos com água até o pescoço. Você ouviu sobre a enorme falência de Charles? Há um ano e meio ele investiu todo o seu dinheiro - infelizmente também muito capital que não lhe pertencia - em um musical americano terrivelmente ruim. Foi composta por um amigo dele, e o bom e ingênuo Charles acreditou naquele amigo, que alegou que era a melhor coisa de todas e que Webber poderia muito bem tirar o chapéu. Bem, na verdade acabou sendo um desastre. Charles ficou com uma dívida gigantesca - ou melhor: ele ainda a carrega consigo hoje. De qualquer forma, não possuímos mais nada da propriedade e os credores estão batendo em nossas portas. Charles fica com os braços pendurados, sem entender nada, sem fazer nada, apenas olhando para mim como uma criança esperando por ajuda. Ele sofre como um cão. Pessoalmente, eu não teria pedido meio centavo a David, mas por Charles decidi fazê-lo. Para ver o pobre sujeito sorrir novamente algum dia."

"Mas você ainda não o ama?"

— Não, e também nunca vou amá-lo. Mas eu me casei com ele uma vez. Você conhece as palavras de Exupéry, que significam que nunca se perde a responsabilidade por algo que se conhece? É assim com Charles. Ele é uma criança que se agarra a mim e não terei escolha a não ser carregá-lo e cuidar dele. Quer eu goste ou não. «

Ela não disse nada, e Kelly pensou que ela era uma mulher forte, egoísta e possessiva, mas leal e corajosa de coração. Ela sempre estará ao lado de Charles, ela não o fará feliz por Deus, mas o manterá à tona, não importa o quão difícil seja para ela.

"Você sabia que sua conversa com David Bellino na noite do assassinato o deixou muito desconfiado?" ele perguntou.

Gina assentiu. "Sim, receio ter escolhido o lugar e a hora errados."

Kelly parecia estar pensando, retraída por um momento. Então ele se virou e de repente sua expressão estava bem acordada, seus olhos agressivos e impossíveis de subornar. Eles olharam para Laura Hart.

— Agora, minha principal suspeita, Srta. Laura Hart! Eu afirmo que você não estava tão envolvido nos eventos da noite passada quanto você finge. Agora, você se importaria de me dizer a verdade?

O ataque veio tão inesperadamente que a princípio todos ficaram sem palavras. Laura finalmente se recompôs. "O que você quer dizer?"

— Bem, a princípio pode ter sido uma visão convincente, você deitado amarrado na sala de estar, indefeso, dominado pelos perpetradores. Mas nunca acreditei que fosse real."

"Então?" Ela tentou firmar as mãos nervosas, estreitando os olhos, espiando. "O que você acha, Sr. Kelly?"

"Você cresceu no Bronx, Srta. Hart. Você deve ter entrado em contato com certos círculos lá - certamente isso não poderia ter sido evitado.

'Oh, você sabe, eu estava me perguntando quando isso iria acontecer. Claro, você finalmente encontrou o assassino ideal em mim. Só pode ter sido a garota do Bronx.

"Eu não disse que acho que você atirou em David Bellino", Kelly corrigiu, "só acho que você estava de conluio com os ladrões."

Mary engasgou audivelmente. Gina sorriu. Algo semelhante ela suspeitava o tempo todo.

"Eu não me importo com o que você pensa, inspetor."

"Você só pode melhorar sua situação se falar abertamente."

"Eu não sei sobre o quê."

O rosto de Kelly assumiu uma expressão paternal. "Senhorita Hart, eu estive observando você por um tempo agora. Você está ficando mais nervoso a cada minuto. Suas pernas estão se contraindo, você realmente quer fugir. Por que? Para onde você é atraído? A quem? Para seus amigos?"

"Eu não tenho amigos!"

"Senhorita Hart, eu não compro sua história sobre o suposto ataque. De alguma forma... essa história de ladrão parece muito boa para mim. Prometo que descobriremos o que realmente aconteceu e sua situação ficará muito mais precária do que se você apenas me servisse o vinho.

"Eu não tenho nada para dizer para voce."

Kelly suspirou. "OK. Então tentamos o contrário. Já passamos muito tempo reconstruindo as histórias de vida dos presentes. A única pessoa que não conhecemos é você, Srta. Hart. Gostaria de ouvir sua história também."

"A versão longa ou curta? Como você gostaria? E por onde começo? ela perguntou snippy.

"Qualquer lugar que você goste." Kelly ignorou seu tom. "Antes de tudo, quero entender sua relação com o falecido David Bellino, que não me parece totalmente direta, e suponho que teremos que voltar um pouco para fazer isso."

'À minha infância gloriosa? Tudo o que posso dizer é que, se você gosta de contos de fadas assustadores, peça um para você agora. Não consigo imaginar ninguém muito interessado, mas se você insistir, vou lhe contar minha história não contada.

Morávamos em uma ruína queimada, mamãe, papai, minha irmã June e eu. Tudo estava escuro e frio..."

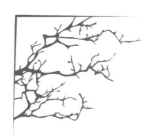

Laura

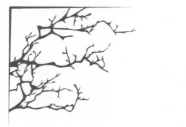

1

"Mamãe! Mamãe!" O grito quebrou a quietude da noite. Laura acordou com isso. Seu coração estava acelerado, sua camisola estava úmida de suor. Será que ela mesma gritou? Ela ouviu na escuridão, esperando ouvir a respiração de sua irmã June. Houve um silêncio mortal . Quando os olhos de Laura se ajustaram à escuridão, ela pôde ver que a cama de June estava vazia. Tem sido assim por cerca de meio ano. A menina de treze anos raramente voltava para casa. Laura, dois anos mais nova, perguntou onde ela estava indo, mas June apenas riu. "Você ainda não entende, baby!"

June sempre dizia "bebê" para Laura, o que ela não interpretava como uma depreciação, mas como uma carícia. June interpretou sua mãe substituta. No passado, quando ela acordava nas noites escuras e tinha medo de seus próprios sonhos, ela saía da cama, atravessava o quarto com os pés descalços e rastejava para baixo das cobertas com June. Estava maravilhosamente quente aqui. June tinha uma natureza saudável e robusta, e sob o cobertor fino, sob o qual Laura sempre sentia um frio miserável, ela conseguia desenvolver um verdadeiro calor de forno. Com um grunhido, ela sempre tolerava Laura deitada ao lado dela.

"Ok, Laura, venha aqui. Mas fique quieto, entendeu?

Laura aconchegou-se a ela e dormiu tranquilamente até de manhã.

Mas esses dias acabaram. De qualquer modo, junho havia mudado muito, pensou Laura. Ela usava o cabelo em pequenos cachos agora, espremido em um vestido curto de couro justo, tinha uma jaqueta de couro enfeitada sobre os ombros e cambaleava sobre saltos altos . Ela pintou os lábios de vermelho escuro e criou verdadeiras garras nas unhas. Ela trazia dinheiro de suas saídas noturnas e papai exigia que ela o entregasse completo. Uma vez houve uma cena terrível; Papai tinha bebido demais e de repente gritou que June havia desviado dinheiro. Ele a arrastou para a cozinha, os outros o ouviram furioso e gritando do lado de fora. June mais tarde ficou com um olho roxo e papai acenou com uma nota de dez dólares em triunfo. "Queria ganhar dez dólares de mim, vadia! Dez dólares, mas eu podia literalmente sentir o cheiro! Ninguém engana Jeff Hart tão facilmente!"

Então, bem entre a porta e a dobradiça, ele vomitou seu café da manhã e Laura teve que limpá-lo. Ela o fez com relutância, mas sem objetar, afinal não queria levar uma violeta também.

Então, naquela noite, ela ficou sozinha no meio de seu quarto escuro, atormentada pelo pesadelo recorrente de cair em um desfiladeiro profundo e negro, cujo fundo estava repleto de cobras, crocodilos e outros répteis. Laura tinha pavor de todos os tipos de lagartos. Quando ela era uma garotinha em Chinatown, ela teve um ataque de gritos quando viu um homem em uma loja servindo bebida de uma garrafa na qual nadava uma lagartixa morta. O mesmo foi considerado uma iguaria.

O sonho tinha sido particularmente forte desta vez; Laura ainda estava tremendo. Ela tateou em busca da porta e saiu para o corredor. Ela podia ouvir um ronco alto vindo da cozinha. Ela olhou para dentro. Papai estava sentado em um banquinho à mesa, caído como um saco de farinha. A barba por fazer cobria seu queixo e seu lábio inferior estava caído, dando-lhe uma expressão pateta. Sua mão direita segurava uma garrafa de cerveja vazia. A fumaça do cigarro pairava no ar. Laura se assustou: quando mamãe estava em casa, papai geralmente procurava o caminho para a cama, quando ela saía à noite ele sentava na mesa da cozinha e roncava até de madrugada. Então, obviamente, a mamãe não estava lá hoje. Laura correu rapidamente para a sala, que também servia de quarto para os pais; você poderia puxar o sofá floral desgastado e transformá-lo em uma cama. A sala estava vazia.

Mamãe costumava ir aos pubs à noite e nem sempre voltava para casa depois. Na maioria das vezes, ela desmaiava em alguma sarjeta, dormia ali para se recuperar da embriaguez e voltava para casa na manhã seguinte. Isso pode ser bom no verão, mas no inverno esse hábito pode se tornar perigoso. Certa vez, um vizinho arrastou a Sra. Hart para dentro do apartamento, meio congelada, e ela teve que ser levada a um hospital com hipotermia severa.

"Um dia ela não vai mais acordar", previu o vizinho melancolicamente.

Laura não conseguia tirar a frase da cabeça. A mamãe não deveria acordar uma manhã? Ela iria congelar até a morte em toda a sua miséria bêbada lá fora? Laura sentia um medo terrível sempre que pensava nisso. Ela era muito apegada à mãe, embora muitas vezes estivesse de mau humor e reclamasse constantemente de dores de cabeça. Ela tinha menos medo do pai quando a mãe estava por perto e, além disso, às vezes mamãe lhe dava algo gostoso para comer ou acariciava seus cabelos.

Laura desenvolvera um senso apurado de antecipação das noites em que sua mãe pretendia ir aos pubs. Sua inquietação era então quase palpável. Ela perambulou pelo apartamento como se estivesse presa em uma gaiola, reclamou de ataques de enxaqueca, ficou com um olhar assombrado e serviu-se de um schnapps após o outro. Em algum momento, ela pegou seu casaco de pele gasto. "Vou tomar uma bebida rápida, crianças. Eu volto em breve." A porta se fechou atrás dela. Laura foi então limpar a cozinha e preparar o jantar, ao mesmo tempo que ouvia ansiosa lá fora para ver se já ouvia os passos do pai na escada.

Papai não tinha um emprego regular, mas alguns dias ele encontrava um emprego; ou alguém era necessário no matadouro, ou um posto de gasolina estava procurando um temporário, ou mesas e cadeiras tinham que ser carregadas em um bar.

'Jeff Hart não está acima do trabalho!' ele frequentemente se gabava e, de fato, era um sujeito forte com um bom domínio, mas infelizmente passava muitos dias bêbado demais para dar um único passo. Claro, mamãe nunca voltou 'logo'. Laura tinha o hábito de ficar acordada e esperar que ela voltasse para casa. Às vezes ela não conseguia, como hoje. Então ela acordou de seus sonhos.

Ela voltou para o quarto, vestiu a calça jeans e um suéter, calçou as botas de inverno, o casaco e as luvas. Pela janela ela podia ver a noite gelada e sem vento lá fora. Tinha nevado no dia anterior e o tapete branco embelezava até o feio Bronx. As ruínas queimadas da casa em frente erguiam-se sombriamente no céu negro. Os dentes de Laura batiam de frio e ela estava terrivelmente cansada, já havia passado as últimas três noites andando pelas ruas à procura de sua mãe. Ao sair do apartamento, ela respirou fundo. O que ela estava fazendo era perigoso, ela sabia disso. Mas ainda melhor do que o medo de que mamãe pudesse congelar até a morte neste frio congelante.

A família Hart morava em uma casa em ruínas no East Bronx que originalmente tinha cinco andares. No entanto, um incêndio queimou os três andares superiores, deixando os dois inferiores habitáveis - pelo menos por padrões modestos. O apartamento dos Harts tinha uma cozinha que continha um armário surrado sem portas, uma mesa e duas cadeiras e uma pia presa à parede com uma torneira enferrujada. Um fogão de ladrilhos fornecia calor e a comida era preparada em um pequeno fogão a gás, do tipo usado para acampamentos.

Depois havia a sala de estar, um buraco pequeno e escuro, com o sofá-cama, uma mesa plana, duas cadeiras e uma TV em um velho caixote de laranja. Um pôster foi pregado na parede acima do sofá, mostrava o Castelo Neuschwanstein da Europa, atrás de cujas torres o sol estava se pondo e uma colorida floresta de outono brilhava.

As duas meninas dormiam em um quarto voltado para o norte e sem fogão. Fazia um frio mortal aqui no inverno. Laura passou muitas noites acordada por causa de uma tosse incômoda. A câmara não esquentava nem no verão, exceto quando havia uma onda de calor. Para sempre, Laura associaria sua infância ao frio congelante. Não havia banheiro no apartamento, os Harts dividiam um banheiro em uma cela sem janelas no patamar com a família que morava no andar de cima. Era o lugar mais sujo do mundo.

Quando Laura saiu de casa, ela olhou para as janelas para ver se papai poderia ter acordado. Mas tudo continuou escuro. A casa parecia absurda com seus três andares desmoronados, as paredes carbonizadas e as vigas ainda erguidas no ar. Os prédios à direita e à esquerda haviam sido demolidos há um ano, então as paredes externas das ruínas remanescentes estavam agora nuas e sem reboco. Uma desolação cruel pairava sobre tudo. Como sempre fazia quando parava na frente de sua casa, Laura pensou: por que eu tive que nascer aqui?

Ela virou à esquerda e desceu a rua, as duas mãos enterradas nos bolsos do casaco. O frio queimou seu rosto. Era definitivamente a noite mais fria do ano, aquela noite pouco antes do Natal de 1980. Um único poste de luz estava aceso, uma raridade no Bronx, onde a maioria das lâmpadas foi demolida depois de ficar parada por mais de uma hora. A neve brilhava sob a luz forte e os contornos dos sapatos de Laura tornaram-se visíveis. Ela correu rápido, embora o frio ardesse em seus pulmões. Por que ela estava apenas dormindo? Eu esperava que ela não fosse tarde demais para mamãe. E se mamãe tivesse desmaiado em algum lugar, pelo menos poderia ser na beira da estrada e não em algum quintal onde ela teve sorte de ser encontrada.

Laura conhecia os botecos que sua mãe preferia frequentar. Na primeira, as luzes já estavam apagadas, as portas bem fechadas. No segundo, alguns convidados ainda estavam no balcão, o proprietário apenas anunciou resmungando que não serviria mais nada.

"Olá, Laura!" ele chamou quando viu a criança pálida e congelada parada na porta. "Você está procurando por sua mãe de novo?"

"Sim. Ela estava aqui esta noite?"

"É claro que Sally estava aqui. Mas logo saiu. Queria ir para outro lugar. «

'Obrigado.' Laura voltou correndo. O medo a levou adiante. Ela vasculhou rua após rua, espiando por portas, atrás de latas de lixo, embaixo de escadas. Ela não ousava gritar alto, com medo de atrair outros bêbados, mas às vezes ela sussurrava: 'Múmia? Você está aqui?"

Uma vez um cachorro respondeu a ela, caso contrário, tudo ficou em silêncio.

Ela encontrou mamãe no terreno de uma oficina mecânica, entre carros destruídos, pneus, manchas de óleo e uma ovelha morta. Sally Hart, aparentemente em uma última onda de lucidez, tentou se proteger do frio em um Ford azul despojado, mas ela caiu de cara no vão da porta. A cabeça e os braços estavam dentro do carro, o resto saindo na neve. Bem a seus pés jazia o cadáver da ovelha cuja garganta havia sido cortada. Mesmo na morte, seu lábio superior foi puxado dolorosamente sobre os dentes, havia uma expressão de medo em seus olhos. Laura ajoelhou-se ao lado da mãe. 'Mãe', ela tocou os ombros com cuidado. "Mãe! Acorde!"

Sally grunhiu baixinho. Ela exalava um cheiro pungente de álcool. Seu casaco de pele velho, impossível e desgrenhado fedia como uma poça de cerveja e parecia todo pegajoso; alguém deve ter jogado um copo nela. Pobre mãe, ela era considerada uma personagem cômica sobre a qual todos contavam suas piadas grosseiras. A pobre bêbada Sally Hart, com seu cabelo comprido e desgrenhado e o rosto outrora bonito agora inchado pela bebida, ela ficava tão grata por ser cuidada que tolerava qualquer piada desagradável.

Pelo menos ela estava viva, como provavam seus gemidos suaves. Laura tentou levantá-la. 'Mãe, levanta, por favor! Temos que ir para casa. Está muito frio aqui!

Sally estava realmente acordando. Ela se apoiou nos antebraços e meio sentada. Ela olhou para a filha com um olhar embaçado. "Ei?" ela disse.

— Sou eu, Laura. Eu vim para colocar você na cama, mãe. Você vai passar mal deitado aqui."

"Estou cansada", Sally murmurou, querendo cair novamente. Laura a puxou desesperadamente. "Não durma! Você tem que ir para a cama primeiro, mamãe!"

De alguma forma, as palavras finalmente pareceram penetrar na mente de Sally Hart. Xingando e gritando, ela se levantou. Ela se apoiou tanto na filha que pensou que suas pernas iam ceder. Ainda assim, ambos conseguiram dar alguns passos instáveis.

"Merda", Sally murmurou, "tudo merda." Ela olhou para a ovelha morta. 'Isso também está morto. Estamos todos mortos, Laura, estamos todos mortos como pedra. Morremos há muito tempo como aquela pobre ovelha!' Ela começou a chorar. Laura mal ouvia, sabia como era mamãe quando bebia demais. Era importante agora que ela fosse para a cama rapidamente, com uma bolsa de água quente e dois cobertores grossos. Esperava que ela não tivesse pegado nada ainda. Em hipótese alguma ela deveria cair de novo no caminho, dominada pelo sono, porque quem sabe se ela conseguiria se levantar depois. Por isso Laura vivia conversando com a mãe, contando-lhe histórias, qualquer coisa sem sentido nem razão, esbarrando nela de vez em quando, beliscando-lhe o braço e uma vez até chutando-lhe o pé com força.

"Ai!" Sally gritou com raiva, depois começou a chorar novamente e soluçou que todo mundo só queria machucá-la. Laura ficou satisfeita: pelo menos Sally não adormeceu por enquanto.

Pouco antes de chegarem em casa, começou a nevar. Laura pensou com um arrepio na rapidez com que sua mãe teria sido coberta pelo tapete branco e nunca teria sido resgatada com vida. Ela veio no último momento.

Ambos congelaram pela misericórdia de Deus quando entraram no apartamento. Com medo de acordar o pai, Laura decidiu não usar a bolsa de água quente; em vez disso, foi buscar o cobertor de June, porque era improvável que a irmã voltasse para casa naquela noite.

— Vamos, mãe, você precisa se despir. Primeiro as botas. Agora faça isso!"

Sally Hart agarrou a cabeça e gemeu. "Estou com muita dor", ela murmurou.

"Vai ser melhor se você se deitar!" Laura tirou o casaco de pele fedorento da mãe dos ombros, depois tirou a calça, o suéter e a cueca e enfiou a camisola pela cabeça. Um cardigã foi usado por cima e um lenço em volta do pescoço. — Espero que você se esquente logo, mãe. Deitar!"

Sally afundou na cama e dormiu profundamente no segundo seguinte. Seu ronco enchia a sala inteira, o cheiro de bebida que ela exalava teria tirado o fôlego de qualquer um. Mas - durante a noite ela estava segura. Morta de cansaço, Laura se arrastou para a própria cama; por hoje eles não teriam mais pesadelos.

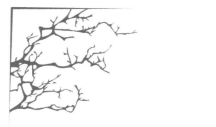

2

No Bronx, as crianças cresciam rápido e não tinham outra escolha se quisessem sobreviver. O perigo espreitava por todos os lados: álcool, drogas, prostituição. Roubos, facadas, estupros estavam na ordem do dia. Ou você soube se defender ou caiu no esquecimento. Meninos de dez anos eram capazes de cortar a garganta de outros sem pestanejar, meninos de oito anos injetavam sua dose diária de heroína com um sorriso frio. Aos doze anos, muitas meninas já andavam pelas ruas. Eles tiveram que se conformar com as leis brutais da cidade. Poucos foram os que resistiram a nadar contra a maré.

June tinha dezesseis anos quando se casou com seu cafetão, Sid Cellar, de trinta anos. Sid era um homem gigante que devia ter muito dinheiro porque dirigia um Mercedes, usava camisas de seda e ternos sob medida, tinha enormes anéis de ouro em todos os dedos e pequenos diamantes nas orelhas. Ele se sentou na sala de estar da família Hart e bebeu com Jeff. June se agachou ao lado dele, com um mini vestido de couro, jaqueta jeans, meias arrastão e sandálias prateadas. Seu cabelo era vermelho cobre agora. Sua boca flagrantemente maquiada apenas se contorceu em um sorriso com esforço, todo o seu rosto tinha algo parecido com uma máscara. No entanto, mais tarde ela afirmou estar incrivelmente feliz na cozinha com mamãe e Laura.

"Todo mundo me inveja!" Isso soou quase desafiador. – Sid tem muito dinheiro. Ele me dá grandes coisas. Além disso, queremos sair daqui, para Greenwich Village.

"Isso não vai acabar bem," Sally murmurou, pegando uma cerveja na geladeira. Era agosto, Nova York gemia no calor úmido e Sally estava se embebedando cedo naquela manhã. "Você nunca se dá bem com os homens. criminosos, todos juntos. Não deveria se envolver."

Ela bebeu a cerveja da garrafa, sem perceber que grandes porções derramavam e pingavam em sua saia. Aquela horrível saia xadrez verde-marrom que se estendia ao redor de seus quadris largos, cujo zíper ela deixou aberto porque sua cintura agora estava cercada por anéis de bacon. Laura observou a mãe sentada ali na cadeira, as coxas salientes de cada lado e o cabelo preto oleoso e emaranhado quase na altura das costas. Ela o havia penteado descuidadamente atrás das orelhas e a caspa estava se acumulando em seu suéter azul-escuro emaranhado. Não foi repulsa que Laura sentiu ao ver a pele inchada e porosa do bebedor, o queixo duplo enrugado, ao sentir o cheiro acre de suor e cerveja. Era mais medo. Será que um dia ela seguiria o mesmo caminho de sua mãe? Na fotografia, que mostrava Sally aos dezoito anos, ela era uma garota de roupas baratas, mas muito bonita, esguia e delicada, com uma tez fresca e olhos brilhantes. Laura se parecia muito com ela. Mais vinte anos, pensava às vezes com um estremecimento, mais vinte anos, e ofereço o mesmo quadro que ela.

"Sid e eu estamos bem", disse June, "você vai ver." Mas ela parecia nervosa, assustada. Ela sempre teve uma boca atrevida e um desrespeito admirável, mas eventualmente tudo isso se perdeu. A maneira como ela olhava para os outros lembrava um cachorro meio tímido e meio astuto. Além disso, Laura teria entendido se June tivesse medo de Sid; ela mesma o achava francamente repulsivo. Ele riu muito alto e parecia brutal. Ao entrar e sair com June, ele segurava o braço dela, um gesto que lembrava um policial levando um prisioneiro embora. Quando ele soltou o braço, seus dedos deixaram marcas vermelhas profundas. Freqüentemente, quando June começava a falar, ele dizia: "Cale a boca!" ou dar-lhe um olhar que imediatamente a silenciou. A maioria dos homens tratava suas esposas dessa maneira, Laura sabia, mas ela frequentemente pensava que queria que as coisas fossem diferentes para variar. Ela havia lido um romance de Barbara Cartland, um livro esfarrapado que um amigo lhe emprestara, e sonhava com um homem como o herói que ele descreve. Galante, carinhoso, terno, sempre pronto para cuidar dela. Nas noites em que procurava a mãe, nas tardes longas e sombrias, esperando ansiosamente que o pai voltasse para casa, olhando para o quintal imundo onde vândalos vestidos de couro maltratavam as crianças, ela era dominada por um único pensamento: eu tem que sair daqui! Eu tenho que ir!

Aliás, naquele dia quente de agosto, ela conheceu de perto o charme duvidoso de Sid. Sally a mandou buscar cigarros e quando ela voltou da máquina e empurrou a porta da frente com o painel de vidro meio quebrado e coberto de poeira, Sid de repente estava parado na frente dela. Enorme como era, ele parecia preencher todo o corredor. Ele estava vestindo jeans apertados e desbotados e uma camiseta de malha. Ele tinha uma espada tatuada em seu braço musculoso, sangue pingando de sua ponta. Seus anéis de ouro brilharam. "Olá, Laura", disse ele, e sorriu.

"Olá, Sid", disse Laura nervosamente, querendo passar por ele.

Ele deu um passo para o lado, bloqueando seu caminho. "Onde você quer ir?"

"De pé. Mamãe está esperando os cigarros dela." Laura se sentiu ameaçada, mas tentou não demonstrar medo.

"Tenho certeza de que sua mãe não ficará triste se você se atrasar um pouco", disse Sid. Ele empurrou Laura contra a parede. Ela podia sentir o cheiro de sua loção pós-barba nojenta e excessivamente doce, que sangrava particularmente forte no calor do dia. — Você é uma garota muito bonita, Laura. Muito mais bonita que junho. Você sabia disso?"

"Não." Sua voz era tensa.

Sid chegou ainda mais perto. Suas pulseiras de ouro tilintaram. "Você gostaria de ter coisas legais como June tem? Sapatos prateados e saias de couro? E um casaco de pele de leopardo para o inverno?

"Não. Prefiro não."

'Você é uma garota esperta, e todas as garotas espertas sabem quando estão recebendo uma oferta realmente boa. Então você não será tão estúpido a ponto de me rejeitar! ' De repente, seu rosto estava muito próximo do dela, ele se encostou nela e a pressionou contra a parede com o rosto.

— Solte-me, Sid! Ela tentou virar a cabeça, mas a boca dele estava na dela e sua língua enfiada entre seus dentes.

"Não, não..." Ela lutou desesperadamente, mas ele era mais forte que ela, e praticava o que estava fazendo. Sua língua se moveu rapidamente em sua boca, seu hálito quente atingiu o rosto de Laura. Meio sufocada como estava, ela não conseguia nem soltar um grito. Ela levantou uma perna e, com toda a força, chutou o pé de Sid.

Ele calçava apenas sapatos de lona finos por causa do calor, e seus ossos pareciam estar quebrando. Ele uivou, pulou para o lado e atacou Laura, mas seu punho errou porque ela se esquivou, rápida como uma doninha.

"Eu vou te matar, sua puta!" Ele tentou agarrá-la novamente, mas ela já estava subindo as escadas correndo. Ela havia perdido o maço de cigarros no andar de baixo, mas certamente não voltaria para pegá-los agora. Ela se sentiu mal; ela ainda achava que podia provar a língua dele entre os dentes.

Nunca, ela pensou, nunca vou me envolver com um homem!

Ela se sentia solitária e perdida. Um medo se instalou em sua mente de que ela nunca mais iria embora, ao qual subordinaria as decisões mais importantes de sua vida.

Ken Stuart e Laura se conheceram no metrô em uma manhã nublada de novembro. Laura havia encontrado um emprego como caixa em um supermercado, um trabalho que a entediava, mas pelo menos lhe dava uma chance de escapar do ambiente desolado do Bronx durante o dia. O supermercado ficava em Chinatown, o turno de Laura começava às sete da manhã. Ela levantou-se às cinco e meia. Era particularmente difícil para ela no inverno, e ela tinha medo do escuro, do metrô, dos caras olhando para ela. Meio ano se passou desde a experiência com Sid no corredor, mas a lembrança disso ainda a deixava enjoada. Ela evitou se vestir de maneira chamativa; Em todo caso, ela não teria como fazê-lo, pois o dinheiro que ganhava deveria ser entregue em sua casa. Agora que era inverno, ela usava um casaco de lã surrado, um lenço vermelho em volta do pescoço e seu cabelo escuro estava preso em um rabo de cavalo. Ela correu rapidamente sem olhar para a esquerda ou para a direita. No trem ela sempre tentava sentar ao lado de uma mulher, isso a deixava mais segura. Quando ela tinha tempo, ela comprava um jornal de antemão, embora sua intenção original fosse se esconder atrás dele, mas teve o bom efeito colateral de que ela realmente se informava sobre os acontecimentos políticos, econômicos e culturais cotidianos nos EUA e no mundo. Ninguém a ensinou a ler, seus pais nem sabiam, só sabiam escrever o nome dela. Laura agora devorou todas as informações, ela leu sobre a legislação atual aprovada pelo Senado e também sobre o último discurso do presidente à nação, sobre pesquisas nucleares, descobertas médicas e poluição ambiental, sobre guerras no mundo e sobre crianças recém-nascidas no casas nobres europeias. Ela leu sobre livros, apresentações teatrais, sobre exposições de arte. Ela estava tão atualizada sobre as flutuações da cotação do dólar quanto sobre o preço atual da carne argentina. Ela leu os jornais de capa a capa, esperando que uma mulher absorta no The New York Times fosse abordada com menos frequência, e anos depois a alta sociedade da Costa Leste se perguntaria por que em todas as suas festas e recepções dificilmente havia um assunto que o jovem do Bronx não conseguiu acompanhar.

Naquela manhã de novembro, porém, Laura foi assediada por um pretendente teimoso que tentara puxar conversa com ela enquanto ela estava diante do portão da estação, procurando uma moeda. Laura então se sentou ao lado de uma velha gorda que fedia a alho, mas pelo menos formava uma parede protetora. Infelizmente, ela desceu na próxima estação. Imediatamente o bêbado sentou-se ao lado de Laura. Ele se pressionou contra ela. "Tem um cigarro?" perguntou ele.

Laura não ergueu os olhos. "Não." Medo e repulsa se espalharam friamente por ela. Ela tentou ler, mas as letras borraram diante de seus olhos. O homem ao lado dela não desistiu. Ele caiu contra ela.

"Vá embora", ela disse asperamente, mas ele agarrou suas pernas. Ele queria estuprá-la aqui no meio do metrô? Laura olhou em volta em busca de ajuda. Duas mulheres cansadas cochilando na frente deles, homens olhando apáticos em uma direção diferente. Apenas um menino olhou para ela, ele estava mortalmente pálido, tinha olheiras profundas e escuras sob os olhos e uma boca sensível e séria. O homem agora tentava abrir o zíper da calça jeans de Laura, estava meio pendurado em cima da garota e ofegava pesadamente. Laura já não tentava esconder-se atrás do jornal, agora lutava com todas as suas forças, tremendo de terror. "Solte-me, droga, solte-me!"

O garoto pálido se levantou e se aproximou. Ele era muito mais alto do que parecia sentado e magro como um esqueleto. "Deixe-a em paz", disse ele calmamente.

O homem soltou Laura, virou-se e encarou o outro. "O que é?" ele falou arrastado.

"Caia fora. Foda-se! Solte a garota!"

Para surpresa de Laura, seu opressor respondeu à voz suave. Resmungando uma maldição, ele soltou Laura e trotou para o outro lado do vagão. Laura alisou o suéter com os dedos trêmulos e apertou mais o casaco em volta do corpo. "Muito obrigado."

"Está tudo bem. Meu nome é keneth Ken."

"Laura." Pela primeira vez ela olhou para ele corretamente. Olhos azul-esverdeados suaves, bochechas encovadas. Um suéter grosso de lã cinza escuro com gola alta e mangas excessivamente curtas. Pulsos magros apareciam e mãos grandes e ossudas. Laura já tinha visto tantos rostos, tantas figuras, para ter quase certeza de que Ken estava fisgado. A pena brotou nela, e mal sabia ela que suas feições estavam relaxando, suavizando e suavizando.

"Costumo pegar o metrô de manhã", disse ele, "está quente aqui."

"Sempre saio a essa hora", respondeu Laura.

A partir de então eles se viam todas as manhãs. Laura fazia questão de estar sempre no mesmo carro, e Ken também estava no lugar certo na hora. Ela soube que ele era três anos mais velho que ela — dezoito — e vinha se dopando com heroína regularmente havia cinco anos. Toda a sua vida girava em torno da droga, dia e noite, como conseguir coisas novas. O problema de seu vício o mergulhou em uma luta desesperada. Não se tratava de atender às necessidades que outras pessoas almejavam, comida, roupas, uma casa, era tudo sobre o pó fino. Dinheiro, dinheiro, dinheiro... ele precisava de cada centavo que conseguisse. Ocasionalmente, ele encontrava trabalho, mas eram apenas biscates que o mantinham à tona por dois ou três dias, apenas para fazê-lo cair de volta na mesma posição desesperadora em que estivera antes. Laura implorou a ele: "Você tem que parar, Ken! Pare com isso!" e ele olhou para ela, desolado e sem rebelião contra o destino como era. "Eu não posso. Eu vou morrer disso, mas morrer é melhor do que viver de qualquer maneira."

Ela se tornou sua amante no porão úmido onde ele morava. Havia um colchão no chão de pedra e um tapete comido pelas traças. Laura e Ken ficaram horas debaixo daquele cobertor, fazendo amor, acariciando-se, adormecendo um pouco, acordando quentinhos e aconchegados como bichinhos. Ken abraçou Laura com seus braços magros e dilacerados e disse a ela como a achava bonita. "Você é tão linda, Laura, tão linda. Tens de estar em segurança antes que o Bronx te destrua. Não siga meu caminho, Laura!

"Eu não vou te decepcionar, Ken."

"Mas você tem que. Vou morrer logo, e então não sobrará nada de mim, apenas um corpo em decomposição para os vermes comerem. Mas você, Laura, tem que viver. Você é bonita demais para degenerar."

Ela o segurou com força e o acariciou suavemente. Eu nunca vou te esquecer, ela pensou, lamentando que ela iria perdê-lo, nunca enquanto eu viver.

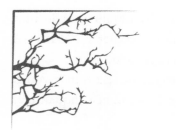

3

Laura conheceu o fotógrafo Barry Johnson em uma noite gelada de janeiro de 1987. Nova York estava coberta de neve. A água do Hudson brilhou azulada, então o sol se pôs, lançando uma luz vermelha quente sobre a cidade gelada por alguns momentos, e então dando lugar à escuridão que caía rapidamente. A geada cortante tornava a neve dura e as estrelas no céu claras e brilhantes.

Laura caminhou um pouco sem rumo pela Park Avenue. Ela às vezes vadiava depois do trabalho porque não se sentia atraída por sua mãe chorona e seu pai bêbado. Às vezes June também estava lá, e aí as coisas ficavam ainda mais tristes. Ela não estava indo bem em seu casamento. Ela teve dois abortos espontâneos e depois se desfez como uma bola de fermento. Longe vão os dias de minis de couro apertados e suéteres de corte baixo. Sid disse a ela sem rodeios que a odiava e nem sonharia em conseguir roupas bonitas para ela. Ela usava principalmente calças de moletom largas e suéteres manchados, tinha cabelos oleosos e não usava maquiagem. De forma fatal, ela começou a se parecer com a mãe.

Laura amava a irmã, mas não gostava de vê-la inchada e miserável sentada na cozinha com mamãe. Ela também adiou os encontros com Ken no porão escuro. Ela estava deprimida por ele estar definhando, enervada pelo fato de que ela não conseguia falar sobre nada além de heroína. "Eu preciso de coisas, Laura, me ajude, por favor me dê dinheiro, você vai ter tudo de volta, mas me ajude agora, eu preciso das coisas!"

Uma vez ela saiu correndo com as duas mãos pressionadas sobre as orelhas. Às vezes ela tinha que respirar fundo e reunir todas as suas forças antes de descer os degraus até ele. Então as palavras dele passaram pela cabeça dela. "Você é tão linda, Laura. Coloque-se em segurança."

O homem falou com ela na esquina da rua 73 e algo em sua voz parou Laura, que geralmente passava apressada pelos homens de cabeça baixa. O homem olhou para ela friamente, suas palavras prosaicas. "Eu sou fotografo. Gostaria de tirar algumas fotos suas. Você é muito bonita, senhorita."

"Desculpa, o que?"

"Estou tirando fotos", repetiu ele, impaciente. "E eu ando pelas ruas para encontrar rostos que valem a pena segurar. Então o que é?' Ele olhou para ela como um artista olha para seu tema, não como um homem olha para uma mulher, Laura percebeu.

"Onde você grava?"

'No meu estúdio. 80th Street na esquina da Avenue of the Americas. Se não quiser, diga-me, não tenho muito tempo."

'Estou impossivelmente vestida. E meu cabelo..."

'Não estou interessado em suas roupas ou em seu cabelo. Estou interessado em seu rosto. Quando eu descobrir se você é realmente fotogênico, podemos lidar com o resto do lixo.

Ela foi junto quase contra sua vontade. Mais tarde, quando ela ponderou por que havia feito isso, percebeu que na verdade era um desejo de adiar ver Ken e sua família todas as noites; pelo menos ela não imaginava que poderia ficar famosa através de Barry Johnson.

No estúdio havia uma cadeira, dois grandes abajures e a câmera. Não foi aquecido. Depois que Laura tirou o casaco, ela começou a congelar miseravelmente, mas Barry não se importou. Ele mexeu em suas lâmpadas, murmurou para si mesmo, concentrado no processo técnico das coisas. Então ele se endireitou novamente. "Então. Podemos começar."

"Devo sorrir?" Laura perguntou timidamente.

Barry bufou. "Estamos anunciando pasta de dente aqui? Olhe para mim com aquela expressão melancólica que você exibiu agora mesmo quando subiu a Park Avenue em meio ao frio congelante.

Laura afastou qualquer pensamento da situação em que se encontrava, tentou esquecer as luzes, a câmera, Barry Johnson e mergulhou em seu próprio mundo sombrio e solitário. Barry colocou filme após filme. Cada vez que ele ordenava que ela assumisse uma nova posição, da direita de perfil, da esquerda, queixo na mão ou cabeça erguida, ele primeiro tirava uma foto Polaroid e a estudava cuidadosamente.

"Seu rosto é o de um anjo, Laura", disse ele, "um anjo de tristeza. Você exala inocência e pureza, e ainda faria isso se estivesse se pavoneando pelo

Harlem de salto alto e lábios vermelhos brilhantes como uma superprostituta branca para os gângsteres negros, vendendo-se para todos os caras sujos por meia hora . Entendi? Você entende por que a porra da sua cara está me deixando tão louco?

Laura começou a chorar por causa das palavras duras e confusão, talvez também porque ela estava com tanto frio, apesar das lâmpadas. Barry entregou-lhe o lenço com um suspiro. 'Pelo amor de Deus, nós realmente não precisamos de olhos inchados agora! Vá ao banheiro e lave o rosto com muita água fria, podendo se despir ao mesmo tempo. Eu quero tirar alguns nus seus."

Laura escorregou da cadeira e foi até o banheiro. Em contraste com o estúdio, o banheiro era luxuosamente mobiliado, com carpete felpudo, ladrilhos brancos reluzentes, um anel de pequenas luminárias ao redor do enorme espelho. Em uma penteadeira antiquada no canto - provavelmente uma antiguidade valiosa - estavam todos os cosméticos de que alguém poderia precisar, batom e pó, sombra, blush, kajal, cremes e pomadas, spray de cabelo e rímel. Laura só tinha um batom em casa. Ela cautelosamente tentou algumas dessas coisas tentadoras. Um pouco de pó marrom dourado no rosto, blush rosa nas bochechas, batom claro. Com muito cuidado, ela lavou os cílios. Como seu rosto ficou expressivo de repente. Seus olhos ficaram azuis claros e brilhantes nas bordas de kohl escuro. Seu cabelo... despenteado e emaranhado, caindo sobre os ombros. Mas ela não teria tempo para lavá-los agora. Bem... ela deu de ombros. Pelo que. Foi tudo apenas por diversão.

Barry disse a ela para se despir. Um tanto hesitante, ela tirou a calça jeans e puxou o suéter pela cabeça. Pelo menos o banheiro era aquecido, mas neste estúdio ela pegaria sua morte. Do lado de fora ela podia ouvir a voz impaciente de Barry. "Você precisa de muito mais tempo? Eu não quero esperar aqui por você a noite toda!"

Ela saiu vestida de calcinha, sutiã e meias brancas nos pés. Barry a encarou. 'Eu disse para tirar a roupa, pelo amor de Deus! Espero que você não seja uma puritana?"

"Não, eu só pensei..."

"Tire essas coisas!"

Sem olhar para ele, ela tirou as meias, tirou a calcinha, desabotoou o sutiã. Ela se sentiu despojada até os ossos.

Barry a olhou atentamente. "Vamos deixar você como está. Incluindo essa juba completamente bagunçada. Sente-se na cadeira!"

Laura sentou-se e Barry começou a gravar novamente. Os flocos caíram suavemente no chão em frente às janelas. Depois de uma hora – ou já passou mais tempo? – rebelou-se Laura. "Estou com frio. E estou terrivelmente cansado!"

"Isso é bom. Você parece com frio e sonolento e isso lhe dá uma aura tremendamente sensual."

"Não posso pelo menos tomar uma xícara de café?"

Barry suspirou. "Se você quiser ser um modelo profissional, você precisa se acostumar com o fato de que a disciplina é a parte mais importante do trabalho. Vamos. Vamos tomar um café."

Ela vestiu o roupão dele, que era grande demais para ela, e o seguiu até a cozinha. Enquanto ele preparava o café, ela se agachou em uma cadeira de canto e comeu distraidamente a tigela de biscoitos que estava sobre a mesa. Ela sentiu um grito de fome, mas não ousou dizê-lo. "O que acontece com as fotos?" ela perguntou.

— Vou oferecê-los a uma revista. A 'cobertura' talvez. Ou o 'Hustler'. Vamos ver. Quero dizer, você não precisa prometer muito a si mesmo agora. Talvez eu veja algo em seu rosto que ninguém mais vê. Talvez no momento as pessoas queiram o loiro polido, não o filho da natureza com o cabelo despenteado.' Colocou as xícaras e o café na mesa. "Vamos ver."

O café tinha um sabor quente, doce - e completamente sem graça. "Tenho certeza que não vai me acordar", Laura murmurou.

Barry assentiu. "Nem você deveria. Vamos, vamos em frente."

Em algum momento – ela devia estar deitada sedutoramente em uma cama dobrável – Laura simplesmente não conseguiu mais lutar contra o cansaço. Ela caiu em um sono profundo e sem sonhos. Quando ela acordou, ela se perguntou por um segundo, confusa, onde ela estava. Ela estava tremendo de frio, embora um cobertor estivesse estendido sobre ela. A pálida luz da manhã penetrou no quarto. Uma câmera estava lá, lâmpadas que não estavam mais acesas. Agora ela se lembrava... Barry Johnson, o fotógrafo... Ela se levantou de um salto, então se viu totalmente nua. Onde estavam as roupas dela? Ela descobriu calcinha, sutiã e meias nas costas de uma cadeira. Vestiu a roupa apressadamente e correu para o banheiro, onde encontrou uma calça jeans e um suéter enrolados em um canto. Ela desfez o cabelo na frente do espelho. Ela estava pálida, a maquiagem borrada. De repente ela pensou, horrorizada: eu já deveria estar trabalhando! Mas então ela se lembrou, era domingo, ela estava livre. Ela vestiu o casaco, enrolou o cachecol no pescoço. Quando ela estava saindo do apartamento, ela conheceu Barry.

"Onde está com tanta pressa? Pensei que tomaríamos café da manhã juntos?"

— Desculpe, Barry. Eu tenho que ir para casa rapidamente. Que horas são?"

"Nove horas."

"Nove horas? Eu dormi por muito tempo. Adeus, Barry!" Ela tentou passar por ele, mas ele a impediu: "Agora, se você se tornar uma celebridade, onde posso encontrá-la?"

Ela lhe deu seu endereço e ele ergueu as sobrancelhas. 'Uma garota do Bronx! Com essa cara! Como você manteve essa expressão?"

Ela deu de ombros; ela não queria ouvir nada de seu rosto, ela queria ir para casa. Saindo para a rua, ela estremeceu de frio. Ela afundou os pés na neve. Por um momento, enquanto caminhava em direção à próxima estação de metrô, ela considerou se deveria ir primeiro para a casa de seus pais ou de Ken, mas uma voz interior defendeu seus pais. Ela decidiu seguir aquela voz.

Estava frio e silencioso no apartamento. Laura olhou para a sala de estar. Papai dormia no sofá e o cheiro de bebida era penetrante. De repente com medo, Laura correu para a cozinha. "Mãe?"

Mas mamãe não estava lá. A garrafa de uísque e o copo, os adereços com os quais Sally Hart costumava começar o dia, também não estavam na mesa como de costume. Laura virou-se e correu de volta para a sala. Ela sacudiu os ombros do pai. "Papai! Pai, acorda! cadê a mamãe Onde ela está?"

Papai abriu os olhos, olhando embaçado para a filha. "E aí?"

'Quero saber onde está a mamãe! Ela saiu ontem à noite? Você deve saber disso! Ela se foi?

Papai parecia desesperado para voltar a dormir, mas Laura não deixava. Ela o sacudiu novamente. "Papai! Ela saiu ontem à noite?"

"Eu suponho que sim. Vagabunda! Fica por aí, não volta para casa. Não sei onde ela está! Sua cabeça caiu para trás nos travesseiros, sua boca se abrindo. Ele fez ruídos suaves de ronco. Laura xingou enquanto as lágrimas brotavam de seus olhos. Droga, por que ela estava presa com Barry Johnson e suas fotos estúpidas ontem à noite? E depois adormeceu lá também! Naquela noite gelada e nevada, mamãe foi embora e ela não a procurou. Porque ela teve que bancar a modelo fotográfica.

Sem dizer mais nada, ela saiu do apartamento. Ainda estava nevando.

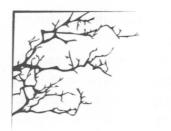

4

O Old Tale era um bar decadente no coração do Bronx. Descuidado, sujo, pronto para demolição, ponto de encontro de figuras desoladas e solitárias. Sally Hart raramente ia lá, raramente chegava tão longe, porque havia muitos bares de mergulho ao longo do caminho. Foi a última que Laura visitou na manhã deste domingo. Suas bochechas queimavam apesar do frio, seus lados formigavam por correr rápido. À primeira vista, ela viu o carro da polícia no pátio, com uma ambulância ao lado. Pessoas boquiabertas que enfrentaram alegremente o vento cortante e o frio cortante se apenas uma sensação lhes oferecesse. Laura abriu caminho entre eles. "O que aconteceu? Alguém está ferido?"

Mike Taylor, o proprietário negro do Old Tale, a confrontou, um cara alto com uma cara triste. Ele olhou para ela com melancólicos olhos escuros. "Sua mãe, Laura..."

"Mãe? E a mamãe?" As pessoas a encaravam, mas cediam prontamente quando ela avançava. "Mãe!" Era a voz assustada de uma criança pequena. Ela olhou para o cadáver, o corpo gordo e inchado, os braços e as pernas abertos para os lados, o corpo magro mechas de cabelo preto espalhadas na neve. Mamãe estava deitada de bruços, coberta por seu casaco manchado, que terminava na parte de trás dos joelhos e impiedosamente revelava suas panturrilhas grotescamente grossas. As varizes eram azuladas sob as meias cobertas de escadas. Laura se inclinou sobre ela. "Mãe!", ela disse suplicante. Um dos policiais disse friamente: "A velha está morta. Congelada. Deve ter adormecido aqui completamente bêbada. Estava totalmente coberta de neve: as crianças os encontraram."

'Se ao menos eu soubesse!' Mike havia se aproximado. "Tem Sally no meu quintal, e eu não sei. Pobre Sally! Tinha que acontecer um dia!

Laura tocou na ponta dos dedos da mãe. Eles estavam congelando. Ela havia encontrado o fim que sempre procurava... Por anos ela perseguiu a morte em uma noite de inverno, por anos Laura tentou cair nos braços do destino... Mas o que estava destinado a se tornar realidade...

Foi cumprido para mamãe, pensou Laura, e será cumprido para mim.

Ela pensou que ia chorar, mas nenhuma lágrima veio. Ela olhou para a mãe inexpressiva e sem emoção.

A desolação da cena a deixou rígida; como um homem ferido em estado de choque, a percepção do que havia acontecido não atingiu sua consciência. Despediu-se com um último olhar, despediu-se não apenas da morta na neve, mas também de um medo que a atormentava há muito tempo e lhe causava incontáveis horas sombrias. As noites frias em que ela vagou pelo Bronx, tremendo e tremendo, ficaram gravadas em sua memória para sempre, deixando cicatrizes dolorosas; eles também eram precursores de um novo medo: eles encheriam seus pesadelos em tempos melhores e seriam o que ela pensaria com horror quando um retorno à pobreza ameaçasse.

Ela se virou e saiu pisando duro na neve, as mãos enfiadas nos bolsos do casaco. Mike a chamou, mas ela não ouviu. Seus passos ficaram mais longos e mais rápidos e, finalmente, ela correu pelas ruas. Se ela não tivesse conhecido Barry, talvez mamãe ainda estivesse viva...

Não pense nisso, disse a si mesma, não pense nada. Nunca mais. Ela chegou à casa onde Ken morava no porão. Crianças raquíticas rondavam o corredor. Laura abriu a porta do porão, como sempre impressionada a princípio pela escuridão escancarada e pelo cheiro de mofo. Então ela acendeu o interruptor de luz e a lâmpada nua no teto queimou em um branco brilhante. Ela desceu os degraus correndo. Ken! Ken tinha que tomá-la em seus braços e confortá-la agora... ela não queria pensar que ele deveria apenas abraçá-la, ficar muito perto dela.

Ele estava deitado em seu colchão, naquele colchão fino e pegajoso que havia servido como cama de amor por incontáveis horas. Velas queimavam na sala. Ken tinha olhos vidrados e extasiados. "Ah, que bom", murmurou ao ver Laura, "que bom!"

Ele balançava suavemente ao ritmo da música que só ele ouvia.

Laura caminhou em sua direção. 'Ken, mamãe morreu! Você escuta? Minha mãe está morta!'

"É tão bonito", suspirou Ken, "Laura, o mundo é de uma cor brilhante. Toda a vida é de uma cor!"

Laura percebeu que ele tinha conseguido mais coisas. Depois ele se sentiria mal e se refugiaria nos braços dela, mas agora estava chapado. Ele flutuava nas esferas celestiais e não entendia nada do que ela lhe dizia.

Laura sentou-se lentamente ao lado dele no colchão. Ela pegou a mão dele e disse suavemente: "Sim, Ken. O mundo é de uma cor. Vida . . . uma cor carmesim".

Ela sabia que ele precisava dela mais do que ela precisava dele. Seria sempre assim. Onde estava o braço forte que a protegia? ela estava sozinha

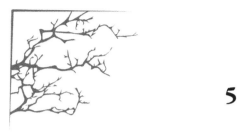

5

"Faca à direita, garfo à esquerda, querido", David disse suavemente, "você não consegue se lembrar disso?"

Laura trocou os talheres e respondeu desafiadoramente: "Eu me lembro. Mas eu não posso comer assim!"

'Você deve aprender isso. Se você é a dona Bellino e está jantando numa mesa grande... imagine a cara que as pessoas fazem quando você segura os talheres errado!'

Ela olhou para o prato, fingindo estar totalmente focada em sua carne, mas para si mesma pensou com hostilidade: Se você soubesse como eu dou a mínima para o que as pessoas pensam!

Passaram-se sete meses entre o dia em que mamãe morreu e agora. Suas fotos apareceram na Hustler seis meses atrás. Até hoje ela não entendeu por que a garota nua com a juba de leão e os olhos sonolentos causaram tanto barulho. Ela achava todas as outras mulheres da revista mais bonitas, loiras e fofas, com narizes arrebitados e lábios carnudos.

'Pá!' Barry disse quando ela perguntou a ele sobre isso. 'Estas são bonecas de açúcar, uma tão sem graça quanto a outra. Todo mundo parece o mesmo. E eles só podem se superar na estupidez de suas expressões faciais. Você tem um rosto, Laura, e além disso um corpo perfeitamente bonito.

De repente, ela recebeu ofertas de outros fotógrafos e de outras revistas. Uma agência de modelos entrou em contato e uma produtora que fazia filmes eróticos. Laura, completamente atordoada, inicialmente resistiu.

"Tenho que pensar... não sei o que fazer..."

Parecia que a nova vida a dominava. De repente, ela estava sendo cuidada, convidada, presenteada, apresentada a círculos dos quais ela tinha ouvido falar, mas era incapaz de imaginar. Algum editor - Laura não tinha ideia se eles estavam envolvidos com o Hustler - a convidou para uma festa e ela apareceu com um vestido que mamãe usava quando era jovem e todos a olhavam. Laura nunca se sentira tão embaraçada. O vestido pendurava nela como um saco, era feito de tecido escuro estampado com pequenas flores espalhadas e tinha decote quadrado, cinto de vinil e mangas bufantes pequenas. Ela também usava seus sapatos de rua pretos e um tanto ásperos. Todas as outras mulheres usavam vestidos de festa caros e chiques, usavam joias valiosas e cheiravam a bons perfumes. Laura passou a noite toda em agonia, agarrada à taça de champanhe e imaginando que todos cochichavam sobre ela. No momento em que ela resolvera passar despercebida, aproximou-se dela um homem, baixinho e gordo, que enxugava com um lenço as gotas de suor da testa e sempre esvaziava os copos pela metade antes de pegar um novo.

"Senhorita Hart, eu vi suas fotos no The Hustler", disse ele sem rodeios. "Você é uma mulher muito bonita. Você só precisa se preparar para a nova vida que está levando." Ele olhou para o vestido dela, tremendo enquanto pegava os sapatos "Você me permitiria te dar algumas coisas?"

"Eu não sei... eu..."

»Tamanho 38 presumo? OK. Para onde posso enviar essas coisas?

Laura relutantemente deu seu endereço. O gordo voltou a sacudir-se. 'Obviamente este não é o lugar para você. Vou alugar uma suíte para você no Plaza.

"Não posso fazer isso", protestou Laura.

O gordo bufou. 'Ouça, senhorita Hart, você precisa de um estilo de vida exclusivo agora. Foi uma bela história para começar, a garota ingênua do Bronx, totalmente destituída e pobre, dotada de nada além de um rosto lindo e um corpo muito sensual..."

Corpo sensual, pensou Laura com desdém, se ele soubesse como sou pouco sensual!

»Mas isso rapidamente se esgotou, e então uma aparência como a de hoje em tal vestido não é mais original, é simplesmente impossível. Você será deportado em um piscar de olhos e será esquecido durante a noite. Então o que é?'

Laura quis responder que se sentia completamente deslocada e extremamente desconfortável na alta sociedade de Nova York, mas por algum motivo não conseguia abrir a boca.

Sua contraparte pareceu tomar isso como aprovação. "Você pode se mudar para o Plaza amanhã à noite, Srta. Hart. Uma suíte estará esperando por você.

Amanhã decido isso, pensou Laura e saiu aliviada.

Talvez tenha sido a curiosidade sobre o que realmente a fez caminhar até Central Park South na noite seguinte, talvez tenha sido uma tentativa de escapar da desolação que pesava ainda mais sombriamente sobre o apartamento desde a morte de Mummie do que antes. Às vezes ela mal suportava a gagueira do pai, suas falas arrastadas e incompreensíveis. Seu ronco fazia o apartamento tremer. Ela pôs as mãos nos ouvidos e de repente pensou: por que não vou ao Plaza? Provavelmente não vai demorar muito e terei que voltar de qualquer maneira, mas posso aproveitar um pouco.

Ela foi recebida calorosamente na recepção. "Senhorita Hart? O Sr. Baker já providenciou tudo. Podemos levá-la até sua suíte?"

A suíte consistia em uma sala de estar, um quarto e um luxuoso banheiro com uma grande banheira de mármore embutida no chão. Sobre a cama - que poderia facilmente acomodar cinco pessoas lado a lado - havia muitos pacotes, grandes e pequenos, todos embrulhados em papel brilhante e grandes laços de cores vivas. Um enorme buquê de flores brilhava sobre a mesa no meio da sala, com um cartão encostado nele.

'Querida Laura, espero que tudo esteja a seu contento. Tenho o prazer de mimá-lo um pouco e espero que aceite meus presentes. Jason Baker."

"Gostaria de saber quem é o Sr. Baker", murmurou Laura. O homem gordo parecia muito rico. A garota que a acompanhara até o quarto arregalou os olhos. — Você não sabe quem é o Sr. Baker? Este é um dos homens mais ricos aqui no leste. Ele é dono de uma rede de fast food.

'Ah...' Laura não fazia ideia de que a garota esperava uma gorjeta e apenas acenou com a cabeça amigavelmente. A outra esperou mais um momento, então saiu da sala com uma expressão mal-humorada no rosto.

Laura começou a desempacotar os pacotes. Surgiram meias-calças de seda, sapatos sociais com tiras tingidas de ouro e salto fino como lápis, cuecas de seda cor de creme, um roupão de renda verde-escuro, um vestido de noite curto preto, um longo vestido de noite de veludo azul meia-noite, um par de calças de seda vestidos de dia e dois ternos claros. Um pesado colar de ouro estava em uma caixa de joias forrada de veludo. Laura largou o casaco surrado no chão, tirou a roupa e vestiu o roupão. Ela nunca havia sentido nada tão delicado em sua pele antes. Ela soltou um pequeno som de surpresa quando se viu no espelho. Esta bela e delicada criatura... a pele brilhava branca nas pontas... seu rosto também parecia mudado, muito mais distinto. Com as mãos trêmulas, ela colocou o colar em volta do pescoço. Quão pesado, quão frio era o ouro! Agora ela parecia com as mulheres da festa outro dia. Inacessível e nobre. Ela deixou uma mecha de seu longo cabelo escapar por entre os dedos. Podia tomar banho, com muita espuma, e depois lavar o cabelo.

Nesse momento houve uma batida na porta. Laura pensou que fosse a empregada de novo e abriu a porta sem hesitar. Na frente dela estava Jason Baker.

"Vejo que você já está se acostumando com o lado bom da vida", disse ele, enxugando o suor da testa. "Aqui você vai." Ele entregou a ela uma grande caixa branca.

Enquanto Laura desatava os cadarços, um brilhante vison marrom escuro saiu ao seu encontro. "Sr. padeiro..."

"Jasão."

'Jason, só isso... quer dizer, aquela pele, aquele colar, aquele vestido, custa uma fortuna. E este quarto..."

'Não é uma fortuna para mim. Eu lhe darei muitos mais. Carros, casas, viagens por todo o mundo. O que você quer."

"Jason, não posso aceitar isso. Tudo isso aqui... Ela olhou para o roupão transparente e pela primeira vez percebeu como estava nua diante do homem estranho. 'Isso me incomoda! É muito!"

'Não é demais. Não para uma mulher tão bonita. Não para uma mulher com esse corpo. De repente, ele colocou os dois braços em volta dela e puxou-a para ele. "Eu tenho uma esposa, querida, mas ela não significa mais nada para mim. Eu quis você desde que vi suas fotos. Quero fazer tudo por você, realizar todos os seus desejos. Poderíamos ter uma vida maravilhosa. Eu tenho dinheiro e você tem sua beleza. Dê-me sua beleza e você pode ter todo o meu dinheiro. EU..."

"Não. Não, por favor, Jason..."

— Sou louco por você, Laura. Eu preciso de você. Eu quero te mostrar o mundo e..."

"Me deixar ir!"

"Eu quero dormir com você. Oh, por favor, amor, não me recuse! Eu preciso tanto disso! Você..." Suas mãos agarraram com mais avidez, machucando-a em sua pressa e impaciência. Sua respiração soava alta em seu ouvido.

Ela se libertou dele. — Não posso, Jasão. Eu amo outro. «

Ele parou, olhou para ela e, de repente, riu como se ela estivesse brincando. 'Ó meu Deus! Isso está pronto para o palco! A inocência com que você diz isso! Eu amo outro! E então há apenas um para você! «

"Sim."

Jason deu um passo para trás. — Faz muito tempo que não ouço nada assim. Você sabia que está indo absolutamente contra a moda com isso?"

"Eu não ligo. Eu também não me importo se você tirar tudo isso de mim. Não serei comprado, Sr. Baker. E agora, por favor, vá, quero me vestir e sair deste hotel imediatamente!

Baker olhou para ela pensativo. 'Eu não disse uma palavra sobre deixar o hotel, disse? E você pode ficar com as roupas também. Eu gosto de você, Laura.

Surpresa cruzou seu rosto. Ele assentiu. "Sim, eles amam. Você é especial. Espero que continue assim para sempre - incorruptível por qualquer coisa. Quem é o homem que você ama?"

"Um menino do Bronx." Ela pensou no porão úmido, em Ken em seu colchão. Algo como medo e exaustão parecia aparecer em seus olhos, porque Baker disse: "É um mundo diferente, não é?"

"Sim. Ken é viciado em heroína. Ele precisa de mais e mais coisas, dia após dia. Tudo o que ele pensa é como conseguir dinheiro. Tudo isso", ela sorriu amargamente, acenando com a mão pela suíte elegante, "isso, quanto custa, afastaria Ken de suas preocupações por semanas.

'Mas isso não é solução, você sabe disso tão bem quanto eu. O que ele precisa é de um local de terapia. «

"Eles são poucos e distantes entre si. E difícil de conseguir para um Bronx de qualquer maneira.

— Olha, não posso prometer nada, mas vou ver se posso fazer alguma coisa. O dinheiro abre muitas portas. «

"Por que você está fazendo isso, Sr. Baker?"

Uma sombra de tristeza deslizou pelo rosto grosso e branco. — Porque você é muito bonita, Laura. Porque eu me apaixonei por você. Não', ele levantou as mãos defensivamente, 'não se preocupe! Sem novas aberturas! Eu sei até onde posso ir com você. Infelizmente. Então, que tal continuarmos amigos?

"Querida, no que você está pensando?" A voz de David era calorosa e preocupada. "Você olha para a frente e sua comida esfria."

"Sinto muito. Eu só... lembrei de uma coisa..."

"Para quê? Sobre nós e como tudo começou?"

"Sim." Isso era mentira, mas ela sabia o que ele gostava de ouvir. Ela olhou por cima da mesa para o rosto bonito e suave dele. Bronzeado, impecável. Onde estavam os abismos secretos de David Bellino? De qualquer forma, eles não revelaram suas características. Quando ela estava tentando descobrir o que a atraiu para ele de volta quando eles se conheceram em uma festa e ele a levou ao Plaza depois, seus pensamentos não foram muito longe. Tinha que ter algo a ver com o termo muito usado "paixão". Alguma força misteriosa a atraíra irresistivelmente para ele. Seria também a sensação de estar sozinho em um mundo desconhecido? Ken conseguiu seu assento de terapia, ele estava seguro e não precisava dela. Ela se perguntou se já havia sentido algo além de amor maternal, preocupação e responsabilidade para com ele. David puxou-a para longe. Com ele, ela descobriu que seu corpo poderia enlouquecer com a luxúria. Ela nunca havia sentido aquele coração acelerado, aquela pulsação acelerada; um toque de David, o mero som de sua voz os deixou indefesos. A vida com ele a mergulhou em um profundo conflito interior: ela se sentia à sua mercê, meio doente de saudade quando ele não estava com ela, ao mesmo tempo ela resistia a ele, tentava por todos os meios permanecer fiel a si mesma, a si mesma. para não se perder entre festas e desfiles de moda, coquetéis e vestidos de noite. David lhe dava presentes generosamente, mas às vezes, quando ela sentia o próximo colar de pérolas em suas mãos e o próximo casaco de pele em seus ombros, ela desejava poder gritar para ele: 'Pare com isso! Pare com isso, estou sufocando! Eu sou a garota com rosto de anjo e um corpo que dizem ser perfeito e tenho um lindo apartamento no Central Park e vestidos e joias e vou a todas as festas nesta cidade, mas sob todo o brilho e brilho que sinto solitário e doente, e se ao menos você acariciasse minha alma em vez de cobri-la com ouro!'

"Sua mente está em outro lugar, meu amor", disse David suavemente, "e você está segurando os talheres do lado errado!"

Sem perceber, ela trocou de garfo e faca novamente. David pareceu notar sua raiva reprimida com a represão porque ele acariciou sua mão. - Não quero atormentá-la, Laura. Mas algum dia você será minha esposa, e então..."

Ela não olhou para ele, não queria que ele visse como ela se sentia. Ela o odiava quando ele falava com ela assim. Ele sempre a tratou como uma criança pequena, educando-a constantemente.

'Laura, não use sempre tênis, você nunca vai andar como uma dama.' 'Laura, por favor, penteie o cabelo, parece impossível.' 'Laura, pelo amor de Deus, limpe esse batom, isso é vulgar! "Laura, uma senhora sempre tem um lenço na bolsa." "Laura, uma boa anfitriã deve saber entreter as pessoas e evitar longas pausas nas conversas à mesa!"

Ele disse isso suavemente e gentilmente e de novo e de novo. Laura poderia ter gritado às vezes. Quando ela entrava na sala do café da manhã, onde David já estava sentado à mesa lendo o jornal, as críticas às roupas dela vinham como o amém na igreja.

»Laura, você não pode andar com essa camiseta hoje! Está muito frio! "Estou muito quente."

"Querida, o sol está enganando. Não está quente lá fora."

"Eu estou aqui."

"Também não está quente o suficiente aqui. Seja uma boa menina e vista algo mais quente. Você não quer pegar um resfriado!"

Beije minha bunda, ela pensou, exausta e com raiva.

Ela se perguntou onde ele conseguiu o direito de fazer isso. Porque ela saiu da sarjeta? Uma Cinderela que ele trouxe para seu castelo e queria treinar para ser uma princesa? Ele de todas as pessoas! Neurótico por dentro, incapaz de lidar com as pessoas, incapaz de fazer amigos. Depois das primeiras semanas, quando ela o achou fantástico, isso gradualmente ficou mais claro para ela. Por Deus, ele não era o cara legal que estava tentando parecer. Ela pegou seus pesadelos, suas dores de cabeça, sua solidão desolada. Ele tinha o velho Andreas Bredow - e ela. Ninguém mais. Ela se lembrava disso sempre que sentia que estava prestes a enlouquecer com o patrocínio constante dele. Ele queria possuí-la e dominá-la completamente porque tinha medo de perdê-la. Isso não tornava a situação mais suportável para ela, mas a ajudava a se acalmar quando a raiva a dominava novamente. Ela então oscilou entre a pena e a raiva. Às vezes, a pena vencia.

"Eu sei", disse ela agora em resposta às suas censuras. "Quando eu for sua esposa, não quero que ninguém saiba que você pegou uma cadela do Bronx."

"Lauro..."

"Além disso, nós nunca nos casamos de qualquer maneira. Afinal, seu querido Andreas é contra, e como você nunca correrá o risco de ser deserdado por ele, provavelmente passarei o resto da minha vida sentado no belo apartamento que você alugou, esperando suas visitas.

"Eu não sabia que você não gostava do apartamento", disse David, magoado. "E você nunca precisa esperar. Você me vê todos os dias. «

"Está tudo bem, David." *Cale a boca, estou ficando com dor de cabeça!*

"Seria extremamente imprudente começar uma briga com Andreas agora", continuou David, e ficou claro que ele não calaria a boca até convencer Laura. 'Porque isso poderia realmente me custar toda a minha herança. O que há nele para nós? Laura, ele não viverá para sempre. Seu coração está piorando a cada dia. Ele é..."

"David, sério, esqueça o que eu disse. Eu sei como são as coisas e que não tem jeito".

"Querida, estou feliz por ter você", disse David, "e para mostrar a você como estou feliz..." Ele puxou uma pequena caixa forrada de veludo do bolso do paletó e a entregou a Laura. Ela abriu e havia um relógio de ouro branco com pequenas safiras e diamantes.

— Cartier — explicou David —, um dos autógrafos, é claro. «

"Davi..."

"Quero que saiba o quanto é preciosa para mim, pequena Laura. Mas por favor - você misturou os talheres novamente. Você poderia..."

"Sim, Davi." *Oh Deus, um dia eu vou fugir!*

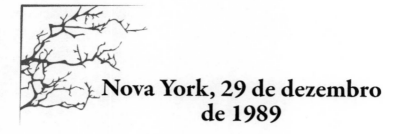

Nova York, 29 de dezembro de 1989

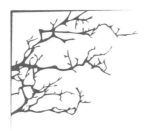

1

"Quando você viu Ken de novo?" Gina perguntou.

Laura se virou. "O que te faz pensar que eu..."

"Muito simples", Kelly interrompeu, "já que você e Ken planejaram o roubo juntos neste apartamento, vocês devem ter se visto em algum momento."

"Isso é uma suposição, inspetor!" estalou Laura.

'Não foi isso que eu quis dizer', explicou Gina, 'pelo que Laura disse, eu sei que ela ama Ken. Ela ainda o amava quando morava com David e caiu completamente sob seu feitiço. Você dependia de David, não dependia, Laura? Não estou nem um pouco apaixonada por ele!

Laura não olhou para ninguém, olhou pela janela. "Eu não queria acabar como minha mãe e June."

"E o que ligou você a Ken?" Kelly perguntou.

Laura não respondeu.

Era um dia de janeiro, no início deste ano, um dia em que um vento mais quente varreu as ruas de Manhattan e derreteu a neve. Apenas duas semanas antes, eles haviam enterrado Andreas Bredow, que morrera de ataque cardíaco na véspera do Ano-Novo, e Laura havia mudado a mala e a bagagem para a luxuosa cobertura da Quinta Avenida. Desde então, ela lutava contra a sensação de estar sufocada, porque embora pudesse viver seu próprio ritmo completamente imperturbável em seu próprio apartamento, aqui ela encontrava empregadas domésticas e outras criadas observando-a a cada passo do caminho. Ela costumava ficar horas sentada no sofá ouvindo música, mas aqui ela tinha a impressão de que as mal-humoradas jovens olhavam para ela com desprezo quando a pegavam em uma atividade tão inútil. David trabalhou o dia todo, mas o que ela deveria fazer? Quando ela falou com ele sobre isso, ele riu. "Você sabe o que as esposas de outros homens ricos fazem? Eles ficam o dia todo sentados na esteticista ou no cabeleireiro, ou se envolvem em alguma boa causa. Sei que não vai te satisfazer a longo prazo, mas até que pensemos em algo, você pode se tornar muito legal. Deixe-se mimar, banhe-se no luxo. Você merece isso. «

Ela não havia elaborado, mas a sensação de gaiola aumentou, e tinha sido particularmente ruim na manhã em que recebeu a ligação. Uma empregada - uma pessoa baixa e de nariz pontudo chamada Lily - levou o aparelho para o banheiro, onde ela ficou em frente ao espelho e olhou para seu lindo rosto. Ela deveria aceitar uma das muitas ofertas e trabalhar como modelo fotográfica? Ainda houve ofertas de agências. Mas David não gostou disso. "Seu rosto e corpo são meus, Laura. Você não consegue entender por que não quero compartilhar algo que amo com os outros?"

"Eu não teria que tirar fotos nuas. Houve também fotos de moda... «

"Eu não quero isso."

— Uma ligação para você, madame. O senhor não deu seu nome. Só devo dizer que ele é amigo de Ken. Lily disse isso com um tom sugestivo. Ela não escondeu o fato de que não tinha absolutamente nenhum respeito por essa jovem do Bronx que alcançou fama duvidosa por suas fotos nuas em The Hustler.

"É bom, Lily. Você pode ir." Sua voz estava rouca quando ela falou ao telefone. "Sim?"

"Laura Hart?" A pessoa que ligou estava pelo menos tão rouca quanto ela. "Aqui é Joe falando. Sou amigo de Ken. Você o conhece?"

"Sim Sim claro." Joe... Joe... o nome nada significava para ela.

"Ken e eu nos conhecemos na reabilitação. Nós somos amigos."

"Como está Ken?" Mesmo enquanto fazia a pergunta, ela teve uma sensação estranha, mais do que isso, ela estava com medo.

"Ruim. Para não dizer merda." Joe tossiu, parecia que seu peito estava rasgando. "Ele está fisgado de novo."

"Não! Não, pelo amor de Deus! Desde quando?"

'Cerca de três meses. Alguns amigos de antes conseguiram algumas coisas para ele novamente. Ele apenas vegeta e nunca tem dinheiro para a próxima impressão.«

"Ah Merda!"

"Você pode ajudá-lo?"

"Onde ele está?"

'Onde ele sempre esteve. Naquele porão horrível.

"Eu não sei se..."

"Laura! Pelo que entendi, você estava namorando, você e Ken. Você não pode ser indiferente a ele. Você deve ajudá-lo, ele não tem mais ninguém. Ele precisa de dinheiro e ele..."

"Esse não é o caminho."

"Ele não sobreviverá a uma segunda retirada. Ele precisa de dinheiro e você tem dinheiro.

"Eu tenho um cartão de crédito. Sem dinheiro.«

"Laura!" A voz de Joe parecia irritada e exausta. 'Seu amante atual é um dos homens mais ricos do país. Certamente você conseguirá algum dinheiro no apartamento dele!'

"Agora eu realmente não sei ..."

Oh Ken, por que você teve que fazer isso? Eu queria começar uma nova vida sem você. Eu queria esquecer tudo. Eu nunca quis olhar para trás!

'Mas Ken fez você olhar para trás', disse o inspetor, 'e é claro que você foi até ele também. Deram-lhe dinheiro.

"Sim. Estava errado, eu sabia disso, mas se você já viu um viciado implorando pela próxima impressão, você entenderia. Eu não suportaria ver Ken de joelhos na minha frente, chorando em desespero . Isso me deixou doente. Eu implorei para ele fazer reabilitação novamente, eu disse que tentaria de tudo para conseguir uma vaga para ele, mas ele sempre respondia que nunca mais faria algo assim, ele preferia morrer. Eu não podia forçá-lo, poderia? Eu só poderia tornar sua situação mais fácil para ele. Então eu dei dinheiro a ele.

"De onde você tirou o dinheiro?"

Laura encontrou o olhar de Kelly abertamente. — Eu roubei de David. Veja, eu tinha um cartão de crédito e podia comprar o que quisesse com ele, dia ou noite. Mas é claro que nada para Ken. Eu precisava de dinheiro para isso. Peguei o que encontrei.«

"Será que o Sr. Bellino percebeu?"

"Não. Ele não tinha absolutamente nenhuma visão geral do dinheiro espalhado pelo apartamento. Ele tinha muitos defeitos, mas não era mesquinho. Nunca lhe ocorreu controlar cada centavo que colocava em algum lugar a qualquer momento."

"Você ia ao Ken com frequência?"

'Com bastante frequência. Eu estava muito preocupado com ele porque às vezes ele era muito ruim. Afinal, eu estava com ele quase todos os dias.«

"E isso", Kelly perguntou, "não ocorreu a David Bellino?"

Laura hesitou. "A princípio não. Ele estava muito ocupado, viajava muito. Eu disse a ele que iria passear pela cidade, conferir as boas lojas, correr no Central Park ou dar um passeio ao longo do East River. Tudo parecia fazer sentido para ele."

"Mas então houve tensões entre vocês?" Kelly perguntou insistentemente.

— Meu Deus, inspetor! Sim foram! Tivemos uma briga. David sentiu que algo estava acontecendo. Ele notou isso pelo meu comportamento. Foi uma época horrível... Eu tinha sentimentos confusos sobre David. Eu era apegada a ele, ao mesmo tempo que mal suportava a... bem, a proximidade dele, sabe? E ele notou. Fora isso, ele não entendia muito sobre os outros porque estava ocupado virando-se 24 horas por dia, mas nem ele conseguia esconder minha distância.«

Claro que não. De repente, ela teve problemas para dormir com ele. Principalmente nos dias em que visitava Ken, e como acabava fazendo isso quase todos os dias, suas dificuldades se tornavam cada vez maiores. Ela não conseguia parar de pensar nele, no porão úmido, em sua condição lamentável. Preocupar-se com ele era tão difícil para ela que todo o seu corpo ficou tenso. Ela começou a sofrer de enxaquecas, teve ataques de asma e começou a chorar com frequência sem motivo, tudo o que ela usava para evitar ter que dormir com David.

"Estou com aquela dor de cabeça de novo, David, sinto vontade de chorar o tempo todo."

Uma noite, quando ela estava novamente deitada na cama ao lado dele, de rosto virado, rígido e imóvel, ignorando suas mãos, ele de repente se sentou e acendeu a luz. Laura piscou, cega pela claridade. "E aí?"

"E aí? É isso que você pergunta?"

"Davi..."

"Escute, você acha que eu sou um idiota? Não vejo que algo mudou entre nós? Você fica profundamente desconfortável quando chego perto de você e espera que eu apenas aceite, sem fazer perguntas? Não você acha que está pedindo demais?"

"Eu disse a você, eu só não tenho me sentido bem ultimamente."

'Gostaria de saber por quê. Você está doente? você precisa de um médico? Então diga, você sabe que vou conseguir o melhor para você imediatamente. No entanto, não acredito que suas numerosas novas doenças tenham causas orgânicas. Isso parece mais com complicações psicológicas.«

"Não há nada."

"Então por que você não dormiu comigo por semanas?"

"Eu não sou um autômato. Não é uma boneca que você encontra voluntariamente em sua cama noite após noite. Eu tenho uma vida própria e..."

- Estou falando da sua vida. Algo está te incomodando."

Laura ficou em silêncio por um tempo. Seus dedos agarraram a seda que cobria a cama. A lembrança da câmara fria e solitária em que ela dormira antes inevitavelmente voltou. Surpreendeu-a quão claramente a memória ainda estava incomodando seu pescoço. Esse foi exatamente o ponto em que David a segurou com firmeza. Seu medo da vida passada. Ela começou a chorar, pensando em Ken e chorando ainda mais. Davi suspirou. "Não se pode ter uma conversa sensata com você", disse ele com raiva. "Você chora toda vez. O que é desta vez?"

"Você nunca entenderia o que me incomoda", Laura soluçou. — E você nem se importaria se não tivesse medo de que houvesse algo que pudesse me afastar de você. Você só está ocupado me tornando cada vez mais seu escravo. Você gostaria de continuar monitorando meus sonhos."

"Que absurdo é esse? Não estou fazendo tudo por você? Não acho que exista uma mulher em qualquer lugar que consiga tudo o que deseja tão rapidamente e para sua total satisfação quanto você. Eu realmente quero saber do que você está reclamando !"

»Às vezes não sei mais o que pensar. Eu me sinto tão terrivelmente preso. E tudo isso, esse luxo inacreditável em que você vive, esses presentes caros demais que você me dá... Isso me deprime e me assusta.«

David a olhou friamente, mas o medo espreitava por trás de sua expressão gelada. "Você tem medo disso? O que você não diz! Você de todas as pessoas! Você quer que eu lhe diga do que você realmente tem medo? Antes da pobreza! Você tem tanto medo disso que toda a sua mente está ocupada com isso ... E você sabe muito bem que precisa de mim... não sabe, você sabe o que será de você se eu te deixar cair?"

Laura parou de chorar. "Mas você não me possui," ela disse suavemente.

David sorriu com cinismo, suas feições adquiriram algo de brutal, e quem não o conhecesse muito bem jamais teria adivinhado que sua crueldade provinha de sua insegurança. "Sim, querida", disse ele. "Eu te possuo porque infelizmente você pode ser comprado, e quem se deixa comprar não é livre. Você sabe como a vida pode ser miserável, ninguém sabe disso melhor do que você. Se você for esperto, não corre o risco de passar por isso de novo."

A voz de Laura foi se suavizando enquanto ela falava, transformando-se em um sussurro no final, de modo que todos os presentes tiveram dificuldade em entendê-la.

Ninguém disse nada por um tempo, então finalmente Gina quebrou o silêncio. "Eles não estavam felizes com David, Deus sabe!" ela disse.

Laura respondeu: 'Eu estava muito infeliz. E eu estava com medo. Eu sabia que David ficaria furioso se descobrisse minhas visitas regulares a Ken e que eu havia roubado dinheiro para ele.

"Compreensível", disse Kelly, "nenhum homem adoraria isso, não é?"

"David merece", disse Laura asperamente.

Kelly olhou para ela como uma cobra com um coelho. "Ele merecia ser baleado também?"

Laura começou a chorar.

"Objeção, meritíssimo", disse Gina. "Você está intimidando a testemunha!"

Laura enxugou as lágrimas. "De alguma forma, nada importa agora", disse ela. — Pergunte o que quiser, inspetor. Eu te responderei.«

O rosto de Kelly assumiu uma expressão paternal e benevolente. — Então você vai nos contar a verdade, Srta. Hart? Que legal! Eles deixaram Ken e seus amigos entrarem no apartamento. Você fingiu estar amarrado por eles, você mesmo fingiu ser uma vítima, quando na verdade você era o perpetrador. Você admite isso?

Laura respirou fundo e se levantou. Ela era muito pequena, mas era impressionante. Os muitos rubis e o vestido caro pareciam pesados demais para ela, como se estivessem esmagando seu rosto delicado. Mas foi precisamente isso que lhe deu uma expressão de dignidade que ela própria provavelmente nem suspeitava.

'Tudo bem', ela disse, parecendo calma, 'tudo bem, inspetor, para que você possa ter uma sensação de dever cumprido hoje. Sim, eu organizei tudo. Deixei os assaltantes disfarçados de fornecedores entrarem no apartamento e fingi que estava amarrado por eles. Não sinto muito agora, nem tive nenhum escrúpulo antes, porque David está engasgado com dinheiro e não o machuca nem um pouco dar nada dele. No entanto, não o fiz por vontade própria. Os amigos de Ken me forçaram."

"Amigos de Ken?"

— Vagabundos, caras do meio dele, chamem como quiserem — explicou Laura, impaciente. "No Bronx, sabe, mesmo entre os chamados amigos as coisas não são tão refinadas quanto em seus círculos. Cada um desses caras tem um objetivo, um objetivo: conseguir dinheiro para que possam colocar a próxima pressão sobre si mesmos. Você entende? Nada mais importa. E eles permitem que qualquer um pule sobre a lâmina se tiver uma vantagem ao fazê-lo. Você não pode se permitir sentimentos nobres, fidelidade e amizade e lealdade, amor... se você precisa de pressão, dane-se tudo."

"Os amigos de Ken notaram que você trazia dinheiro para ele regularmente?"

"Claro que eles notaram. Alguém sempre estava lá, e Ken contava a todos sobre isso. Eu era conhecido como um polegar dolorido.'

"E você não estava com medo de que isso pudesse te colocar em apuros?"

"Medo? Eu tremia de medo! Já disse a mim mesmo cem mil vezes: Você não vai mais lá. Você nunca mais verá Ken. Você não segura a cabeça para ninguém. - Mas então Voltei. Não podia deixá-lo sozinho em seu sofrimento. Todos os dias eu pensava que talvez hoje fosse a última vez. Ele era tão ruim, sabe.

"E, além disso, você o amava", disse Kelly com naturalidade.

Laura não respondeu porque achou supérfluo - ela o amara mais do que qualquer outra coisa no mundo, mas ninguém aqui entenderia isso. Ela amava tudo nele, sua luta diária contra a morte, seu desejo de paz eterna, seus braços magros e dilacerados, a ternura de seus dedos ossudos. Quem entenderia que ela odiava e amaldiçoava seu declínio, que tanto ansiava quanto temia sua morte? Poucas pessoas entendiam as contradições. Ela amara Ken, sentia-se dependente de David, temia ambos e tentava se livrar deles. Quem jamais entenderia esse conflito interior que ela teve de suportar? Ela olhou em volta e para seu espanto viu uma expressão nos olhos das outras três mulheres que ela não conseguiu interpretar a princípio - até perceber que era solidariedade, um entendimento amigável. Sabe, pensou ela espantada, você entende como tudo aconteceu e o que eu senti.

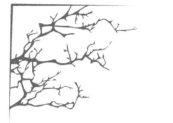

2

Até hoje ela não sabia o nome das pessoas que ficavam perto de Ken o tempo todo. No dia em que a assediaram pela primeira vez, ela trouxe cem dólares para Ken. Ken ficou muito feliz. — Você é um amor, Laura. Não sei o que faria sem você."

Ele estava um pouco melhor do que nos dias anteriores, mas Laura aprendera a não se importar. Pode mudar de hora em hora. Ele estava agachado em seu colchão com seus jeans velhos que estavam duros de sujeira, em seu suéter escuro de gola rulê que deixava seu rosto muito pálido. Com dedos hábeis, enrolou um cigarro.

"Meu Deus, Laura", disse ele, "se algum dia eu sair daqui. Longe de toda essa merda. Um lugar lindo e onde você não precise se preocupar. Para onde você está!' Ele a encarou. "Como você está bonita, Laura!"

Ela usava um terno de camurça verde musgo sob o casaco, luvas de couro macio nas mãos, pequenos diamantes nas orelhas. Ela se achou provocante.

"Eu também tenho preocupações, Ken. Mais do que você pensa!"

Uma risada suave veio da porta. Laura se virou e viu um belo rapaz de cabelos escuros que ela havia encontrado duas ou três vezes na casa de Ken. Ele estava todo vestido de couro preto e tinha uma faca enfiada na bota. Em sua companhia estavam dois caras loiros e magros, pelo menos um dos quais certamente também estava preso à agulha. Pareciam cafetões suburbanos de lábios cerrados e cheios de espinhas.

"Olha", disse o homem de cabelos escuros. — Madame também tem preocupações. Assim como os pobres coitados do Bronx. Mas ela deixa um multi fodê-la! Eles realmente fazem isso melhor do que nós?"

"Cala a boca, Joe", disse Ken, mas não parecia zangado. Tudo o que Ken dizia ou fazia tinha uma certa falta de emoção. As drogas drenaram sua energia. Ele não estava realmente chateado com nada, nem estava feliz com nada. Sua apatia aumentava a cada dia que passava.

Laura se levantou. "Acho melhor eu ir, então," ela disse friamente. Quando ela quis passar pela porta, Joe bloqueou seu caminho. "Não com tanta pressa - Laura!" Ele disse o nome dela com ênfase. "Pode haver mais algumas coisas sobre as quais poderíamos conversar."

"Eu quero ir agora."

"Seu amante rico está esperando por você?"

"Deixe-me passar, Joe!"

"Estes são meus amigos Ben e Jay." Joe apontou para os garotos loiros, que sorriam lascivos e estupidamente. "Nós três pensamos em algo."

Ele intimidou Laura. Este Joe tinha um plano.

"Ken..." Laura disse suplicante.

Ken deve ter se sentido um pouco desconfortável. "Deixe Joe contar o que ele está fazendo, Laura."

"Ah, entendo. Então você já está completamente na foto. Fantástico, Ken, sério. Talvez você pudesse ter aberto a boca antes."

'Cuidado, querida', disse Joe, 'seu amante é um cara muito rico. Ele está nadando em dinheiro. Você provavelmente tem um apartamento incrivelmente bom lá na Quinta Avenida, não é? Colheres de ouro, bijuterias, quadros e tapetes. Muitos por aí, hein? Você provavelmente só precisa coletá-lo.

Laura não disse nada. Ela ficou em guarda, olhando para Joe com desconfiança e expectativa. Jay puxou um canivete, estalando-o para frente e para trás.

"Pare com suas bobagens", retrucou Joe. Então ele colocou um sorriso de volta em seu rosto. "Sabe de uma coisa, Laura querida? Aposto que seu amante ficaria furioso se soubesse que você encontra seu ex-namorado aqui quase todos os dias em um porão sujo e lhe dá muito dinheiro. O que você acha?"

Laura olhou-o friamente. "O que você quer, Joe?"

"Ken, seu mouse pega o jeito. Coisinha inteligente."

"O que você quer, Joe?"

Joe ergueu as mãos defensivamente. "Não tão hostil, rato. Achei que poderíamos ser amigos e depois fazer algo juntos.«

"E o que?"

"Você não gosta de mim, não é?"

"Não gosto de ser chantageado."

"Não fique atrevido, ok?" exclamou Joe. Jay estalou a faca novamente. Agora Ken interveio. "Laura, entenda isso. O homem tem muito dinheiro. Ele nem percebe se algo está faltando.«

Laura se virou, a raiva brilhando em seus olhos. 'E isso dá a qualquer um o direito de roubá-lo? Você acredita no que você mesmo diz? Ken, estou roubando David só para você, só para você! Para mais ninguém!«

"Que tocante", disse Joe sarcasticamente. Jay jogou a faca para o alto e a pegou novamente. Seus talentos pareciam estar limitados a essa atividade.

"Joe, deixe-nos em paz", ordenou Ken. "Estou falando com Laura."

Joe hesitou. "Mas conte tudo a ela!"

"Limpo. Você pode ir, eu vou consertar isso."

"Estou curiosa sobre isso", interveio Laura.

Depois de algumas idas e vindas, Joe concordou em deixar o campo, pelo menos por enquanto. Ben, que não havia dito uma palavra até agora, protestou novamente. "Mas é a nossa história também, Ken!"

"Ok, ok. Se eu precisar de você, eu vou te dizer. Por enquanto, me deixe sozinho com ela."

Os três saíram. Laura sentou-se. "Você tem um cigarro para mim?" ela perguntou. Ken balançou a cabeça. ela suspirou. "OK. Ouça, Ken, pelo que entendi, seus supostos amigos estão tentando me chantagear, e tenho a sensação de que você também está colaborando com eles!"

"Não, Laura, eu simplesmente não posso evitar." Não havia arrependimento em seus estreitos olhos verde-azulados.

"Evitar o quê?" ela perguntou. "O que Joe e os outros estão fazendo?" Um primeiro medo fraco surgiu nela.

"Só estávamos pensando em algumas coisas", disse Ken evasivamente, "sabe, se houvesse alguma maneira de entrarmos no apartamento... pegar algumas coisas..."

"Roubar!"

"Ok, roube. Mas não é justo que uns tenham tudo e outros nada."

"Você fala como uma criança, Ken. Eu não estou fazendo isso."

405

"Façanha! Você também tem tudo o que precisa. Você não precisa se preocupar com o dia seguinte. Você conseguiu."

"Você acredita?"

Ele a olhou de cima a baixo. "Olhe para você", disse ele amargamente.

Laura sorriu, era um sorriso ao mesmo tempo cínico e muito vulnerável. "Você não me conhece, Ken. Caso contrário, você não cairia nessa embalagem artística. Roupas, bijuterias, sapatos finos - você acha que isso muda alguma coisa? Ken, estou te dizendo, isso não muda nada. Por baixo de todo o barulho, sou a mesma garota de sempre, a garota que perambula pelas ruas à noite procurando por sua mãe bêbada, que se sente solitária, congelada e sozinha. Ken, nunca será diferente. Sempre terei medo, toda a minha vida. Estarei sempre sozinho. Ninguém e nada pode tirar isso de mim.«

Ken caminhou até ela, pegou ambas as mãos dela. "Você me pegou, Laura."

Você, ela pensou desesperadamente. Aquele rosto inteligente e sensível. E os braços esfaqueados... Ken, seu idiota, você poderia ter feito isso sem a heroína! Você teve uma chance!

"Você ama aquele outro homem?" Ken perguntou suavemente. Aqueles delicados pontos dourados em suas íris... havia um traço de vida, de emoção e preocupação.

Laura lembrou-se de algo que June dissera, há muito tempo: "Nenhuma mulher esquece o primeiro marido." Bobagem sentimental, ela havia pensado, mas hoje lhe passou pela cabeça: nunca vou esquecê-lo...

Mais tarde, ela não conseguia mais explicar por que o desejo de estar muito perto dele de repente veio. Não havia nada de convidativo no porão gelado e úmido, que só se infiltrava em um raio de luz fraca de outono. O colchão com o cobertor fino e puído fedia a cerveja. Talvez realmente fosse apenas uma lembrança de algo que aconteceu aqui pela primeira vez há muito tempo. Laura parou de pensar. Ela estava tremendo de frio depois de tirar o casaco e o terno, e seus dentes batiam quando ela se deitou no colchão; ela olhou para as paredes nuas ao seu redor e ouviu o suave pling-plong da água pingando em algum lugar no chão de pedra. E então tudo ficou como antes: o frio, a escuridão, e Laura estava nos braços de Ken, aqueles braços cortados, e ela sentiu o cheiro do mau hálito dele, que já prometia a morte. Ela estava de volta ao mundo que nunca deixara, nunca deixaria.

Por mais silenciosos que estivessem deitados, eles se levantaram. Enquanto eles se vestiam - Ken com seu jeans antigo, Laura com sua meia-calça com o emblema de strass YSL para Yves Saint Laurent - Ken disse: 'Laura, Joe fala sério. Ele quer contar a David Bellino tudo sobre nós em breve, se você não deixar ele e seus amigos entrarem na cobertura. Eu sei que Joe tem uma vantagem crucial sobre o resto de nós - ele está limpo. Se ele se propõe a algo, ele o realiza.«

"Eu não posso ajudá-lo, e eu não quero."

"Então você ama este homem?"

Com um movimento violento, ela puxou a saia sobre os quadris. 'Eu preciso dele, Ken, caramba, você não entende? Nunca mais quero ser pobre! Tenho medo da pobreza, mais medo do que qualquer outra coisa. Enquanto eu tiver David, posso tirar isso da cabeça. Não acordo mais gritando à noite e não tenho medo de adormecer à noite. Não são as coisas que tenho comigo, roupas bonitas, perfumes, joias; Eu não dou a mínima se você quer saber com certeza! Mas não posso prescindir da segurança em que vivo. Eu sei que tenho o suficiente para comer. Que eu não preciso congelar. Que tenho bons médicos quando fico doente. Que eu... que eu...' Sua voz falhou; enquanto as lágrimas escorriam por seu rosto, ela gritou: "Não vou acabar como minha mãe! Como um cadáver inchado, bêbado e fedorento na neve! Oh Ken, não vou arriscar minha segurança, nunca, eu não vai arriscar!" Ela chorou e chorou e Ken a puxou para ele. Ela o ouviu dizer: 'Você está muito mais insegura do que costumava ser, querida, não percebe?' Ela chorou mais, sabendo que ele estava certo e sabendo que iria morrer, como mamãe, e neste mundo perigoso, vacilante e imprevisível, tudo o que restaria para ela era o dinheiro de David Bellino - o dinheiro que a fez dependente, venal e chantageável. Ela daria sua alma pelo dinheiro de David. Nunca estivera tão consciente disso quanto naquele momento, naquele porão, nos braços de Ken.

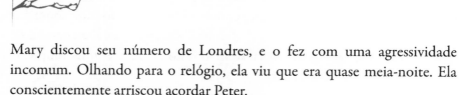

3

Mary discou seu número de Londres, e o fez com uma agressividade incomum. Olhando para o relógio, ela viu que era quase meia-noite. Ela conscientemente arriscou acordar Peter.

O inspetor Kelly finalmente a deixou ir. Ele provavelmente percebeu que não conseguiria nada com isso hoje. Seus olhos estavam vermelhos de fumaça de cigarro, suas bochechas encovadas de exaustão. Gina havia dito: 'Ainda tínhamos que digerir o assassinato antes que você nos perseguisse por nossas vidas a galope. Como você acha que nos parecemos? Desejamos estar sozinhos. Estamos chateados e totalmente destruídos."

Kelly finalmente cedeu. Todos se levantaram e esticaram seus membros doloridos. Ninguém disse uma palavra enquanto caminhavam pelo corredor até seus quartos. Apenas Natalie havia tocado gentilmente o braço de Mary. "Podemos conversar um pouco, Mary?"

"Naturalmente. Venha para o meu quarto."

O resultado da conversa foi que Maria passou a chamar seu marido de Pedro. Ela deixou tocar até que finalmente alguém atendeu do outro lado da linha. A princípio, tudo o que ouviu foram gemidos e grunhidos. Então veio a voz baixa e torturada de Peter. "Sim?"

"Peter? É Mary."

Passou-se um segundo em que Peter provavelmente olhou incrédulo para o telefone. Então isso irrompeu dele. "Você enlouqueceu? Não pode fazer isso de novo... Droga, eu ainda estava dormindo! São seis da manhã! Eu..."

Mary permaneceu tão calma quanto fria. "Peter, por favor, me escute. É quase meia-noite para mim, estou muito cansado e não quero ouvir você gritando. Eu não me importo se você dormiu ou não. Ela fez uma pausa e olhou para Natalie, que estava de pé atrás dela e assentiu com a cabeça para tranqüilizá-la. Respirando fundo, Mary continuou: "Peter, temos algumas

408

complicações aqui. David foi baleado...' Ao dizer isso, ela pensou: ele deve pensar que eu enlouqueci! "... e talvez tenhamos que ficar em Nova York por mais tempo."

"Com licença?" Peter perguntou incrédulo.

"David está morto. Nenhum de nós pode deixar Nova York por enquanto."

"Não é possível!"

"Mas. Por que estou ligando para Peter: não vou voltar para você. Vou para a França com minha filha - para Natalie. Ela me ofereceu para morar com ela. Quero o divórcio o mais rápido possível. Você pode seguir seu próprio caminho.«

Peter não conseguia pensar em nada além de que estava tendo um pesadelo. "Que diabos você está falando?" ele finalmente saiu.

— Não diga que é bobagem, Peter, não me importo. Não vou me importar com o que você faz ou pensa de agora em diante. Você pode ficar em seus bares o dia todo e ficar bêbado em vez de procurar um emprego. Você..."

"O que você está..."

'Você também pode trazer para casa qualquer prostituta que encontrar em qualquer lugar na rua. Nem meu filho nem eu vamos experimentar isso, então pode nos deixar completamente frios.«

"Você ficou completamente louco."

— Não, Pete. Fui louco todos os anos em que deixei você me humilhar, que tive medo de você e que ansiava por um sorriso ou uma palavra gentil sua todos os dias. Tem sido um inferno viver com você e não tenho intenção de passar o resto da minha vida no inferno. Você roubou meu tempo, alegria e confiança e nunca vou te perdoar por isso! Nunca mais quero ter nada a ver com você, e não tente me reconquistar! Você me dá nojo!" Com isso ela desligou o telefone e lágrimas brotaram em seus olhos. – Desculpe, Natalie, não estou chorando de tristeza, só porque isso está me dando nos nervos. Sabe, eu... eu nunca falei com ninguém desse jeito..."

Natalie foi até o bar do quarto, pegou um copo e serviu uma aguardente. "Aqui, beba isso primeiro! Mary, era imperativo que você enfrentasse sua pele. Não poderia continuar assim."

As lágrimas de Mary secaram tão rapidamente quanto vieram; ela esvaziou o copo de um só gole. — Eu me sinto forte, Natalie. E livre. Diga-me, por que esperei tantos anos antes de fazer esta aparição?"

"Você nunca entendeu realmente a coisa incrível sobre o comportamento de Peter. Quando você está no meio de uma história, geralmente não a vê. Então tudo que aconteceu aqui foi muito bom para você. Você teve que desvendar seu passado para perceber que o futuro só pode ser diferente. Natalie acendeu um cigarro e sentou-se no sofá. "Não estou nem um pouco cansado. Engraçado, não é? Mais cedo, pensei em adormecer ali mesmo. Mas agora . . ." Ela soprou alguns anéis de fumaça pensativamente. "Quem você acha que atirou em David?"

Maria deu de ombros. "O ladrão."

Natalie balançou a cabeça lentamente. "Eu não acredito nisso. Não, temo que não seja tão simples assim."

O inspetor Kelly e o sargento Bride dirigiram por Manhattan à noite. Bride bocejava sem parar agora e ele não fazia o menor esforço para esconder o cansaço. Ele esperava que Kelly não agendasse os interrogatórios da manhã seguinte muito cedo, embora isso fosse quase de se esperar.

Nesse momento, como se lesse mentes, Kelly disse: "Quero ver esse Ken, o namorado da Srta. Hart, logo pela manhã. Seria melhor se você me pegasse no meu apartamento às seis e meia, o mais tardar. Então voltamos para a Quinta Avenida. Acordado?"

Bride rosnou algo. Ele não concordava nem um pouco, mas duvidava que isso incomodasse Kelly. Sua única esperança era esse garoto viciado em heroína que poderia levar a história um passo adiante.

'Pare lá no supermercado', disse Kelly, 'quero comprar mais pão e queijo para o meu café da manhã. Quer que eu traga alguma coisa?

- Não - resmungou Bride. Sua esposa era uma dona de casa consumada que se certificava de que sempre houvesse comida suficiente na geladeira. Ele olhou para o relógio. Pouco antes da meia-noite! Era típico do estilo de vida desleixado e desordenado do inspetor Kelly que foi nessa época que ele se lembrou do que precisava para o café da manhã. Ele provavelmente não tinha mais uma migalha de pão, no máximo um pouco de leite azedo e biscoitos empoeirados. Bride sabia disso, havia pessoas assim e ele não as entendia nem um pouco.

Com o casaco aberto e o cachecol balançando, Kelly correu para o supermercado, pegou um carrinho e examinou as prateleiras. Um pacote de pão estaladiço - para o corpo esguio - um queijo embrulhado, uma salsicha de chá... o que mais ele queria... ah sim, manteiga!

Um homem e uma mulher estavam parados na frente da prateleira, bloqueando o acesso de qualquer outro cliente. Eles estavam envolvidos em um debate acalorado.

"Você não sabe de nada", disse o homem. 'Você lança suspeitas e não consegue provar nenhuma delas! Pergunte aos meus amigos, todos eles saberão dizer exatamente onde eu estive!"

"Ah, tenho certeza que sim, depois de você prepará-los com muito cuidado!" a mulher zombou. 'Vocês ficam juntos como uma pedra, e posso imaginar como planejaram a estratégia perfeita para me enganar. Eu não deveria ter deixado vocês dois juntos nem por um segundo depois que tive minhas primeiras suspeitas."

Kelly a encarou. Seu marido de repente percebeu isso; ele agarrou o braço dela com um pouco de força demais e a puxou para longe com ele. "Não estamos sozinhos aqui. Que você sempre tem que trazer nossas discussões à tona!' Eles foram embora, clamando. Kelly observou o casal brigando pensativamente. Um sino tocou em sua cabeça quando ele ouviu as palavras. "Vocês são sólidos como uma rocha... eu não deveria ter deixado vocês dois juntos nem por um segundo..."

Algo o irritara o dia todo durante os interrogatórios, agora ele sabia o que era: a relação entre os suspeitos, entre os quatro convidados e Laura, havia mudado. De manhã, Kelly sabia, ninguém arriscaria o pescoço pelo outro. Mas à medida que as histórias de vida se desenrolavam, enquanto todos revisavam mentalmente os anos que se passaram enquanto o morto David voltava à vida, o senso de comunidade entre eles crescia. Kelly entendeu o que ele sentiu instintivamente naquela noite: a solidariedade concentrada que de repente o atingiu. De repente, ele não estava mais sentado diante de cinco indivíduos, cada um com seus próprios interesses no coração, mas uma comunidade unida. Uma situação completamente diferente...

Sem a manteiga, Kelly trotou até o caixa, pagou e saiu da loja. De alguma forma, ele teve a sensação de que não tinha sido certo deixar Natalie e Gina, Steve, Mary e Laura sozinhos, de alguma forma uma voz interior lhe disse para voltar.

Ou ele deveria pelo menos ir ver aquele Ken agora?

Ele podia ver o perfil de Bride pela janela lateral do carro estacionado. Céus, o homem parecia mal-humorado! Ele bocejou de novo, depois de novo. Se ele dissesse que queria voltar para o apartamento de David Bellino ou para o viciado em drogas Ken, ele provavelmente bateria o carro contra a parede mais próxima com raiva. Kelly suspirou, abriu a porta do passageiro e se jogou no banco. "A manteiga", disse ele, resignado, "esqueci a manteiga."

Bride lançou-lhe um olhar como se ele pretendesse assassiná-lo. Kelly fez um gesto impaciente. "Ok, ok, não importa muito. Continue dirigindo. Eu realmente não preciso de manteiga no meu pão!"

Ele queria ficar sozinho, nada além de ficar sozinho. Ele estava cansado e sua vida se estendia diante dele em uma grande mistura de caos e medo, de esperança fútil e sonhos despedaçados. Tudo poderia ter sido tão bonito, sua vida parecia um tapete macio, bonito e bem cuidado que acariciava os pés que passavam sobre ele. Pela primeira vez naquela noite, naqueles minutos, Steve se perguntou se alguém tinha o direito de levar a vida tão livremente quanto ele fazia no tribunal até aquele dia. Ele viveu muito bem, foi mimado e mimado demais? "Você nunca terá uma espinha dorsal", Gina costumava dizer a ele, a Gina de aço que só ficava mais forte a cada dificuldade. Ele a observou enquanto Kelly falava sobre a morte de John. Seus olhos haviam traído que esta ferida queimava nela com intensidade inalterada. Mas ela não demonstrou nenhuma fraqueza. Quando ela recebeu a notícia de que o avião de John havia caído, ela estava deitada no chão, mas cerrou os dentes e se levantou.

Quando eu já cerrei os dentes? Steve se perguntou. E quando eu me levantei?

Ele olhou para seu rosto no espelho. Seu rosto cinza de prisão. O mal da cara de presidiário nem era aquela palidez terrível, aquela falta de cor nas faces. O ruim foi que os poros ficaram tão grandes! Ele nunca havia notado antes que sua pele tinha poros, e agora seu rosto estava inchado, suando levemente o tempo todo, brilhante. Steve pensou que todos veriam em seu rosto que ele esteve na prisão.

Essa bomba do IRA! Oh Deus, aquela maldita bomba do IRA! Quantas vezes ele pensou nela, quantas vezes a amaldiçoou. Ela arruinou tudo para ele. Ela o empurrou primeiro com o nariz na terra e então ele nunca mais se levantou. Ele não tinha o poder de Gina. Nem a tenacidade de Natalie, com a qual ela lutou obstinadamente pela vida, engoliu seu Valium de merda e pensou que um dia iria morrer, mas continuou a lutar contra seus medos todas as manhãs. Não, ele não tinha mais forças e, se as tinha, não as encontrava em si mesmo. Ele olhou além do espelho e pela janela, atrás da qual jazia imóvel e silenciosa a noite gelada. Tinha parado de nevar. Steve relembrou - quando criança, ele passou o inverno no deserto canadense com seus pais e Alan. Em uma fazenda que seu pai alugou. Eles estavam cobertos de neve há dias, mas isso não incomodava ninguém porque tinha sido uma vida maravilhosa na velha casa de madeira. Durante as noites a temperatura caía bem abaixo de zero e quando Steve acordava de manhã não conseguia ver lá fora porque todas as janelas estavam cobertas com gelo espesso. À noite, todos se sentavam em frente à enorme lareira de pedra na sala de estar, ouvindo as chamas crepitantes comendo as toras, bebendo chocolate quente em grandes canecas e comendo biscoitos de Natal. A neve caía lá fora... e Steve tentava imaginar como seria passar a vida inteira nessa solidão, ouvindo e aprendendo a entender a linguagem da natureza, ouvindo o barulho do degelo depois dos longos invernos tão desejados vento quente e tempestuoso que açoitava os pinheiros e derretia a neve.

Por que ele estava pensando nisso tão intensamente agora? Com o mesmo coração nostálgico com que se lembrava do chalé Scilly coberto de rosas na prisão? Por que ele continuou tendo essas imagens em sua cabeça, imagens de rosas e neve, céu azul de verão e gelo cristalino, o som do mar e fogueiras quentes? Em algum lugar, uma estranha percepção ocorreu a ele: esta vida sempre foi seu desejo secreto, só que ele não sabia disso. O homem jovem e vaidoso que se deleitava com loções pós-barba caras e suéteres elegantes, que passava descuidadamente pela pequena Mary Brown e sonhava com uma carreira estelar no banco, esse homem não havia reconhecido seus desejos reais, mais profundos e verdadeiros. O que ele sempre proclamou? "Eu quero um Porsche. Eu quero um apartamento super chique. Eu quero um relógio Cartier. Quero ser membro do melhor clube de Londres. Eu só quero usar ternos sob medida. Eu quero eu quero..."

Agora, de repente, agora as escamas caíram de seus olhos: ele nunca quis nada disso! Para o inferno com um Porsche e os ternos sob medida! Na verdade, eles o deixaram mais frio do que qualquer outra coisa. Verdade... a verdade era que ele sempre desejou calor e segurança. E para uma mulher como Mary. O que mais ela disse sobre seus sonhos de infância? Uma casa em um jardim cheio de flores... Ele esperava que ela ainda estivesse acordada. Ele silenciosamente deixou seu quarto.

Gina sentou-se na cama. Ela não sentiu que alguém estava dormindo neste apartamento. Apenas cinco minutos atrás ela tinha ouvido algo passar correndo do lado de fora da porta de seu quarto. E agora alguém estava andando pelo corredor novamente. Ela levantou-se resolutamente, estendeu a mão para o roupão branco. Ao passar pelo espelho, percebeu que havia esquecido de tirar a maquiagem e que o rímel havia borrado. Isso deu a ela uma aparência dramática. Na penumbra da única lâmpada acesa, seu pescoço brilhava branco e seu cabelo brilhava muito escuro. De repente, teve a impressão de ver no espelho John, que emergiu atrás dela das sombras do quarto, inclinou-se sobre seu ombro e a segurou com os dois braços. O calor do verão da Califórnia entrava pelas janelas. Ela era jovem e sua vida era um sonho. O cheiro da sálvia descendo das montanhas... o cheiro doce das buganvílias, ainda mais forte à noite do que durante o dia... o som do mar em Pacific Palisades... a luz vermelha do sol poente - e o corpo de John junto ao dela. Ela cheirou a pasta de dente de menta dele e sentiu o toque da barba por fazer em suas bochechas. A dor veio sobre ela tão repentina e violentamente que ela se dobrou como se estivesse com dor física. Ela se lembrou de como pensara desesperadamente no início, logo após a morte de John: nada nunca mais será realmente bonito! No outono, a floresta não terá mais cores tão vivas e o pêlo do Senhor não brilhará mais ao sol. Não terei mais saudades da primavera e nunca mais acreditarei que morrerei de felicidade. Nunca mais me sentarei em frente a um homem em um restaurante e o observarei à luz de uma vela acesa, desejando poder estender a mão e traçar as linhas de seu rosto com meus dedos. Ela viveria apenas metade de agora em diante. Naquele momento ela percebeu que a tristeza ainda a paralisava, mas para seu próprio espanto ela se viu repleta de um poder que a tornava muito invulnerável. É por isso que - porque ela era forte - ela ainda tinha o filho Charles ligado a ela. Toda a minha vida terei que cuidar dele, ela pensava muitas vezes com raiva - apenas para perceber agora que tinha que cuidar dele porque podia cuidar dele. Ela era muito dura, muito viva para Deus lhe dar muito tempo para rastejar e gemer. "Levante-se e continue", o destino lhe ordenou, e ela se levantou, com raiva e praguejando.

Ela apertou o cinto do roupão. Ela não conseguiu dormir naquela noite, talvez os outros também não. Ela silenciosamente saiu para o corredor, onde viu Laura, envolta em um elegante roupão, parada indecisa.

'Oh, Gina', disse ela, 'só estou pensando em tomar um remédio para dormir. Engraçado, não é? Um momento atrás eu pensei que realmente precisava ficar sozinho e estava morto de cansaço e agora estou bem acordado e sinto que não posso ficar sozinho."

"Aconteceu a mesma coisa comigo. E aposto que o outro também. Há pouco ouvi alguém passar por aqui."

"Aquele era Steve. Ele desapareceu no quarto de Mary."

Gina assobiou baixinho por entre os dentes. 'Olhar! Os dois estão se fixando um no outro o tempo todo sem parar. Quem sabe que cenas românticas estão se desenrolando.«

"Não muito romântico, suponho", respondeu Laura. "Pelo que entendi, Natalie também está com Mary."

Gina pensou por um segundo. 'Vou parar por um momento. Você vem, Laura?

"Não sei..."

'Vamos. Também não é bom para você ficar sozinho agora. Ou você quer refletir metade da noite?

Nova York, 30. 1 2 1989

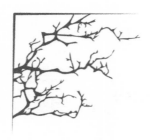

1

A princípio, todos ficaram em silêncio, constrangidos, sentados em círculo no quarto de Mary. Mary colocou um copo na frente de todos e revirou seu bar: todos se serviram de alguma coisa. Não havia luz acesa, exceto a lâmpada de cabeceira de Mary.

Gina riu alto. 'Tudo como de costume. Não podemos ficar longe um do outro, podemos? Se o inspetor nos visse assim, pensaria que todos nós matamos o pobre David juntos. Como todos sabemos, nada une as pessoas como erros cometidos juntos." Ela riu novamente, pegando um olhar de desaprovação de Steve. "Sim / Sim. Steve balança a cabeça novamente. Você sempre balançou a cabeça para mim, lembra? Você pensou que eu ria alto demais e usava saias muito curtas e pintava demais meus olhos. certo?"

"Nós nunca gostamos um do outro, Gina, e você também não."

"Está correto. Somos bem diferentes. Todos somos. Basicamente, é incompreensível por que éramos amigos.«

"Bens?" Natalie perguntou baixinho.

Gina olhou para ela pensativa. 'Hoje somos mais cúmplices. «

"Mas é o mesmo de antes", disse Mary. 'Assim, sentamos juntos muitas noites em Saint Clare. Assim como."

Natalie pensou: Sim. éramos tão jovens, tão terrivelmente mais jovens do que agora.

"David estava conosco", continuou Mary.

Laura estremeceu. "David está morto agora", disse ela asperamente.

"Como todos sabemos", Gina acrescentou cinicamente.

Mary deu de ombros, tremendo. — Estou feliz que o inspetor tenha ido embora. Ele estava tão interessado em saber tudo e eu senti que não havia como escapar dele."

"É o trabalho dele", respondeu Gina. 'Um inspetor tem que bisbilhotar a vida privada das pessoas, quanto mais fundo melhor. Mas também acho legal que ele se foi! Com ambas as mãos ela levantou o cabelo da nuca e lentamente o deixou cair novamente. 'Agora que estamos sozinhos, o assassino pode confessar. Juramos que não contaremos a ele. Então... quem era?

"Você pode ficar velha e grisalha, Gina, você sempre será insípida", disse Steve.

Ele e Gina se entreolharam. A antiga animosidade estava de volta, emoções que eles pensavam ter desaparecido há muito tempo.

Maria parecia apavorada. 'Não discuta agora. Agora não, por favor. Ela pegou um candelabro de seis braços que estava sobre uma mesa lateral e o colocou no meio do chão. Ela lentamente acendeu todas as velas, depois apagou a lâmpada. 'Agora é realmente como costumava ser. Naquela época, sempre tínhamos velas acesas. «

"E ouvia música de Bob Dylan."

'E fumava. Centenas de cigarros. «

"Hoje em dia há muito pouco fumo nas escolas", disse Natalie, "todo mundo se preocupa com a saúde. Não fume, não beba, coma alface, broto de feijão e milk-shakes. E corra todos os dias."

"Sempre precisamos de drogas", disse Steve melancolicamente. "Milkshakes não teriam nos ajudado."

"Milkshakes teriam nos frustrado até a morte. Acreditávamos em um pouco de maconha", disse Gina. "E além do fato de que agora também corremos, continuamos os mesmos. «

Natália sorriu. "Muito antigos. Exceto que há um assassino entre nós agora."

"Pare com isso!" Maria implorou, estremecendo.

"Por que?" Gina se inclinou para acender o cigarro em uma vela. 'Por que não deveríamos dizer isso? De qualquer forma, acho que poderíamos ter nos divertido um com o outro. «

"Talvez tenha sido você, Gina", disse Steve. "Afinal, a última coisa que você fez foi ver David e conversar com ele sobre dinheiro. Talvez você tenha perdido a paciência de repente. «

"Uma teoria interessante, Steve", disse Gina, estreitando os olhos.

Laura riu; parecia um pouco histérica. — Conte a seus amigos o que aconteceu na casa de David. Afinal, era uma cena pronta para o palco. «

"Oh! Você estava brincando de rato, Laura?"

"Eu vi você entrar no escritório de David, Gina. E eu te segui. Eles pareciam estar em um ataque - muito bonitos e com pouca roupa. Achei melhor ficar de olho em você."

"E então você ouviu na porta?"

— Você facilitou muito para mim. Eles apenas fecharam a porta externa. Não o interior que tem estofamento à prova de som. Eu pude entender cada palavra.«

Laura e Gina se entreolharam. Seus olhares eram avaliadores em vez de hostis. "Você fez de tudo para conseguir dinheiro de David, Gina", disse Laura. "Você teria conspirado com o diabo para conseguir dinheiro, e em um aperto você conspirou com David Bellino."

"Talvez o resto de nós também saiba o que aconteceu naquela noite", disse Natalie. "Obviamente algumas coisas interessantes foram discutidas."

"Gina", disse Laura, "estava vestindo uma camisola de renda preta e o roupão que está usando agora. Ela estava fortemente maquiada. E ela parecia linda como nenhuma mulher que eu já conheci. Linda e muito determinada. Ela foi direto para o escritório de David.

"Legal e muito determinada", repetiu Gina. — Parece que você esqueceu uma coisa, Laura: eu também estava muito desesperada. Você já teve uma horda de credores respirando no seu pescoço? Você sabe como é quando tudo, tudo que você tem, está sendo confiscado de você pedaço por pedaço? E ao mesmo tempo você tem um homem que está quebrando cada vez mais a cada dia, que você sabe que não suporta perder o que pertenceu à sua família por gerações? Oh, Laura, você está certa sobre uma coisa: eu teria usado qualquer meio para conseguir dinheiro de David. cada. Fui até ele envolto no cheiro de um perfume caro e pensei que, se pudesse, pegaria uma faca e cortaria o dinheiro de suas costelas.

"Entre", David disse calmamente. Gina abriu a porta, entrou no quarto, fechou a porta imediatamente e encostou-se nela por dentro. Para sua surpresa, ela viu uma arma apontada para ela. David sentou-se ereto na cadeira de sua escrivaninha, segurando a arma em uma mão que mal tremia. "Ah, é você", disse ele.

— Sim, sou eu, Gina. Nenhum chefe da máfia, ou o que você esperava. Quero dizer, por causa daquela coisa preta que você está apontando para mim."

David abaixou a arma. "Você não pode ser muito cuidadoso."

"Correto. Você acha que um de nós quer matá-lo." Gina sorriu. 'Bem, não sou eu. Posso chegar mais perto?'

"Por favor." David apontou para a cadeira em frente à sua mesa. "Sentar-se!"

Gina sentou-se. O roupão se desdobrou, renda preta envolvendo suas pernas cruzadas.

David olhou para ela cuidadosamente e perguntou: "O que você quer?"

Gina respondeu sem hesitar e com a mesma franqueza: "Dinheiro".

"Você não está fazendo rodeios."

"Eu também não preciso. Nós dois nos conhecemos muito bem.«

"Certo." David finalmente baixou a arma, mas ainda parecia tenso. "Eu conheço sua alma negra e você a minha. Não precisamos enganar uns aos outros.«

Só que sua alma é cem vezes mais negra, pensou Gina, se é que você tem uma! Mas ela sorriu. — Você tem alguns pecados bonitos em sua consciência, David. Você não gostaria de compensar um pouco disso?"

"Eu não sei o que você quer dizer!"

"Você já sabe. Houve uma noite em que você estava bêbado e falou demais. Você se lembra?"

'Oh Deus, se eu tivesse que lembrar todas as noites em que estive bêbado... Prefiro lembrar os momentos que vivi conscientemente. Gina, querida, você tem olhos que podem enlouquecer qualquer homem. Eu sei que você está com água até o pescoço, mas você não vai desistir, vai? Nunca! Apenas como eu. Eu te disse antes, de toda essa gangue, nós somos os vencedores. Aqueles que sempre vencem. Caímos de qualquer altura."

Ele está bêbado de novo, pensou Gina, está se gabando como um cocheiro bêbado. Ela sentiu a raiva crescendo dentro dela. David, seu idiota, por quanto tempo você vai fingir que é o maior? Quanto tempo você passará pela vida intocado pelos detritos que deixa para trás? E quando você vai entender que seu dinheiro não serve para nada e que você não pode comprar nem amizade nem amor? Quem é você? Um homem solitário andando em seu apartamento de luxo com uma arma porque não confia mais em ninguém! E cujas mãos tremem ao segurar uma arma! Olhe para você!

Mas ela estava sorrindo de novo, apesar de seus pensamentos sombrios, e era o sorriso que John uma vez disse ser o jeito que os vilões das casas de jogo de San Remo sorriem uns para os outros no pôquer.

'Muito lisonjeiro que você nos nomeie no mesmo fôlego. Porque para um vencedor eu não pareço muito glorioso. Charles e eu estamos indo para a falência total. A gente vai ficar sem nada, sabe, absolutamente nada! Charles assumiu uma dívida gigantesca para financiar seu maldito musical, e provavelmente passaremos nossas vidas pagando. E quando morrermos, ainda haverá dívidas. É exatamente assim que sempre sonhei com a minha vida!«

"Pule fora", disse David calmamente. 'O que você tem a ver com a dívida de Charles? Venha para Nova York, vou mantê-lo ocupado no Bredow's a qualquer hora. Farei de você porta-voz, se quiser. Deus do céu, Gina, você não será tão estúpida a ponto de acabar indo para a torre do devedor com o bom lorde Charles Artany! Definitivamente não é você!"

"Eu de todas as pessoas, David. Essa é a diferença entre nós que você nunca entendeu. Você não tem um pingo de responsabilidade e outras pessoas não dão a mínima. O principal é que você puxe a cabeça para fora do laço. Sempre foi assim, e sempre será assim. É o segredo do seu sucesso. E sempre estarei carregando alguém de quem gosto e não vou decepcionar. Charles não consegue ficar de pé sozinho, então provavelmente vou dar-lhe meu braço pelo resto da minha vida. Não gosto de fazer isso, Deus sabe, mas não consigo evitar. Os tempos estão melhorando novamente.«

"Que nobre!"

'Eu não sou nobre. Pessoas nobres amam suas boas ações. Eu odeio eles. Se você quer saber, eu me sinto solitária e sozinha. Todo mundo está me segurando, mas eu não tenho ninguém. Às vezes acho que estou ficando louco de solidão. Um dia pedirei ajuda e não haverá ninguém. Nem estava lá depois da morte de John. Carlos apenas. Charles, o bebê grande que precisa de mim..." Sua voz falhou.

David levantou-se, deu a volta na mesa e se inclinou sobre ela. "Eu também estou sozinha, Gina. Muito mais solitário do que todos vocês pensam. Basicamente, eu não tenho ninguém."

"Você tem Laura!" Isso veio rapidamente, mas o breve olhar de soslaio que ele deu a ele disse a David que Gina sabia melhor.

'Laura', disse ele, 'meu Deus, Laura! Laura está me traindo.

"Seguro?"

A boca de David de repente mostrou uma expressão quase brutal. "Um rato é sempre um rato. Pertence aos esgotos sob a cidade. Você pode colocá-la em uma gaiola dourada, nada mudará que a casa dela seja em outro lugar. E assim é com Laura. Ela é do Bronx e sempre terá suas raízes lá. Nosso mundo é estranho para ela.«

"Isso não significa que ela tem que te trair!"

»Ela segue seu próprio caminho, sobre o qual permanece firmemente em silêncio. Sinto que há outro homem. Vou tirar minhas próprias conclusões disso. Vou fazer uma boa surpresa para ela."

"Então?"

— Entrarei em contato com meus advogados amanhã. Precisamos fazer um novo testamento. Laura é excluída de qualquer herança. Ela não deveria receber um centavo."

"Você acha que ela só está com você pelo seu dinheiro?"

"Você pode apostar sua vida nisso. Laura me odeia. Ela pode não saber ao certo, mas prefere me ver morto do que vivo. Depender de mim a deixa doente. E ela é dependente porque tem pavor de de repente sem dinheiro. Ela teme a velha vida mais do que o inferno!' Ele riu, e Gina achou que sua risada soou feia. "Mas ela vai acabar lá de novo. Ela vai acabar lá porque não consegue se livrar de alguma coisa. O relacionamento comigo foi apenas uma curta excursão ao belo mundo brilhante da alta sociedade.' Ele riu de novo. Então, de repente, ele ficou sério de um segundo para o outro. Ele agarrou as mãos de Gina e disse sem fôlego: "Fique comigo, Gina! Admiro você desde que nos conhecemos. Gina, mesmo que você não queira admitir, somos iguais, nos entendemos, cada uma conhece os segredos da alma uma da outra. Fique comigo e teremos uma vida maravilhosa. Seus lábios eram quentes e macios, suas mãos descansando calmamente em suas costas.

"Por favor", ele sussurrou, "fique comigo!"

423

Ela não havia levado em consideração esse ponto de virada. Ela pensou que tinha que cortejá-lo para lhe dar o dinheiro que ela precisava para salvar a si mesma e a Charles da falência total, mas agora ele estava lá, beijando-a e implorando para que ela ficasse. Quase inconscientemente ela se apertou contra ele e retribuiu sua ternura; ela pensou febrilmente. Ela precisava de cerca de cem mil dólares e ele poderia dar a ela.

"Eu não posso," ela disse suavemente, deixando uma pitada de desespero tingir suas palavras. "Então o que será de Charles?"

"Charles, oh Charles," ele disse impacientemente. 'Eu vou dar a ele o que ele precisa! Ele recebe o dinheiro. Mas, querida, você não vai ficar aqui?"

Gina pensou: Eu não teria nenhum escrúpulo em jogar você de costas em um abismo - *você não vê isso?*

— Você enviaria o dinheiro para Charles, David? Você realmente faria isso?"

David a encarou. "Sim. Mas eu não faço isso de graça. Eu quero você por isso."

Gina encontrou seu olhar. A força de sua vontade de aço estava em seus olhos.

Desta vez, ela pensou, sou eu quem está transando com você, David!

"E você ouviu tudo isso, Laura?" perguntou Maria. Laura parecia muito jovem e delicada à luz da vela bruxuleante. "Cada palavra. Ouvi dizer que ele quer me deserdar e que meu tempo com ele acabou. Como ele disse Um rato sempre será um rato. Não havia chance para mim. Eu tinha perdido David."

"O que também seria desastroso para seu amigo Ken", acrescentou Gina.

"Eu não entendo você, Gina, por que você não contou essa história para o inspetor!" disse Natália. »Você quase não é mais questionado como perpetrador. Deus sabe que não seria do seu interesse que David morresse naquele momento. Mesmo que ele já tivesse passado um cheque para você, você teria problemas com a morte dele e uma situação de herança pouco clara.

"Está correto. Mas não vejo por que deveria expor tudo isso na frente daquela Kelly, aquela tartaruga. De qualquer forma, sei que não fui eu, então posso esperar e ver o que acontece."

"Tantos condenados inocentes disseram", disse Steve.

"Mas alguém fez isso", disse Mary.

'De fato', Gina confirmou, 'e acho que alguém poderia finalmente falar francamente. Eu realmente não acho que nenhum de nós puxaria uma corda nele."

Todos olharam para ela. Gina permaneceu séria e calma. "Quem quer que tenha sido David Bellino, o que quer que tenhamos feito de errado, cada um de nós deve ter simpatia por quem atirou nele. Você pode fazer justiça a Davi e seu assassino, não há contradição neste caso. Se formos honestos, ninguém lamenta muito este homem morto!«

"Oh Deus, eu o odiei tanto," Natalie disse suavemente. 'Eu o odiava tanto. Sempre o imaginei me abandonando em Crantock, e toda vez eu me sentia mal de ódio. Lágrimas de repente correram por suas bochechas. "Nunca vou conseguir esquecer isso, nunca, em toda a minha vida. Mas agora não tenho tanta certeza quanto antes de que David realmente me viu. Você entende – que ele realmente me reconheceu. Talvez o que ele disse fosse verdade, que estava em pânico, que estava perdendo a coragem. David não era um anjo, mas também não era um demônio, tinha seus próprios fardos para carregar e o inspetor tem razão, não éramos bons amigos dele. Ele havia confiado em mim, mas depois que a coisa terrível aconteceu, eu não queria e não conseguia entendê-lo. Eu estava tão quebrado, tão destruído, e tudo que eu podia segurar era meu ódio sem limites... como eu estava envenenado por isso...' Ela se agachou e soluçou, tudo explodiu novamente, mas para ela Havia algo libertador sobre chorar.

De repente, todos estavam conversando, as vozes zumbindo juntas. Tristeza e medo, esperanças frustradas, desapontamentos dolorosos, ódios há muito acalentados - tudo o que havia sido despertado neles naquele longo dia fluiu deles.

"Talvez pudéssemos ter mudado David!"

"Você não pode mudar um homem como David. Mas poderíamos ter facilitado as coisas para ele."

"Poderíamos ter facilitado para nós mesmos."

"Senti tanto a falta de todos vocês. Realmente!"

"Devíamos ter nos visto muito antes."

"Costumávamos resolver nossos problemas juntos, lembra?"

"À luz de velas à noite..."

"Tudo acabou tão diferente do que pensávamos."

"É sempre assim na vida."

"Você precisa de amigos para isso."

"Temos que nos unir a partir de agora. Laura, isso vale para você também. Você já passou por tanta coisa.«

"Sim, Laura. E você foi mais esperta do que nós. Você viu através de David muito antes."

Laura sorriu cansada. "É só que não fez bem a mim ou a ele."

"Eu realmente não acho", disse Gina insistentemente, "que qualquer um de nós diria o culpado. No entanto, o drama se desenrolou, era destino e inevitável. Nenhum de nós procura condenar ninguém. Podemos rolar a noite passada em paz e, se tropeçarmos no assassino, isso não mudaria nada."

"Acho que você voltou para o seu quarto depois que David e Gina terminaram de conversar, Laura?" Natália perguntou. Ela parecia tão legal e confiante quanto em suas entrevistas.

Laura assentiu. 'Eu voltei, confuso e ferido. Meio... atordoado. Ficou claro para mim que David não disse nada disso por capricho. Ele tinha terminado comigo e ia me dar um fora o mais rápido possível. Eu provavelmente teria permissão para levar algumas roupas e joias comigo, e receberia ordens claras para nunca mais ser vista perto dele. Sentei-me na cama e ponderei. Devo experimentá-lo como modelo fotográfico? Mas depois que David cancelou inequivocamente em todos os lugares ... além disso, eu provavelmente estava fora de moda novamente ... sim, e enquanto eu estava sentado lá o telefone tocou. O porteiro disse que alguém do restaurante estava lá para recolher os pratos.

"E você sabia que eles eram amigos de Ken", acrescentou Natalie.

"Sim. Foi assim que foi planejado. Isso significa que todo o plano há muito deu errado. Você sabe, nós planejamos assim: Por volta das onze, como anfitriã, eu deveria pegar a mesa e convidar todos vocês para o sala para mais um café. Pouco tempo depois, Joe e os outros quiseram chegar, disfarçados de mensageiros do restaurante pegando os pratos. Sabíamos que eles não poderiam esbarrar em nenhum mensageiro de verdade, pois, como de costume, eles não chegariam até a manhã seguinte. Eles nos surpreenderiam na sala de estar e nos manteriam afastados com uma arma, mas me forçariam a mostrar a eles e abrir o cofre na biblioteca. Eu não teria escolha a não ser fazer o que eles pediram, pois eles colocaria uma faca ou um revólver no meu pescoço. Depois todos nós seríamos amarrados e eles poderiam fugir à vontade.

'Não é um plano ruim', observou Gina, 'mas é claro que você já o havia quebrado quando saiu da sala de jantar após a repreensão de David. Então não havia mais nada sobre o café na sala de estar.«

"Sim, isso foi um erro grosseiro da minha parte. Mas eu não podia mais. Quando David me atacou na frente da equipe reunida, veio à tona tudo o que sempre sofri com ele. Enquanto eu estava sentado em meu quarto, todo o plano me pareceu absurdo de qualquer maneira. Ia dar errado e estaríamos todos na cadeia depois... sim, e então eu vi Gina ir para David e percebi que a empresa havia acabado. Fiquei quase aliviado, porque agora toda a história estava se proibindo de qualquer maneira. E então o porteiro ligou. Ele perguntou se poderia enviar as pessoas para cima.

"Por que você não disse não?"

"Eu estava com medo. Principalmente na frente de Joe. Até Ken tem medo disso. Resolvi abrir a porta e explicar para eles num piscar de olhos que tudo havia saído diferente do planejado e que a história não era mais viável."

"No caminho você conheceu Steve, depois Gina."

"Steve saiu do quarto de Mary, sim, e Gina fez um comentário sugestivo."

Steve e Mary se entreolharam. Gina suspirou. "Então, que horas eram quando você deixou os ladrões entrarem no apartamento?"

Laura hesitou. "Eu não sei... eu acho... entre onze e onze e meia..."

O elevador ia direto do hall de entrada para a cobertura. A única saída era se você tivesse a chave da porta e um número de código inserido em uma pequena máquina na parede. Caso contrário, você teria que confiar em abrir a porta.

Ken, Joe, Jay e Ben usavam jeans, suéteres e parkas por cima. Seus narizes estavam vermelhos de frio e flocos de neve derretiam em seus cabelos. Eles não pareciam particularmente perigosos. Os olhos de Ken estavam vidrados.

"Boa noite, Laura", Joe disse suavemente e sorriu. Imediatamente a impressão de um cara legal foi varrida. O sorriso de Joe mostrava toda a sua brutalidade.

Em vez de uma saudação, Laura respondeu: "É uma maravilha que o porteiro não quis ver sua identidade."

"Então ele teria levado uma pancada na cabeça", disse Joe com indiferença. Com passos elásticos, ele saiu do elevador. "OK, então..."

"Não vai dar em nada", disse Laura, "tudo foi completamente diferente. Ninguém senta na sala e toma café. A sociedade se dissolveu.«

"Onde está todo mundo?"

"Em seus quartos, eu acho."

"O que você quer dizer com você pensa?" exclamou Joe. Ele estava nervoso.

"Meu Deus, eu não posso controlar se todo mundo está realmente em seu quarto e ficando lá. A coisa é muito perigosa. Você deve cuidar para fugir. Diga ao porteiro que cometi um erro, ainda não terminamos!"

"Você é louco!" Joe parecia pálido. "Se eu tiver a chance de ganhar muito dinheiro, não a desperdiço. Nós apenas temos que reorganizar. Onde está Bellino?

'Em seu escritório. Joe, você é louco se..."

"Ok, agora você nos mostra o cofre. E depois vamos deixar você amarrado. Você nos abriu, foi forçado por nós a dar o dinheiro e depois ficou incapaz de gritar por ajuda ou se mover. Vá agora!"

"João..."

Ele deu a ela um olhar que a silenciou. Ela foi em frente e pensou: Um pesadelo estranho.

A biblioteca, situada no último andar da cobertura, fora o orgulho do velho Rudolf Bredow. Livros, alguns com até trezentos anos, enfileiravam-se nas prateleiras. A peça principal foi uma Bíblia de 1601, guardada sob um vidro. Bredow era mais apegado à sua biblioteca do que a qualquer outra coisa, Andreas assumiu esse amor mais tarde. Significativamente, os suportes de livros dourados foram comprados pela primeira vez por David, que queria adicionar um pouco de brilho à sala de teto alto com prateleiras.

Laura apertou um botão oculto e destrancou o alarme. Então ela alcançou o topo de um conjunto de dez volumes de enciclopédias encadernadas em couro. Os livros balançaram de lado, eles eram manequins. Atrás dela havia um compartimento na parede, protegido por uma porta de aço.

"Abra!" exortou Joe.

Laura girou cuidadosamente o interruptor para definir os números. Não que David tivesse contado a ela a combinação, mas ele era descuidado com os pedaços de papel em que anotava essas coisas. Laura uma vez o encontrara na mesa dele.

A porta de aço se abriu. Imediatamente os meninos empurraram Laura para o lado.

"Depressa! disse ela nervosamente. 'O apartamento está cheio de gente. Não quero que mais ninguém perceba você!"

"Calma, senhora", disse Joe, "vamos esclarecer tudo antes de sairmos, ok?"

"Eu só disse, apresse-se!" Ela olhou em volta ansiosamente e de repente perguntou bruscamente: "Onde está Ken?"

Todos congelaram.

"Caramba!" disse Joo. "Puta merda! Eu não queria levá-lo comigo desde o início!"

"Isso também não foi combinado!" estalou Laura. "Eu imediatamente pensei que você estava louco para trazê-lo aqui!"

"Ele fez um grande circo. Além disso, ele está muito chapado no momento, então isso também é previsível".

"E onde ele está?"

Eles se olharam desamparados. Então Laura riu, soou estridente, e ao mesmo tempo as lágrimas brotaram de seus olhos. "Fantástico! Você sabe o que vai acontecer com todos nós se isso explodir?"

Joe agarrou seus ombros e a sacudiu. "Não comece a rir ou chorar ou o que você vai fazer agora! Agora encontre Ken e traga-o aqui o mais rápido possível. Depressa!" O medo cintilou em seus olhos também.

Laura virou-se e correu de volta para o quarto. "Ken?" Ela olhou para o camarim, para os banheiros. Tudo permaneceu em silêncio. Ela escutou sem fôlego na escuridão da sala de jantar, a sala de estar onde os convidados se sentaram pela última vez. Nenhum som podia ser ouvido. Onde diabos estava Ken? Ele não estava com a mente sã esta noite... ele provavelmente foi para o lugar onde era mais perigoso... ele provavelmente...

Ela caminhou pelo corredor até o escritório de David, pela segunda vez naquela noite, e ouvindo vozes lá dentro, endireitou os ombros e entrou. Como por uma lupa, ela observou a cena à sua frente: David estava parado ao lado da estante, uma enciclopédia na mão, muito pálido, quase cinza. Ken estava no meio da sala, entre David e sua mesa; ele olhou fixamente para o tapete a seus pés. A arma de David estava sobre a mesa. David não conseguiu alcançá-la sem passar por Ken.

"Ah", disse Laura.

David não olhou para ela. "Tire esse bastardo daqui," ele disse suavemente e ameaçadoramente.

"Davi!"

Agora ele virou o rosto para ela e ela viu que seus olhos estavam pequenos de raiva. "Você o conhece, não é? Esse é um dos seus. Leve-o para fora e saia com ele imediatamente! Você não precisa vir aqui nunca mais! «

"Porque agora você tem Lady Artany?"

"Oh - Madame escuta na porta de outras pessoas?" Agora era apenas puro ódio que a atingiu. 'Ouça Laura, eu não me importo com o que você pensa ou pensa de mim, você provavelmente me acha uma idiota de qualquer maneira porque demorei tanto para perceber que tipo de bruxa você é! Você se aproveitou da minha boa índole, do meu desejo de lhe dar uma vida boa e bonita. Você e seu amigo limpo - vocês se merecem! Ele zombou de Ken. "O que ele está fazendo aqui, afinal? O que esse consertador sujo está fazendo no meu apartamento?"

"David! Pare!"

"Eu não vou parar, entendeu? Você não vai me dizer aqui o que eu posso ou não posso dizer. E você não vai trazer para minha casa a ralé antissocial com a qual você passou sua juventude. livre-se dessa coisa inferior e malcheirosa que está aqui..."

"Senhor, já chega!" disse Ken. Sua fala estava arrastada e ele claramente estava tendo problemas para se concentrar, mas deu um passo para o lado e de repente estava segurando a arma de David. O barril balançava como uma folha de grama ao vento. "Eu não gosto do jeito que você fala!"

"Ken, abaixe essa arma agora!" Laura disse bruscamente.

'Eu aviso-te. Está carregado! disse Davi. "Laura, mostre a ele o que acontece quando ele atira! Ele não vai sair daqui! Eles vão prendê-lo. Cara... O suor brilhava em sua testa, em seu nariz. Um homem enfrentando seu pesadelo, uma arma carregada... O medo tornou-se real. O horror que o acompanhava desde que recebera as cartas ameaçadoras de repente tinha um rosto. Um rosto afundado, doente e marcado pela morte. Morte... se fosse seu destino morrer agora, ele não seria capaz de fugir desta vez, não seria capaz de se esquivar.

Com os dedos da mão esquerda agarrou o anel de ouro que usava no dedo mindinho direito. Ele estendeu a mão para ela como se procurasse ajuda, como se quisesse implorar a Andreas para ajudá-lo agora, e parecia que naquele momento ele entendeu pela primeira vez o que Andreas significava para ele - ele odiou, amou, honrou, amaldiçoado o velho quis se rebelar e perseverou. E agora ele percebeu o quão seguro ele se sentia em seu amor e no de sua mãe, o quão protegido e protegido ele tinha sido por essas duas pessoas, o quão calmo ele poderia estar neste ninho macio e quente que foi preparado para ele.

Mais por reflexo do que por qualquer desejo de se defender, ele investiu contra Ken e tentou arrancar a pistola dele. Ken tentou se esquivar, tropeçou, bateu com a nuca em uma prateleira e caiu no chão. Laura estava ao seu lado imediatamente, arrancando a arma dele, e quando ela viu David vindo em sua direção, ela atirou; ela atirou sem pensar, atirou instintivamente, mas também por uma raiva selvagem e quente.

Ela viu David olhando para ela, atordoado, ele não acreditava no que estava acontecendo, ele não tinha sonhado que poderia ser ela quem acabou com sua vida, e enquanto a mancha vermelha em sua camisa se espalhava cada vez mais rápido e David afundou em sua joelhos, encolhido sobre os joelhos, Laura pensou: Você sempre me subestimou, minha querida, e isso foi culpa sua!

A cabeça de David bateu no chão com um baque, e Laura não percebeu que as lágrimas escorriam por seu rosto, e ela não ouviu Ken gritar...

"Então foi você", disse Steve, "você atirou em David." Laura estava encolhida na cadeira. Suas bochechas estavam molhadas.

"Com licença?" ela perguntou.

431

Gina caminhou até ela e colocou o braço em volta dela. — Não chore, Laura. Você não matou a sangue frio. Eles estavam tentando proteger Ken e tudo aconteceu muito rápido."

A luz da vela cintilou nos rostos dos outros. As expressões refletiam seriedade e consternação.

- Não sei - disse Laura - se foi um reflexo. Eu continuo pensando sobre isso... por que eu atirei nele? Talvez porque ouvi a conversa entre ele e Gina mais cedo. Talvez por ciúme... Ou medo de ter que voltar para minha antiga vida... para acabar como minha mãe um dia..."

Ela ficou em silêncio e ninguém disse nada. Não havia hostilidade na sala, mas choque e desamparo. A delicada Laura de cabelos compridos e olhos grandes havia atirado em David. De alguma forma, ninguém conseguia entendê-lo.

Laura olhou de um para o outro e achou que vocês entenderiam. Ela se sentia miserável, esgotada e exausta. E ela sabia que estava em perigo. Ela veio de um mundo onde o crime acontecia todos os dias e sabia que o inspetor Kelly suspeitava que ele seria persistente no caso e o resolveria um dia. Seria ingênuo iludir-se. Havia também Ken, que testemunhou o crime, e havia seus amigos em quem ele poderia confiar. Laura recebera uma grande herança e se tornara uma mulher rica em um instante, mas ela não tinha ilusões: tudo poderia acabar da mesma forma. rapidamente.

A razoável Natalie quebrou o silêncio e perguntou: 'O que aconteceu depois? Como é que ninguém ouviu o tiro?

"A arma tinha um silenciador", explicou Laura. Seu rosto assumiu uma expressão tensa. 'Não me lembro muito bem... Acho que olhei pro David e mal entendi o que tinha acontecido, aí larguei aquela maldita arma e comecei a sair da sala, mas o Ken disse, 'Pare!' Ele puxou um lenço e limpou cuidadosamente a arma.

"Muito inteligente para alguém chapado de heroína", comentou Gina.

'Ele fez tudo tão devagar. Seus movimentos corriam como se estivessem em câmera lenta. Eu gritei para ele se apressar. Eu estava tremendo todo. Quando ele finalmente ficou ao meu lado, arrastei-o comigo. Eu nem sabia para onde queria ir, só queria fugir o mais rápido possível. Bem ao lado da sala de jantar encontramos Joe, que estava furioso. 'Onde diabos vocês estão?' ele sibilou, e Ken disse, 'Bellino está morto em seu escritório. Acabamos de encontrá-lo. Temos que ir!<

Joe, é claro, olhou para nós como se tivéssemos enlouquecido. — Você atirou nele? ele perguntou, e então de alguma forma meu espírito acordou novamente, um resquício de sanidade, e eu disse: 'Bobagem! Você está louco? Não sei quem atirou nele, mas ele está morto e você deve fugir o mais rápido possível! Joe começou a girar nos calcanhares, mas eu o lembrei do plano original, que eu deveria ficar amarrado. Deus sabe de onde tirei meus nervos naquele momento... Joe ficou arrasado, me arrastou para um quarto, me empurrou para o chão, enrolou a corda em volta de mim - por marcação ele estava carregando - e depois sumiu, e Deitei e ouvi as batidas do meu coração."

"Eu sabia desde o início que algo estava errado com a história", disse Gina, "porque quando te libertei, Laura, percebi que você poderia facilmente ter se libertado. Este Joe não teve tempo nem para apertar um nó. Suspeitei que você estava em conluio com os ladrões.

"Você não mencionou isso ao inspetor!"

"Não. Não sou cúmplice dele."

"Nenhum de nós é", disse Laura suavemente.

A essa altura, todos já haviam se servido várias recargas e o álcool estava começando a fazer efeito. Um clima estranho se espalhou: um sentimento de solidariedade, de amizade e confiança. Havia pena e compreensão por aquela jovem pálida que acabara de admitir ter cometido um assassinato. À luz das velas, na estranha febre da noite, tudo se embaçava um pouco. O que havia acontecido, o que estava para acontecer, parecia irreal.

— Realmente, Laura — disse Gina novamente —, não se culpe tanto. Foi um ato de paixão."

"Nenhum de nós vai trair você", acrescentou Steve, pegando a vodca pela quarta vez.

Mary pressionou as mãos na testa. "Eu me sinto desapegada", disse ela. Todos sorriram uns para os outros.

Apenas Natalie, que como sempre tinha o melhor de si, perguntou de repente: "Até que ponto você pode confiar em Ken, Laura?"

"Tanto quanto você pode contar com um viciado em drogas", respondeu Laura. Álcool e palavras de conforto pouco fizeram para acalmar seus pensamentos ansiosos. Ela era branca como a parede.

2

Pling-Plong... o som constante de água pingando no chão em um canto escuro do porão. Ken se moveu inquieto em seu colchão. Ele dormiu um pouco e teve pesadelos selvagens com cobras e vermes subindo por suas pernas. Ainda assim, ele havia encontrado algum alívio de seu tormento durante o sono. Mas agora tudo estava de volta: as náuseas, o frio, o suor frio por todo o corpo, a sede ardente, as cólicas no estômago. Ele já havia vomitado duas vezes, mas não estava melhorando. Sua mandíbula e dentes doíam. Ele precisava desesperadamente de um empurrão. Agora mesmo, porque tinha a sensação de que não aguentaria mais.

"Laura", ele murmurou. Sua língua grudou no céu da boca. Uma dor aguda se espalhou por suas têmporas. Cego, ele piscou na luz forte que brilhou em seu rosto. De repente, o porão não era mais uma caverna. Algo estranho, brilhante, ameaçador havia se insinuado. "Laura", ele murmurou novamente com dificuldade.

"Laura não está aqui", disse uma voz acima dele. Ele conhecia a voz e tentou se concentrar. Se não fosse pela luz forte... e pela dor... Ele tentou impotente colocar a mão na frente dos olhos, mas não conseguiu.

"João..."

"Sim, sou eu. Joe E Ben está aqui também. E Jay. Você está infeliz, Ken, não está?"

"Tem uma chance para mim, Joe?"

Pling-Plong pingou a água no canto. As dores de estômago voltaram a crescer, era como se um rato lhe roesse as entranhas, implacavelmente, com dentes afiados. Gemendo, Ken rolou de lado, ergueu as pernas e as apertou com força contra o corpo. Ele respirou o cheiro úmido e mofado do colchão em que estava deitado. Suas juntas e ossos pareciam de borracha e doíam terrivelmente. Choramingando baixinho, ele repetiu: "Empurre, Joe, por favor!"

Joe se inclinou sobre ele. Seus olhos eram suaves quando ele disse: "Tenho algo para você, Ken. Algo muito bonito. Uma seringa...' Ele ergueu a seringa. No brilho da lanterna de Jay, Ken podia vê-la. Sua respiração era irregular, o suor fazia seu nariz brilhar. "Joe... por favor..."

"Boa heroína limpa", disse Joe lentamente. 'Quão melhor você acha que isso faz você se sentir. Você quer? Você gostaria que eu injetasse em você?"

Ken tentou se sentar. "Joe..." Um fio de saliva pendia de sua boca.

Joe recuou. — Você vai conseguir, Ken. Mas não imediatamente. Você tem que me dizer a verdade primeiro, entendeu? Bem, a verdade... Quem atirou em David Bellino?

As mãos de Ken agarraram o colchão. "João..." A náusea aumentou nele, ele vomitou novamente e, quando caiu para trás, exausto, estava deitado em seu próprio vômito. Lágrimas brotaram em seus olhos. O que Joe queria? Se ao menos não fosse tão difícil para ele manter seus pensamentos juntos, ele dificilmente poderia se concentrar no que estava acontecendo.

"Quem matou David Bellino?" Joe perguntou baixinho. A seringa brilhou na luz. Ken engoliu em seco; ele precisava de um gole de água, mas não tinha controle suficiente para formular o desejo.

"Eu eu."

"Sim? O que você vai dizer, Ken?"

"As cartas," Ken sussurrou baixinho, "minhas... cartas... eu... ele tirou Laura de mim..."

Joe não fazia ideia das cartas ameaçadoras que David Bellino havia recebido, nem se importava.

"Quem matou Bellino?" Joe pôs a hipodérmica de lado e pegou o pano que Ken sempre usava para amarrar o braço. Ele envolveu-o em torno de seu braço e puxou-o apertado. Lágrimas correram pelo rosto de Ken. "Por favor, Joe, por favor..." Seu corpo começou a vibrar em antecipação à droga, a dor tornando-se insuportável.

"Eu não dou a mínima para suas cartas, Ken. Quem atirou em Bellino? Como foi aquela noite?

Imagens confusas passaram pela mente de Ken. Era difícil para ele lembrar... ele viu Laura, a bela Laura, ela levantou uma pistola e atirou... David Bellino desabou, caiu no chão, as mãos apertadas contra o peito, tudo estava mais cheio de sangue... o porco que Laura tirou dele...

436

"Laura", disse ele com dificuldade, "Laura atirou nele."

"Isso é o que eu estava pensando", disse Joe alegremente.

Jay riu com entusiasmo. "Ela vai ter que nos dar muito dinheiro para nos manter calados", disse ele, que sem dúvida foi ideia original de Joe e não dele. - Não é, Joe? Vamos até ela agora e ganharemos muito dinheiro."

"Cale a boca", Joe rosnou. Ele se curvou sobre Ken e enfiou a agulha na veia de seu antebraço. Ele fez uma careta de desgosto. Tudo cheio de marcas de furos, todo coberto de cicatrizes. Que nojento!

Sob as mãos de Joe, o corpo de Ken ficou flácido e relaxado. Joe se endireitou. "Ok, Jay. vamos sair daqui Ken vai dormir algumas horas agora e podemos descobrir o que fazer a seguir."

Ele pensou em Laura e no dinheiro que ela receberia. ah sim, ele cortaria um pedaço gordo da torta, que todos estivessem certos. Desde o início, ele estava convencido de que só poderia ter sido ela quem havia enviado Bellino para a vida após a morte. Valeu a pena para ela também, Deus sabe! Agora seria ver se ela poderia compartilhar também.

Ele olhou para Ken, cujas pálpebras fechadas se contraíram ligeiramente sobre os olhos encovados. O instinto lhe dizia que não faria isso por muito mais tempo. Tudo do melhor. Um a menos que também queria sua parte. Ele não sabia que tinha acabado de dar a Ken sua última injeção.

A água pingava suavemente no chão no canto.

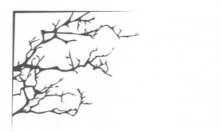

3

Steve acordou com o sol brilhando em seu rosto.

Por um momento, ele se perguntou onde estava - nas Ilhas Scilly? Em Londres? Na prisão? Então ele se lembrou e se sentou. Manhattan estava sob a luz mais brilhante, sob um céu azul brilhante, sob um manto de neve cintilante e brilhante. O contraste com a noite anterior, cheia de luz de velas, sombras, vozes suaves e ternura escondida, não poderia ser maior. Havia noites em que você podia acreditar que a vida era apenas um jogo inofensivo. Mas isso não era verdade, a vida nunca foi inofensiva. Mas em certos momentos você teve a sensação de que estava acima dela e que podia controlá-la. Todo mundo estava um pouco louco ontem à noite, Steve pensou enquanto estava no banheiro e se barbeava. Ele pegou uma garrafa de champanhe no bar do quarto e serviu-se de uma taça; ele agora bebeu com prazer. Envolto em um roupão fofo com as iniciais de David bordadas em ouro no peito. Como tudo era lindo aqui, como era luxuoso, como era nobre e bem cuidado. Foi incrivelmente fácil se acostumar a viver assim, entre champanhe, móveis elegantes, roupas finas.

Laura sortuda, pensou Steve. Ele terminou de se barbear e foi até a janela. A vista gloriosa da Manhattan coberta de neve quase o deixou sem fôlego pela segunda vez naquela manhã. Como deve ser bom ter sua própria cobertura confortável nesta cidade. Laura só precisava estalar o dedo uma vez e ela poderia realizar seu desejo. Inacreditável quanto dinheiro essa garota da origem mais pobre receberia agora. Ela não poderia gastar tanto dinheiro em toda a sua vida. Se ela desse um milhão a cada um de nós, ela não sentiria isso, Steve pensou tristemente. A brilhante luz do dia realmente mudou tudo. Aquela sensação tempestuosa, feliz e profunda de amizade e intimidade que havia preenchido todos eles na noite passada - se foi! Não havia mais nada sagrado e sublime. Na noite anterior, ele estava convencido: eu poderia viver em extrema pobreza enquanto estivesse com Mary.

Hoje, todos os desejos muito terrenos despertaram nele novamente: um apartamento, um carro, todo o champanhe que ele queria...

Essa Laura vai, mata um homem e ganha muito dinheiro! E o resto de nós não ganha nada. Não tivemos nada além de problemas durante todo o caso! Ele vestiu a calça e o suéter distraidamente, depois olhou para o relógio. Oito e dez... um pouco cedo, mas Laura provavelmente não dormiu muito bem naquela noite e já estava acordada. Uma conversa entre amigos, era tudo o que ele queria. Ele silenciosamente entrou no corredor. Nenhum som quebrou o silêncio da manhã.

O inspetor Kelly se curvou sobre o morto Ken e o estudou atentamente, como se agora pudesse extrair dele um de seus segredos. "Pobre menino", ele murmurou.

Pling-Plong pingou a água no canto. Kelly olhou ao redor do porão sombrio. Um brilho forte brilhou através da janela do teto, pintando uma rua poeirenta e ensolarada na escuridão, terminando em uma mancha dourada no chão de pedra. Ao lado, o morto no colchão, o cheiro de podridão.

Então, neste porão, pensou Kelly, este era o ninho de amor secreto de Laura.

Ele a imaginou com as joias que usara na noite anterior e achou gritante a discrepância entre as joias de um lado e o porão do outro, mas não ficou surpreso. A vida tinha tantas possibilidades absurdas reservadas, e Laura era exatamente o tipo de pessoa que poderia ser apanhada em tais constelações - e às vezes quebrá-las.

"Overdose de heroína", disse o médico, que Kelly chamou assim que viu o morto. 'Caso claro. A morte ocorreu ontem à noite. Entre meia-noite e duas horas, eu diria."

"Sinais de violência?" Kelly perguntou. "Quero dizer, é possível que ele não tenha se injetado?"

'Ele certamente não se injetou', disse o médico, 'porque a seringa foi encontrada em uma prateleira do outro lado da sala. É mais do que improvável que ele ainda tivesse forças para se levantar e colocá-la lá. Além disso, para quê?

"Okay, certo." Kelly mordeu o lábio. O pensamento poderia ter ocorrido a ele mesmo.

"Violência", continuou o médico, "não estava envolvida, pelo menos não há evidências disso."

"Hm." Kelly assentiu. Ele pensou alto: "Quem deu a injeção nele? Não pode ter sido Laura!"

O médico olhou para ele interrogativamente.

'Está tudo bem,' Kelly disse rapidamente, 'Eu só tinha algumas coisas em mente. Eu já volto, doutor. Só preciso fazer uma ligação rápida do meu carro lá em cima. Subiu as escadas correndo e saiu para a neve. Mesmo esta parte mais feia do Bronx, com suas casas em ruínas, janelas cegas e carros destruídos nos pátios, era embelezada com um esplendor branco brilhante. A luz era quase insuportavelmente brilhante e Kelly piscou com os olhos ofuscantes. Sentou-se no carro e discou um número. Quando a campainha tocou, ele pegou o telefone. Demorou um pouco antes que alguém respondesse.

"Sim?" Parecia sonolento e rouco, mas ele reconheceu Laura imediatamente.

"Senhorita Hart? Aqui é Kelly. Me desculpe se eu acordei você..."

- Está tudo bem, você não me acordou. É... só não estou indo muito bem. Tomei um comprimido para dormir ontem à noite e isso sempre acaba comigo no dia seguinte.

"Tome um pouco de café, talvez ajude."

"Eu já. Inspetor..." A mente de Laura pareceu clarear. "Aconteceu alguma coisa? Ou por que você está ligando tão cedo?

"Laura, estou aqui com Ken..."

"Com Ken? Meu Deus, como ele está? Ele não comeu nada desde anteontem, deve estar ficando maluco..."

"Laura..." Não havia nada em seu trabalho que Kelly odiasse mais do que essas situações.

"Inspetor, Ken está muito mal?"

"Laura... Senhorita Hart... Laura..." Kelly se recompôs. - Ken está morto, Laura. Eu sinto muito."

"O que?"

"Eu o encontrei morto no porão em seu colchão."

"Isso não pode ser verdade!"

"Mas infelizmente."

440

"E você tem certeza que é Ken?"

"As pessoas da casa confirmaram."

Segundos de silêncio. Então Laura perguntou calmamente: "Do que ele morreu?"

"Uma overdose de heroína."

"Não pode ser", disse Laura novamente, "ele não tinha dinheiro para heroína. Ele é absolutamente incapaz de comprar coisas. E não vem de graça, pode ter certeza!"

"Eu sei. Ele também não injetou. Alguém o fez. Alguém deu a heroína a ele entre o meio-dia e as duas da noite."

"Eles queriam assassiná-lo?"

"Não necessariamente. O médico disse que ele estava em uma condição física lamentável. Amanhã ou depois de amanhã provavelmente teria acontecido de qualquer maneira. O corpo havia perdido sua capacidade de resistir." Ele ficou em silêncio, esperando que Laura dissesse alguma coisa, mas nada veio do outro lado da linha. Ele limpou a garganta. "Laura?"

"Sim?"

'Vou até você agora. Temos que conversar sobre tudo de novo."

"Sim." Isso soou cansado e dedicado.

Kelly disse: "Até mais, Laura!" e desligou. Ele teve que ir ao médico novamente. Mais uma vez nesta caverna. E pensar que Laura e aquele menino magro se amaram ali... O que ele realmente significava para Laura? Para ele, isso provavelmente permaneceria um dos mistérios insolúveis neste caso. Ele suspirou e saiu do carro.

Laura olhou para Manhattan, seguindo a linha de arranha-céus com os olhos, olhando para as pequenas casas de tijolos vermelhos com escadas de incêndio de ferro ornamentadas nas janelas. Casas de brinquedo, carros de brinquedo, pessoas de brinquedo. Do quarto dava para ver o East River, azul e brilhante sob o sol de inverno. A cada poucos minutos, um avião decolava no céu sem nuvens sobre o Queens. Prata, fino e silencioso. Fizeram fácil ir de continente em continente, atravessar mares, chegar a países que estavam do outro lado do mundo. Tudo aconteceu tão rápido hoje; já o Concorde percorria a distância entre a América e a Europa em menos de quatro horas. Era esse o sonho do povo? Ficando cada vez mais rápido, cada vez mais perfeito, cada vez mais perfeito? E chegar mais alto, mais perto do sol, mais perto do céu, deixando a terra lá embaixo? Eles deixaram suas casas crescer indefinidamente, construindo altíssimos palácios de vidro e aço. Em alguns dias, o horizonte de Manhattan ficava borrado na névoa das nuvens. Arranha-céus... você olhava para eles com espanto e saudade, porque acreditava que lá em cima deveria se sentir mais leve e livre, e então subia, de andar em andar, assim como passou a vida inteira tentando subir degrau por etapa . E quando você ficou lá em cima, no topo das nuvens, o ar era como vinho espumante e sua respiração acelerou... até que você percebeu: na verdade você permaneceu pequeno e imperfeito, e tão transitório como sempre.

Ken havia morrido na noite passada.

Laura afastou-se da janela. Ela olhou para o quarto, o quarto onde dormira com David durante um ano. Ela captou todos os detalhes com muita atenção: os grandes guarda-roupas com portas espelhadas. As lâmpadas coloridas à direita e à esquerda da cama. Os afrescos na parede, cenas de guerra da antiga Bizâncio, valem uma fortuna. A árvore de pêssego artificial — David a trouxera da China, como se não houvesse nada mais barato na Bloomingdale's — estava pendurada com seus colares: pérolas, strass, jade, granadas, turquesa, todas as suas joias comparativamente baratas. Mas os rubis que ela usara na tarde anterior também jaziam descuidados no pequeno sofá azul-escuro, no qual estavam bordadas estrelas douradas e uma lua crescente. David tinha dado a ela. Laura achou cafona, mas ela ainda estava feliz, parecia que sua alma estava sendo acariciada. Agora ninguém jamais acariciaria sua alma novamente. Nunca mais. Tudo ao seu redor era frio e cinza. Ela mesma era fria e cinzenta. Ela se sentia morta, tão morta quanto Ken, sem vida em seu colchão imundo no porão. Ele teve que morrer sozinho, sem ela. Ela usava linho de seda, joias e roupas bonitas, e ele morrera miserável e solitário. Ela nunca deveria ter deixado seu assento ao lado dele.

Eu o amava. Eu ainda o amo agora. Eu sempre o amarei.

"Ken!" Ela gritou o nome dele. Havia tanta coisa que ela queria explicar a ele - a coisa de David, que ela não amava esse homem, mas precisava dele, que o dinheiro dele lhe dera a única segurança na vida; onde mais ela já se sentiu segura? Ela se perguntou o que Ken havia pensado dela em seus últimos minutos. Que ela o havia traído? Que ela era uma pessoa corrupta que havia traído seu amor pelos dólares de David Bellino? Que ela se vendeu para poder usar veludo e seda? Que razão havia para ele assumir o contrário? O fato de ela ter trazido dinheiro roubado de David, o que isso importava! esmola em vez de amor; e ainda assim ela o amara tanto. Os dedos magros, os braços espetados, o corpo decadente e moribundo, os olhos sabendo que a morte estava próxima. Ken tinha sido realidade e verdade, sua realidade e verdade. Ele precisava dela e ela falhou com ele. Arrependimento, dor, a incompreensibilidade de que nada seria capaz de consertá-la, tomaram conta dela com igual força. A frieza que se apoderou dela imediatamente após a ligação de Kelly aliviou.

"Ken!" ela gritou, querendo se enroscar em um canto e chorar como fazia quando era uma garotinha. Mas uma voz veio de fora: 'Sou eu - Steve. Posso... posso entrar?"

Ela deve ter perdido sua batida. Ela rapidamente apertou o cinto de seu roupão. Um olhar no espelho, ela parecia cinza, pálida nos lábios. Não importa, Steve pode pensar sua parte.

"Sim. Entre, Steve."

Ele entrou, fechando a porta com firmeza atrás de si. "Bom dia, Laura. Espero não estar incomodando você?"

"Não. O que há?"

"Posso me sentar por um momento?"

"Por favor." Ela parou. A distração dela o perturbou. A mulher não estava lá. E ela parecia terrivelmente infeliz - meu Deus, como uma pessoa pode ser tão pálida? Bem, talvez isso também se devesse ao sol forte do inverno, que fazia todos parecerem pálidos. Steve decidiu não se preocupar mais com isso.

"Laura, sobre a noite passada..."

"Sim?"

"Isso... tudo parecia tão fácil, não é?"

Ontem à noite... isso foi há tanto tempo. Ken havia morrido na noite anterior. Laura agarrou as têmporas com as duas mãos. "O que você acha Steve?"

'Eu, bem... ontem à noite pensei que todos os meus problemas estavam resolvidos. Acho que todos nós pensamos assim. Você sabe, eu amo Mary, e ontem à noite eu estava convencido de que é apenas esse amor que realmente importa. Todo o resto parecia irrelevante para mim. Sem significado. Só que agora... não é mais noite e não é mais escuro...' Ela deve achar que sou louco, pensou. »De repente minhas preocupações estão de volta. Meu medo do futuro... a sensação de não ter chão sob meus pés..."

- Entendo - disse Laura categoricamente -, sinto o mesmo. «

Uma pessoa um pouco menos egocêntrica do que Steve teria visto a dor em seus olhos. Mas Steve se perguntou maravilhado: como ela pode me entender? Ela nem está me ouvindo!

"Agora, quando eu voltar para a Inglaterra, tudo vai continuar de onde parou", continuou ele. 'Vou ficar sem emprego e sem dinheiro. Eu sempre serei o homem que estava na prisão. Eles não me dão uma chance, então não posso ir."

Ainda havia aquela estranha indiferença nos olhos de Laura. Ela parecia tão cansada, tão morta de cansaço.

"Laura, pensei que você poderia me ajudar. Tudo o que David ouviu caiu em suas mãos. Você tem mais dinheiro do que pode gastar em toda a vida. E você sozinho governa um império. Você não acha que há alguma coisa, qualquer coisa, que você possa fazer por mim?

Pela primeira vez desde o início da conversa, Laura sentiu uma centelha de vida. Seus olhos se estreitaram um pouco. "O que você quer dizer?" ela perguntou maliciosamente.

"Nada além do que eu digo." Steve se levantou. Irritava-o ter de olhá-la por baixo. Da mesa de centro, a grande fotografia de David emoldurada em prata sorria para ele — um sorriso frio. Como se quisesse dizer: Cuidado, ainda tenho tudo sob controle!

— Um emprego nas Indústrias Bredow. Um belo apartamento aqui em Manhattan. Isso mudaria minha vida, Laura. Eu finalmente teria a chance de recomeçar. E dificilmente você registraria um movimento em suas contas!'

"Você quer dizer que o ridículo $ 1,5 milhão por um 'bom apartamento' em Manhattan é óbvio?"

"Você possui um bilhão!"

"E o que você quer depois? Uma casa de férias na Cote d'Azur? Um rancho na Califórnia? Um iate? Jato próprio? Sem esquecer uma coleção de belos carros e uma academia totalmente equipada? Você consegue pensar em mais alguma coisa? Tudo você tem que fazer é dizer isso!"

"Laura, acho que você me entendeu mal. Eu não quero... "

— Eu entendi direito, Steve. E basicamente é exatamente o que eu deveria ter esperado.' A voz de Laura era clara e nítida agora. Ela havia se livrado de seu torpor. — Você e seus amigos sabem que cometi um assassinato. Atirei em David Bellino e confessei ontem à noite. Toda a conversa sobre amizade e união... ah, tomamos um pouco de champanhe e depois toda aquela luz de velas... fica mais claro durante o dia, não é? As coisas têm uma dimensão completamente diferente lá. O que significa amizade? Ninguém foi capaz de comprar nada dele ainda! Mas o silêncio tem um custo."

— Deus do céu, não era bem isso que eu queria dizer... não, Laura, você entendeu tudo errado. Isso soa como... como..."

'... tipo chantagem, né. Diga isso em voz alta. Fui um tolo por não ter pensado nisso na primeira vez ontem à noite. Eu deveria saber que as coisas seguiriam exatamente esse curso. No entanto, que você faria seu primeiro movimento tão rapidamente... bem, não importa. Estou aberto a chantagem para o resto da minha vida. Quatro pessoas podem colocar os parafusos em mim desinibidamente. Uma situação fantástica! você precisa de dinheiro! A boa Gina precisa de dinheiro, muito ruim. Mary vai precisar de dinheiro se terminar com seu marido horrível. Bem, e Natalie, se ela realmente derrapar com seu Valium, provavelmente se lembrará de mim também. E eu vou pagar, pagar, pagar... Ela riu. Foi uma risada desesperada e estridente. "Que absurdo!"

"Laura, gostaria que você entendesse. Todos nós. Odiávamos David e, de alguma forma, todos nos sentimos envolvidos no ato. Talvez apenas porque não podemos julgá-los moralmente. Estamos com você porque..."

A raiva brilhou nos olhos de Laura. 'Pare com essa bobagem! Não aguento mais essa conversa mentirosa. Você diria isso a um promotor? Certamente não! Quando chega a hora, sou o único responsável pelo crime. Você não, nem nenhum de seus queridos amigos. E agora saia! Deixe-me em paz, devo pensar.

"Por favor eu..."

'Eu disse para ir embora! Sair!' E quando ele ainda hesitou, ela gritou: 'Saia!'

Steve saiu apressadamente da sala. A porta bateu atrás dele. Laura pegou um vaso cristalino e o quebrou no chão. Os cacos voaram em todas as direções, cobrindo o chão de mármore. Ela afundou no chão entre eles e ficou lá. David ainda estava zombando dela.

Steve encontrou Gina e Natalie no corredor em frente ao quarto de Laura. Ambas estavam vestidas, com corte de cabelo e maquiagem e pareciam muito mais relaxadas do que na noite anterior. Natalie deve ter tomado sua dose matinal de Valium porque parecia calma e composta.

"Bom dia, Steve", disse ela.

Gina, por outro lado, soltou um gritinho. 'Não é Steve? E se não me engano, vem direto da querida Laura! O que você queria com Laura, Steve?

Steve ficou pálido. Havia uma antipatia contundente em seu rosto. "O que você está fazendo aqui?" ele perguntou agressivamente.

"Estamos a caminho da sala de jantar, esperando que haja algum café da manhã para nós lá." Os olhos de Gina estavam à espreita. 'Vamos, Steve, o que você queria com Laura? Certamente você não está emprestando dinheiro?"

A tez de Steve ficou vermelha flamejante. "Besteira!" ele disse violentamente. "Além disso, não sou responsável por você, Gina!"

"Somos amigos tão bons e íntimos! Confiamos um no outro e podemos contar tudo um ao outro abertamente." Gina sorriu ironicamente. "Admita. Você estava tentando ganhar dinheiro com Laura!

"Não tão alto!" Natália avisou,

"Quem estava tentando capitalizar sobre David nos últimos minutos de sua vida?" disparou Steve. 'Aquela era a nossa Gina bonita, inteligente e nem um pouco reservada! Você marchou direto para ele e estava disposto a vender sua alma em troca de sua cabeça e a de Lord Artany serem arrancadas do laço do oficial de justiça!

"Foi por isso que vim para Nova York, afinal!"

"Eu também!"

Eles se encararam. Então Gina disse friamente: "Mas eu não chantageei ninguém!"

"O que você quer dizer com isso?"

"O que quero dizer com isso? Ontem à noite foi um belo espetáculo, não foi? Liberdade, igualdade, fraternidade. David está morto. De certa forma, todos nos sentimos aliviados. A culpa foi expiada. Ficamos cheios de algo solene, sublime. Laura e todos nós formamos uma unidade. Poderia ter sido um final feliz. Um final feliz maravilhoso.«

Natalie e Steve ficaram em silêncio. Finalmente Natalie disse suavemente: "Não há finais felizes!"

"Não", disse Gina. »Até porque nunca há um fim para a vida. O fim é apenas a morte, e como sabemos o que mais virá depois disso. Noites como a de ontem são sempre seguidas inevitavelmente pela manhã seguinte. E sob luz forte, tudo parece muito diferente.«

Estranho, pensou Steve, foi exatamente o que senti esta manhã. E Laura disse algo assim também. Um véu foi tirado de nossos rostos?

'Sob a luz forte', Gina continuou, 'o querido pequeno Steve está pensando, Agora eu sei tantos segredos sobre Laura Hart que seriam extremamente interessantes para certas pessoas. Que dólares a rica Laura Hart estaria distribuindo se eu timidamente sugerisse que, de outra forma, poderia revelar meus segredos aqui e ali?

"Você está falando besteira!"

"Temos que discutir tudo isso no corredor?" Natália perguntou. »Você nunca sabe quem está ouvindo aqui!«

Steve decidiu contra-atacar. — Quanto tempo você levaria para ir até Laura, Gina? E quando Maria? E até nossa nobre Natalie teria percebido em algum momento que poderia haver algo para chegar aqui! Era apenas uma questão de tempo!"

Uma empregada passou, olhou timidamente para o pequeno grupo e cumprimentou-os suavemente. Quando ela se foi, Gina murmurou: 'Mudamos muito. Quando éramos muito pequenos, quase crianças - eu teria colocado minhas mãos no fogo por isso, teríamos todos ficado com isso. ferro."

"A vida quebra a lealdade", disse Natalie. 'Como é - você gostaria de voltar no tempo? «

"Não", Steve e Gina disseram em uníssono, ambos pensando melancolicamente: Sim. Sim. Sim.

Um raio de sol dançou através da luz oval do teto, iluminando uma estátua de bronze que estava sobre uma mesa de vidro. Representava um homem musculoso e magro segurando uma lança bem acima de sua cabeça como se estivesse prestes a lançá-la. Toda a cobertura estava repleta de tais cenas, como esculturas e fotos. Davi amava motivos de guerra.

Pelo menos, pensou Gina, ele não colocou nenhuma foto cafona de caça, atirou em veados sob o sol da tarde e uma matilha de cachorros latindo por toda parte.

Quem era David Bellino realmente?

Subitamente cansada e exausta, Gina desistiu de tentar desvendar esse mistério. Duas coisas a ocupavam: primeiro, a decepção de que a amizade pudesse desaparecer tão rapidamente e sem deixar vestígios quanto as estrelas no céu da manhã - nada restava quando a vida mostrava seu lado áspero e o puro egoísmo se mostrava mais recompensador. E então ela pensou em Charles. De repente, ela foi atraída de volta para ele. Desde que o conheceu, ela nunca sentiu saudades de Charles Artany, mas de repente sentiu falta dele, seu olhar confiante em grandes olhos escuros, sua voz suave, seu sorriso tímido que anunciava ternura. Ela pensou nele com aquela mistura de irritação e amor que uma mãe pensa em seu filho exigente, difícil, mas pegajoso.

Eu quero voltar. Lar. Para Carlos. Longe de Nova York, o morto David, o inspetor, longe de suspeitas, intrigas, tentativas flagrantes de chantagem. Estou tão farto de tudo!

Com seu jeito não sentimental, ela se afastou de seus próprios pensamentos e disse energicamente: "Eu poderia fazer algumas observações cínicas muito legais sobre amizade, mas..."

"Temos certeza disso!" Natália interveio.

'... mas na verdade estávamos indo para o café da manhã e talvez devêssemos seguir esse plano. Estou prestes a morrer de fome. O que é, você vem comigo?

"Não deveríamos perguntar a Laura se ela também quer tomar café conosco?" Natalie disse hesitante.

"Melhor não. Ela pensaria que estamos tentando bajulá-la, ou tentando dizer a ela discretamente o que vamos fazer se ela não nos der alguns trocados." Gina sorriu. "É difícil ser normal e imparcial com certas pessoas:

os muito ricos e os que cometeram assassinatos. Infelizmente, nossa querida Laura combina isso de uma forma grandiosa!"

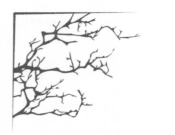

4

'Querida Gina, querida Natalie, querida Mary e querido Steve. Ken morreu ontem à noite. O inspetor Kelly me ligou mais cedo para me dizer isso. A causa da morte foi heroína. Pensei várias vezes como ele poderia ter conseguido a droga – ele não tinha dinheiro, não tinha emprego, estava fisicamente exausto – quer dizer, ele também não teve chance de conseguir a heroína à força. Alguém deu a chance a ele e sei que nada vem de graça de onde eu sou. Só posso imaginar que eram seus amigos - Joe, Ben e Jay. E que eles obtiveram as informações que desejavam em troca.

Eles provavelmente agora sabem quem matou David Bellino. Ken certamente não levou seu segredo para o túmulo. Eu o conhecia como ele era quando não estava pegando o remédio, quando choramingava de dor, quando estava no chão na minha frente, implorando por um aperto. Nesses momentos ele teria traído a própria mãe.

Então provavelmente temos mais três cúmplices - oito pessoas com conhecimento de um assassinato é um pouco demais, não acha? No entanto, isso certamente parece menos ameaçador para você do que para mim, porque, afinal, todos vocês têm as mãos limpas. Para mim as coisas são mais complicadas. Enquanto eu viver, dependo da boa vontade desses sete.

Steve, você queria um emprego na Bredow Industries esta manhã e um apartamento em Manhattan. Você sabe muito bem que não tenho escolha a não ser conceder-lhe esse desejo. O que os outros querem? Tenho certeza de que eles vão me dizer isso de uma maneira decente e amigável, mesmo que, ao contrário de Steve, esperem educadamente alguns dias antes de fazê-lo. E não vamos esquecer Joe, Ben e Jay. Os meninos terão muitos desejos não realizados para realizar. Eu acho que Jay e Ben estão viciados, então eles são um poço sem fundo de qualquer maneira. E Joe com certeza tem alguns planos ambiciosos.

Sabe, eu me sinto tão miserável. Não porque estou cercado por legiões de chantagistas. Não, é aquela sensação que tive quando acordei nas noites escuras e frias e chamei minha mãe. Ou quando eu vagava pelas ruas procurando por ela. Todas as noites eu pensava: agora mamãe morreu! Aconteceu desta vez! Quando finalmente chegou a hora, mal percebi que a velha gorda caída sem vida na neve na minha frente era na verdade minha mãe.

Não acredito que Ken está morto. Eu também não pude acreditar quando David desmaiou sangrando em seu escritório. Aliás, ainda não entendo muito bem por que atirei. Tudo o que sei é que gostaria de não ter feito isso. Provavelmente era o meu medo também. O que David disse sobre o retorno do rato aos canais sob a cidade? Esse medo terrível de voltar para o lugar de onde vim!

Certa vez li a frase em um livro: O medo saltou sobre ela. Eu realmente gostei dessa expressão. Isso é exatamente o que é. Há o medo que lentamente desperta em você, em algum lugar do seu estômago, e então se arrasta por todo o seu corpo, espalhando-se cada vez mais como neblina ou fumaça, e então você finalmente está completamente preenchido por ele, e você pensa que está paralisado. . E tem esse medo que salta sobre você, de repente e inesperadamente, tem garras afiadas e dentes dilacerados. Não paralisa o corpo, deixa-o acordado e em pânico - e descuidado. Foi esse medo que tomou conta de mim quando ouvi David e Gina.

Sinto que estou me expressando de uma forma um tanto confusa, mas me sinto tão miserável. Esta cobertura é tão fria, tão estéril, tão pretensiosa. Parece particularmente ameaçador para mim hoje, neste sol de inverno terrivelmente brilhante. Fico pensando que meus dentes devem estar batendo quando o aquecedor está no máximo. Estou congelando por dentro, eu sei disso toda a minha vida. A maioria dos invernos em nosso apartamento no Bronx eram tão terrivelmente frios que ainda me pergunto por que não morríamos congelados, mas lembro que não era o congelamento em meus dedos que me machucava, era a solidão em meu coração.

Enquanto escrevo isso, estou bebendo um schnapps de nozes após o outro. David o trouxe da Europa. Eu acho que isso é algo muito exclusivo, apenas muito difícil de conseguir. David sempre teve uma queda por essas coisas.

Eu já estou confuso. Receio ter bebido um pouco demais da adorável bebida. minha cabeça está girando Não... está girando na minha cabeça, é isso que significa. Estou muito cansado, provavelmente cansado da vida. Não consigo expressar o quanto estou triste por Ken. Quando foi a última vez que eu disse a ele que o amo? E ele acreditou em mim? Ele teria precisado mais de mim do que do meu dinheiro. Ainda tenho vergonha de pensar em como devo ter parecido para ele naquele porão, onde a água pingava sabe Deus de onde, onde o musgo crescia nas paredes e as baratas rastejavam por todas as fendas - como devo em minhas malditas roupas finas e sapatos caros e o cheiro de 'Giorgio' ao meu redor! Saí do nosso mundo e o deixei para trás. Por que tantas vezes não sabemos o que realmente queremos? Eu deveria ter deixado David com sua conversa e seu dinheiro de merda, sorrindo friamente e seguindo minha própria vida. Eu teria permanecido fiel a mim mesmo, essa é a lealdade mais importante, e teria permanecido uma pessoa livre por dentro. Mas sei com certeza que se tivesse a chance de viver tudo de novo, teria que cometer os mesmos erros, sucumbir aos mesmos erros, ter a mesma dor. Você certamente fica mais esperto com a experiência, mas às vezes sabe que, apesar de tudo, não tem outra escolha.

Como está minha vida agora? Alguém vai me trair, com certeza. Vou perder tudo e ir para a prisão por vinte anos. Quando eu saio, não sou mais jovem. Talvez haja um cara quebrado que se case comigo, um viúvo cuja prole criarei, cujos caprichos suportarei, para quem prepararei sua cerveja à noite, e então ele se apaixonará. dormindo na cama grunhindo em cima de mim. É ainda mais provável que nenhum seja encontrado. Vou então sentar no caixa de um supermercado? Ou limpar os banheiros de um hospital? Seja como for, tudo ficará vazio e sombrio sem Ken. Não haverá nada para ficar feliz, rir ou triste. Tudo é de um vazio desolado. Não estou pronto para aguentar essa tristeza, acho que não vou aguentar. Se Ken ainda estivesse vivo, haveria esperança em algum lugar. Do jeito que está, tudo acaba em desolação.

Estou muito bêbada agora. Como não sei mais exatamente o que estou fazendo, é melhor fazer algo drástico. David, o suicida em potencial, sempre teve cianeto no apartamento. Ele não precisa mais disso, então eu vou me ajudar. Eu morro em um lindo e brilhante dia de dezembro em Nova York. Envolto em seda, pelo menos isso. Entregue esta carta ao inspetor Kelly, nosso amigo. É uma admissão de culpa; então espero que ele finalmente deixe você voar para casa.

Me desculpe por ter lhe causado tantos problemas. Até a próxima.

Sua Laura. «

Novo York, 03/01/1990

"Última chamada para o voo 707 da Air France para *Paris* !"

"Merda", disse Natalie. »Esta despedida é tão difícil para mim, ou você sente o mesmo?«

"Às vezes os aeroportos são nojentos", Gina murmurou, "e JFK pode ser o mais nojento."

"Não há um café melhor por aqui do que aquele em que acabamos?" perguntou Natália. Algumas mesas coladas e bancos duros mais ou menos no meio do corredor. Em um balcão você pode conseguir algo para comer ou beber. Gina tinha preparado batatas assadas com cogumelos. Todos declararam de antemão que queriam exatamente isso, e todos afastaram sua porção após a primeira mordida.

"Aqueles não são cogumelos, são um molho!"

"Um molho nojento."

"É um mingau de cogumelos, nada mais!"

Quatro pratos com batatas comidas, um copo de espumante Gina e três copos de água mineral agora estavam sobre a mesa coberta de Coca-Cola. Uma luz ofuscante iluminava a cena sombria. Natalie e Gina eram as menos adequadas a esse ambiente; eles estavam vestidos com muita elegância. Gina lembrou que, mesmo quando adolescentes, ela e Natalie compartilhavam a crença de que, ao viajar de avião, é preciso estar sempre preparado, como se fosse certo encontrar o homem dos seus sonhos.

"Imagine Jean Paul Belmondo sentado ao seu lado e você vestindo jeans velhos e uma camiseta desbotada", dissera Nat.

"Diga-me, Jean Paul Belmondo já sentou ao seu lado em um avião?" Gina perguntou.

Natalie hesitou, depois sorriu. "Não. Perto de você?"

"Não." Ambos riram.

"Não estamos perdendo a esperança." Natalie levantou-se. Ela estava muito bonita em seu terno de veludo verde escuro. Os cabelos loiros brilhavam à luz das lâmpadas. Pela primeira vez, os outros notaram as delicadas rugas ao redor dos olhos de Natalie. Deixavam a namorada menos velha do que mais bonita. As linhas finas de seu rosto inteligente combinavam melhor com ela do que a pele macia da adolescente. Natalie era uma daquelas mulheres que a cada ano fica mais atraente.

Agora ela procurou em sua bolsa por sua passagem. "Onde eu tenho isso? Meu Deus, eu não teria deixado isso no meu quarto afinal! Eu não vou voltar para aquela cobertura de novo... ah, aí está!" Ela puxou o envelope. Ao mesmo tempo, uma caixa caiu sobre a mesa. Eram os comprimidos dela. Todos olharam para ela, então Steve pegou a caixa e devolveu para Natalie.

"Serei regular em todos os sanatórios imagináveis um dia, se não parar com isso", ela murmurou enquanto guardava o pacote.

"Você não conseguirá fazer isso sem ajuda médica", disse Gina, "mas quanto mais cedo começar, mais fácil será".

"OK." Natalie abriu o fecho de sua bolsa Chanel e, depois de admitir sua fraqueza por alguns segundos, voltou a ser a loira fria e confiante que não permite que ninguém veja dentro dela. — Escute, Mary, você só está em Londres para buscar sua filha. Então você vem direto para Paris. Só não deixe aquele canalha do Peter falar mal de você. Quando os homens são abandonados, eles extrapolam todos os limites do sentimentalismo e, infelizmente, muitas mulheres ficam impressionadas com isso.«

"Eu não", Mary assegurou a ela, e aqueles que viram seu rosto pequeno em forma de coração podem não necessariamente se convencer; no entanto, um observador atento teria captado a faísca de determinação em seus olhos. "Estarei em Paris no máximo em uma semana, Nat!"

Como isso soou! Paris! De Nova York a Londres a Paris! De alguma forma, isso prometia uma nova vida.

"Claudine e eu estamos ansiosos para vê-lo", disse Natalie. Ela se inclinou e beijou cada um deles. "Adeus. Não manteremos contato por tanto tempo novamente, ok? Mantenha-me informado."

De repente, surgiu a dor da separação, que todos eles tentaram suprimir o tempo todo. Ninguém disse nada, mas todos sentiram. Eles estavam tão próximos novamente quanto quando conheceram os segredos da alma um

455

do outro e sentiram um vínculo inquebrável de solidariedade incondicional entre eles.

Quando Natalie foi embora, os que ficaram para trás tiveram vontade de chorar. O inferno desabou no JFK naquela noite, mas eles ainda se sentiam como se cada um deles tivesse sido banido para uma ilha deserta.

"Nosso voo só sai daqui a uma hora", disse Gina. Ela disse isso mais para ver se sua voz ainda funcionava, porque é claro que os outros sabiam quando o vôo estava indo.

"Sim", disse Maria

"Sim", disse Steve.

Gina pegou a colher e deu uma última chance ao molho da batata, mas, como esperado, nada melhorou. Um pouco quase pingou em sua saia preta curta. Ela xingou baixinho e empurrou o prato para o outro lado da mesa.

"Acho que preciso de mais champanhe", disse ela.

Para aumentar a tristeza, Mary perguntou com sua voz esganiçada: "Por que Laura se matou? Ainda não consigo entender."

Ela quebrara o acordo tácito de não mencionar Laura novamente. De repente, eles tiveram a cena horrível em suas mentes novamente, a sala de café da manhã no apartamento de David, café, pãezinhos, geléia, queijo e presunto, flocos de milho... a casa corria tão bem quanto quando David estava vivo. Estavam comendo com apetite quando Helen, a jovem loira pálida e notavelmente impassível entrou na sala. 'A senhorita Hart está deitada no chão de seu quarto. Acho que ela está morta."

O rosto de Laura parecia ligeiramente contraído, seus lábios estavam abertos e tinham ficado azulados. Natalie se inclinou sobre ela e sentiu o cheiro de amêndoas amargas emanando de sua boca. Ela disse suavemente: "Aquilo era cianeto de potássio, eu acho."

O médico confirmou este diagnóstico. - Ela deve ter engolido uma cápsula. O cianeto de potássio paralisa imediatamente a respiração. É uma morte rápida."

Todos ficaram em volta da cena em um terror atordoado: a jovem morta no chão, o médico de cabelos grisalhos ajoelhado ao lado dela.

"Há quanto tempo ela está morta?" Gina perguntou. "Não poderia ter acontecido até que Steve estivesse com ela."

"Talvez um quarto de hora", disse o médico. "Não muito mais tempo, de qualquer maneira."

O inspetor Kelly chegou no momento em que Laura estava sendo carregada para fora de casa em uma maca. "O que aconteceu?" ele gritou de horror.

"Fora do caminho!" disparou um dos carregadores.

O sargento Bride, caminhando logo atrás dele, pensou com raiva controlada, agora esse maldito negócio está prestes a ficar ainda mais complicado! Ele estava errado. Meia hora depois, uma Natalie bastante pálida entregou ao inspetor uma carta de várias páginas.

'Bem, então', disse ele depois de ler, 'Laura atirou nele. Supondo que a carta seja genuína.

— Oh, não — disse Natalie com sarcasmo —, sabe, inspetor, nós quatro alimentamos Laura com cianeto à força e depois escrevemos esta carta para nos livrar de todas as suspeitas sobre Laura e David. Um plano astuto, mas deveríamos saber que um homem como você veria através dele.

Ele deu a ela um olhar fulminante e voltou a escrever.

O cheiro do seu perfume ainda pairava no quarto de Laura, as roupas do dia anterior caídas no espaldar de uma poltrona. Os cacos do vaso de cristal estavam por toda parte, uma expressão do desespero pelo qual Laura deve ter passado em seus últimos minutos. O inspetor Kelly parecia anos mais velho quando disse: "No momento em que desliguei o telefone, soube que deveria ter dado a notícia da morte de Ken pessoalmente".

Já à tarde se desenvolveu uma discussão entre Nat, Gina, Mary e Steve sobre onde enterrar Laura. Era como se estivessem tentando superar seu próprio horror enfatizando a objetividade. Steve, conservador como era, defendeu o túmulo de David. 'Os dois moravam juntos. Portanto, eles também devem ser enterrados juntos.

"Escute, Steve, os dois o apedrejariam se pudessem ouvi-lo agora", respondeu Natalie. "Nenhum deles teria desejado isso."

"Ela tem que ser enterrada na casa de Ken", disse a romântica Mary, e todos estavam prestes a concordar quando Gina disse, com seu jeito muitas vezes surpreendentemente clarividente: "Não. Enterre-a com a mãe. Ela era tão apegada à mãe."

"Em um cemitério pobre?"

"Então ela estará com sua mãe! Não importará para ela se é um túmulo de mendigo ou um túmulo de rei. Tenho certeza que ela gostaria que fosse assim!"

Todos compareceram ao funeral de Laura em 2 de janeiro, em um dia claro e gelado em um cemitério miserável e coberto de neve no Bronx. Um vento forte soprou na extensão desolada de lápides espalhadas. Neve fina e cristalina redemoinhou. Com exceção do inspetor Kelly, Gina, Nat, Steve, Mary e um vigário, ninguém deu a Laura a escolta final. O caixão simples desapareceu silenciosa e rapidamente no chão, que o frio tornou difícil desenterrar. Estranho pensar que Laura estava nele - os outros parados ao redor do túmulo, congelando, as golas dos casacos levantadas, sentiam como se estivessem perdendo um grande amigo. Ela entrou em suas vidas inesperadamente, permaneceu nelas por alguns dias e então rapidamente e inesperadamente desapareceu novamente. Laura Hart, em um vestido Valentino de seda, em um cemitério de Nova York. Essa dicotomia de sua vida a perseguiu até o túmulo.

"Por que ela fez isso?" Mary perguntou novamente, na mesa pegajosa no aeroporto barulhento e lotado. O molho frio de cogumelos começou a feder. Um grupo de homens de negócios estava sentado na mesa ao lado, sulistas pelo sotaque, provavelmente de Kentucky. Corpos fortes e musculosos espremidos em ternos listrados um pouco justos demais. Os homens bebiam cerveja e falavam alto sobre as mulheres com tesão com quem ainda se podia ficar confortável mesmo na maldita Nova York, e sobre o fato de que era preciso ser razoavelmente legal com as próprias mulheres em casa.

Uma velha negra atravessou o corredor, envolta em uma túnica até o chão, tipo kaftan, com um turbante na cabeça. Ela não viajou com malas, mas com inúmeras sacolas plásticas. Seus pés enormes e descalços estavam calçados com sandálias de couro abertas.

Em algum lugar havia uma criança gritando; a mãe havia desaparecido no banheiro há algum tempo, e depois que o menino permaneceu em silêncio o tempo todo, apenas olhando em volta com olhos arregalados e curiosos, de repente ele pareceu se dar conta de sua solidão e chorou como um animal jovem, que de repente vê-se em pé na selva e tem medo porque não há calor, nem voz suave, nem cheiro familiar.

Como ficamos assustados quando nossos entes queridos são tirados de nós, pensou Gina. Em voz alta, ela disse: "Acho que Laura simplesmente pensou que não aguentava mais a vida". E isso era tudo o que havia para ser dito sobre a morte de Laura e os outros assentiam porque todos sabiam que você poderia chegar a um ponto que se acredita ser o fim.

Os senhores da mesa ao lado foram falando cada vez mais alto, e Gina finalmente sugeriu ir até o portão em questão, pois faltavam apenas quarenta minutos para a partida. Assim que todos estavam acordados, Steve disse de repente: "Não vou para Londres".

As duas mulheres olharam para ele. Mary disse suavemente, "Steve..."

Ele parecia ter amadurecido misteriosamente nos últimos dias. Parado ali em seu terno antigo, um casaco puído sobre um braço, um cachecol enrolado no pescoço no velho jeito casual de Steve, havia algo convincente nele que sempre lhe faltou antes. "Mary, você precisa consertar seu casamento agora. Peça o divórcio, pegue Cathy e vá para Paris com Nat. Não sei o que vai acontecer então, mas agora quero ver meus pais primeiro. Quer gostem ou não, estarei à sua porta. Você nunca teve o direito de me cortar da sua vida. Eu arrisquei meu pescoço por Alan na época, e Alan é filho deles, e eles não podem me deixar com toda a história. Vou incomodá-los até que me aceitem."

"Tudo bem, Steve", disse Gina, e sorriu, mas era um sorriso amigável.

Steve deu um beijo rápido nas duas mulheres. "Vou tentar descobrir se há outro voo para Atlanta hoje. Mary, eu ligo para você no Nat's! Num piscar de olhos, ele se perdeu na multidão.

"Incrível", disse Gina. Ainda um pouco perplexas, as mulheres dirigiram-se ao portão.

Maria parou de repente. "De alguma forma, acho que tudo fez sentido, afinal."

"O que?"

"Que David nos convidou. Que o inspetor teve que enrolar tudo de novo. Alguma coisa mudou, não é?"

"Talvez," Gina disse hesitante, "nós tenhamos ficado um pouco mais sábios."

"Ah, sim, estamos", respondeu Mary. "Somos mais inteligentes. Quanto a nós, quanto a Davi. Sabemos mais, Gina. E não fechamos mais os olhos ao nosso conhecimento. Estamos livres de um pouco de hipocrisia e estamos assumindo o controle de nossas vidas novamente. Olhe para Steve, ele vai..."

"Não sabemos o que Steve fará. Pode ser que seus pais imediatamente o expulsem novamente. E você... sabemos se pode terminar com seu marido? Nat nunca vai parar de tomar pílulas? E que diabos estou fazendo com a dívida de Charles Artany? Não sabemos de nada, Maria. Nada mesmo!"

"Sim, mas as coisas começaram a andar", insistiu Mary, timidamente, mas com firmeza. 'Estamos todos tentando encontrar uma maneira, pelo menos. Quando você disse antes que Laura achava que tudo estava acabado, pensei que todos nós sentíamos o mesmo. Sentimo-nos exaustos e numa situação desesperadora. Deve ter sido o mesmo com David, e dói-me o coração que nem sequer tentamos ajudá-lo. O que resta agora é ajudar a nós mesmos. Devemos sempre lembrar que ainda em Santa Clara, numa manhã de novembro, tirou as últimas rosas do jardim e as colocou em um vaso. As rosas já estavam um pouco desbotadas e pareciam cansadas e exaustas. Ao arrumá-los no vaso, fiquei triste porque sabia que estava fazendo isso pela última vez naquele ano. Mas então disse a mim mesma que faria de novo no ano que vem, e no ano seguinte, e por toda a minha vida, porque sempre haveria novas rosas. E é... é assim agora, não é?"

Filadélfia, Detroit, Roma, Kathmandu, Joanesburgo, Hong Kong, Cairo piscavam nos placares eletrônicos. Multidões lotaram os corredores. Policiais fortemente armados verificaram as entradas das máquinas. Anúncios de alto-falante ecoaram pelo ar. Através da escuridão, você podia ver as luzes da pista. Aviões decolaram do JFK em todo o mundo, de todo o mundo eles vieram juntos aqui. Incansavelmente, a cada minuto, decolagem e pouso. Um espetáculo perfeitamente organizado, confuso e grandioso.

Vivemos tempos maravilhosos, pensou Gina, e como sempre nos aeroportos, sentiu o corpo todo eletrizado. De repente, ela soltou sua risada cínica e alta. 'Eu era tão pobre quanto um rato de igreja quando cheguei a este aeroporto há uma semana, e agora que estou saindo daqui não estou nem um centavo mais rico. E então eu me esgueirei para David em minha camisola preta... a vida pode ser tão grotesca! O que você acha, Mary, ele estava apenas rindo de todos nós lá dentro?

Maria deu de ombros. "Quando foi que se soube o que se passava na mente de David?"

Ambos ficaram em silêncio, entregando-se a uma breve reminiscência do morto David. Então Mary continuou suavemente: "Vamos todos nos encontrar de novo, não é?"

As duas mulheres se entreolharam. Gina assentiu. "Naturalmente. No próximo Natal, o mais tardar. Com você e Nat, talvez."

Maria sorriu. "Eu ficaria tão feliz!"

"Nós realmente deveríamos ir para o nosso portão agora", disse Gina com naturalidade, tendo a sensação de que Mary mais cedo ou mais tarde explodiria em lágrimas de emoção. Ela tirou o cartão de embarque do bolso. "Bem, Mary, vamos nos ater a isso - Natal em Paris!"

Don't miss out!

Visit the website below and you can sign up to receive emails whenever Lila L. Flood publishes a new book. There's no charge and no obligation.

https://books2read.com/r/B-A-ODGZ-HNVMC

BOOKS 2 READ

Connecting independent readers to independent writers.

Also by Lila L. Flood

A Snowfall's Way
The Hearts King
Nora and Átila
El camino de una nevada
Une chute de neige
The Search for Love
This Life and All Others
Temporada do Padrasto
Shadow Game: Thriller & Mystery Novel
The Perfect Crime? A Novel
Jogo das Sombras: Um Romance
The Second Child: A Novel